Le Service à la clientèle

Le Service à la clientèle

GILBERT ROCK • MARIE-JOSÉE LEDOUX

ÉDITIONS DU RENOUVEAU PÉDAGOGIQUE INC.

5757, RUE CYPIHOT, SAINT-LAURENT (QUÉBEC) H4S 1R3

TÉLÉPHONE : (514) 334-2690   TÉLÉCOPIEUR : (514) 334-4720

erpidlm@erpi.com   www.erpi.com

Directrice, développement de produits
Isabelle de la Barrière

Supervision éditoriale
Sylvain Bournival

Chargée de projet
Bérengère Roudil

Révision linguistique
Jean-Pierre Regnault et Bérengère Roudil

Correction des épreuves
Marie-Claude Rochon

Iconographie
Chantal Bordeleau

Index
Monique Dumont

Direction artistique
Hélène Cousineau

Supervision de la production
Muriel Normand

Illustration de la couverture
Bruce Roberts

Conception graphique de l'intérieur et de la couverture
Martin Tremblay

Illustrations
Jean Morin

Infographie
Infoscan Collette, Québec

Dépôt légal: 2006
Bibliothèque et Archives nationales du Québec
Bibliothèque nationale du Canada
Imprimé au Canada

1234567890   IG   09876
20351 ABCD   0F10

ISBN 2-7613-1759-9

AVANT-PROPOS

« V os clients, voyez-y ! » Tel est le leitmotiv de cet ouvrage. L'approche client est devenue un terme à la mode, particulièrement depuis que les services représentent 70 % de l'activité économique et qu'un nombre croissant d'entreprises visent la certification ISO 9000. Les clients ont toujours désiré obtenir un bon service de la part de leurs fournisseurs. Et, depuis des lustres, les fournisseurs ont utilisé le service client comme un outil de fidélisation. Pourtant, l'utilisation judicieuse du service client n'est pas un phénomène nouveau. Déjà, il y a plus d'un siècle, des entreprises s'en servaient avec succès : pensons à l'ex-géant Eaton, qui l'utilisait pour se démarquer de ses concurrents. Et que dire des timbres-primes Gold Star, au centre de la pièce *Les Belles-Sœurs* du dramaturge Michel Tremblay ? Ou encore des dollars Canadian Tire, qui existent depuis les années 1950 ? Des points Airmiles ou Aeroplan ? Des Pétropoints, des Primes HBC… ?

En ce début du XXIe siècle, les consommateurs ont évolué, les technologies aussi. Les frontières géographiques des marchés à cibler ont éclaté. En raison de l'importance sans cesse croissante du secteur tertiaire dans notre économie, les entreprises doivent recourir à l'approche client pour gagner et conserver l'adhésion des consommateurs, en évitant dans la mesure du possible de leur causer de la frustration et en cherchant toujours à les séduire. Le service à la clientèle est appelé à devenir le quatrième élément de base du marketing, un élément tout aussi important que le prix, la conception du produit/service et la mise en place de stratégies de distribution/emplacement et de communication.

Rédigé dans un langage simple et direct, cet ouvrage présente tous les éléments nécessaires pour offrir le meilleur des services aux clients. Après en avoir complété la lecture et réalisé les exercices, vous aurez développé autant votre savoir-être (communication non verbale, courtoisie, gestion du stress et du temps) que votre savoir-faire (implantation de l'approche client au sein de votre entreprise, gestion de l'offre et de la demande en matière de service, gestion des plaintes et des clients difficiles, etc.). Vous aurez ainsi acquis les compétences requises pour occuper un poste de contact clientèle et pour composer avec la clientèle interne de votre entreprise.

CARACTÉRISTIQUES DE L'OUVRAGE

Au tout début des chapitres, figure la liste des **objectifs d'apprentissage**, qui sont repris un à un aux endroits appropriés en marge du texte principal. Avant l'exposé proprement dit, le lecteur est invité à lire une **mise en situation**, c'est-à-dire une histoire qui livre le contexte d'aspects importants de la matière à l'étude et dont le dénouement est livré à la fin du chapitre, dans le **retour sur la mise en situation**. On notera, tout au long de l'ouvrage, l'abondance des illustrations, des figures, des encadrés et des tableaux, qui facilitent la compréhension et viennent agrémenter la lecture. Les principaux concepts et les termes techniques sont définis dans la marge et repris à la fin du chapitre dans une liste de **mots clés** ainsi que dans un **glossaire** général à la fin du livre. Tout au long du texte, on indique les **adresses Web** des entreprises citées, dont la version hypertexte se trouve sur le Compagnon Web et sur le cédérom joint au manuel. Le **résumé** du chapitre est construit à partir des objectifs d'apprentissage. Enfin, les chapitres se terminent par une série de **questions de révision** et d'**ateliers pratiques**. Afin de permettre au lecteur d'approfondir ses connaissances, des **références bibliographiques** sont données à la fin du livre.

LE MATÉRIEL COMPLÉMENTAIRE

Le **guide de l'étudiant** (sur le cédérom et sur le Compagnon Web) comporte les éléments suivants pour chacun des chapitres : un résumé, des questions et exercices supplémentaires, des liens Internet documentés, 10 questions à choix multiple, 20 questions vrai ou faux, 25 questions d'association, 10 phrases à compléter, un fichier PowerPoint avec mots manquants, les liens Internet du manuel en format hypertexte, des pistes de recherche sur Internet, un mot croisé reprenant les concepts clés ainsi que les réponses aux questions et aux ateliers à numéro pair. Il offre également un film vidéo sur la qualité du service à la clientèle accompagné d'un manuel de mise en pratique, d'un ensemble de documents portant sur la santé et sur les différents aspects de la sécurité. On y trouve aussi les fichiers et les matrices nécessaires pour certains ateliers.

Le **guide du maître** offre des modèles de plan de cours, les questions et réponses de la fin des chapitres, des pistes de solution pour les ateliers, les solutions aux exercices du guide de l'étudiant, dont les solutions aux mots croisés, ainsi que quelques liens hypertextes menant à des exercices supplémentaires disponibles sur Internet.

REMERCIEMENTS

Une œuvre de cette envergure est le fruit d'un travail collectif. Elle a débuté avec la confiance que nous a accordée Isabelle de la Barrière, directrice au développement des produits du secteur collégial et universitaire. Elle a su rallier les deux auteurs à une vision commune et retenir les services de réviseurs de contenu représentatifs du milieu des techniques administratives, qui ont enrichi le texte de leur expérience et comblé nos omissions. Nous tenons à remercier l'équipe des réviseurs :

Sylvie Lavoie (Cégep de Rivière-du-Loup)
Marc Beaudry (Collège Gérald-Godin)
Jean-François Aubert (Collège de l'Outaouais)
Sophie Barnabé (Collège de Maisonneuve)
Stéphane Durocher (Collège Montmorency)
Michel Beaudry (Collège de Sherbrooke)
Marie-France Belzile (Cégep de Saint-Hyacinthe)

Nous sommes très redevables à l'équipe ERPI, particulièrement à l'éditeur Sylvain Bournival, qui a rassemblé une formidable équipe de travail, dont notre ange chargée de projet, Bérengère Roudil, qui a contribué à la structure et au contenu de l'ouvrage, à la terminologie ainsi qu'à l'harmonisation des textes et des illustrations. Grâce à sa diplomatie, Bérengère a réussi à faire accepter des choix difficiles et des échéances serrées. Nous ne pouvons passer sous silence l'admirable travail de Jean-Pierre Regnault et de Bérengère Roudil à titre de réviseurs linguistiques ainsi que celui des illustrateurs Bruce Roberts (couverture) et Jean Morin (harmonisation des illustrations intérieures fournies par les auteurs). Notre reconnaissance va également à Chantal Bordeleau, qui a dû remuer ciel et terre pour obtenir les droits de reproduction, et à Muriel Normand, responsable de la production, qui a supervisé avec enthousiasme la réalisation graphique du livre.

Gilbert Rock
Marie-Josée Ledoux

GUIDE VISUEL

UN MANUEL CONÇU POUR FAVORISER L'APPRENTISSAGE

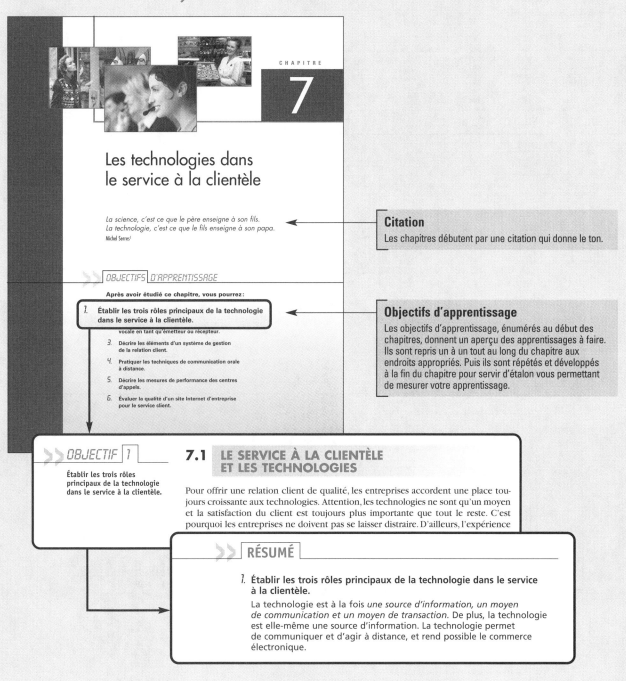

Citation
Les chapitres débutent par une citation qui donne le ton.

Objectifs d'apprentissage
Les objectifs d'apprentissage, énumérés au début des chapitres, donnent un aperçu des apprentissages à faire. Ils sont repris un à un tout au long du chapitre aux endroits appropriés. Puis ils sont répétés et développés à la fin du chapitre pour servir d'étalon vous permettant de mesurer votre apprentissage.

48 | Chapitre 3

MISE EN SITUATION

LES CAPSULES BILL

Il y a 20 ans, Germaine Montambault et Pierre Harrisson ont créé l'entreprise manufacturière beauceronne Les Capsules Bill, spécialisée dans la production de bouchons de plastique. Aujourd'hui, l'entreprise est un chef de file dans son domaine. Elle compte cinq usines à travers l'Amérique du Nord et emploie 2 000 employés syndiqués. Sa clientèle imposante comprend notamment des entreprises pharmaceutiques, des lessiviers, etc. Depuis plusieurs mois, sur les conseils de son mari, Marcel Giroux, Germaine essaie de convaincre Pierre Harrisson afin que l'entreprise implante l'approche client. Ils se rencontrent au gymnase des employés.

« Salut, Pierre !

— Bonjour, Germaine !

— Au fait, Pierre, as-tu eu le temps de lire le mémorandum de Marcel sur l'approche client ? »

Pierre hausse les épaules :

« Oui, mais je croyais t'avoir dit qu'on ne devrait pas changer une formule gagnante ! C'est encore ton consultant de mari qui t'a mis ça dans la tête ? Tu sais, Germaine, ça va coûter des milliers de dollars, et pour arriver à quoi ? Moi, je pense que c'est une autre de ces modes de gestion qui va passer… De toute façon, notre chiffre d'affaires ne cesse d'augmenter et nous venons de signer une convention collective de cinq ans avec les employés. Alors, pourquoi mettre la pagaille dans l'entreprise ? »

Pourtant, quelques minutes après, il se ravise :

« Bon, écoute. Je pourrais toujours recevoir Marcel pour discute[...]
mais pas plu[...]

Mises en situation
Les mises en situation, riches en dialogues, livrent des situations typiques et plongent le lecteur dans le vif du sujet. Vivantes et pertinentes, elles provoquent le questionnement et encouragent la recherche de solutions.

Figure 1-2 La gestion de l'expérience client

Acquisition des clients + Fidélisation des clients = Résultats financiers supérieurs

Composantes de l'expérience client :

- Établir une réponse personnalisée fondée sur le marketing, les ventes et le service après-vente.
- Assurer un traitement uniforme de la qualité de tous les services de l'entreprise.
- Comprendre intimement les besoins et les désirs du client.
- Répondre rapidement et avec efficacité aux problèmes et aux requêtes.
- Fournir les conseils et les avis de façon proactive, s'il y a lieu.
- Se comporter et parler correctement.
- Intervenir en personne pour consolider la relation.
- Gérer la relation pour s'assurer de sa qualité et de sa durée.

Principaux services de l'entreprise mis en jeu

Gestion des ressources humaines

Marketing et ventes

Service après-vente et assistance technique

Production et exploitation

Recherche et développement

Figures
Les figures, abondantes, synthétisent l'information présentée dans le corps du texte.

DES SONDAGES À QUESTION UNIQUE CONCERNANT LA RECOMMANDATION

Plusieurs entreprises importantes ne posent qu'une question à leur client : « Recommanderiez-vous ce produit/service à un parent ou à un ami ? » Or, si l'entreprise ne pose qu'une seule question, sa formulation doit être des plus claires, déclare Rick Jensen, vice-président au développement de produits chez **Intuit**, dans la division des impôts des particuliers, aux États-Unis[16]. En 2004, ce type de question a révélé que l'offre de rabais postal et les **bogues** lors de l'envoi électronique de la déclaration de revenus irritaient bon nombre de clients. La suppression de l'offre de rabais postal et l'élimination des bogues a ainsi fait augmenter le taux de recommandations de 6 % et le nombre d'unités vendues de 27 %, en 2005.

L'entreprise qui demande au client s'il recommande un produit ou un service cherche à obtenir une information facile à comprendre. Après avoir soustrait les réponses négatives ou neutres, elle obtient son score de référence qui lui indique le degré de satisfaction des clients. La division comptable Quick Books d'Intuit a découvert que sa norme de service client « obtenir une réponse en moins de 30 minutes » était moins importante pour les clients qu'« obtenir la solution » et « avoir une relation agréable avec le préposé », même si l'attente dure deux heures.

La société **Entreprise Rent-a-Car** a découvert une corrélation presque parfaite entre son score de recommandations et la croissance de ses profits. Cela l'a poussée à chercher comment faire augmenter le score de recommandations. Dans ce cas-ci, la question unique sur la recommandation permet de repérer les clients qui promeuvent le plus l'entreprise auprès de leurs relations. Par la suite, l'entreprise peut sonder ces personnes pour en savoir plus sur elles.

L'approche reposant sur la question unique relative à la recommandation convient quand il s'agit de produits ou de services simples. Cependant, elle perd sa qualité de guide lorsqu'il s'agit de produits ou de services complexes. Des questionnaires plus complets sont alors nécessaires. Enfin, même avec une seule question, les résultats peuvent faire l'objet d'une mauvaise interprétation.

Encadrés
Les encadrés apportent des compléments d'information sur des sujets pertinents.

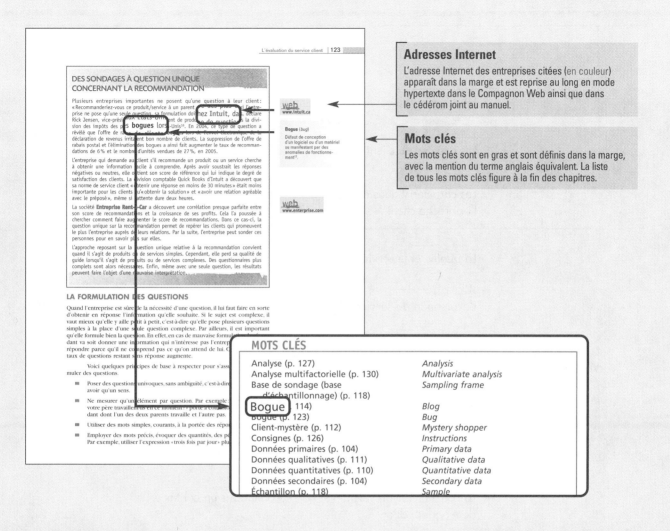

Adresses Internet

L'adresse Internet des entreprises citées (en couleur) apparaît dans la marge et est reprise au long en mode hypertexte dans le Compagnon Web ainsi que dans le cédérom joint au manuel.

Mots clés

Les mots clés sont en gras et sont définis dans la marge, avec la mention du terme anglais équivalent. La liste de tous les mots clés figure à la fin des chapitres.

L'évaluation du service client | 123

DES SONDAGES À QUESTION UNIQUE CONCERNANT LA RECOMMANDATION

Plusieurs entreprises importantes ne posent qu'une question à leur client : « Recommanderiez-vous ce produit/service à un parent... ». Si l'entreprise ne pose qu'une seule question, sa formulation doit... chez **Intuit**, dans... Rick Jensen, vice-prési... aux États-Unis... ment de produ... e de question... la division des impôts des p... s **bogues** lors... -Unis[16]. En 2004, ce type de question a révélé que l'offre de ra... client... bogues lors de l'envoi électronique de la déclaration de revenus irritant bon nombre de clients. La suppression de l'offre de rabais postal et l'élimination des bogues a ainsi fait augmenter le taux de recommandations de 6 % et le nombre d'unités vendues de 27 %, en 2005.

L'entreprise qui demande au client s'il recommande un produit ou un service cherche à obtenir une information facile à comprendre. Après avoir soustrait les réponses négatives ou neutres, elle obtient son score de référence qui lui indique le degré de satisfaction des clients. La division comptable Quick Books d'Intuit a découvert que sa norme de service client « obtenir une réponse en moins de 30 minutes » était moins importante pour les clients qu'« obtenir la solution » et « avoir une relation agréable avec le préposé », même si l'attente dure deux heures.

La société **Entreprise Rent-a-Car** a découvert une corrélation presque parfaite entre son score de recommandations et la croissance de ses profits. Cela l'a poussée à chercher comment faire augmenter le score de recommandations. Dans ce cas-ci, la question unique sur la recommandation permet de repérer les clients qui promeuvent le plus l'entreprise auprès de leurs relations. Par la suite, l'entreprise peut sonder ces personnes pour en savoir plus sur elles.

L'approche reposant sur la question unique relative à la recommandation convient quand il s'agit de produits ou de services simples. Cependant, elle perd sa qualité de guide lorsqu'il s'agit de produits ou de services complexes. Des questionnaires plus complets sont alors nécessaires. Enfin, même avec une seule question, les résultats peuvent faire l'objet d'une mauvaise interprétation.

LA FORMULATION DES QUESTIONS

Quand l'entreprise est sûre de la nécessité d'une question, il lui faut faire en sorte d'obtenir en réponse l'information qu'elle souhaite. Si le sujet est complexe, il vaut mieux qu'elle y aille petit à petit, c'est-à-dire qu'elle pose plusieurs questions simples à la place d'une seule question complexe. Par ailleurs, il est important qu'elle formule bien la question. En effet, en cas de mauvaise formulation, le répondant va soit donner une information qui n'intéresse pas l'entrep... soit ne pas répondre parce qu'il ne comprend pas ce qu'on attend de lui. C... taux de questions restant sans réponse augmente.

Voici quelques principes de base à respecter pour s'assurer... muler des questions.

- Poser des questions univoques, sans ambiguïté, c'est-à-dire... avoir qu'un sens.
- Ne mesurer qu'un élément par question. Par exemple : ... votre père travaillent-ils en ce moment ? » porte à confu... dant dont l'un des deux parents travaille et l'autre pas.
- Utiliser des mots simples, courants, à la portée des répon...
- Employer des mots précis, évoquer des quantités, des pé... Par exemple, utiliser l'expression « trois fois par jour » plu...

web
www.intuit.ca

Bogue *(bug)*
Défaut de conception d'un logiciel ou d'un matériel se manifestant par des anomalies de fonctionnement[17].

web
www.enterprise.com

MOTS CLÉS

Analyse (p. 127)	*Analysis*
Analyse multifactorielle (p. 130)	*Multivariate analysis*
Base de sondage (base d'échantillonnage) (p. 118)	*Sampling frame*
Bogue (p. 114)	*Blog*
Bogue (p. 123)	*Bug*
Client-mystère (p. 112)	*Mystery shopper*
Consignes (p. 126)	*Instructions*
Données primaires (p. 104)	*Primary data*
Données qualitatives (p. 111)	*Qualitative data*
Données quantitatives (p. 110)	*Quantitative data*
Données secondaires (p. 104)	*Secondary data*
Échantillon (p. 118)	*Sample*

---

15 questions de révision

QUESTIONS DE RÉVISION

1. Quels sont les trois principaux rôles de la technologie dans le service à la clientèle ?

2. Nommez sept exemples de communication synchrone entre l'entreprise et le client.

3. En quoi consiste la géomatique d'affaires ?

4. Décrivez les avantages et les inconvénients de l'usage des répondeurs téléphoniques.

5 ateliers pratiques

ATELIERS PRATIQUES

1. À partir de votre expérience, distinguez deux situations au cours desquelles des instances de service client rebutent les clients en utilisant les technologies. Décrivez les irritants et indiquez quelles étaient la ou les causes du problème : technologie dysfonctionnelle, personnel incompétent, promesse de service surévaluée, hypothèse de compétence technique des usagers surévaluée.

2. Cet exercice vise à mesurer la qualité du service client d'une entreprise par la méthode du client-mystère (voir le chapitre 5). Les étudiants

SOMMAIRE

TABLE DES MATIÈRES

CHAPITRE 3

Les caractéristiques de l'entreprise pratiquant l'approche client

CHAPITRE 4
La qualité et le service client 79

CHAPITRE 5

L'évaluation du service client 103

CHAPITRE 6
La gestion de l'offre et de la demande 141

CHAPITRE 7
Les technologies dans le service à la clientèle 171

C H A P I T R E 10

Les plaintes, les réclamations et les clients difficiles 255

CHAPITRE 11

La gestion du stress et la gestion du temps 293

Introduction au service à la clientèle et à l'approche client

Ce n'est pas l'employeur qui paie les salaires, mais le client.

Henry Ford, industriel américain[1]

OBJECTIFS D'APPRENTISSAGE

Après avoir étudié ce chapitre, vous pourrez:

1. **Définir les caractéristiques du service à la clientèle et de l'approche client.**

2. **Nommer les emplois liés au domaine.**

3. **Caractériser les comportements des clients insatisfaits.**

4. **Préciser les avantages de l'approche client.**

5. **Calculer les coûts associés à la perte d'un client.**

6. **Déterminer les avantages de la fidélisation de la clientèle.**

7. **Situer le rôle des employés dans la prestation du service à la clientèle.**

MISE EN SITUATION

LE MÉGA DÉPANNEUR AUCOIN

Le résultat des ventes de l'un de ses dépanneurs rend André Aucoin plutôt perplexe. Le commerce est pourtant situé dans un quartier densément peuplé de Montréal, près d'une station de métro. Comme le quartier dans lequel se situe son commerce s'est embourgeoisé, M. Aucoin a cru bon d'améliorer son offre de services. C'est pourquoi, au fil des ans, il a ajouté aux produits généralement disponibles dans tout dépanneur (journaux, magazines, bière, billets de loterie, etc.) un comptoir où il vend des beignes, des muffins et du café filtre. Il a également installé une buanderie dans un local attenant au magasin et tient un dépôt de linge pour le compte d'une chaîne de nettoyage à sec. Enfin, son commerce abrite aussi un point de services de Postes Canada.

Malgré toutes ces améliorations, les ventes stagnent. Il se demande si la construction, juste en face de son magasin, d'un supermarché qui reste ouvert presque 24 heures sur 24 n'est pas à l'origine de ses tracas. Comme il n'en est pas sûr, il fait appel à sa fille Bianca, diplômée en gestion commerciale, pour évaluer la situation. Un matin, la jeune femme se présente à son magasin à titre de cliente-mystère et observe ce qui suit. Tout d'abord, pour entrer dans le commerce, elle doit retenir son souffle pour ne pas inhaler la fumée de cigarette de deux employés vraisemblablement en pause-café et plantés devant l'unique porte d'accès du magasin. Ensuite, elle constate qu'une dizaine de clients font la queue devant l'unique caisse enregistreuse en fonction (il y en a normalement deux). Au lieu de servir les clients qui commencent à s'impatienter, Aurèle, l'assistant du gérant, s'affaire à remplir des formulaires administratifs. Lasse d'attendre, une cliente abandonne ses articles sur le comptoir et s'en va. « Bof ! une de perdue... dix de retrouvées ! » marmonne Aurèle avant de retourner à sa paperasse. Ensuite, voilà un jeune professionnel dans la trentaine qui explique qu'il vient d'emménager dans le quartier et qui voudrait bien savoir à quel rayon trouver le magazine *Info presse*... « *Info* quoi ? Jamais entendu parler de ça ! » répond Aurèle avant de replonger le nez dans ses formulaires. Une fois le jeune homme sorti du commerce, Aurèle fait une moue dans sa direction. « S'il pense m'impressionner, celui-là », dit-il entre ses dents. Enfin, Bianca remarque que la clientèle qui s'attarde dans les allées du magasin n'a pas l'allure des nouveaux résidents du quartier : elle ressemble plutôt à la clientèle d'il y a quinze ans, beaucoup moins à l'aise que celle d'aujourd'hui.

>> *OBJECTIF* 1

Définir les caractéristiques du service à la clientèle et de l'approche client.

1.1 LES SERVICES ET LE SERVICE À LA CLIENTÈLE

Depuis l'apparition de l'approche marketing (« mercatique », en France) au milieu du XXe siècle, les entreprises conçoivent leurs offres au marché comme un agencement particulier du produit, de la distribution, de la communication et du prix. De nos jours, plus de 70 % de l'activité économique provient des services, ce qui force les entreprises à adapter leurs méthodes de mise en marché. Combiné aux nouvelles technologies de l'information, ce glissement qui touche l'activité économique ouvre grand le monde aux clients. Ils ont maintenant accès aux fournisseurs étrangers et peuvent comparer aisément l'offre des entreprises et faire des choix éclairés.

Le service à la clientèle permet aux entreprises de fidéliser leurs clients en se distinguant avantageusement les unes des autres. L'accroissement du volet « service » que proposent les entreprises les oblige à considérer d'autres variables dans les offres qu'elles font au marché, que représentent notamment les personnes, les processus et les éléments physiques rattachés aux services.

- Le terme «personnes» désigne toutes les personnes qui participent à la prestation du service au client. Outre le **personnel de la relation client** de l'entreprise, il faut inclure le client lui-même, qui participe souvent au service par l'information qu'il fournit, et les autres clients qui, par leur comportement, agrémentent ou ternissent le service au client. Par exemple, un enfant qui pique une colère pendant que ses parents font la queue devant la caisse risque de gâcher la visite de certains clients. On pourrait croire que l'entreprise n'y peut rien ! Pourtant, certaines entreprises ont su prévoir ce genre de situation et disposent d'une aire de jeux pour les enfants.

- Les processus représentent la fluidité du déroulement des opérations nécessaires destinées à servir le client. L'organisation (outils et procédures) détermine souvent l'efficacité et la qualité du service. Cela est encore plus vrai dans le cas de services sur mesure.

- Les éléments physiques rattachés aux services correspondent à l'apparence des bâtiments, à la tenue vestimentaire du personnel, à la signalisation, aux supports papier d'appoint, comme les cartes professionnelles, etc.

Personnel de la relation client
(customer contact employees)
Personnel qui intervient à l'une ou l'autre des étapes de la prestation d'un service pour faire le lien entre l'entreprise et le client[2].

LES CARACTÉRISTIQUES DES SERVICES

Les services diffèrent des produits par au moins trois aspects, obligeant l'entreprise à s'adapter. Les trois principales différences sont :

- Les services sont *intangibles*. À l'inverse d'un objet, ils ne peuvent être manipulés, comme c'est le cas d'un contrat d'assurance, par exemple.

- Les services sont *périssables*. Il est impossible de les stocker en attendant que les clients viennent les acheter. La coiffeuse qui n'a pas de clients peut lire son journal, mais, pendant ce temps, elle ne coiffe pas et ne gagne pas son salaire.

- La production et la consommation des services sont *simultanées*. La coiffeuse qui place les cheveux de sa cliente produit le service pendant que sa cliente le consomme.

La notion de produit englobe souvent celle de service, et vice versa. Par exemple, un fabricant de patins offre une garantie sur ses produits (service) et une compagnie d'assurances publie un document écrit qui sert de preuve de la couverture d'assurance. En raison de l'importance des services dans notre société, l'expression commercialisation des services a désormais remplacé le néologisme **servuction**, un mot forgé par la contraction des termes *service* et *production*. Enfin, rappelons que le service à la clientèle est un sous-ensemble des services en général.

Servuction
(marketing of services)
Commercialisation qui ne concerne pas les biens, mais les services et qui accorde une grande place à la qualité perçue des services offerts[3].

1.2 DÉFINITION DU SERVICE À LA CLIENTÈLE

Le **service à la clientèle** est la capacité des employés compétents, expérimentés et enthousiastes de fournir des produits et des services à leurs clients internes ou externes, de manière à satisfaire leurs besoins, apparents ou non, en vue de bénéficier d'une publicité de bouche à oreille favorable qui amènera de nouveaux acheteurs[4]. Le service à la clientèle est aussi vieux que la vente elle-même. Autrement dit, il existe depuis que l'Homme vit sur terre. Pour un grand nombre d'entreprises,

Service à la clientèle
(customer service)
Service qui consiste à fournir un ensemble d'avantages aux clients (internes ou externes), généralement gratuitement et en supplément des produits offerts[5].

le service à la clientèle se résume aux activités suivantes : répondre aux questions des clients, recevoir les commandes, régler les désaccords à propos de la facturation, s'occuper des réclamations et voir à l'entretien des produits achetés par un client. Le service peut se faire directement chez le client, chez le fournisseur ou par média interposé (téléphone, télécopie, courriel, Internet, etc.). La multiplication des centres d'appels démontre l'importance que les entreprises accordent au service à la clientèle.

Pour se démarquer de la concurrence, les entreprises utilisent le service à la clientèle comme un puissant outil du marketing pour assurer la **fidélisation** de leurs clients et pour tenter de séduire les clients qui font affaire chez des concurrents. Notre définition du service à la clientèle reflète cette approche. Comment les entreprises parviennent-elles à fidéliser leur clientèle ? En fait, le meilleur service à la clientèle est celui qui répond le mieux aux besoins du client. Ainsi, la phrase « Faire plus et faire mieux » résume autant la notion de service à la clientèle que celle de marketing. Nous pourrions croire qu'il s'agit là d'un jeu d'enfant. Hélas non ! Sous cette apparente simplicité se cache une multitude de décisions que doit prendre l'entreprise. De plus, ces décisions sont à la fois difficiles à distinguer et complexes à mettre en œuvre. Par exemple, nous savons d'emblée que le personnel qui travaille au contact des clients doit être poli, aimable et serviable. Comment devrait réagir un chef de service devant cet employé paresseux, qui invoque constamment sa convention collective pour refuser d'accomplir les tâches qu'il dédaigne, qui abat trois fois moins de travail que ses collègues et qui, de surcroît, se conduit de façon méprisante avec les clients ? Voilà un sérieux problème, qui touche simultanément à des questions d'équité, de discrimination, de motivation du personnel, de relations industrielles et de qualité de la prestation du service à offrir aux clients. Ce livre présente l'essentiel des notions couvrant ce sujet passionnant. Oui, passionnant, car c'est en maîtrisant ces principes et en exécutant correctement, chaque jour, les gestes que suppose un service de qualité que l'entreprise réussit à survivre en offrant au client ce qu'il désire. Évidemment, nous présumons que les autres éléments de la stratégie d'affaires sont adéquats.

La terminologie utilisée dans ce domaine porte à confusion. Ainsi, selon l'Office québécois de la langue française, les expressions *approche client* et *service client* sont des quasi-synonymes. En anglais, les expressions *customer orientation* et *customer service* sont synonymes pour certains et ont une signification complètement différente pour d'autres. Mais peu importe, au-delà de ces différences sémantiques, ce qui compte, c'est de répondre aux besoins du client ! L'organisation de l'entreprise doit placer le client au cœur de ses préoccupations, et le service client au centre de la philosophie de gestion de l'entreprise (figure 1-1). La première composante d'un bon service au client concerne d'abord les personnes chargées d'offrir ce service (ressources humaines), la façon de les recruter, de les motiver, de les former, de les évaluer, etc. La deuxième composante est celle de la **culture organisationnelle**. C'est elle qui donne le ton au personnel. Les dirigeants d'une entreprise soucieux d'établir une forte culture organisationnelle énoncent clairement leurs attentes et prêchent par l'exemple. Ils n'hésitent pas à utiliser les rites et célébrations appropriés, telles les rencontres de réflexion et de planification annuelles pour officialiser et renforcer cette culture. Ensuite, viennent les outils de travail des employés (système de livraison), par exemple : équipement informatique et logiciels, matériel de démonstration, camion de livraison, etc.), avec lesquels le personnel fournit le service. Quant aux caractéristiques des produits et des services décidés dans le *marketing mix*, ou **marchéage**, de l'entreprise, elles constituent la troisième composante d'un service client réussi.

Fidélisation
(development of customer loyalty)

Toute action commerciale qui vise à rendre la clientèle fidèle à une entreprise, à un produit ou à un service, à une marque ou à un point de vente [6].

Culture organisationnelle
(organizational culture)

Ensemble de valeurs, d'attitudes et de modes de fonctionnement, qui caractérisent une organisation et qui influencent les pratiques de ses membres [7].

Marchéage
(marketing mix)

Application pratique du marketing caractérisée par le dosage équilibré des moyens d'action, tels les produits, le prix, la distribution, la vente et la promotion, dont dispose l'entreprise pour atteindre ses objectifs [8].

Pour les besoins de ce manuel, l'expression **approche client** «consiste à orienter l'entreprise vers la satisfaction des besoins du client, notamment par la mise en place de procédures axées sur le service offert au client en matière de produits ou services[9]». En anglais, nous emploierons l'expression *customer orientation*.

> **Approche client**
> *(customer orientation)*
>
> Approche qui consiste à orienter l'entreprise vers la satisfaction des besoins du client, notamment par la mise en place de procédures axées sur le service offert au client en matière de produits ou services[10].

Figure 1-1 Le client au cœur des préoccupations de l'entreprise

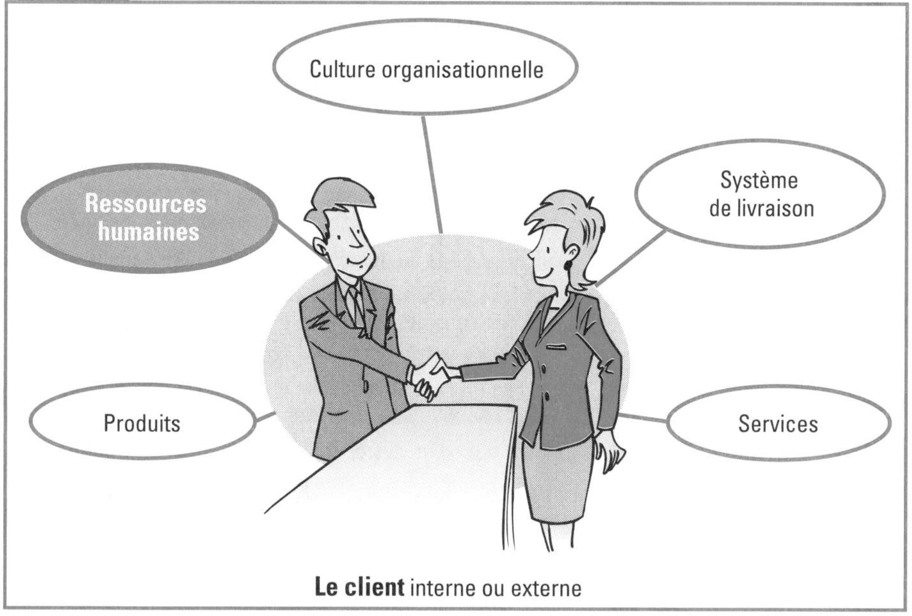

- Culture organisationnelle
- Ressources humaines
- Système de livraison
- Produits
- Services

Le client interne ou externe

LE BON SERVICE À LA CLIENTÈLE

Un bon service à la clientèle forme un tout et comporte plusieurs composantes clés, elles-mêmes formées des éléments appropriés, et dont l'ensemble doit s'intégrer harmonieusement. L'entreprise conçoit son service à la clientèle en tenant compte de chacun de ces éléments et des relations qu'ils entretiennent entre eux et des composantes dont ils font partie. Le tableau 1-1 (p. 6) présente chacune des composantes clés du service à la clientèle et les principaux éléments qui les caractérisent. Il suffit qu'un seul élément d'une composante fasse défaut pour compromettre cette harmonie. De telles lacunes causent de sérieuses difficultés, comme l'illustre l'exemple de cet employé au rendement inadéquat. Ce manuel explique dans d'autres chapitres un grand nombre de ces composantes, comme la capacité de communiquer efficacement avec les clients difficiles (chapitre 10) ou encore la connaissance des technologies usuelles dans le service à la clientèle (chapitre 7).

DISTINCTION ENTRE LE SERVICE APRÈS-VENTE ET L'APPROCHE CLIENT

Comme le suggère cette expression, le **service après-vente** désigne l'ensemble des opérations effectuées après la conclusion de la vente. Ces opérations comprennent généralement l'entretien et la réparation du bien (qu'il soit garanti ou non), ainsi que la vente de pièces et d'accessoires. Grâce à Internet, plusieurs entreprises ont ajouté la diffusion d'informations sur les produits et services ainsi qu'un volet relatif à la formation. En consultant le site Internet de l'entreprise, le client apprend comment se servir du produit ou du service qu'il s'est procuré auprès de l'entreprise.

> **Service après-vente**
> *(customer service)*
>
> Ensemble d'opérations de service effectuées par le fournisseur (généralement à ses frais) après la conclusion de la vente et dont l'objet est de faciliter au client l'usage, l'entretien et la réparation du bien qu'il a acheté[11].

Tableau 1-1 Éléments clés du service à la clientèle

Composantes clés du service à la clientèle	Principaux éléments d'une composante
Ressources humaines	La sélection de personnes dont la personnalité répond au profil des tâches à accomplir
	La formation liée à la fonction
	Le système d'évaluation adapté aux objectifs du service à la clientèle
Culture organisationnelle	La mission de l'entreprise traduit l'importance du service à la clientèle.
	La philosophie de gestion des dirigeants s'accorde avec les objectifs que poursuit le service à la clientèle.
	Les définitions de tâches précises aident à canaliser les attentes des employés.
	Les politiques et procédures d'entreprise permettent d'atteindre correctement les objectifs.
	La mise en place d'éléments motivant l'excellence dans le service à la clientèle.
	La création d'un système de récompenses approprié.
Système de livraison	Les outils de travail permettant l'efficacité et le confort.
	La supériorité ou la parité avec les normes du secteur industriel
	Le respect des attentes des clients
	La capacité du système à répondre à la demande, sauf pour les très grandes pointes de demande
	Les frais d'exploitation respectant ce que les clients sont prêts à payer
Produit(s)	La qualité uniforme adaptée à la fonction et appropriée aux prix
	Les quantités disponibles, sauf pour les très grandes pointes de demande
	Des prix liés à la qualité
	Lieu : distribution selon la stratégie de l'entreprise
	Temps : délais selon les normes et la stratégie de l'entreprise
Service(s)	Relations harmonieuses entre employés avec climat d'entraide
	Relations courtoises avec les clients en fonction de leur nature

Un service à la clientèle efficace pousse son intégration encore plus loin, c'est pourquoi nous parlons d'approche client. Ce concept tente de concilier l'offre de l'entreprise avec les besoins et la personnalité du client. Les spécialistes parlent d'offrir au client une «expérience» globale en qualité de service. C'est le cas, par exemple, de la chaîne de magasins Ikea qui propose à ses clients une

www.ikea.com/ms/fr_CA/

salle de jeux, une salle d'allaitement, un décor agréable et stimulant, etc. Combinée à la politique des prix, cette expérience reflète la stratégie de marketing de l'entreprise. Les entreprises favorisant l'approche client pratiquent habituellement la **gestion de la relation client (GRC)**. Il s'agit d'une pratique de gestion, qui fait généralement appel à des outils informatiques, et dont le but est de «mieux connaître chacun de ses clients individuellement, de manière à le servir avec le maximum d'efficacité, et, en fin de compte, à maximiser ses revenus[12]». Le chapitre 7, qui porte sur la technologie et le service à la clientèle, en présente les aspects techniques.

Depuis peu, les consultants en gestion s'appuient sur la notion complémentaire de *gestion de l'expérience client* ou *GEC* (*customer experience management, ou CEM*) que présente la figure 1-2. Cette approche contribue à sensibiliser les gestionnaires à l'importance de considérer ce que le client retire globalement des services de l'entreprise (autrement dit, son impression générale) de manière à s'assurer que chaque interaction avec le client personnalise et consolide la qualité de la relation client-entreprise.

> **Gestion de la relation client (GRC)**
> *(customer relationship management [CRM])*
> Ensemble des actions mises en œuvre par l'entreprise pour conquérir de nouveaux clients et fidéliser sa clientèle[13].

Figure 1-2 La gestion de l'expérience client

Acquisition des clients + Fidélisation des clients = Résultats financiers supérieurs

Composantes de l'expérience client :

- Établir une réponse personnalisée fondée sur le marketing, les ventes et le service après-vente.

- Assurer un traitement uniforme de la qualité de tous les services de l'entreprise.

- Comprendre intimement les besoins et les désirs du client.

- Répondre rapidement et avec efficacité aux problèmes et aux requêtes.

- Fournir les conseils et les avis de façon proactive, s'il y a lieu.

- Se comporter et parler correctement.

- Intervenir en personne pour consolider la relation.

- Gérer la relation pour s'assurer de sa qualité et de sa durée.

Principaux services de l'entreprise mis en jeu

Gestion des ressources humaines

Marketing et ventes

Service après-vente et assistance technique

Production et exploitation

Recherche et développement

Pour offrir au client le niveau de qualité de service auquel il s'attend et se distinguer de ses concurrents, l'entreprise doit viser :

- Un excellent service de base, une offre adéquate, une information pertinente, une livraison rapide, un prix imbattable, etc.

- Un service personnalisé, qui facilite le déroulement des transactions ou favorise la communication d'informations mieux ciblées.

- Une offre de produits et de services novateurs, qui témoigne d'une bonne compréhension de l'ensemble des attentes des clients.

L'APPROCHE CLIENT

L'approche client est une philosophie de gestion maintenant si répandue qu'elle fait l'objet d'une certification par l'organisme international de normalisation ISO. Nous y reviendrons plus loin dans ce chapitre, ainsi que dans le chapitre 3. Voici les grands principes[14] de cette philosophie.

- ■ *Le client doit toujours être la priorité.* Le succès de l'entreprise, sa prospérité voire sa survie en dépendent.

- ■ *Le client détermine la valeur.* Les produits de l'entreprise, ses services ainsi que son personnel ne valent que ce que le client est prêt à payer.

- ■ *Le succès d'une entreprise dépend directement des clients qui lui sont fidèles à long terme.* Les entreprises qui dépassent régulièrement les attentes des clients les fidélisent à long terme.

- ■ *La satisfaction des clients n'est jamais acquise.* C'est un combat quotidien et permanent.

La conception et la mise en place d'une stratégie d'approche client nécessitent beaucoup de réflexion et de ressources de la direction de l'entreprise, car cette approche doit faire partie de son **plan stratégique**. La mise en œuvre de l'approche client démarre dès que l'entreprise entame la phase de conception de l'offre de ses produits et de ses services. Cette approche comprend plusieurs facettes.

- ■ Il faut d'abord se demander comment le client percevra cette offre de produit et de service.

- ■ Il faut ensuite caractériser la qualité de la relation que l'entreprise souhaite obtenir par l'intermédiaire de canaux de communication directs (parole, ton, regard, comportements, documents) et indirects.

- ■ Pour ce faire, il importe de s'interroger sur divers aspects, notamment sur le type de publicité à faire parvenir au client, sur le genre d'expérience qu'il vivra quand il se servira du produit ou du service, par exemple l'ergonomie du site Internet de l'entreprise, etc.

Le plan stratégique permet donc à l'entreprise de viser une intégration rigoureuse des variables marketing placées sous son contrôle. Habituellement, un plan stratégique comporte les éléments suivants : une description de la mission de l'organisation et de celle du contexte dans lequel elle prend place, des principaux enjeux auxquels elle fait face, des orientations, des objectifs, des axes d'intervention retenus, des résultats visés et, enfin, des indicateurs pertinents[15]. La mise en œuvre réussie au quotidien de l'approche client est cruciale pour soutenir la satisfaction du client et le conserver dans le giron de l'entreprise.

> **Plan stratégique**
> *(strategic plan)*
> Plan décrivant les activités auxquelles une entreprise doit se livrer et les principales mesures qu'elle doit prendre pour s'acquitter de la mission qui est la sienne.

OBJECTIF 2

Nommer les emplois liés au domaine.

LES EMPLOIS DANS LE DOMAINE

Nous avons dit précédemment que les actions à entreprendre pour attirer et conserver les clients sont difficiles à déterminer et leur mise en œuvre est complexe. La difficulté provient du fait que le **client interne**, un collègue de travail par exemple, ou le **client externe** (les clients de l'entreprise) ne sait pas toujours ce qu'il désire. L'entreprise doit donc s'interroger à ce sujet. Le chapitre 2 intitulé «Les attentes du client au cœur du service» aborde ce thème et le chapitre 5 présente les techniques de sondage. La complexité de la mise en œuvre provient du nombre de composantes qu'il est nécessaire de prendre en compte et d'harmoniser. Le tableau 1-2 illustre cette complexité en présentant quelques emplois en relation avec leurs activités de service à la clientèle (externe) au sein de l'entreprise. De son côté, le tableau 1-3 (p. 10) énumère une liste plus complète de titres d'emplois dans le domaine.

Tableau 1-2 Exemples d'emplois ayant trait au service à la clientèle

Catégories d'emplois	Activités
Préposé au soutien technique (au téléphone ou en personne en entreprise)	• Accueille le client et détermine la nature de son problème. • Établit un diagnostic. • Propose des solutions. • Au téléphone : – Guide le client dans sa démarche de résolution du problème. • En personne : – Corrige le problème. – Offre des conseils pour éviter que le problème ne se répète.
Préposé à la maintenance (au téléphone ou en personne chez le client)	• En personne : – Se nomme et accueille le client. – S'informe du problème. – Examine le problème. – Établit un diagnostic. – Procède à la réparation. – Offre des conseils pour éviter que le problème ne se répète. • Au téléphone : – Salue le client, s'informe de son nom et de la nature du problème. – Établit un diagnostic. – Propose des solutions.
Préposé au retour (au téléphone ou en personne)	• Accueille le client. • En personne : – Reçoit les réclamations, vérifie le bien-fondé, propose des solutions (remboursement, remplacement, réparation, prêt durant la réparation, etc.). • Au téléphone : – Reçoit les réclamations, vérifie le bien-fondé, propose des solutions (transmission d'autorisation de retour, de remboursement, etc.).
Représentant dans un commerce	• Écoute les besoins du client. • Propose les produits et services répondant aux besoins qu'exprime le client et fait une démonstration du fonctionnement. • Donne des conseils sur le financement de son achat. • Donne des conseils sur la façon d'utiliser le produit. • Reçoit les réclamations, en vérifie le bien fondé, propose des solutions (remboursement, remplacement, réparation, prêt durant la réparation, etc.).

Client interne
(internal customer)

Personne travaillant au sein de l'entreprise et qui a besoin d'aide sous forme d'informations, de services ou de produits auxquels un autre employé a accès. Contrairement à ce qui se passe avec les clients externes, il n'est habituellement pas nécessaire d'établir de facturation.

Client externe
(external customer)

Client au sens traditionnel du mot, c'est-à-dire acheteur du bien ou du service qu'offre une entreprise avec laquelle il y a contact en personne, par téléphone ou par Internet.

Catégories d'emplois	Activités
Représentant sur la route	• Écoute les besoins du client. • Offre une expertise dans son domaine. • Détermine les solutions répondant aux besoins du client. • Supervise l'installation et la réparation. • Vérifie le niveau des stocks. • Regarnit les rayonnages du client. • Donne des conseils sur la publicité coopérative, participe aux promotions sur le lieu de la vente, s'occupe des dépliants, des étalages, etc. • Supervise les essais de produits et de l'équipement chez le client. • Forme le personnel de vente du client.

Tableau 1-3 Les appellations d'emplois du service à la clientèle

Appellations d'emplois du domaine	
Préposé au service à la clientèle	Représentant
Agent	Superviseur
Caissier	Réceptionniste
Adjoint aux ventes	Téléphoniste
Commis	Preneur de commandes
Commis-vendeur	Livreur
Conseiller	Installateur
Coordonnateur	Technicien d'entretien

OBJECTIF 3

Caractériser les comportements des clients insatisfaits.

1.3 LES COMPORTEMENTS DES CLIENTS INSATISFAITS

Voici une liste des comportements observés par l'agence de consultants TARP au cours de 30 ans de recherches dans 20 pays couvrant les principaux secteurs économiques[16]. Cette agence est spécialisée dans l'étude de la satisfaction et de la rétention des consommateurs. La figure 1-3 présente le taux de rétention de clients mécontents des affaires qu'ils ont faites avec l'entreprise. La perte de clients insatisfaits, mais silencieux, qui constitue la très grande majorité des pertes, est dévastatrice pour l'entreprise. À elle seule, la réduction de cette hémorragie justifie la conversion de l'entreprise à l'approche client.

■ En général, 50% des consommateurs signifient leur insatisfaction au personnel de contact client. Toutefois, ce taux grimpe à 75% pour les transactions effectuées entre deux entreprises. Si l'insatisfaction se manifeste chez un détaillant ou un grossiste, il est très peu probable que le fabricant en soit informé.

■ Pour des achats inférieurs à 5 $, seulement 5% des clients prennent la peine d'exprimer leur insatisfaction auprès du personnel chargé des relations avec la clientèle. Ce taux peut grimper à 10 % pour des achats supérieurs à 100 $. Les entreprises qui mettent un numéro de téléphone sans frais à la disposition de leurs clients doublent le nombre de personnes qui manifestent leur mécontentement.

■ Quand les insatisfactions entraînent des déboursés supplémentaires de la part du client, le taux de plaintes varie entre 50 et 70 %. Ce taux chute à entre 5 et 30 % lorsque la cause de l'insatisfaction relève de mauvais traitements, de l'incompétence des employés ou de la mauvaise qualité du produit.

■ Un client insatisfait informe 10 personnes de son entourage, alors qu'un client satisfait n'en avertit que 5, soit un ratio d'un pour deux. Dommage que l'enthousiasme du client retombe si vite lorsqu'il travaille pour l'entreprise…

■ La résolution rapide d'une insatisfaction accroît le taux de fidélité de 10 %.

■ Les causes des pertes de clients sont liées :
  • dans 20 % des cas à un mauvais traitement de la part des employés ;
  • dans 40 % des cas à des produits défectueux ou à des politiques d'entreprises qui trompent le client (publicité mensongère par exemple) ;
  • dans 40 % des cas à des erreurs commises par le client ou provenant d'attentes erronées de la part du client.

■ Le client insatisfait est perdu et doit être remplacé, ce qui coûte entre 2 et 20 fois plus cher qu'une nouvelle vente à un client existant. Bien évidemment, les ventes futures à ce client perdu sont également perdues.

■ La loyauté d'un client insatisfait, mais ayant obtenu réparation est supérieure de 8 % à celle d'un client qui n'a pas vécu d'insatisfaction.

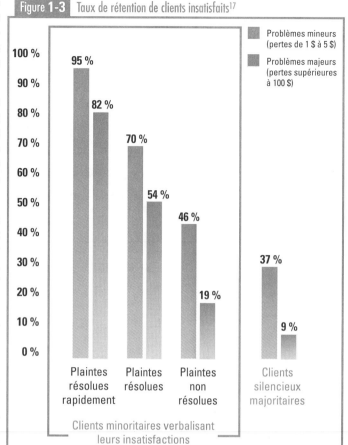

Figure 1-3 Taux de rétention de clients insatisfaits[17]

Ces comportements ont été déterminés à partir d'enquêtes réalisées auprès d'un très grand nombre de consommateurs. Les résultats sont à la fois intéressants et utiles, parce qu'ils renseignent et sensibilisent sur les comportements généraux des clients. Mais ils ne remplaceront jamais les commentaires de vos propres clients. C'est pourquoi l'entreprise devrait s'informer des attentes et des réactions de ses clients afin de mettre au point une offre de services qui leur conviendra spécialement. Le chapitre 3 aborde la question des caractéristiques d'une entreprise pratiquant l'approche client. Le chapitre 4 étudie l'évaluation comparative permettant à l'entreprise de s'inspirer des meilleures pratiques de gestion, ainsi que les outils d'évaluation et d'amélioration du service à la clientèle. Le chapitre 5, qui porte sur l'évaluation du service client, présente des méthodes pour obtenir de précieux renseignements sur les attentes des clients. Enfin, le chapitre 6 décrit comment l'entreprise peut s'adapter et même gérer l'offre et la demande de service.

1.4 LES AVANTAGES DE L'APPROCHE CLIENT

Une entreprise a tout à gagner en adoptant l'approche client, comme le démontrent les résultats d'une étude effectuée par la firme de consultants Deloitte. On y compare les résultats d'entreprises pratiquant l'approche client avec d'autres entreprises n'ayant pas recours à cette approche. La figure 1-4 fait ressortir les bénéfices que tirent les entreprises de cette approche, à savoir :

- une croissance des ventes supérieures ;
- un retour sur investissement avant impôt supérieur ;
- des parts de marché plus importantes pour leurs principaux produits ;
- des revenus supérieurs provenant de nouveaux produits.

Figure 1-4 Avantages de l'approche client[18]

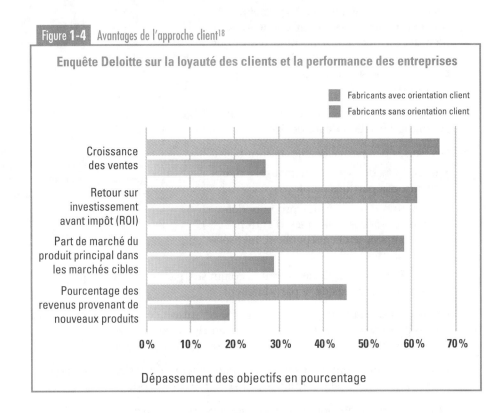

Les entreprises pratiquant l'approche client conservent leurs clients plus longtemps. Par conséquent, elles ne sont pas obligées de remplacer un grand nombre de clients et d'en recruter de nouveaux pour maintenir leur chiffre d'affaires. Ce faisant, elles réduisent leurs coûts liés au recrutement de nouveaux clients. Or, ces coûts sont élevés, car ils incluent une grande partie des frais de marketing (publicité, promotions, frais de vente, rabais et escomptes, distribution, coûts de formation du personnel chargé de servir correctement ces nouveaux clients, etc.).

Le nombre de clients insatisfaits de l'entreprise diminue quand elle améliore la qualité de son service puisqu'elle connaît mieux chacun de ses clients et répond mieux à leurs besoins. L'entreprise peut accroître le volume d'affaires avec sa clientèle actuelle. Elle augmente ainsi les bénéfices que lui procure chacun de ses clients. C'est le cercle vertueux de la relation qualité-satisfaction-fidélisation-profits (figure 1-5). Des enquêtes[19] sur le sujet indiquent qu'il est plus aisé de continuer à vendre à un client bien réel que de tenter d'en conquérir un nouveau. C'est, d'ailleurs, l'argument-choc que les fournisseurs de logiciels de gestion de la relation client font valoir aux clients auxquels ils désirent vendre leurs produits !

Pratiquer l'approche client profite à tous, y compris à vous-même, puisqu'elle repose sur les mêmes compétences pour entretenir des relations interpersonnelles fructueuses et réussir sa vie. Les personnes qui, dans leur vie quotidienne, appliquent les principes mis de l'avant dans ce livre sont peut-être plus heureuses, plus productives, voire en meilleure santé que celles qui les ignorent.

Figure 1-5 Relation entre la croissance des profits, la qualité perçue et la satisfaction des clients

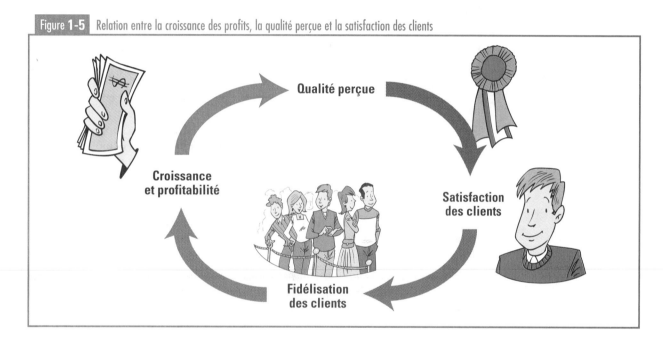

1.5 LES COÛTS ASSOCIÉS À LA PERTE D'UN CLIENT

OBJECTIF 5

Calculer les coûts associés à la perte d'un client.

Il en coûte moins cher de vendre à des clients bien réels qu'à d'éventuels nouveaux clients, ce que démontre le tableau 1-4 (p. 14), qui compare deux scénarios. Le scénario A présume que l'entreprise conserve son client, alors que le scénario B suppose qu'elle recrute un nouveau client. On constate que les profits résultant du scénario A sont supérieurs de 33 % à ceux du scénario B. En effet, en conservant le même client, l'entreprise épargne les frais de recrutement qu'elle doit engager dans le scénario B, tels l'envoi d'un publipostage, la visite d'un représentant, etc.

Imaginons maintenant que l'entreprise ne réussisse pas à remplacer ce client A perdu qui achetait pour 3 000 $ de biens et services durant l'année. C'est 100 $ de profit net et 3 000 $ de vente qui s'envolent. Or, puisqu'un client mécontent partage son insatisfaction avec 10 personnes, il se peut qu'elles aussi laissent tomber l'entreprise ou qu'elles n'en deviennent pas clientes. Cela représente des pertes de ventes de 30 000 $ pour l'année. Par comparaison, imaginons maintenant que l'entreprise réussisse à regagner la confiance de ce client A et qu'elle le conserve 10 ans. Ce faisant, elle récupère 300 000 $ de ventes supplémentaires. Conclusion, un client perdu, ça coûte cher.

Tableau 1-4 Réduction des dépenses liées à l'approche client[20]

Scénario A	Profit brut	Coûts de recrutement	Profit net	Différence
Client A – année 1	200 $	100 $	100 $	–
Client A – année 2	200 $	0 $	200 $	–
Total	400 $	100 $	**300 $**	–

Scénario B	Profit brut	Coûts de recrutement	Profit net	Différence
Client A – année 1	200 $	100 $	100 $	–
Client A – année 2	0 $	0 $	0 $	–
Client B – année	200 $	100 $	100 $	–
Total	400 $	200 $	**200 $**	**−33,3 %**

La recherche[21] réalisée auprès des sociétés pratiquant l'approche client et utilisant les outils de gestion de la relation client (CRM) démontre qu'une amélioration de 1 % de la satisfaction de la clientèle entraîne un accroissement de 3 % de la valeur au marché des actions en bourse de l'entreprise :

1 % de satisfaction de la clientèle = accroissement de la valeur des actions de 3 %

Selon la même source, un accroissement de la rétention du nombre de clients peut doubler les profits de l'entreprise. De tels résultats expliquent la popularité des outils de gestion de la relation client.

Les recherches PIMS[22] (Profits Impact of Marketing Strategies) portant sur la rentabilité des activités marketing démontrent que la part de marché de l'entreprise dépend de la satisfaction du client. Celle-ci dépend à son tour de la notion de qualité perçue (figure 1-5). Sachant que la rentabilité est étroitement liée à la part de marché, l'entreprise s'efforce d'accroître sa rentabilité par l'approche client. En d'autres mots, l'approche client accroît la rentabilité de l'entreprise et assure sa pérennité.

Ces connaissances ont entraîné la reformulation des normes ISO (chapitre 3) sur la gestion de la qualité. L'entreprise cherche à se conformer à ces normes de qualité. Au fil des ans, les normes ISO ont été modifiées pour prendre en compte la satisfaction du client, du personnel et des actionnaires, et certifier une

LES NORMES ISO

En règle générale, les normes ISO s'appliquent à un produit, à un matériel ou à un processus particulier. Par contre, les normes de la famille ISO 9000 sont des normes génériques de systèmes de management. Les normes ISO se résument à un document rédigé par l'entreprise dans lequel elle décrit ses pratiques de gestion et s'engage à respecter les principes qu'elle y a consignés.

«qualité satisfaction». Déjà en 1994, un sondage[23] réalisé auprès de 25 entreprises québécoises détenant un certificat de normes ISO 9000 révélait que les entreprises certifiées avaient connu une augmentation de leur chiffre d'affaires de 40 % et une croissance de leurs exportations de 53 %, comparativement à des exportations de 19,5 % pour l'ensemble des entreprises. La version 2000 de la norme ISO 9000 englobe désormais les notions d'interface avec les clients, de processus de la prestation du service et d'analyse et d'amélioration de la réalisation du service.

1.6 LA FIDÉLISATION DE LA CLIENTÈLE

OBJECTIF 6

Déterminer les avantages de la fidélisation de la clientèle.

Nous avons vu à la section précédente que le remplacement d'un client représente un coût élevé et qu'il est préférable d'engager des frais (jusqu'à la valeur du coût de remplacement d'un client) pour conserver ses clients plutôt que de tenter d'en attirer de nouveaux. C'est pourquoi certaines entreprises créent des programmes de fidélisation de la clientèle. En fidélisant leur clientèle, elles deviennent rentables ou accroissent leur rentabilité.

LES AVANTAGES POUR LE CLIENT

Le client demeure fidèle à son fournisseur tant qu'il a l'impression que ses gains (qualité, satisfaction, bénéfices en termes de produits et services) sont supérieurs à ses coûts (financiers et non financiers). Une relation à long terme permet au fournisseur avisé d'offrir de meilleurs produits et services grâce à sa grande compréhension des besoins de son client. Il peut lui offrir des traitements de faveur qu'il n'offrirait pas à de nouveaux clients qu'il connaît moins. Une relation à long terme permet d'établir une confiance mutuelle. Le client sait que son fournisseur ne le laissera pas tomber en cas de nécessité ; inversement, le client ne changera pas de fournisseur par simple caprice. Cette confiance réciproque réduit le stress associé aux affaires. Le client a intérêt à rester fidèle à son fournisseur, par suite de la simplification de la relation d'affaires. Celle-ci devient routinière, ce qui lui demande moins de contrôle et lui permet de réduire ses dépenses. Il y gagne aussi en éliminant les coûts et en évitant d'apprendre de nouvelles procédures s'il faisait des affaires avec un autre fournisseur.

Le client y gagne aussi psychologiquement par les liens chaleureux qu'il finit par établir avec son fournisseur. Par exemple, dans les services personnels, un médecin ou un coiffeur devient un confident dont la perte est lourdement ressentie. Certains établissements se transforment en points de ralliement sociaux importants. Il n'y a qu'à penser au restaurant ou au bar que l'on fréquente tous les jours ou toutes les semaines pour y retrouver des amis.

LES AVANTAGES POUR L'ENTREPRISE

En conservant ses clients, l'entreprise réduit ses coûts et accroît sa rentabilité. Cette diminution des coûts résulte des commandes régulières que passent les clients habituels. Le personnel de l'entreprise sait exactement comment traiter ces commandes devenues routinières, ce qui minimise les erreurs et leurs coûts (financiers et affectifs). La régularité des ventes simplifie la gestion, et l'entreprise est en mesure de prévoir plus facilement ses propres besoins en personnel, en produits et services, ou son fond de roulement, par exemple. N'oublions pas qu'un milieu de travail moins stressant accroît la qualité de vie au travail et permet à l'entreprise de garder ses employés. C'est un facteur important dans l'établissement de liens entre clients et fournisseurs.

LES MOYENS DE FIDÉLISER LES CLIENTS

www.hbsc.harvard.edu

Il y a une différence entre des clients qui se déclarent satisfaits et des clients fidèles. Frederick Reichheld indique dans un article du Harvard Business Review[24] que 65 à 85 % des clients qui se disent « satisfaits » peuvent cependant passer à la concurrence. Satisfaire le client n'est qu'une des étapes de la fidélisation. Une importante part de marché ne représente donc pas un indicateur fiable de la loyauté des clients ! Plusieurs raisons peuvent expliquer pourquoi une entreprise a conquis une importante part du marché, mais si elle n'arrive pas à fidéliser sa clientèle, elle aura toute la peine du monde à conserver sa part du gâteau. L'habitude et l'inertie contribuent grandement à conserver les clients, qui n'aiment généralement pas le changement, mais l'offre alléchante d'un concurrent risque de les amener à se tourner vers un autre fournisseur. En outre, les clients simplement satisfaits ne sont pas de ceux qui s'engagent activement à trouver d'autres clients pour l'entreprise.

www.Costco.com

Connaître ses clients permet de s'adapter à leurs besoins présents et futurs. Par ailleurs, l'entreprise qui est en mesure de distinguer, parmi ses clients, ceux qui procèdent à de gros volumes d'achats peut mettre au point des stratégies pour mieux les servir et les conserver. Ainsi, la chaîne de magasins entrepôts Costco offre des heures d'ouverture supplémentaires qu'elle réserve à ses clients « membre affaires ».

www.desjardins.com

Certaines entreprises offrent des avantages au prorata du chiffre d'affaires qu'elles réalisent avec leurs clients. Ainsi, au moment de la rédaction de ce manuel, un client détenteur de certaines cartes de crédit Desjardins pouvait obtenir des Bonidollars pour une somme représentant entre 0,05 et 1 % de ses achats. Ce client peut utiliser ses Bonidollars pour acheter des produits d'assurances Desjardins, des produits financiers Desjardins, des voyages, des primes, des billets de spectacle, etc. Ce type de programme de fidélisation de la clientèle encourage les clients à concentrer leurs achats chez ce fournisseur qui les remercie en leur offrant des rabais supplémentaires. Remarquez la **synergie** que Desjardins obtient en dirigeant un client qui désire utiliser ses Bonidollars de la division carte de crédit vers sa division assurances.

Synergie (*synergy*)
Économie de moyens ou rendement supérieur résultant de la mise en commun de plusieurs actions concourant à un effet unique[25].

L'entreprise tente de fidéliser ses clients à long terme. Idéalement, un bon client fidèle est celui qui :

■ Concentre ses achats dans la même l'entreprise.

■ Utilise les services de financement offerts par l'entreprise.

■ Contribue à la mise au point de l'offre de produits et services de l'entreprise :

• en exprimant ses besoins, son opinion ;

• en participant aux sondages de l'entreprise ;

• en acceptant les prototypes de l'entreprise ;

• en collaborant avec les représentants de l'entreprise ;

• en acceptant que des clients potentiels viennent le rencontrer pour obtenir des témoignages ;

• en recommandant des clients potentiels.

Costco pratique l'approche client avec son volet « membre affaires ».

- Fait l'éloge de l'entreprise.

- Résiste aux avances des concurrents.

Heureusement, ce bon client fidèle n'existe que dans les rêves du président de l'entreprise ! Cependant, l'approche client contribue à transformer les clients d'une entreprise en partenaires tournés vers cet idéal. Le partenariat en affaires repose sur la confiance, et cette confiance est le résultat d'un ensemble d'éléments se renforçant mutuellement. La confiance est ce sentiment de sécurité, d'assurance, d'espérance inspiré par l'entreprise qui respecte sa parole, par sa bienveillance envers ses clients, et par son respect du client dans ses communications et dans ses actions.

L'entreprise dispose de quatre stratégies (figure 1-6, p. 18) qu'elle peut combiner à volonté pour fidéliser sa clientèle. Ces stratégies reposent sur des liens financiers, sociaux, sur mesure et structuraux.

1. Les *liens financiers* sont les plus fragiles, car les concurrents peuvent les imiter facilement. Entre entreprises, les rabais de volumes et les rabais de répétitions sont monnaie courante. L'argent Canadian Tire est l'équivalent du rabais de volume pour les consommateurs. Les cartes de fidélité de la cafétéria du coin offrant une tasse de café gratuite après l'achat de 10 cafés sont des cartes de répétitions. Il existe des entreprises spécialisées en service de fidélisation pour les commerçants, telles qu'AirMiles ou les livrets de coupons Entertainment. L'effort est essentiellement de nature monétaire. AirMiles utilise des promotions croisées, comme le font les Caisses Desjardins dans l'exemple mentionné précédemment.

www.canadiantire.com
www.airmiles.ca
www.entertainment.com

2. Les *liens sociaux* sont des liens qui s'établissent entre le personnel de l'entreprise et ses clients, parfois entre les clients qui font affaire avec la même entreprise. Les fréquentes rencontres entre les clients et les fournisseurs constituent l'occasion de créer connivence et amitié. L'entreprise peut également favoriser la communication entre clients et créer une communauté virtuelle par l'intermédiaire d'un site Web. À titre d'exemple, mentionnons eBay, Space ou Harley-Davidson. De tels liens peuvent être très appréciés des clients et sont très efficaces.

www.ebay.com
www.spaces.msn.com
www.harley-davidson.com

3. Les *liens sur mesure*. Lorsque l'entreprise connaît et comprend exactement les besoins de chacun de ses clients, elle est en mesure de personnaliser ses offres de produits et services. Pour les consommateurs, Internet offre mille exemples. Il suffit de penser à la page d'accueil de certains grands portails Internet, tels Sympatico-MSN, Excite ou Yahoo! et, plus encore, celle de Google. Ces pages se distinguent par leur présentation et leur contenu, car elles sont adaptées aux goûts particuliers de chacun des usagers, qui vont de l'horoscope du jour aux résultats des courses automobiles. Dans le domaine industriel, l'aéronautique permet de se rendre compte à quel point la personnalisation des produits est entrée dans les mœurs. Lorsque l'on compare les avions commerciaux d'Airbus et de Boeing, qui nous semblent identiques au premier abord, on se rend compte qu'ils sont pratiquement faits sur mesure, afin de répondre aux besoins particuliers de chaque compagnie aérienne. Les modifications ne se limitent pas seulement à la couleur de la peinture extérieure et au logo du transporteur aérien. Elles concernent également l'aménagement de la cabine, le nombre des fauteuils, leur disposition ainsi que leurs dimensions. Par exemple, les compagnies japonaises commandent des sièges plus étroits que les compagnies nord-américaines ; Air Canada exige que les sièges de la classe économique mesurent 70 cm de largeur et soient recouverts d'un tissu avec des motifs rouges et noirs. De son côté, Japan Air

www.sympatico.msn.ca
www.excite.com
www.Yahoo.com
www.google.com
www.airbus.com
www.boeing.com

Lines commande des sièges de 65 cm de large, qui doivent être recouverts en bleu pâle et disposer d'un adaptateur pour ordinateur.

4. Les *liens structuraux* sont des liens d'étroite collaboration et à long terme. Ce type de liens est fréquent en marketing industriel. Par exemple, lorsque la direction du journal *La Presse* a décidé que ses presses rotatives étaient vétustes, elle a fermé son atelier d'impression et a demandé à la société Transcontinental d'imprimer son journal. Transcontinental a donc fait construire une immense imprimerie dans l'est de Montréal, et dans laquelle les employés de *La Presse* ont été transférés. Dans ce type de relation, l'intégration des processus et du matériel est très poussée. Par exemple, la rédaction du journal, qui se trouve au centre-ville, envoie ses textes à l'imprimerie directement par Internet.

web
www.cyberpresse.ca
www.transcontinental.ca

Figure **1-6** Les liens de fidélisation

Liens financiers

Primes exclusives

Rabais de volumes et de répétitions

Promotions croisées et regroupement

Liens sociaux

Amitié

Relation durable

Liens sociaux entre clients

Liens sur mesure

Sur mesure de masse

Compréhension des processus du client

Innovation et anticipation de la demande

Liens structuraux

Projet conjoint

Système d'information partagé

Intégration des processus et des équipements

1.7 L'APPROCHE CLIENT ET LE POSITIONNEMENT DE L'ENTREPRISE

L'adoption de l'approche client vise à satisfaire le client du premier coup. Il s'agit d'une décision importante, qui relève de la haute direction de l'entreprise. Cette décision stratégique doit être mûrement analysée, puisque ses répercussions sont nombreuses et lourdes de conséquences. La mise en œuvre de l'approche client exige du temps, une soigneuse planification et nécessite d'importantes ressources. Pour considérer que l'adoption de l'approche client est un succès, une entreprise doit avoir :

- Reçu l'approbation unanime de la haute direction au projet.

- Consulté le personnel et obtenu son soutien.

- Défini des objectifs précis et réalistes.

- Respecté toutes les étapes du processus de mise en œuvre.

L'entreprise s'efforce d'offrir plus d'avantages à ses clients sur chacun des éléments influant sur sa décision d'achat : service, prix, qualité, gamme de produits ou service adapté. Pourtant, ce sont les actions inopportunes de l'entreprise qui provoquent 60 % des pertes de clients. De ce 60 %, un tiers découle de traitements inadéquats que les employés font subir aux clients et les deux autres tiers proviennent de produits fautifs ou de politiques d'entreprises qui prennent le client par surprise, par suite de coûts cachés, par exemple. La mise en œuvre de l'approche client oblige l'entreprise à prioriser ses actions en commençant par celles dont l'effet est le plus grand (voir la loi de Pareto dont il est question plus loin). Ce manuel traite de ces sujets et explique comment procéder pour satisfaire le client du premier coup.

Quand une entreprise adopte avec succès l'approche client, elle obtient un **positionnement** favorable par rapport à ses concurrents. Il faut que l'entreprise fasse les choses correctement du premier coup, et que ses clients et ses clients potentiels le sachent. Ainsi, la société Ultramar s'est associée à la carte de crédit MasterCard de la Banque Nationale du Canada pour offrir un ensemble de services distinctifs : paiement avec remise sur l'essence et le mazout, assistance routière en cas de panne, présentation regroupée sur le relevé de compte de la carte de crédit des transactions effectuées dans les stations Ultramar, etc.

La famille de normes de la série ISO 9000 décrite précédemment explique comment mettre sur pied l'approche client. Nous présentons certains éléments de cette norme au chapitre 3.

LE CLIENT A-T-IL TOUJOURS RAISON ?

L'entreprise vise la rentabilité, nécessaire à sa survie. Les réclamations des clients entraînent différentes sortes de frais, tels des coûts de réparation ou de remplacement, des coûts liés au personnel chargé de traiter les réclamations, ou encore à l'espace de réception et de rangement, etc. Une entreprise qui fait face à des réclamations doit commencer par s'interroger sur la légitimité des plaintes et donner satisfaction aux clients mécontents. Ensuite, elle doit vérifier si ce type de situation risque de se poursuivre et quelles en seront les conséquences. L'entreprise ne doit pas hésiter à se demander si elle vise les bons clients. A-t-elle le bon positionnement ? Court-elle après les clients profitables ou les clients moins profitables ? Il s'agit là d'une situation typique d'application de la **loi de Pareto**[26], qualifiée également de classification ABC ou de règle du 80-20. Cette loi met en

Positionnement (*positioning*)
Définition de la position qu'occupe un produit donné par rapport aux marques et aux produits concurrents dans l'esprit du consommateur.

www.ultramar.ca
www.bnc.ca

Loi de Pareto (*Pareto's law*)
Classification de données par ordre d'importance. Près de 20 % des problèmes sont à l'origine de 80 % des plaintes.

lumière les problèmes les plus importants, qui sont habituellement les plus fréquents et qui résultent d'un petit nombre de causes. Cette réflexion permet de s'assurer que l'entreprise sert ses clients cibles et non un autre groupe pour lequel elle n'est pas bien préparée.

Même si les clients de l'entreprise sont bien ceux qu'elle doit cibler, elle finit toujours par tomber sur des clients difficiles. Le chapitre 10 indique comment transiger avec ces clients malcommodes. Il arrive que certains clients se montrent pénibles, voire impossibles, au point de rendre la vie du personnel intenable. Il arrive également qu'ils coûtent plus cher à l'entreprise qu'ils ne lui rapportent, en plus d'indisposer les autres clients. Que faire ? Si l'utilisation des techniques présentées au chapitre 10 s'avère sans succès, alors il faut leur faire comprendre que l'entreprise n'a pas les ressources appropriées pour les servir comme ils le désirent et qu'ils devraient penser à chercher un autre fournisseur. Dans certaines circonstances, il est toutefois impossible de recourir à de telles mesures, en particulier dans les services en situation de monopole, comme dans le milieu de la santé.

<table>
<tr><td>

» OBJECTIF 7

Situer le rôle des employés dans la prestation du service à la clientèle.

</td></tr>
</table>

L'AFFAIRE DE TOUS LES EMPLOYÉS

Une entreprise est d'abord composée de personnes et le service client est habituellement rendu par des personnes qui s'adressent à d'autres personnes. Et comme l'indiquent les enquêtes TARP, 20 % des pertes de clients découlent des mauvais traitements que les employés font subir aux clients. Les employés jouent donc un rôle déterminant dans le processus.

Pour les employés, les services qui exigent un contact direct avec le client sont beaucoup plus exigeants. Ce face à face permet au client d'évaluer l'apparence et les capacités relationnelles du personnel de la relation client. L'entreprise doit donc bien préparer ces rencontres. Par exemple, imposer le port de l'uniforme permet de régler les questions de nature vestimentaire, de former les employés et de mettre à leur disposition des outils de communication qui contribuent à uniformiser les relations entre le personnel et les clients. Les chapitres 9 et 10, qui portent sur la communication, abordent ce sujet délicat. Vous y apprendrez comment présenter vos messages de manière efficace ainsi que la façon de se comporter avec les clients difficiles.

Dans une entreprise, tous les membres du personnel joue un rôle important, même le livreur installeur, car il est en contact direct avec le client, sans supervision la plupart du temps. Pour les gens de l'extérieur, l'employé représente l'entreprise, même s'il est en congé. Les manquements du personnel résultent souvent du stress qu'ils subissent durant leur travail. Le chapitre 11, qui aborde la question de la gestion du temps et du stress, présente divers moyens qui aident les employés à faire de leur emploi une expérience positive.

TOUT LE MONDE EST UN CLIENT

Nous sommes tous à la recherche de relations stables et gratifiantes. Nous recherchons les gens qui nous apprécient et avec lesquels nous pouvons entretenir des liens de réciprocité ; des gens dignes de notre amitié et de notre reconnaissance. Nous sommes fidèles aux personnes, aux entreprises et aux marques en lesquelles nous pouvons avoir confiance et auxquelles nous pouvons nous attacher. Cette affirmation vaut tant pour la vie privée que pour la vie professionnelle. Nous sommes les clients des personnes qui nous entourent et ces personnes sont nos clients.

Les clients sont donc toutes ces personnes avec lesquelles nous entretenons des échanges. L'objet de l'échange n'a pas besoin d'être économique et de se limiter à des biens et services. L'échange a souvent une dimension psychologique et intangible. L'amitié n'implique pas automatiquement un échange matériel!

C'est par notre attitude que nous créons des relations durables et que nous nous sentons bien dans notre peau. Dans la vie privée comme au travail, les employés heureux et satisfaits contribuent à la satisfaction et au bonheur des clients. Pratiquer l'approche client est une manière formidable de bien vivre.

RÉSUMÉ

1. Définir les caractéristiques du service à la clientèle et de l'approche client.

Le service à la clientèle est un sous-ensemble des services dont la mission est de répondre aux questions et aux besoins des clients, de régler les différends et les réclamations, soit en personne, soit par le biais de divers moyens de communication (téléphone, Internet, courrier, etc.). Avec l'approche client, l'entreprise va plus loin que le service à la clientèle, car elle place le client au cœur de ses préoccupations et cherche à répondre à ses besoins du premier coup. En même temps, elle accroît sa rentabilité et assure son avenir.

2. Nommer les emplois liés au domaine.

Les principales appellations d'emplois liées au service à la clientèle sont: préposé au service à la clientèle, agent, caissier, adjoint aux ventes, commis, commis-vendeur, conseiller, coordonnateur, représentant, superviseur, réceptionniste, téléphoniste, preneur de commandes, livreur, installateur et technicien d'entretien.

3. Caractériser les comportements des clients insatisfaits.

Les clients insatisfaits expriment très peu leur mécontentement; ils changent de fournisseur à la première occasion. Dans 60% des cas, l'insatisfaction des clients provient de manquements de la part de l'entreprise.

4. Préciser les avantages de l'approche client.

L'approche client aide l'entreprise à accroître ses ventes, à augmenter son rendement financier, à accroître ses parts de marché et à obtenir des revenus supérieurs sur les nouveaux produits qu'elle a l'intention de fabriquer. En outre, l'approche client permet de fidéliser la clientèle, ce qui contribue à réduire les coûts financiers et humains entre fournisseurs et clients.

5. Calculer les coûts associés à la perte d'un client.

Ce calcul inclut les profits perdus que ce client aurait rapportés si l'entreprise avait réussi à le conserver. Le calcul doit également tenir compte des frais supplémentaires occasionnés par les coûts de recrutement d'un nouveau client pour remplacer le client perdu.

6. Déterminer les avantages de la fidélisation de la clientèle.

La fidélisation de la clientèle avantage l'entreprise, car le client fait tous les achats qu'il est en mesure de faire dans l'entreprise. De plus, le client contribue au développement des produits et services de l'entreprise, au recrutement de nouveaux clients, et sa résistance aux avances des concurrents est renforcée.

7. **Situer le rôle des employés dans la prestation du service à la clientèle.**

Les services sont habituellement rendus par des personnes qui les destinent à d'autres personnes. Le client voit et évalue l'apparence et les capacités relationnelles du personnel de la relation client. En introduisant la notion de client interne, tous les employés de l'entreprise sont appelés à adopter l'approche client.

MOTS CLÉS

Approche client (p. 5)	*Customer orientation*
Client externe (p. 9)	*External customer*
Client interne (p. 9)	*Internal customer*
Culture organisationnelle (p. 4)	*Organizational culture*
Fidélisation (p. 4)	*Development of customer loyalty*
Gestion de la relation client (GRC) (p. 7)	*Customer relationship management (CRM)*
Loi de Pareto (p. 19)	*Pareto's law*
Marchéage (p. 4)	*Marketing mix*
Personnel de la relation client (p. 3)	*Customer contact employees*
Plan stratégique (p. 8)	*Strategic plan*
Positionnement (p. 19)	*Positioning*
Service à la clientèle (p. 3)	*Customer service*
Service après-vente (p. 5)	*Customer service*
Servuction (p. 3)	*Marketing of services*
Synergie (p. 16)	*Synergy*

QUESTIONS DE | RÉVISION

1. Que désire le client?

2. Comment les entreprises peuvent-elles se démarquer de la concurrence?

3. Quelles sont les composantes clés du service à la clientèle?

4. Quelles distinctions fait-on entre le service après-vente et l'approche client?

5. Énumérez et présentez les grands principes de l'approche client selon la certification ISO.

6. Qu'est-ce qu'un client interne?

7. Nommez quatre avantages de l'approche client.

8. Expliquez le concept de fidélisation de la clientèle, son importance et ses enjeux. Donnez un exemple.

9. Indiquez trois comportements que peut présenter un client insatisfait.

10. Pourquoi le personnel de l'entreprise est-il si important dans le service à la clientèle?

11. Expliquez pourquoi une importante part de marché n'est pas un indice fiable de fidélisation de la clientèle.

12. Comment calculer les coûts associés à la perte d'un client ?

13. Quelles sont les conséquences que peuvent exercer les produits ou les services, ainsi que celles des politiques de l'entreprise, sur la perte de clients ?

14. Exercice de sensibilisation par la construction d'une grille d'évaluation du service à la clientèle.

   a) Formez des équipes de quatre personnes et faites une liste des sujets à vérifier.

   b) En classe, mettez en commun les réponses des différentes équipes.

   c) Rédigez un document commun que vous distribuerez à toute la classe.

15. Exercice de sensibilisation avancé.

   En équipe de quatre étudiants, utilisez la grille d'évaluation du service à la clientèle de l'exercice précédent pour évaluer les services de votre établissement scolaire. Exemple : cafétéria, service aux étudiants, bibliothèque, café étudiant, magasin scolaire, etc.

ATELIERS PRATIQUES

1. Liste des services de l'entreprise.

   a) Formez des sous-groupes de cinq étudiants.

   b) Dans chaque groupe, énumérez les services que fournit l'une des entreprises employant l'un des membres du groupe.

   c) Pour chaque service énuméré, indiquez le degré de conformité (sur une échelle de 1 [non conforme] à 5 [très conforme]) aux caractéristiques (intangibles, périssables et simultanées) des services présentées au début du chapitre.

   d) Présentez à toute la classe les résultats des différentes équipes.

2. Calcul de vos dépenses en service.

   Au cours d'une semaine, notez chacune de vos dépenses, en prenant soin :

   a) d'indiquer la nature, le montant et la catégorie (service, bien) ;

   b) de faire le total et de remettre le tout au responsable de votre classe, que l'on a désigné pour compiler toutes les données.

   La semaine suivante, le responsable présente son rapport à toute la classe.

3. Discussion en classe des aspects éthiques de la question : « Le client a-t-il toujours raison ? »

   a) Formez des sous-groupes de cinq étudiants.

   b) En équipe, discutez du thème et demandez à un rapporteur de prendre en note les arguments mis de l'avant.

   c) Présentez à toute la classe les principaux points de la discussion.

4. Rapport d'évaluation de l'importance du service client dans des entreprises où travaillent des étudiants.

   a) Formez des équipes de travail de trois personnes au maximum.

b) Déterminez les ressources consacrées au service client dans l'entreprise (nombre de personnes travaillant à temps plein pour ce service, pourcentage de tâches pour les personnes travaillant au service client, matériel, surface des locaux, etc.).

c) Préparez un rapport écrit que chaque équipe présentera à toute la classe.

5. Rapport sur les outils de fidélisation de la clientèle qu'offrent les entreprises dans lesquelles travaillent les étudiants.

Après avoir formé des équipes de trois personnes au maximum, utilisez la classification de la figure 1-6 pour un rapport écrit contenant :

a) l'inventaire des mesures de fidélisation ;

b) la description de chacune des mesures ;

c) l'évaluation sommaire de leur efficacité.

Chaque équipe présentera son rapport devant toute la classe.

RETOUR SUR LA

MISE EN SITUATION

LE MÉGA DÉPANNEUR AUCOIN

Bianca fait part de ses observations à son père.

« Papa, même si tu as amélioré l'offre de produits dans ton magasin pour tenir compte de l'évolution démographique du quartier, il est fort probable que les ventes stagnent parce que nous avons omis de placer le client au cœur de la prestation de nos services. Si nous voulons fidéliser cette nouvelle clientèle du quartier, il faudrait former nos employés pour mieux répondre aux besoins des clients. Il faudrait également être plus attentif à ses plaintes, à ses besoins particuliers, et revoir la logistique de la prestation de nos services. Il faudrait réduire le temps d'attente aux caisses, particulièrement aux heures de pointe des travailleurs. Pour cela, les employés devraient mieux gérer le moment des pauses-café et effectuer les tâches administratives durant les moments plus tranquilles. Ces tâches ne devraient jamais être effectuées au détriment de la satisfaction de la clientèle. Finalement, en matière de courtoisie envers la clientèle, je dois te parler d'Aurèle... »

Les attentes du client au cœur du service

C'est tous les jours Mardi gras et chaque fan est roi.

Bill Veeck, ex-propriétaire des White Sox de Chicago

>> *OBJECTIFS* *D'APPRENTISSAGE*

Après avoir étudié ce chapitre, vous pourrez:

1. Décrire les tendances de la société qui influent sur les attentes de la clientèle en matière de service.

2. Distinguer les clients internes et les clients externes.

3. Distinguer les clients «programmés» et les clients «non programmés».

4. Expliquer la notion de zone de tolérance du client.

5. Décrire les 10 attentes de la clientèle en matière de service.

MISE EN SITUATION

UN CLIENT DE PERDU POUR R3R MARKETING

Olivier Lavallée, gestionnaire de projet pour R3R Marketing, est dépité. Jonathan Simard, directeur du marketing de la brasserie Iglou, vient de lui apprendre qu'il ne confiera pas, cette année, à R3R Marketing l'organisation de la tournée promotionnelle québécoise pour la marque Tsélà. Danyelle Chevalier, sa supérieure, lui demande des explications.

«Je ne comprends pas, Danyelle. Il me semble avoir répondu à toutes ses attentes. Nous avons respecté toutes les échéances. La tournée a généré une couverture de presse monstre! Les ventes ont bondi de 20%! En plus, le projet lui a coûté 5% de moins par rapport à l'an dernier. Nous avons suivi ses consignes au pied de la lettre... Je ne comprends vraiment pas ce qui a pu se passer.

— Justement, Olivier, le fait que tu ne comprennes pas m'inquiète! D'autant plus qu'en consultant Infopresse.com ce matin, j'ai appris qu'il se tournait vers ZigZag promo, de parfaits inconnus! Olivier, je veux qu'avec ton équipe, tu relances Jonathan Simard afin de faire un bilan de la situation et de comprendre ce qui s'est passé. Fais-le parler, ça ne devrait pas être difficile. Je ne m'attends pas à ce que tu récupères le contrat. Je veux surtout qu'on comprenne quelles erreurs nous avons faites en matière de service à la clientèle, afin de ne pas les répéter. Nous n'en avons pas les moyens!»

OBJECTIF 1

Décrire les tendances de la société qui influent sur les attentes de la clientèle en matière de service.

Valeurs personnelles
(*personal values*)

Ce que l'individu considère comme vrai, beau, bien, selon ses propres critères ou ceux de la société dans laquelle il vit, et qui sert de référence, de principes moraux ou de principes d'action.

2.1 LES TENDANCES DE LA SOCIÉTÉ, LES VALEURS PERSONNELLES ET LES MODES DE VIE DES CLIENTS

Comme l'illustre la mise en situation de ce début de chapitre, le client ou le consommateur n'exprime pas toujours clairement ses attentes. De plus, divers facteurs l'influencent et font varier ces dernières, en particulier dans une société comme la nôtre où tout change si rapidement. Or, pour offrir un bon service à la clientèle, toute entreprise a besoin de bien comprendre le comportement de la clientèle. En effet, mieux on sait à qui on a affaire, mieux on peut le servir.

Dans cette première partie, nous allons donc faire un survol des principales tendances de la société qui déterminent les **valeurs personnelles** du consommateur.

Ces dernières années, les médias parlent de plus en plus de «tendance», de ce qui est *in* et de ce qui est *out*. Comment les organisations peuvent-elles faire pour s'y retrouver? Elles peuvent mettre un système d'information sur la clientèle. Pour cela, elles doivent commencer par consulter les sources secondaires d'information, c'est-à-dire obtenir de l'information sur les consommateurs de manière indirecte. Comme nous le verrons dans le chapitre 5, elles pourront par la suite se tourner vers les sources primaires, vers les clients directement, pour obtenir des données précises sur la clientèle.

Dans leurs études et ouvrages, les sociologues déterminent les tendances générales de la société qui influencent le comportement des clients. Une organisation qui met en place et gère un service à la clientèle doit connaître ces facteurs. Il s'agit, de nos jours, de l'allongement de la durée de la vie, de l'accroissement de la richesse collective, du cocooning extrême, de l'aventure fantastique organisée, de l'importance de l'ego, du rapport de plus en plus névrotique au temps et de la place grandissante du ludiciel.

L'ALLONGEMENT DE LA DURÉE DE LA VIE

Au cours des 150 dernières années, l'hygiène des individus a fait des progrès phénoménaux et la productivité de l'agriculture a énormément augmenté sur toute la planète. En conséquence, l'espérance de vie de tous les êtres humains a doublé. Cela se vérifie même dans les pays les plus pauvres, où elle est passée de 20 à 40 ans.

Comme ils vivent plus longtemps, les gens peuvent acquérir plus de connaissances et ont plus d'exigences. De plus, comme la population vieillit, la clientèle aussi. Elle comprend de plus en plus de personnes âgées qu'il faut prendre en considération de façon spéciale.

L'ACCROISSEMENT DE LA RICHESSE COLLECTIVE

L'augmentation de l'espérance de vie, l'amélioration des techniques de production et la mondialisation (amorcée il y a 200 ans) ont conduit à un accroissement de la richesse des individus. Depuis la fin des années 1980, la Chine connaît une croissance de sa richesse de l'ordre de 9% par année. Il en va de même de pays tels que l'Inde, la Corée du Sud, Taïwan, Singapour et la Thaïlande. Or, ces pays fournissent aux consommateurs des pays développés des produits de haute qualité à des prix dérisoires.

Ayant ainsi plus de choix et se voyant proposer des articles à bas prix, les consommateurs sont de plus en plus exigeants, y compris à propos des services qui, eux, sont fournis localement.

LE COCOONING EXTRÊME

Dès le début des années 1980, le phénomène du cocooning, défini par la sociologue américaine Faith Popcorn[1], a commencé à se manifester. À l'aube du XXIe siècle, il s'est accentué. Selon Jean-Claude Boisdevésy[2], qui s'est notamment fondé sur les travaux de Faith Popcorn, en quittant le XXe siècle – qui aura été le plus meurtrier, le plus barbare de toute l'Histoire de l'humanité –, les consommateurs sont en général passés à un cocooning plus intense, qu'on nomme «cocooning extrême» ou encore *burrowing*.

Le cocooning extrême se manifeste tout d'abord par le fait que les gens font de leur résidence principale un véritable cocon blindé. Les nouvelles résidences de type château, aussi appelées *monster houses*, sont ainsi très populaires. De plus, nous voyons émerger des communautés clôturées (*gated communities*). Enfin, certaines municipalités et certaines personnes éprouvent le besoin de se doter, les unes, de services de sécurité privés en plus des services publics déjà offerts, les autres, de systèmes d'alarme résidentiels ou de caméras de surveillance. Les attentats du 11 septembre 2001 n'ont fait qu'exacerber ce besoin de sécurité.

Ensuite, le cocooning se manifeste par le fait que la maison devient un lieu de travail. On compte ainsi, au Canada, plus d'un million de télétravailleurs. Aux États-Unis, les télétravailleurs seraient plus de dix-huit millions, et en Europe, deux millions[3]. De plus, avec les technologies des télécommunications, le téléphone et Internet, la maison devient également une place de marché. Le cocooning extrême

Le clan supplante la famille traditionnelle. Le marketing viral, ou *buzz marketing*, cible justement les chefs de ces tribus du XXIᵉ siècle.

Marketing viral
(*buzz marketing*)
Art d'amorcer le bouche à oreille, de mettre en place les conditions et les outils nécessaires à une contamination généralisée.

www.culture-buzz.com

atteint même l'automobile. Cette dernière, véritable véhicule blindé, sert non seulement de moyen de transport, mais également de résidence secondaire mobile, avec sa chaîne stéréo, sa télévision, ses sièges transformables de plus en plus confortables, ses accessoires de camping et de pique-nique intégrés…

Enfin, du point de vue social, le cocooning se manifeste par la *clanisation*. En effet, les gens se regroupent en tribus ayant les mêmes valeurs, adoptant le même code vestimentaire, lisant les mêmes livres, fréquentant les mêmes restaurants… En dehors de la famille nucléaire traditionnelle, ils choisissent leur famille dans la société, leur cocon social.

Devant ce phénomène de cocooning social, de plus en plus d'entreprises élaborent des stratégies de **marketing viral**, dans le but d'atteindre les chefs des groupes de référence, les leaders d'opinion de chaque clan, et par là même les microcommunautés dans leur ensemble. À titre d'exemple, Antoine, 19 ans, président du conseil étudiant de son cégep, a reçu des échantillons d'une nouvelle marque de gomme à mâcher. Tout ce qu'il a à faire, c'est porter le paquet de gomme sur lui, dans tous ses déplacements. En fait, les stratégies de marketing viral sont si populaires qu'il existe un portail consacré à cet outil émergent : Culture-Buzz.

L'AVENTURE FANTASTIQUE ORGANISÉE

Parmi les autres tendances des années 2000 qui peuvent influer sur le comportement des clients figure l'aventure fantastique organisée et à la carte. Il s'agit d'une recherche de dépaysement qui peut aller, selon la façon dont se sent la personne et selon ce qu'elle vit, de la quête de produits du terroir ou de la cuisine ethnique à des trekkings organisés, en passant par des soirées *rave*.

Dans ce contexte, pour faire face à la concurrence des hypermarchés et des magasins entrepôts, les commerces de détail sont de plus en plus nombreux à repenser tout leur processus de prestation de service, à chercher à faire vivre une expérience particulière à leur clientèle, au-delà des simples transactions. Dans ce but, ils doivent revoir leur diagramme d'analyse de service (chapitre 3), modifier leur marchandisage, jouer sur l'ambiance sonore, voire olfactive qui règne dans leurs locaux.

L'IMPORTANCE DE L'EGO

Ego (*ego*)
Conscience qu'un individu a de sa personne ; son moi.

L'enfant roi qu'ont eu les baby-boomers est devenu un client très averti et très exigeant. De plus en plus, notre économie doit se mettre au service de son **ego**. Les marchés mondiaux ont évolué de telle façon qu'on parle désormais non plus de segments de marchés ou de créneaux de marchés, mais de *marchés mondiaux personnalisés* et de *personnalisation de masse*[4].

Grâce aux technologies nouvelles et aux bases de données, la personnalisation de masse permet de connaître chaque client au milieu d'une masse d'individus et de lui offrir des produits personnalisés. Elle se fait par l'ajout, dans la production de masse, à l'aide d'un outil de production numérique flexible, d'un élément personnalisé rapprochant la production de masse de la fabrication d'articles sur mesure. Pour certains, le sur-mesure de masse va plus loin que la personnalisation de masse jouant sur les matières, les couleurs, etc., parce qu'il tient compte, lors de la fabrication de vêtements, des différentes mensurations. Cependant, la frontière entre les deux est floue. En effet, le sur-mesure de masse consiste souvent à assembler des éléments de base en fonction de commandes spécifiques. Dans ce contexte, il est de plus en plus difficile d'espérer faire des profits en étant «tout pour tous»: pour attirer la clientèle, les entreprises doivent s'adapter. C'est que sans clients, une entreprise n'existe plus. Bombardier Aéronautique a ainsi suivi la tendance lors de la commercialisation de ses jets régionaux. Il a modulé son offre en fonction des exigences spécifiques de ses diverses clientèles. De leur côté, les fabricants de logiciels personnalisés se plient également aux exigences de leur clientèle. Les banques, la banque CIBC, par exemple, offrent de plus en plus de services financiers sur mesure. Le fabricant des vélos Guru fait des cadres sur mesure pour les fanatiques du cyclisme.

web
www.aerospace.bombardier.com
www.cibc.com
www.gurubikes.com

UN RAPPORT AU TEMPS DE PLUS EN PLUS NÉVROTIQUE

Au cours de sa vie, chaque individu est appelé à changer 2,7 fois de carrière en moyenne, à jongler avec plus d'un emploi, à combiner son emploi, sa famille et ses loisirs. En plus de son emploi, chacun a ses rêves qu'il veut réaliser. Tout cela conduit à la tendance de la multiplicité des vies, où chacun se perd dans un tourbillon d'activités, cherche à gagner du temps d'un côté… pour mieux le perdre de l'autre, de manière créative. Bref, les consommateurs veulent tout vivre.

Les sexagénaires qui pensent et agissent comme s'ils avaient plusieurs années de moins sont une des manifestations de ce rapport névrotique au temps. Il en est de même de la transmission Internet de plus en plus rapide, qui montre qu'on cherche à gagner toujours plus de temps. Enfin, l'endettement visant la satisfaction immédiate des besoins s'inscrit dans cette tendance. Pensons aux stratégies promotionnelles du type «Achetez maintenant, ne payez pas avant 12, 24 ou 36 mois» des commerçants du secteur des meubles et de l'électroménager.

LA PLACE GRANDISSANTE DU LUDICIEL

Finalement, de manière générale, «faut que ce soit l'fun!» En effet, les consommateurs d'aujourd'hui veulent s'informer, se cultiver, s'éduquer, mais sans effort, dans le confort et avec plaisir… C'est ainsi qu'est né le concept d'«étudissement[5]». Les bulletins d'informations des chaînes de télévision ont un format de présentation qui se rapproche de plus en plus de celui des émissions de divertissement. Dans les établissements d'enseignement, les cours magistraux traditionnels laissent de plus en plus la place à des expériences d'apprentissage se fondant sur des supports multimédias.

Cette réflexion sur les valeurs sociales des consommateurs n'a pas pour but de répondre à toutes les questions sur la clientèle. Pour être proactif, un service à la clientèle ne peut se fonder uniquement sur les données de sources secondaires recueillies par d'autres pour leurs propres besoins. Il doit aussi, comme

L'information et l'éducation devront se faire au ludiciel.

nous allons le voir au chapitre 5, récolter des données primaires ou mettre en place un système reposant sur la recherche commerciale pour obtenir une vision structurée du comportement d'achat du client d'un service.

2.2 LES THÉORIES RELATIVES À LA CLIENTÈLE

Après avoir vu certaines des tendances de la société influençant les comportements de la clientèle, attardons-nous sur quelques théories relatives à la clientèle. Il est ainsi important de connaître la distinction entre les clients internes et les clients externes, entre les clients programmés et les clients non programmés. De plus, vous devez savoir ce qu'est la proactivité et ce que sont les attentes des clients, ce qui compose leur zone de tolérance.

LES CLIENTS INTERNES ET LES CLIENTS EXTERNES

>> OBJECTIF | 2 |

Distinguer les clients internes et les clients externes.

Dans une entreprise, l'approche client s'applique autant aux clients internes qu'aux clients externes. Ainsi, le propos de ce chapitre concerne autant les premiers que les seconds. Les clients externes sont bien entendu les clients dans le sens traditionnel du mot, ceux avec lesquels le service de l'entreprise est en communication en personne, au téléphone ou par l'intermédiaire d'Internet. Les clients internes sont toutes ces personnes qui font partie de l'entreprise et qui comptent sur l'un ou l'autre des services de l'entreprise pour bien accomplir les tâches qui leur sont assignées.

Il ne faut pas négliger les clients internes d'une organisation. En effet, bien qu'ils ne soient pas des clients traditionnels, ils ont besoin d'être traités comme les clients externes. Un patron qui ne respecte pas ses employés peut difficilement s'attendre à ce que ceux-ci respectent les clients externes.

LES CLIENTS « PROGRAMMÉS » ET LES CLIENTS « NON PROGRAMMÉS »

>> OBJECTIF | 3 |

Distinguer les clients « programmés » et les clients « non programmés ».

Il existe diverses situations de consommation, allant de l'achat de routine (journal, cigarettes, etc.) au gros achat complexe (première automobile, gros appareil électroménager), en passant par l'achat d'importance moyenne et constituant un problème limité à résoudre (chandail, bouteille de vin). Le type de situation de consommation dans laquelle se trouve la clientèle externe d'une entreprise a un impact majeur sur la conception que l'entreprise a de la prestation du service. Ainsi, la première question que doit se poser une entreprise est : « Quelle situation de consommation s'associe au service qui est proposé et fourni ? » La réponse servira de point de départ à la planification de l'ensemble de la prestation du service. Elle servira non seulement à construire le diagramme d'analyse de service (chapitre 3), mais aussi à planifier la formation à donner au personnel et à élaborer la stratégie de communication concernant le service. Nous allons voir qu'il est possible de planifier la prestation d'un service à la clientèle en tenant compte des catégories de clients que sont les clients programmés et les clients non programmés.

Il est difficile de prévoir le comportement qu'aura le « client » lors de la prestation d'un service. Le client peut être un usager, un abonné, un annonceur, un bénéficiaire, un spectateur, un contribuable, un patient, un hôte ou un visiteur. Cependant, Langlois et Chebat[6] ont identifié deux grands types de clients, les clients non programmés et les clients programmés.

Les **clients non programmés** appellent ou se présentent au comptoir sans trop savoir ce qu'ils veulent. Ils constituent un double défi. Il faut à la fois leur donner de l'information, donc agir sur le plan **cognitif**, et faire preuve de beaucoup d'**empathie** pour les amener à prendre conscience de leurs besoins et de leurs moyens, donc agir sur le plan **affectif**. En fait, dans de nombreuses situations, le client est justement à la recherche d'un contenu de service riche en émotions. À titre d'exemple, au restaurant, l'ambiance du lieu et la qualité des interactions entre les clients et le personnel sont tout aussi importantes que la qualité gastronomique des plats servis.

Les **clients programmés**, au contraire, ont une idée très claire de ce dont ils ont besoin. Avec eux, le scénario d'interaction se situera souvent strictement sur le plan cognitif et concernera la transmission d'informations. Ces clients ont eux aussi des attentes particulières quant au service.

LA PROACTIVITÉ ET LE SERVICE CLIENT

Pour mettre en place un service client qui fait réellement preuve de **proactivité**, l'entreprise doit faire face aux problèmes de manière positive et non réagir aux situations. Elle doit s'intéresser autant au *contenu* du service qu'à la *façon* dont le client désire qu'on lui fournisse le service. Le service à la clientèle doit adapter ses capacités de manière à répondre aux attentes des clients. En effet, la fidélité de la clientèle dépend de la qualité de la relation qui s'établit entre les clients et les employés.

Ainsi, concernant les facteurs intrinsèques qui influent sur les consommateurs (développés plus loin dans ce chapitre), le service à la clientèle d'une entreprise doit :

- Connaître les comportements d'achat grâce à un processus d'*apprentissage*, pour comprendre la façon dont les clients sont programmés, puis éventuellement influencer ces comportements.

- Détecter les *motivations* des individus, définir leurs attentes.

- Déterminer et comprendre les *attitudes* des clients concernant un service ou un produit (attitudes positives, négatives ou neutres).

- Tenir compte des *valeurs personnelles* et des *modes de vie* des clients, de manière à classifier les styles des consommateurs, à procéder à une segmentation psychographique de la clientèle à partir de traits communs tels que les attitudes, les intérêts et les opinions.

- Savoir comment les consommateurs perçoivent et évaluent la performance d'un service (*valeur perçue*) et comment ils déterminent leur degré de satisfaction à l'égard d'un service.

LES ATTENTES DU CLIENT

Les **attentes** du client correspondent aux croyances que le client entretient à propos de la façon dont le service doit être fourni. Elles constituent des points de référence qui lui serviront plus tard à évaluer la prestation du service… Mais attention, à la question « Que puis-je faire pour vous ? », le client répondra en termes de produit ou de service, sans préciser clairement qu'il attend qu'on s'occupe de lui dans un certain délai et avec un maximum d'empathie et de courtoisie. L'employé du service à la clientèle aura beau lui fournir la meilleure marchandise qui soit, tout impair de courtoisie ou d'empathie qu'il pourra commettre, tout

Client non programmé (*unprogrammed customer*)

Client qui n'a pas d'idée précise de ses besoins au moment où il entre en relation avec le personnel de la relation client.

Cognitif (*cognitive*)

Qualifie les processus cognitifs par lesquels un organisme acquiert des informations sur l'environnement et les élabore pour régler son comportement : perception, formation de concepts, raisonnement, langage, décision, pensée[7].

Empathie (*empathy*)

Habileté à percevoir, à identifier et à comprendre les sentiments ou émotions d'une autre personne tout en maintenant une distance affective par rapport à cette dernière[8].

Affectif (*affective*)

Qui concerne les sentiments, les émotions, les attitudes[9].

Client programmé (*programmed customer*)

Client qui a une idée très précise de ses besoins en matière de service.

Proactivité (*proactivity*)

Capacité à anticiper les événements et à prendre les mesures pour susciter le changement souhaité[10].

OBJECTIF 4

Expliquer la notion de zone de tolérance du client.

Attente (*expectation*)

Fait de compter sur ce que l'on souhaite obtenir ou voir se réaliser[11].

délai un peu long dans le processus de prestation laisseront une impression négative. Il faut donc bien avoir conscience de cette partie cachée de l'iceberg. Toute erreur dans la compréhension des attentes de la clientèle peut s'avérer fort coûteuse.

Prenons l'exemple d'un repas au restaurant. La figure 2-1 indique, du côté gauche, les différents types et degrés d'attentes concernant le service et, du côté droit, la façon dont chacun se traduit dans le cerveau du consommateur. Au restaurant, le client nourrit diverses attentes allant du «minimum tolérable» («Les prix sont si bas ici que le service doit laisser à désirer!») à un «idéal» («On dit que ce restaurant est aussi bon qu'un restaurant typiquement parisien. Or, je veux aller dans un endroit spécial pour mon anniversaire.»). Sa tolérance concernant le service attendu sera ainsi très large dans le cas du minimum tolérable et très étroite dans le cas du degré idéal.

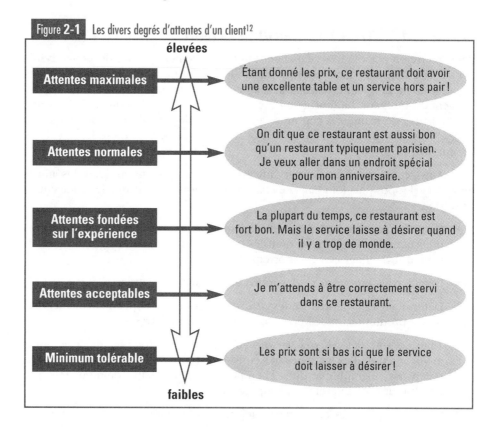

Figure 2-1 Les divers degrés d'attentes d'un client[12]

élevées

Attentes maximales	→	Étant donné les prix, ce restaurant doit avoir une excellente table et un service hors pair!
Attentes normales	→	On dit que ce restaurant est aussi bon qu'un restaurant typiquement parisien. Je veux aller dans un endroit spécial pour mon anniversaire.
Attentes fondées sur l'expérience	→	La plupart du temps, ce restaurant est fort bon. Mais le service laisse à désirer quand il y a trop de monde.
Attentes acceptables	→	Je m'attends à être correctement servi dans ce restaurant.
Minimum tolérable	→	Les prix sont si bas ici que le service doit laisser à désirer!

faibles

Ainsi, le client peut avoir diverses attentes à l'égard d'un service. Ce qu'il désire constitue un mélange entre ce qu'il croit que le service peut être et ce qu'il croit que le service devrait être. Par exemple, la personne qui s'inscrit à l'agence de rencontres sur Internet Reseaucontact.com s'attend à y trouver des partenaires compatibles avec elle, de belle apparence et suffisamment intéressants pour des sorties, voire une relation stable, peut-être même le mariage. Toutefois, elle sait que tous les candidats potentiels ne s'abonnent pas à ce genre de service. Si elle nourrit de très grandes attentes, elle reconnaît qu'elle n'est pas sûre à 100% de rencontrer l'âme sœur de cette façon. Prenons maintenant l'exemple d'un jeune homme qui n'en est pas à sa première rencontre dans ce réseau. Il nourrit alors des attentes plus précises qui se fondent sur son expérience. Enfin, le candidat qui n'est pas avantagé physiquement ou qui est un père s'occupant seul de deux adolescents en crise a des attentes minimales concernant le service de rencontres.

www.reseaucontact.com

Les attentes des clients à l'égard d'un service se situent ainsi entre ce qui est considéré comme des **attentes minimales**, degré d'attentes au-dessous duquel il y a **frustration**, et les **attentes maximales**, degré de ce qui est vivement désiré, au-delà duquel il y a **ravissement**.

LA ZONE DE TOLÉRANCE ET SES ÉLÉMENTS

DÉFINITION DE LA ZONE DE TOLÉRANCE

La **zone de tolérance** est cette fenêtre entre le minimum attendu et ce qui est souhaité (figure 2-2). À l'intérieur de cette zone, les consommateurs ne font pas particulièrement attention à la prestation du service. Mais, si la prestation de service sort de la zone de tolérance en descendant sous le seuil minimal ou en dépassant ce qui est souhaité, ils s'en rendent bien compte et s'en rappellent, car ils vivent, selon le cas, de la frustration ou du ravissement.

Attente minimale (*minimum tolerable expectation*)

Degré d'anticipation de la clientèle (représentation mentale du niveau de service attendu) au-dessous duquel il y a frustration.

Frustration (*thwarting*)

Sentiment d'insatisfaction d'un client quand le niveau de prestation d'un service se situe sous son seuil minimal de tolérance.

Attente maximale (*ideal expectation*)

Degré d'anticipation de la clientèle (représentation mentale du niveau de service attendu) au-delà duquel il y a ravissement.

Ravissement (*rapture*)

État de l'esprit transporté de joie, d'admiration.

Zone de tolérance (*tolerance zone*)

Intervalle à l'intérieur duquel un client résiste à des tensions psychologiques ou demeure courtois et objectif devant des comportements ou des croyances qu'il n'accepte pas.

Figure 2-2 La zone de tolérance du client

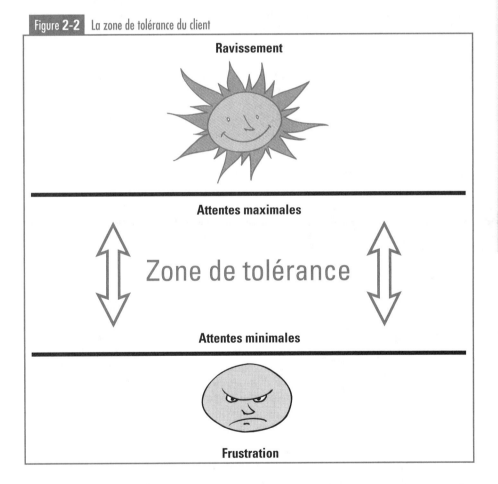

Maintenant, la question qu'on peut se poser est la suivante : «Est-ce que les clients ont les mêmes attentes à l'égard de toutes les entreprises d'une même industrie ?» La réponse est non. Les attentes sont différentes et expliquent juste-ment que deux entreprises appartenant à la même industrie peuvent offrir des niveaux de service fort différents tout en gardant la satisfaction de leur clientèle. Ainsi, les consommateurs évaluent parfois mieux les restaurants McDonald's qui offrent un service quasi mécanisé avec un minimum de personnel sur place que certains grands restaurants cinq étoiles qui emploient une armée de serveurs en livrée. Entre ces deux types extrêmes de restaurants se trouve toute une série d'établissements divers, se spécialisant dans des plats ethniques ou se situant dans des endroits comme les aéroports.

À chaque type de restaurant correspond un certain niveau de service souhaité. Ainsi, dans un établissement de restauration rapide, le consommateur attend qu'on lui serve rapidement de la bonne nourriture dans des lieux bien entretenus. Dans un grand restaurant, il s'attend à un décor des plus élégants, à des employés courtois, à un éclairage tamisé, à une bonne carte des vins présentée par un sommelier compétent et à des plats gastronomiques. Ce qu'il attend du service est constitué d'un ensemble d'éléments allant de l'environnement physique au personnel de la relation client. Dans son sens étendu, on désigne comme personnel de la relation client tout employé en relation avec la clientèle à un moment ou l'autre du processus de prestation de service.

La variabilité des éléments de la prestation de service que le client peut supporter constitue sa zone de tolérance personnelle quant au service. Dès que la prestation descend sous le strict minimum d'après sa perception, il entre dans un état de frustration et perd toute satisfaction à l'égard de l'entreprise. Qui n'a jamais fait la queue au supermarché ? La plupart d'entre nous considèrent comme zone de tolérance une attente allant de 5 à 10 minutes. Lorsque l'attente se situe dans cette durée, on ne fait pas particulièrement attention au service. Mais, si on constate que de nombreuses caisses sont ouvertes et qu'il ne faut que de 2 à 3 minutes pour présenter ses articles et payer, on a une excellente impression du service. Si, par contre, on attend plus de 15 minutes, on commence à regarder sa montre et à grogner intérieurement ; on devient frustré.

La zone de tolérance n'est pas la même pour tous les clients et peut varier, pour un même client, selon les circonstances et les attributs du service.

La zone de tolérance personnelle d'un client peut varier dans le temps. Ainsi, un homme d'affaires qui arrive en retard à l'aéroport et craint de rater son vol se montrera moins tolérant au comptoir de la compagnie aérienne. Au contraire, s'il arrive tôt, il se montrera plus tolérant.

La zone de tolérance d'un client peut également fluctuer selon les dimensions ou les attributs d'un service. Plus l'attribut est important aux yeux du consommateur, plus étroite sera la zone de tolérance. De manière générale, le client est plus intolérant concernant le manque de fiabilité d'un service (promesses non tenues, erreurs de prestation) que concernant toute autre lacune dans le service, telle que la tenue vestimentaire de l'employé.

Qu'est-ce qui influence les attentes du client ? Les chercheurs ont déterminé quatre facteurs d'influence : les caractéristiques et les besoins personnels ; le réseau d'influence ou groupe de référence ; les informations mémorisées ; et les amplificateurs éphémères des attentes.

LES CARACTÉRISTIQUES PERSONNELLES

Les premiers facteurs qui contribuent à déterminer les attentes d'un client sont ses caractéristiques personnelles, c'est-à-dire sa personnalité, la conception qu'il a de lui-même, ses attitudes et sa philosophie. Le métier du client influence également sa vision du service dans son domaine. Ainsi, un cuisinier professionnel en vacances verra d'un tout autre œil qu'un autre le service fourni lorsqu'il dîne au restaurant. Il fera plus attention à des détails qui échapperont à d'autres types de clients (organisation de la cuisine, propreté des lieux, rôles du personnel de service, etc.).

Les besoins personnels

De plus, les besoins personnels du client, tous les sentiments de privation qu'il éprouve contribuent à déterminer ses attentes. Ces besoins peuvent être d'ordre physiologique, psychologique (besoins de justice et d'équité), social, etc. Le dialogue suivant illustre la variabilité des besoins personnels et ses conséquences quant au service désiré. Marie-Pier et Luc ont tous les deux besoin d'une assurance commerciale pour leur entreprise.

— Marie-Pier : Je pense que je vais faire appel à un courtier. Je n'ai pas les ressources humaines pour chercher un assureur et communiquer avec lui. Un courtier sera au courant de mes affaires et pourra transmettre l'information à l'assureur.

— Luc : Moi, j'ai du personnel, au contraire, pour élaborer notre soumission. Je compte utiliser le courtier de façon minimale.

Le concept de soi du consommateur ou l'ego

Les attentes d'un client sont aussi fonction de son concept de soi à titre de bénéficiaire d'un service. Chantal qui, au restaurant, se donne la peine de préciser qu'elle désire son filet mignon saignant sera plus frustrée si la viande lui est servie bien cuite que Thierry qui n'aura rien dit. De même, Mario qui fournit au service de mécanique de son concessionnaire automobile une liste détaillée des services demandés sera d'autant plus frustré s'il se rend compte, en reprenant sa fourgonnette, que des réparations ont été oubliées.

L'expérience du client

Le client qui a de l'expérience pour une transaction donnée aura des attentes minimales plus élevées que celui qui en est à sa première expérience.

LE RÉSEAU D'INFLUENCE OU GROUPE DE RÉFÉRENCE

Parents, amis et collègues de travail constituent des sources d'informations pour l'individu et contribuent ainsi à modeler ses attentes. De plus, comme nous l'avons vu dans la section « Le cocooning extrême », ils constituent des **réseaux d'influence** à l'égard desquels l'individu éprouve un sentiment d'appartenance. Ils exercent ainsi une influence consciente ou non sur les attentes de ce dernier.

Réseau d'influence
(*personal network, peer group*)
Groupe social auquel un individu s'identifie en lui empruntant ses normes et ses valeurs. Groupe auquel une personne s'identifie sans y appartenir et qui sert de modèle à son comportement.

LES INFORMATIONS MÉMORISÉES

Chaque jour, le client reçoit une énorme quantité d'informations, de façon explicite, par les réclames publicitaires, les arguments des vendeurs, les rapports d'experts, les magazines spécialisés, mais aussi implicite, par l'observation des caractéristiques tangibles des services. Certains ouvrages parlent ainsi de près de 2 000 stimuli commerciaux par jour. Parmi toutes ces informations, la personne n'en mémorisera qu'une portion qui aura un impact sur sa zone de tolérance et sur ses attentes.

Les promesses explicites liées au service

Ce sont tous ces énoncés ou arguments, personnels ou impersonnels, que l'entreprise adresse à sa clientèle ciblée, notamment par le biais de ses campagnes de publicité.

Les promesses implicites liées au service

Ce sont tous les indices autres que les promesses explicites qui concernent le niveau de qualité auquel on peut s'attendre pour un service. Il s'agit notamment des prix et d'éléments concrets comme l'apparence des lieux de vente.

Le bouche à oreille

L'importance du téléphone arabe et des rumeurs dans la création des attentes n'est plus à démontrer. Dans le cas du petit film *The Blair Witch Project*, la rumeur sur Internet a suscité une telle demande que les distributeurs ont dû augmenter considérablement le nombre de salles de cinéma en assurant la diffusion.

LES AMPLIFICATEURS ÉPHÉMÈRES DES ATTENTES

Comme nous l'avons vu précédemment, il arrive aussi que certaines circonstances, certains facteurs fassent varier le degré d'attente minimal en matière de service de façon temporaire. On distingue parmi ceux-ci les facteurs circonstanciels et la conscience de la possibilité de choisir.

Les facteurs circonstanciels

Certaines circonstances font varier les attentes du client, qui est alors plus exigeant ou au contraire plus tolérant. Ainsi, un cégep aura plus d'attentes quant à la rapidité avec laquelle l'équipe technique répare une panne de réseau informatique en fin de session de cours que durant les mois d'été. De même, dans un aéroport, un client en retard et donc pressé sera plus exigeant que d'habitude.

Le rôle de la personne peut encore influer. C'est ainsi le cas lorsque le client est le délégué d'un groupe, est chargé par sa famille d'organiser une réception pour les noces de diamant des grands-parents ou est responsable des achats pour son entreprise. Les clients du secteur B2B (marketing industriel) ont des attentes qui sont dérivées de celles de leurs supérieurs au sein de leur entreprise.

Enfin, les épreuves vécues, les catastrophes qui se produisent font diminuer au contraire le seuil minimal des attentes. Ayant survécu au tsunami de décembre 2004 lors de leurs vacances à Phuket, Marguerite et Jean-François auront peu d'attentes quant au nouvel hôtel que pourra leur trouver leur agent de voyages en pleine période des Fêtes.

La conscience de la possibilité de choisir

Un client qui sait qu'il peut choisir entre plusieurs entreprises ou qui, éventuellement, peut même s'occuper lui-même du service aura également des attentes minimales plus élevées. Prenons l'exemple de Thérèse qui, lors des ventes du *Boxing Day*, se retrouve dans une queue de 15 clients et remarque que la caissière est inexpérimentée. Patientera-t-elle si elle sait que la grande surface située dans le même centre commercial offre les mêmes articles que ceux qu'elle désire acheter et un service trois fois plus rapide aux caisses ? De fait, chaque fois qu'il y a choix entre plusieurs services (par exemple, dans le cas d'une soumission d'offres de services à laquelle répondent plusieurs fournisseurs), le client hausse son seuil minimal d'attentes.

LE TYPE DE CONTACT CLIENT ATTENDU

Le client nourrit des attentes particulières concernant la communication avec le personnel de la relation client lors de la prestation d'un service : téléphone, communication directe, Internet, etc. Femme d'affaires et grande voyageuse, Marie-Josée a une idée assez claire de ce que doivent être ses séjours dans les hôtels Intercontinental, surtout à titre de membre du Priority Club. Ses attentes peuvent concerner tant la durée d'attente à la réception de l'hôtel que la possibilité de se connecter à Internet ou encore le fait d'avoir une chambre non-fumeurs.

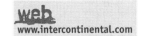
www.intercontinental.com

La figure 2-3 résume tous ces éléments de la zone de tolérance du client dont nous venons de parler.

Figure 2-3 Facteurs contribuant à modifier les degrés d'attentes et la zone de tolérance des clients[13]

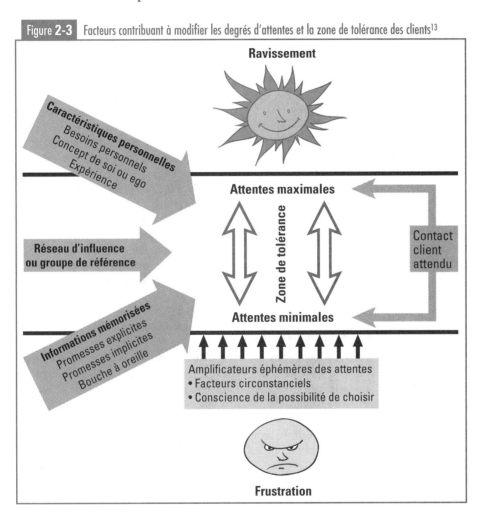

2.3 LES 10 ATTENTES DU CLIENT, 10 CRITÈRES EN MATIÈRE DE SERVICE

Parasuraman[14] a déterminé 10 catégories d'attentes qui sont en quelque sorte, pour les usagers, des critères généraux d'évaluation de la qualité d'un service. Elles constituent ainsi également une base pour les outils de mesure de la qualité que nous étudierons au chapitre 5. Ces attentes sont la communication, la compétence, la disponibilité, l'empathie, l'accessibilité, la crédibilité, la courtoisie, la fiabilité, la sécurité et la tangibilité.

>> OBJECTIF 5

Décrire les 10 attentes de la clientèle en matière de service.

LA COMMUNICATION AVEC LE CLIENT

Tout au long du contact qui s'établit entre l'entreprise et un client, la **communication** est un critère d'appréciation important. D'abord, par ses communications de masse (publicité, relations de presse), l'entreprise suscite des attentes du côté des clients. Toutefois, c'est ensuite, au moment du contact direct, qu'elle communique le mieux avec eux. Elle doit alors viser, dans sa prestation de service, la **conformité** avec les attentes qu'elle a créées. Ainsi, la communication n'est plus seulement la responsabilité de la direction du marketing, mais bien celle de tout le personnel de l'entreprise, que ce soit avant, pendant ou après la prestation du service.

Le client a besoin d'être informé sur ce qui se passe ou sur ce qui va se passer. Il est ainsi moins inquiet. Le client veut être compris et comprendre tout au long de la prestation du service, non seulement du point de vue de la langue parlée par les préposés, mais aussi du point de vue de connaissances relatives au secteur. Il ne doit jamais avoir l'impression qu'on lui parle un jargon. Dans le même ordre d'idées, les communications écrites et graphiques (factures, documentation) doivent être claires et attrayantes, et tenir compte des particularités sociodémographiques de la clientèle. À titre d'exemple, les aînés dont la vue faiblit préfèrent la documentation écrite en gros caractères. De leur côté, les clients peu scolarisés ont besoin d'une communication au vocabulaire simple, facile à comprendre, quasi pédagogique. Dans le contexte du commerce électronique, l'entreprise doit se tenir au courant du degré de familiarisation de l'internaute moyen avec l'interface informatique, lequel est généralement plus élevé dans la clientèle jeune et scolarisée. C'est en se fondant sur tous ces principes que l'entreprise doit prévoir ses campagnes de marketing, auxquelles elle fera participer le personnel de la relation client.

LA COMPÉTENCE DES EMPLOYÉS

La **compétence** apparente de l'employé avec lequel le client est en relation correspond également à une attente et a des répercussions sur l'évaluation. L'employé a-t-il l'air de bien connaître le produit ou ses réponses sont-elles vagues? Est-il à l'écoute des besoins de la clientèle? Semble-t-il posséder la formation et l'expérience requises pour faire son travail ou doit-il constamment demander de l'aide à un collègue? Le personnel de la relation client doit être en mesure de livrer le service promis avec les capacités et les compétences nécessaires. Il doit gérer la relation avec le client en adoptant le comportement qui s'impose dans les circonstances, en réagissant de la bonne manière et en étant disponible[17].

LA DISPONIBILITÉ DES EMPLOYÉS

Le client aime sentir que les employés sont disponibles, prêts à l'aider et qu'ils vont le servir rapidement. Les internautes qui envoient une demande de renseignements par courriel au service à la clientèle de Sympatico, fournisseur Internet, reçoivent un accusé de réception dans les minutes qui suivent. Dans un magasin, la **disponibilité** s'exprime non seulement par les heures d'accès au service et par les effectifs, mais également par l'attitude des employés (langage non verbal, maintien, gestes, etc.). Voir le chapitre 9 à ce sujet.

L'EMPATHIE DES EMPLOYÉS

Le client recherche également l'empathie chez les employés. En psychologie sociale, au sens large, l'empathie est la capacité d'acquérir une certaine connaissance

---

Communication
(*communication*)

Stratégie de l'entreprise ayant pour but de faire connaître son identité, son activité, ses marques et de convaincre la clientèle d'acheter ses produits ou d'utiliser ses services (utilise la publicité, la promotion, les relations publiques et les entretiens avec la force de vente).

Conformité (*conformance*)

En gestion de la qualité totale, adéquation des caractéristiques du produit ou du service aux normes de qualité établies ou aux exigences définies par le client[15].

Compétence
(*professional competence*)

Ensemble des savoirs, des savoir-faire et des savoir-être qui s'expriment dans le cadre précis d'une situation de travail et qui peuvent être mis en œuvre sans apprentissage nouveau[16].

www.sympatico.ca

Disponibilité (*availability*)

État d'un service auquel on peut accéder facilement ou attitude d'ouverture du personnel qui y est affecté.

d'autrui, de se mettre à la place d'autrui pour mieux le comprendre et mieux percevoir ses attentes. Dans un contexte de relation avec le client, que ce soit au téléphone, par courriel ou en personne, le préposé doit faire sentir au client qu'il comprend le problème à régler, qu'il y est attentif. Il doit manifester, tant sur le plan verbal que sur le plan non verbal, sa volonté d'aider son client.

Le personnel d'une organisation doit manifester l'empathie à laquelle s'attend le client.

L'ACCESSIBILITÉ DU SERVICE

Le client recherche ensuite l'**accessibilité**, un service facile d'accès. Le commerce offre-t-il un stationnement facile pour la clientèle qui est en automobile? Le site Web transactionnel permet-il un accès à l'information clé en trois clics au maximum? Dans une grande surface commerciale, le client a-t-il facilement accès aux préposés des rayons? Combien de temps le client attend-il au téléphone avant de pouvoir parler au bon préposé? L'entreprise doit constamment veiller à faciliter l'accès des clients aux services. Prenons le cas de l'accès par téléphone. En période de pointe, il est toujours plus difficile de joindre un représentant. Pour pallier les effets négatifs d'une trop longue attente, l'Autorité des marchés financiers du Québec, organisme gouvernemental de réglementation du secteur financier, a programmé ses boîtes vocales téléphoniques de manière à ce que les clients soient informés par une voix humaine du rang qu'ils occupent dans la liste d'attente et qu'ils puissent choisir de rester en attente ou de laisser un message.

Accessibilité (*accessibility*)
Ensemble des qualités d'un commerce où la clientèle peut facilement pénétrer, circuler, accéder aux services offerts.

www.lautorite.qc.ca

LA CRÉDIBILITÉ DE L'ENTREPRISE

La **crédibilité** de l'entreprise est également quelque chose d'important pour la clientèle. Elle s'évalue par le biais de toute forme de communication concernant l'entreprise. Quelle est la réputation de cette dernière? A-t-elle déjà fait l'objet d'une couverture médiatique négative ou encore de plaintes auprès de l'Office de la protection du consommateur? De l'extérieur, ses installations physiques inspirent-elles confiance? Dans quelle mesure les employés réussissent-ils à créer un climat de confiance dans leur relation avec les clients? Quelles impressions laissent les communications publicitaires? le site Internet?

Crédibilité (*believability*)
Aptitude d'une communication à être acceptée comme vraisemblable.

www.opc.gouv.qc.ca

LA COURTOISIE DES EMPLOYÉS

À toutes les étapes du service, de l'accueil à la conclusion de la transaction, en passant par l'échange d'informations, et même lors de la gestion d'une plainte post-transaction, le client doit se sentir traité avec **courtoisie**. Le préposé doit s'adresser à lui de façon polie, respectueuse, avec toute la bienséance requise par les circonstances.

BCE Elix, entreprise de télécommunication, offre des ateliers de protocole et de courtoisie au téléphone pour les employés des centres d'appels. De plus, d'après Corine Moriou :

> Aux États-Unis, les cours de bonnes manières prolifèrent. Les jeunes cadres américains, complexés par une éducation défaillante, ne plaisantent pas avec leur image. À 25 ans, ils se portent candidat à un *coaching* du savoir-être fortement recommandé par leur employeur. Ils ont compris que leur succès dans les affaires dépend d'une multitude de petits détails. Aussi

Courtoisie (*courtesy*)
Attitude de politesse et de délicatesse dans le langage et le comportement, qui est conforme aux règles de civilité considérées comme les meilleures dans la société[18].

www.bceelix.com

apprennent-ils à tenir avec élégance couteau et fourchette. Mieux encore : ils découvrent l'ordre de préséance des présentations dans un cocktail et les délices du baisemain. Pour une carrière internationale, noblesse oblige[19] !

Enfin, en matière de communication par courriel, certaines règles s'imposent. On parle de *nétiquette*.

En conclusion, en matière de courtoisie, Corine Moriou rapporte les résultats d'une étude concernant les détails qui tuent : « Selon une étude réalisée auprès de plus de 2 000 personnes par Daniel Porot, consultant en carrière et auteur du guide *Le savoir-vivre en affaires*, les trois détails qui tuent lors d'une première rencontre sont, dans l'ordre, l'absence de ponctualité, la main moite et le regard fuyant[20]. » Le chapitre 9 de ce manuel présente divers principes de courtoisie.

LA FIABILITÉ

Fiabilité (*reliability*)
Aptitude d'un dispositif, d'un produit ou d'une personne à accomplir une fonction requise ou à maintenir son niveau de service dans des conditions données et pendant une période déterminée[21].

La **fiabilité** fait elle aussi partie des attentes concrètes du client. Ce dernier non seulement aspire à un service de qualité supérieure et sans faille, mais également désire que toutes les expériences qu'il vivra avec l'entreprise soient sans faille. L'entreprise doit tenir ses promesses à la fois en termes de niveau de qualité et en termes de respect des échéances. En cas d'incident, le client s'attend à ce que l'entreprise corrige la situation et lui accorde rapidement réparation.

LA SÉCURITÉ

Sécurité (*safety*)
État d'esprit du client qui se sent à l'abri de dangers, de difficultés, d'aléas durant le processus de prestation d'un service.

Tout client a besoin de **sécurité** et tient à ce que ses renseignements personnels soient protégés durant la prestation. Lors d'une transaction électronique, le client doit se sentir à l'aise pour donner son numéro de carte de crédit, d'où l'importance du cryptage. Qui dit sécurité dit respect de la confidentialité, de la vie privée. Le salon de coiffure Les Jumelles, spécialisé dans les perruques pour femmes, aura une salle d'essayage privée permettant aux femmes suivant une chimiothérapie et atteintes d'alopécie (perte de cheveux) d'essayer les perruques loin des regards indiscrets. Chez un concessionnaire automobile, les négociations relatives aux conditions financières d'un achat se font généralement dans un bureau fermé, à l'écart de la salle d'exposition. Les clients peuvent ainsi révéler les détails de leur situation financière en toute confiance. Enfin, la société Procter & Gamble, multinationale du secteur des biens de consommation courante, exige de ses agences de publicité qu'elles conservent sous clef tous les documents stratégiques et tout le matériel de création la concernant, afin de se protéger d'éventuelles fuites d'informations. Le chapitre 8 développe l'aspect sécurité du service à la clientèle.

www.pg.com

LA TANGIBILITÉ

Tangibilité (*tangibleness*)
Caractère de ce qu'on peut percevoir par les sens, de ce qu'on peut constater, de ce qui est sensible, réel.

Par définition, les services sont intangibles. Pour paraphraser Marshall McLuhan, sommité en matière de communication, le processus de prestation est le service et le service est le processus. Or, le client a besoin de **tangibilité**, de concret. Le défi de l'entreprise consiste ainsi à rendre concret ce qui est abstrait. L'entreprise se sert pour cela notamment de l'apparence physique des lieux (enseignes extérieures, signalétique), de moyens d'identification du personnel de la relation client (uniformes, badges), de documentation d'accompagnement à chaque étape du service.

Le tableau 2-1 résume les 10 attentes des clients servant à l'évaluation d'un service.

Tableau 2-1 Les 10 attentes des clients et les 10 critères en matière de service[22]

Attentes	Description
Communication	Besoin, pour le client, d'être compris et de comprendre ce qui se passe, lors du service.
Compétence	Nécessité, pour le personnel, de montrer sa connaissance du produit, de posséder des habiletés en matière de relation.
Disponibilité	Manifestation par le personnel de sa volonté d'aider les clients et de fournir le service avec promptitude.
Empathie	Capacité du personnel à donner de l'attention aux clients, à comprendre leurs besoins.
Accessibilité	Facilité d'accès au service offert.
Crédibilité	Capacité de l'entreprise et du personnel à créer un climat de confiance dans les relations avec les clients.
Courtoisie	Nécessité, pour le personnel de la relation client, de se montrer poli, agréable et respectueux avec les clients.
Fiabilité	Capacité de l'entreprise à offrir les services promis avec précision et constance, et sans faille.
Sécurité	Besoin de confidentialité du client. Besoin de sécurité physique.
Tangibilité	Besoin de concret du client (allure du personnel, apparence des lieux et de l'équipement, clarté des documents de promotion).

Motivateur (*motivation factor*)
Facteur intrinsèque dont la prise en compte garantit la satisfaction.

Facteur d'ambiance ou d'hygiène (*hygiene factor*)
Facteur extrinsèque dont la prise en compte ne garantit pas la satisfaction mais dont la négligence entraîne l'insatisfaction.

Toutes ces attentes des clients sont importantes et méritent l'attention de l'entreprise. Cependant, on peut considérer que la théorie des deux types de facteurs de Herzberg[23] s'applique ici. On peut ainsi distinguer, d'une part, les attentes dont la satisfaction améliore l'évaluation du service par le client et dont la non-satisfaction entraîne la frustration, et, d'autre part, les attentes dont la satisfaction n'améliore pas l'évaluation du service, mais dont la non-satisfaction détériore l'évaluation. À l'instar de Herzberg, on peut qualifier les premières de **motivateurs** ou de facteurs intrinsèques de satisfaction (figure 2-4, p. 42). Il s'agit de la communication, de la compétence, de la disponibilité et de l'empathie. Puis, on peut qualifier les secondes de **facteurs d'ambiance** ou d'hygiène ou de facteurs extrinsèques (figure 2-4, p. 42). Il s'agit de l'accessibilité, de la crédibilité, de la courtoisie, de la fiabilité, de la sécurité et de la tangibilité.

Pour le client ayant besoin de tangibilité, de concret, l'apparence physique d'un commerce (enseignes extérieures, signalétique, étalages) est importante.

Figure **2-4** Les motivateurs et les facteurs d'ambiance

Motivateurs dont l'atteinte engendre de la satisfaction	Facteurs d'ambiance (d'hygiène) dont la non-atteinte engendre de la frustration
Communication Compétence Disponibilité Empathie	Accessibilité Crédibilité Courtoisie Fiabilité Sécurité Tangibilité

RÉSUMÉ

1. **Décrire les tendances de la société qui influent sur les attentes de la clientèle en matière de service.**

Pour mettre en place ou superviser un service à la clientèle ou encore fournir du soutien technique au service à la clientèle, toute entreprise doit d'abord s'informer sur les tendances de la société et les attentes de la clientèle, et les analyser. Dans notre société du XXIe siècle, elle doit ainsi tenir compte de la longévité des individus, de la richesse collective, de la tendance au cocooning extrême, du goût pour l'aventure fantastique organisée, de l'importance de l'ego, du rapport au temps de plus en plus névrotique et de l'importance grandissante du ludiciel.

2. **Distinguer les clients internes et les clients externes.**

Les principes de la gestion de la relation client s'appliquent tant aux clients externes qu'aux clients internes. Les clients externes sont les clients dans le sens traditionnel du mot. Les clients internes sont tous les employés de l'entreprise qui comptent sur l'un ou l'autre des services de l'entreprise pour bien accomplir les tâches qui leur sont confiées.

3. **Distinguer les clients «programmés» et les clients «non programmés».**

Les clients programmés sont ceux qui s'adressent au personnel de la relation client en sachant exactement ce qu'ils veulent. Les clients non programmés, au contraire, sont ceux qui appellent ou se présentent à un comptoir sans trop savoir ce qu'ils veulent. Ils requièrent plus d'empathie de la part du personnel de la relation client.

4. **Expliquer la notion de zone de tolérance du client.**

Programmé ou non, l'usager d'un service a son identité propre et ses besoins personnels, son réseau d'influence ou groupe de référence. De plus, il a mémorisé certaines informations sur l'entreprise et le service, et utilise un service dans diverses circonstances. Tous ces éléments suscitent en lui des attentes.

Les attentes du client délimitent une zone de tolérance qui fluctue. La limite inférieure de cette zone est le seuil minimal d'attente au-dessous duquel le consommateur vit de la frustration. La limite supérieure est le degré maximal d'attente, le niveau de service souhaité au-delà duquel le consommateur éprouve un ravissement qui tend à le rendre fidèle à l'entreprise. La personnalité, le réseau d'influence, les informations mémorisées ainsi que certains amplificateurs éphémères contribuent à forger les attentes des clients.

5. **Décrire les 10 attentes de la clientèle en matière de service.**

Les attentes concrètes du client peuvent se diviser en deux grandes catégories: d'une part, les motivateurs ou facteurs intrinsèques, qui sont, la communication, la compétence, la disponibilité et l'empathie; d'autre part, les facteurs d'ambiance (d'hygiène) ou facteurs extrinsèques, qui sont l'accessibilité, la crédibilité, la courtoisie, la fiabilité, la sécurité et la tangibilité. La prise en compte des motivateurs est source de satisfaction pour le consommateur. La négligence concernant les facteurs d'ambiance est source de frustration.

MOTS CLÉS

Accessibilité (p. 39)	*Accessibility*
Affectif (p. 31)	*Affective*
Attente (p. 31)	*Expectation*
Attente maximale (p. 33)	*Ideal expectation*
Attente minimale (p. 33)	*Minimum tolerable expectation*
Client non programmé (p. 31)	*Unprogrammed customer*
Client programmé (p. 31)	*Programmed customer*
Cognitif (p. 31)	*cognitive*
Communication (p. 38)	*Communication*
Compétence (p. 38)	*Professional competence*
Conformité (p. 38)	*Conformance*
Courtoisie (p. 39)	*Courtesy*
Crédibilité (p. 39)	*Believability*
Disponibilité (p. 38)	*Availability*
Ego (p. 28)	*Ego*
Empathie (p. 31)	*Empathy*
Facteur d'ambiance ou d'hygiène (p. 41)	*Hygiene factor*
Fiabilité (p. 40)	*Reliability*
Frustration (p. 33)	*Thwarting*
Marketing viral (p. 28)	*Buzz marketing*
Motivateur (p. 41)	*Motivation factor*
Proactivité (p. 31)	*Proactivity*
Ravissement (p. 33)	*Rapture*
Réseau d'influence (p. 35)	*Personal network, peer group*
Sécurité (p. 40)	*Safety*
Tangibilité (p. 40)	*Tangibleness*
Valeurs personnelles (p. 26)	*Personal values*
Zone de tolérance (p. 33)	*Tolerance zone*

QUESTIONS DE RÉVISION

1. Peut-on affirmer que les attentes du client en matière de service fluctuent?

2. Qu'est-ce qu'un client non programmé?

3. Pourquoi dit-on de la courtoisie qu'elle est un facteur d'ambiance dans la satisfaction de la clientèle?

4. Qu'est-ce que la zone de tolérance?

5. Quels facteurs peuvent modifier le type de contact auquel s'attend un client?

6. Ariane et Éric, tous les deux âgés de 22 ans, s'adressent à diverses banques pour un prêt hypothécaire, pour leur première propriété. Sont-ils des clients programmés ou non?

7. Philippe veut remplacer sa planche à neige. Donnez un exemple de facteur pouvant influencer le contact auquel il s'attend avec le personnel de la relation client.

8. Dominic doit négocier les commandes de matières premières de l'usine de son employeur. Définissez sa zone de tolérance.

9. Quelles peuvent être les conséquences de la tendance de la société concernant le ludiciel pour un vendeur de fourgonnettes qui cible les jeunes familles?

10. Donnez un exemple de promesse implicite de qualité médiocre.

11. Justine vous parle ainsi de son expérience dans le service à la clientèle: «Moi, je ne perds plus mon temps avec les *matantes* qui se présentent à mon comptoir sans trop savoir ce qu'elles veulent.» Que lui répondez-vous?

12. Hélène Levac est une ébéniste artisanale qui travaille dans un local servant à la fois d'atelier et de boutique. Joëlle Beauséjour, l'une de ses clientes, s'est plainte du fait qu'elle s'est heurtée à des portes closes lors de sa dernière visite à la boutique, un jeudi midi. Hélène lui explique qu'elle a dû fermer temporairement pour aller effectuer une livraison. Quelle attente de Joëlle n'a pas été satisfaite?

13. Définissez la zone de tolérance de Roseline à l'égard du service du concessionnaire automobile Vandal, de Longueuil. L'accélérateur de son véhicule s'étant coincé, après un passage chez le concessionnaire, Roseline a eu un accident. Le véhicule a été déclaré irréparable. Roseline exige de Vandal un véhicule de courtoisie, le temps que les assureurs règlent l'affaire.

14. Pourquoi est-il tout aussi important de tenir compte des attentes de la clientèle interne que de celles de la clientèle externe?

15. «J'ai fait demi-tour avant même d'aller m'asseoir à une table. Déjà, à l'extérieur, les murs de ce restaurant étaient couverts de graffitis. Puis, à l'intérieur, l'hôtesse avait l'air bête et les planchers étaient sales. Une mauvaise odeur planait. L'endroit était vide, et la musique techno, assourdissante.» Quelle attente de ce client n'a pas été satisfaite dans le restaurant en question?

ATELIERS PRATIQUES

1. Marie-Lune Doré vient d'ouvrir un salon, Pluies du Soleil, où les clientes peuvent, pour 99 $, se faire vaporiser uniformément, sur tout le corps, de la lotion autobronzante pouvant rester jusqu'à deux semaines sur la peau. Donnez un exemple pour chacune des 10 attentes concrètes de la clientèle en matière de service dans ce salon.

2. Des élèves sont regroupés en équipes pour un travail de session. On considère que ce sont des clients internes les uns pour les autres. Donnez un exemple pour chacune des 10 attentes concrètes de ces élèves les uns vis-à-vis des autres.

3. Armande et Georges sont dans la soixantaine. Leurs trois enfants ayant finalement quitté leur bungalow de Lévis et l'hypothèque étant réglée, tous deux décident de refaire complètement leur cuisine. Georges possède de l'expérience en bricolage. Avant de prendre sa retraite, il était entrepreneur électricien. De plus, c'est lui qui a refait le sous-sol de la maison. Armande, elle, a bien hâte d'avoir une nouvelle cuisine. Elle en a assez de sa vieille cuisine des années 1970, à tel point qu'elle n'ose même plus inviter chez elle ses amies du club de bridge. Définissez la zone de tolérance de Georges et celle d'Armande concernant les services d'un cuisiniste, en fournissant un exemple pour chacune des composantes de la zone de tolérance (figure 2-3).

4. À titre de gérant d'un magasin de chaussures pour enfants, quelles consignes donneriez-vous à vos vendeurs pour qu'ils satisfassent aux attentes de la clientèle ?

5. Vous êtes responsable du marketing d'une maison d'édition. En quoi les tendances de la société en matière de service à la clientèle peuvent-elles influer sur la prestation de service de votre entreprise ?

RETOUR SUR LA
MISE EN SITUATION

UN CLIENT DE PERDU POUR R3R MARKETING

À la demande de Danyelle Chevalier, sa supérieure, Olivier Lavallée est allé rencontrer Jonathan Simard. Voici le compte rendu qu'il fait de l'entretien.

« Il nous faut être vigilants. Il semble que nous n'ayons pas répondu à toutes les attentes de Jonathan Simard. Après trois étés à gérer les promotions spéciales de la brasserie Iglou, nous avons tenu plusieurs choses pour acquises. J'ai mis du temps à faire parler Jonathan, mais il a fini par me révéler qu'un des comédiens engagés pour la tournée n'avait pas caché son homophobie dans les coulisses. Jonathan s'est senti très vexé, car son fils aîné est gai. Il a vite conclu que toute notre agence était homophobe, car personne n'a remis le comédien à sa place, et il aurait d'ailleurs persévéré.

« Mais ce n'est pas tout. Il semblerait qu'à trois reprises notre réceptionniste ait mis Jonathan en attente au téléphone pendant de longues minutes, avant de lui apprendre que j'étais absent de mon bureau.

« Enfin, Jonathan a entendu Sophie, notre coordonnatrice, parler du projet de nouvelle bière de la brasserie en employant le vrai nom plutôt que le nom de code, non seulement dans nos bureaux, mais également à l'extérieur, au restaurant... »

Les caractéristiques de l'entreprise pratiquant l'approche client

*Dans une organisation de service, si vous ne servez pas
le client, vous êtes mieux de servir quelqu'un qui en sert un[1].*

Jan Carlzon, président des Scandinavian Airline Systems

OBJECTIFS D'APPRENTISSAGE

Après avoir étudié ce chapitre, vous pourrez :

1. **Nommer les éléments clés de l'amélioration du service à la clientèle.**

2. **Nommer les avantages de la certification ISO 9000 en service client et décrire les étapes de la certification.**

3. **Rédiger une promesse de qualité de service à la clientèle.**

4. **Concevoir un diagramme d'analyse de service.**

5. **Reconnaître les aspects de l'approche client pour lesquels la contribution des employés est déterminante.**

MISE EN SITUATION

LES CAPSULES BILL

Il y a 20 ans, Germaine Montambault et Pierre Harrisson ont créé l'entreprise manufacturière beauceronne Les Capsules Bill, spécialisée dans la production de bouchons de plastique. Aujourd'hui, l'entreprise est un chef de file dans son domaine. Elle compte cinq usines à travers l'Amérique du Nord et emploie 2 000 employés syndiqués. Sa clientèle imposante comprend notamment des entreprises pharmaceutiques, des lessiviers, etc. Depuis plusieurs mois, sur les conseils de son mari, Marcel Giroux, Germaine essaie de convaincre Pierre Harrisson afin que l'entreprise implante l'approche client. Ils se rencontrent au gymnase des employés.

« Salut, Pierre !

— Bonjour, Germaine !

— Au fait, Pierre, as-tu eu le temps de lire le mémorandum de Marcel sur l'approche client ? »

Pierre hausse les épaules :

« Oui, mais je croyais t'avoir dit qu'on ne devrait pas changer une formule gagnante ! C'est encore ton consultant de mari qui t'a mis ça dans la tête ? Tu sais, Germaine, ça va coûter des milliers de dollars, et pour arriver à quoi ? Moi, je pense que c'est une autre de ces modes de gestion qui va passer... De toute façon, notre chiffre d'affaires ne cesse d'augmenter et nous venons de signer une convention collective de cinq ans avec les employés. Alors, pourquoi mettre la pagaille dans l'entreprise ? »

Pourtant, quelques minutes après, il se ravise :

« Bon, écoute. Je pourrais toujours recevoir Marcel pour discuter de cette idée. Disons, mardi prochain, mais pas plus d'une heure. D'accord ? »

>> *OBJECTIF* 1

Nommer les éléments clés de l'amélioration du service à la clientèle.

3.1 LE DÉSIR DE SATISFAIRE LE CLIENT

L'entreprise soucieuse d'offrir un service à la clientèle de qualité doit adopter un état d'esprit collectif orienté vers la satisfaction du client. Tous les membres de l'entreprise se doivent d'adhérer à cette philosophie, qu'il s'agisse du président, du préposé à l'entretien, du comptable, du représentant commercial ou du responsable de l'expédition. Ce chapitre aborde les caractéristiques de l'entreprise pratiquant l'approche client. Nous présenterons quelques règles de base, avant de décrire l'approche systémique ISO concernant la qualité du service client, puis nous aborderons diverses considérations relatives à la gestion des ressources humaines.

DÉMONTRER AU CLIENT QU'IL EST LE BIENVENU

Bien accueillir le client quand il se présente est aussi important que la qualité du produit ou du service qu'on lui offre. L'entreprise ne peut laisser au hasard l'accueil de ses clients en personne, au téléphone ou sur Internet. Le client est-il accueilli chaleureusement par le préposé à la réception ? Y a-t-il des sièges pour que les clients puissent attendre confortablement ? Lors des réunions, l'entreprise dispose-t-elle de toilettes pour ses clients ? Leur offre-t-elle des boissons ou des menus services qui témoignent de la considération que leur porte l'entreprise ? Le site Internet de l'entreprise permet-il aux différentes catégories de visiteurs (clients, employés, fournisseurs, investisseurs, etc.) de trouver aisément ce qu'ils cherchent ?

Le système téléphonique de l'entreprise permet-il, le cas échéant, de parler finalement à un être humain qui pourra répondre aux questions de la personne qui a besoin d'aide?

Une entreprise soucieuse de la qualité de son service client se devrait de proposer à ses employés des dialogues types pour les différentes situations courantes comportant un contact avec les clients. Pour ce faire, l'entreprise pourrait commencer par observer le déroulement des interactions entre ses employés et ses clients. Ensuite, elle propose des procédures et des messages d'accueil conformes à l'image qu'elle désire projeter à ses clients.

ADOPTER UNE VISION À LONG TERME DE LA RELATION CLIENT

Les clients qui fréquentent les magasins d'équipement de sports de plein air La Cordée savent qu'ils peuvent obtenir des conseils judicieux du personnel de cette entreprise et faire leurs achats en toute confiance. Les vendeurs sont des experts, adeptes passionnés dans leur discipline respective, et ce sont des salariés de l'entreprise. Ils prennent le temps de répondre aux questions des clients et ne s'offusquent pas qu'un client n'achète rien. L'entreprise recherche la satisfaction de ses clients et mise sur le long terme.

www.lacordee.com

Les entreprises désirent la rentabilité. C'est pourquoi elles tentent d'acquérir de nouveaux clients et de les conserver. Acquérir de nouveaux clients est une opération coûteuse, qui impose parfois de sacrifier la rentabilité à court terme dans l'espoir que les ventes futures effectuées par ces nouveaux clients permettent de l'atteindre plus tard.

EMPLOYER LES MOYENS NÉCESSAIRES POUR RÉSOUDRE LES PROBLÈMES

Dans l'entreprise, la perfection n'est pas toujours au rendez-vous... Le personnel peut tenter de l'atteindre, mais il faut bien admettre qu'il y a encore des produits défectueux et des services qui laissent à désirer. Il faut alors prendre les moyens pour satisfaire aux attentes des clients déçus. Pour améliorer le service à la clientèle, il faut avant tout réduire les difficultés que rencontrent les clients dans leurs transactions avec l'entreprise. On peut donc commencer par:

- Rendre l'entreprise accessible par des moyens de communication simples, tel le téléphone.
- Offrir aux clients de communiquer avec des représentants compétents, accueillants, disposant des moyens et de l'autorité leur permettant de régler directement les problèmes sans avoir à consulter un supérieur.

Voici un exemple de ce genre de situation: vous venez de vous procurer un appareil photo numérique et désirez regarder sur votre ordinateur les photos que vous avez prises. Vous suivez la procédure indiquée dans le guide d'utilisation, sans résultats. Le manuel contient une section traitant de la résolution des problèmes courants et donne le numéro d'une ligne sans frais d'interurbain pour contacter le service technique. Sans lire la section concernant la résolution de problèmes, vous composez le numéro et vous entendez un message signalant qu'il y a six minutes d'attente. Vous décidez de patienter et un préposé finit par vous répondre. Après avoir déterminé la nature du problème, il vous propose de vous guider pas à pas afin d'effectuer la procédure sous sa supervision. L'opération échoue encore. L'employé vous propose alors de télécharger une nouvelle version du logiciel, en vous expliquant comment faire. Après 20 minutes de travail, vous obtenez le résultat attendu. Vous remerciez le préposé et vous raccrochez le téléphone. Vous voilà *satisfait*, mais tout de même irrité d'avoir consacré temps et énergie à quelque chose qui aurait dû fonctionner du premier coup.

On comprend donc que l'entreprise doit satisfaire le client du premier coup ; sinon, elle doit corriger rapidement le problème, tout en minimisant le désagrément du client.

RÉPONDRE AUX ATTENTES DES CLIENTS OU LES DÉPASSER ?

Dépasser les attentes du client signifie absolument satisfaire correctement les besoins clés du client. C'est l'objectif premier de l'entreprise ; ensuite, elle peut offrir plus. Voici comment : représentons les caractéristiques des produits et services par une série de cercles concentriques autour de notre cible (figure 3-1). La satisfaction des besoins de base du client représente la cible obligée de l'entreprise. Le client remarquera tout accroc : un stationnement gratuit ne saurait racheter un repas infect. Le deuxième cercle représente les facteurs de satisfaction, qui dépassent les fonctions de base. Quant au troisième cercle, il symbolise les caractéristiques dites de ravissement, c'est-à-dire des marques d'attention inusitées ou très agréables pour le client. La figure 3-2 donne une liste des principales catégories de facteurs propres à ces deux derniers degrés de satisfaction. Par exemple, près de chez moi, il y a une épicerie de quartier de taille moyenne, et dont la cible est d'offrir les produits que l'on trouve généralement dans ce type d'établissement. En plus d'avoir des prix très concurrentiels, ce commerce propose une gamme impressionnante de fruits et de légumes courants et exotiques, ainsi que des comptoirs de viandes, de charcuteries et de pâtisseries. Ces produits s'inscrivent dans le deuxième cercle, celui des facteurs de satisfaction. Enfin, l'épicier donne à ses clients un service supérieur : il n'y a pratiquement pas d'attente aux caisses, malgré l'affluence et l'exiguïté du commerce. Voilà pour le troisième cercle, celui des facteurs de ravissement. En comparaison, à moins d'un kilomètre de cette épicerie, un supermarché de grande taille, propriété d'un géant de l'industrie de l'alimentation, est désert et ne fait pas ses frais…

Figure 3-1 Les trois niveaux de cible

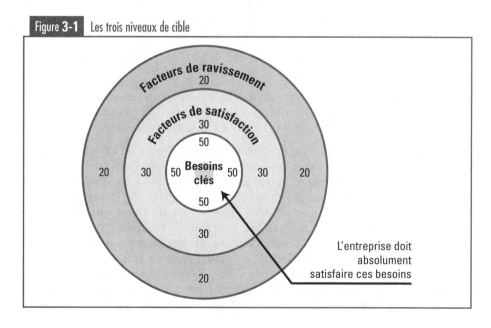

Figure 3-2 Liste des éléments de service par catégories

Facteurs de satisfaction

Renseignements

Rappels
Liste de prix
Avertissement
Reçus et billets
Notice d'utilisation
Horaire d'ouverture
Avis de modifications
Service de confirmation
(réservation, des prix, d'un achat, etc.)
Conditions de vente et de service
Emplacement et accès à l'établissement
Relevés de comptes – détails sur les transactions

Facturation

À la pièce
À la fin du mois
Coupon de caisse
Affichage électronique

Paiement

Libre-service
Machine avec jeton,
machine avec monnaie,
machine à monnaie exacte,
machine par carte bancaire
Par la poste avec chèque
Par transfert électronique (téléphone, Internet)

Avec intermédiaire
Par coupons,
par bon d'échange, par jetons,
par chèque ou par carte bancaire
Paiement comptant, avec retour de la monnaie

Par prélèvement automatique

Prise de commandes

Demande
Adhésion,
abonnements, de crédit, etc.

Lieux et méthodes
Sur les lieux, par la poste,
par téléphone, par télécopie ou par Internet

Réservation et inscription
Places, tables, chambres, véhicules, rendez-vous

Principaux services connexes

Facteurs de ravissement

Consultation

Conseils
Vérification
Tutorat/formation
Gestion ou consultation technique

Hospitalité

Accueil
Toilettes
Sécurité
Transport
Salles d'attente
Pièces, chaises
Protection contre les intempéries
Journaux, magazines
Jeux

Nourriture et boissons

Garde/consigne/protection

Garde de sécurité
Surveillance des enfants, des animaux
et des biens des clients
(véhicules, vêtements, bagages,
objets de valeur)

Appui/protection
Emballage, cueillette, transport,
livraison, installation, inspection
et évaluation, nettoyage, ravitaillement, entretien,
réparation, rénovation, mise à niveau

Gestion des situations particulières

Communication
Plaintes, compliments, suggestions

Demandes spéciales avant le service
Menus spéciaux pour les enfants,
pour les personnes allergiques ou végétariennes

Prise en charge de problèmes particuliers
Urgence médicale, garantie, accidents, défectuosité

Remboursement
Remplacement
Compensation

Services additionnels,
contribuant à la qualité du service

Pour l'entreprise, enchanter ses clients est une excellente stratégie. Il lui faut donc offrir au client ce petit quelque chose de plus que la concurrence est incapable de donner. C'est souvent une question d'imagination. Dans l'exemple précédent, il semble que la direction du supermarché concurrent n'en ait pas beaucoup. Il faut savoir que les attentes du client peuvent avoir un effet surprenant sur sa satisfaction puisque le consommateur agit de manière à réaliser ses désirs[2] ; c'est une application de l'**effet Pygmalion** (le désir que son achat résolve son problème). Compte tenu de cet effet, nous pouvons affirmer que l'entreprise qui déçoit ses clients est devenue pratiquement incapable de rendre ses services correctement.

L'entreprise doit donc commencer par fournir correctement ses produits et services de base. Ensuite, elle détermine les services complémentaires qu'elle pourrait offrir. Elle peut même profiter de l'effet Pygmalion dans ses communications en annonçant aux clients les services auxquels ils peuvent s'attendre. Une entreprise pourrait également instaurer un programme d'information pour ses clients. C'est d'ailleurs ce que fait le voyagiste, par exemple, quand il offre à ses clients un dépliant décrivant le déroulement d'une journée typique d'un voyage organisé en Europe.

TENIR COMPTE DES CONTRAINTES D'HORAIRE DU CLIENT

Le temps est important pour tout le monde, clients compris. Vous avez sûrement déjà constaté que le temps s'allongeait et se rétrécissait selon les circonstances. Supposons que vous ayez deux heures pour vous rendre au collège et que vous êtes avec un copain. Il est fort probable que vous n'aurez pas vu passer les 10 minutes durant lesquelles vous avez attendu l'autobus ensemble. Mais ce même laps de temps de 10 minutes vous paraîtra une douloureuse éternité si votre examen commence dans 20 minutes et s'il vous faut également 20 minutes pour vous rendre au collège. Le temps est donc relatif, et l'entreprise doit en tenir compte dans son service client. Par exemple, il faut éviter d'appeler un client cinq minutes avant la fin des heures de travail pour lui présenter une proposition d'affaires complexe. Parce que le temps est précieux, le personnel doit répondre au téléphone et au courriel promptement. Il doit être disponible avant l'heure du rendez-vous avec le client, avoir en main ses dossiers et en maîtriser le contenu. Ces règles s'appliquent à quiconque dans l'entreprise et valent autant pour les membres du personnel entre eux que lorsqu'ils traitent avec des clients. Elles s'appliquent encore plus à la direction de l'entreprise vis-à-vis de ses employés, car elle se doit d'enseigner par l'exemple. Le chapitre 7 du manuel aborde de façon plus détaillée les liens entre les technologies et le service client.

GARANTIR LES PRODUITS ET LES SERVICES

L'entreprise doit agir de manière responsable en garantissant ses produits et ses services de façon explicite et implicite.

Son **engagement** est **explicite** quand elle affiche sa politique de garantie et d'échange à la vue des clients et quand elle en fait mention sur son site Internet. Quant à l'**engagement implicite**, il correspond aux gestes qu'elle pose pour satisfaire ses clients. C'est ainsi que les clients découvrent la valeur des garanties écrites. D'où pensez-vous que provienne la mauvaise réputation faite aux services de perception de l'État sinon de sa propension à rédiger des millions de pages de règlements dont le sens échappe au simple citoyen ? C'est donc par ses pratiques qu'une organisation se taille une réputation, bonne ou mauvaise, que le bouche à oreille se chargera de transporter.

Effet Pygmalion (*self-fulfilling prophecy* ou *Rosenthal effect*)

Effet que la prédiction d'un événement ou la croyance à sa venue, chez un sujet impliqué dans la situation, exerce sur la réalisation de la prédiction[3].

Engagement explicite (*self explanatory commitment*)

Engagement suffisamment clair et précis pour ne laisser aucun doute dans l'esprit du lecteur.

Engagement implicite (*implied commitment*)

Engagement qui n'est pas exprimé formellement, mais qui est sous-entendu et qu'il est possible de déduire d'après le contexte.

En conclusion, l'entreprise désireuse de satisfaire ses clients doit les accueillir avec respect et miser sur le long terme. Elle doit également prendre les moyens qui s'imposent pour résoudre les problèmes que pourraient éprouver ses clients par suite de ses propres manquements. Enfin, en plus de répondre correctement aux besoins de base de ses clients, elle doit dépasser les attentes des clients, tenir compte de leurs contraintes et se porter garante de ses produits et services.

3.2 LES NORMES ISO 9000 DU SERVICE À LA CLIENTÈLE

>> OBJECTIF 2

Nommer les avantages de la certification ISO 9000 en service client et décrire les étapes de la certification.

Quand, dans un secteur spécifique des affaires ou de l'industrie, la plupart des produits ou des services sont conformes à des normes internationales, on peut dire qu'il existe une normalisation à l'échelle de l'industrie. L'Organisation internationale de normalisation, ou **ISO**, qui vient du grec *isos* et qui signifie «égal», est le plus grand organisme de normalisation au monde. Sous l'égide de cette organisation, les représentants des pays et de l'industrie conviennent des normes, des caractéristiques et des critères à appliquer uniformément aux produits, à la classification des matériaux dans la fabrication et la livraison des produits, dans les essais et les analyses, dans la terminologie et dans la fourniture de services. En d'autres mots, les normes internationales fixent un cadre de référence, ou un langage technologique commun, entre les fournisseurs et leurs clients, facilitant ainsi les échanges et le transfert de technologies. Ces normes techniques se répercutent de mille et une façons dans notre vie quotidienne, puisqu'elles sont à l'origine, par exemple, de la compatibilité des cartes bancaires utilisables dans tous les guichets automatiques de la planète, de la lecture des disques compacts sur n'importe quel lecteur, de la codification de la sensibilité de la pellicule photographique ou encore de l'espacement des barreaux des lits d'enfant.

ISO (*ISO – International Organization for Standardization*)

Association internationale d'organismes de normalisation qui a pour but de faciliter l'échange international de biens et de services ainsi que de favoriser la coopération dans les domaines de l'activité intellectuelle, scientifique, technologique et économique[4].

www.iso.org

En règle générale, les normes ISO s'appliquent à un produit, à un appareil ou à un processus. ISO 9000 est une famille de normes génériques d'un système de management concernant la gestion de la qualité et l'assurance de la qualité. Ces normes servent de guide pour l'obtention d'une certification qu'il est souvent nécessaire d'obtenir pour faire des affaires. La norme ISO 14 000 est l'autre système de management en vigueur. Il évalue le rendement d'une entreprise en ce qui a trait à l'environnement.

La norme ISO 9000 : 2000 porte sur le «management de la qualité» et accorde une importance fondamentale à l'écoute du client en vue d'accroître sa satisfaction. La version 2000 (figure 3-3, p. 54) unifie en un seul document révisé, les normes ISO 9001, ISO 9002 et ISO 9003, et elle oriente ses utilisateurs vers l'atteinte de résultats économiques, notamment la satisfaction du client. Vous aurez sûrement l'occasion de vivre l'instauration ou l'utilisation de cette norme au cours de votre carrière. La mise en place de cette norme se déroule selon le cycle de Shewhart[5], qui comprend quatre étapes :

1. La planification et la gestion de la norme, qui est une phase de compréhension.

2. La mise en œuvre des plans (Action), c'est-à-dire la phase d'élaboration proprement dite de la norme.

3. La vérification, au cours de laquelle on démontre l'atteinte de la norme.

4. Le suivi, qui permet de demeurer en conformité avec la norme et de procéder à des améliorations régulières.

Figure **3-3** La norme ISO 9000 : 2000 et le cycle de Shewhart

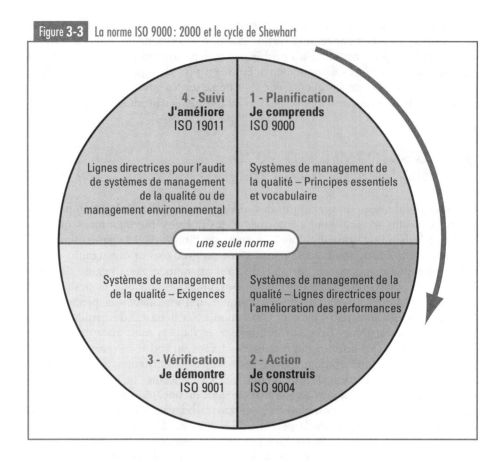

LA CERTIFICATION ISO

La certification est une preuve de conformité d'un produit ou de l'efficacité d'un système qualité au regard des normes et exigences du conseil de l'ISO. L'entreprise doit mettre au point une démarche documentée (méthodologie) qui lui permettra d'atteindre la conformité vis-à-vis des exigences. Obtenir une certification ISO offre de nombreux avantages aux clients, aux employés, aux dirigeants et à la société.

- Les clients obtiennent des produits et des services fiables, qui répondent à leurs besoins.

- Les employés obtiennent de meilleures conditions de travail. Ces conditions sont plus sécuritaires, contribuent à leur bien-être et à leur satisfaction professionnelle.

- Les dirigeants et les actionnaires obtiennent un rendement supérieur pour leurs investissements grâce à l'accroissement des parts de marché de l'entreprise.

- La société bénéficie du respect des exigences légales et réglementaires, de la réduction des effets négatifs sur l'environnement ainsi qu'une augmentation de la sécurité.

- La normalisation des standards facilite les échanges sur le plan international : ainsi, une entreprise de câblodistribution des Philippines transigeant avec un fabricant de matériel de télécommunication situé à Montréal saura exactement à quel standard de qualité s'attendre si l'entreprise montréalaise détient une certification ISO.

De nombreuses études corroborent ces affirmations[6]. Toutefois, obtenir et maintenir la certification ISO est coûteux et exige beaucoup de temps et d'efforts de la part de l'entreprise. Il faut habituellement entre 12 et 18 mois pour obtenir une telle certification. Si l'entreprise dispose déjà d'une politique de gestion de la qualité, ces coûts peuvent atteindre aisément 30 000 $, mais les entreprises qui partent de zéro doivent multiplier ces coûts par deux ou par trois. Il s'agit donc là d'une décision importante qui doit absolument bénéficier du soutien inconditionnel de la direction de l'entreprise.

LES PRINCIPES D'UN SYSTÈME QUALITÉ

Le tableau 3-1 présente les huit principes guidant les normes de qualité. Notez que «l'orientation client» est le premier principe.

Tableau 3-1 Les principes de management de la qualité de la norme ISO 9000 : 2000

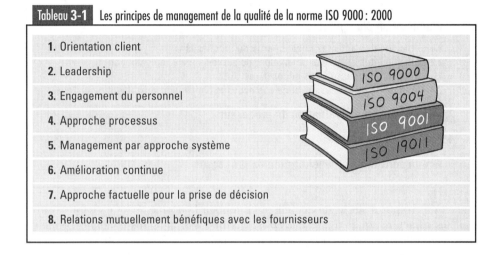

1. Orientation client

2. Leadership

3. Engagement du personnel

4. Approche processus

5. Management par approche système

6. Amélioration continue

7. Approche factuelle pour la prise de décision

8. Relations mutuellement bénéfiques avec les fournisseurs

D'après l'Organisation internationale de normalisation (ISO), l'adoption de l'orientation client par l'entreprise permet de mieux répondre aux occasions d'affaires du marché. De plus, l'augmentation de la satisfaction des clients encourage la loyauté et contribue à la croissance du chiffre d'affaires.

L'application de «l'orientation client» entraîne l'obligation :

- De déterminer et de comprendre les besoins et les attentes des clients.

- D'arrimer les objectifs de l'entreprise avec les besoins et les attentes des clients.

- De diffuser de l'information sur les besoins des clients à tous les membres de l'organisation.

- De mesurer la satisfaction des clients et d'agir sur les résultats de la mesure.

- De gérer méthodiquement les relations avec les clients.

- D'équilibrer l'offre de services à la satisfaction de la clientèle, compte tenu des contraintes des partenaires (employés, direction, actionnaires, fournisseurs, gouvernements).

Notez que ces obligations liées à l'application de «l'orientation client» avantagent tout le monde.

LES ÉLÉMENTS D'UN SYSTÈME QUALITÉ ISO

Le tableau 3-2 établit la liste d'un certain nombre d'éléments de la norme ISO 9000, qui permet à l'entreprise de s'assurer que les clients sont satisfaits. Cette norme est un excellent exemple de l'**approche systémique**. Certaines étapes présentées dans le tableau peuvent être réalisées simultanément. La méthode ISO est lourde, ce qui se devine au langage difficile de ce tableau.

Approche systémique (*systemic approach*)

Approche considérant l'organisation comme un ensemble d'éléments liés entre eux concourant à un but commun[7].

Tableau 3-2 Mise en œuvre de l'approche processus selon ISO 9000 : 2000[8]

1. Détermination des processus de l'organisme

1.1 Évaluation des besoins et des attentes des clients
1.2 Détermination des politiques et des objectifs
1.3 Détermination des processus de l'organisme
1.4 Détermination de la séquence des processus
1.5 Définition de la responsabilité des processus

2. Planification d'un processus

2.1 Définition des activités faisant partie du processus
2.2 Définition des exigences en matière de surveillance et d'évaluation
2.3 Définition des ressources nécessaires
2.4 Vérification du processus et de ses activités par rapport aux objectifs de départ

3. Mise en œuvre et évaluation du processus

4. Analyse du processus

5. Action corrective et amélioration du processus

Ce livre porte sur le service client et non sur la norme ISO. Ce chapitre introduit les caractéristiques d'une entreprise visant à satisfaire ses clients et, pour ce faire, elle utilise le système de gestion de la qualité qu'est ISO 9000. Le chapitre 4 aborde les moyens pour obtenir la qualité.

LA DÉTERMINATION DES PROCESSUS DE L'ORGANISME

Cette opération consiste à déterminer le plan stratégique de l'entreprise, c'est-à-dire du plan décrivant chacune des grandes fonctions de l'entreprise, soit la production, le marketing, les finances et les ressources humaines. L'approche systémique ISO emploie plutôt le terme de **processus**. Pour chacun de ces processus, elle établit des performances à atteindre, autrement dit les objectifs et les sous-objectifs que vise l'entreprise. ISO traite également du management, des ressources, de la réalisation, de la mesure et des améliorations. Au cours de cette analyse, l'entreprise détermine les entrées et les sorties des processus, ainsi que les fournisseurs, les clients et d'autres parties intéressées. Cette étape d'analyse de la situation fait partie de la phase 1 («Je comprends») de la norme ISO 9000 : 2000 décrite à figure 3-3.

Processus (*process*)

Ensemble d'activités logiquement interreliées produisant un résultat déterminé[9].

L'évaluation des besoins et des attentes des clients

Cette phase d'évaluation commence avec la détermination des besoins et des attentes des clients. L'évaluation s'inscrit dans la phase 1 de la figure 3-3. C'est-à-dire l'étape «comprendre le client» en marketing. Quel est l'objet de l'entreprise? Quels clients l'entreprise désire-t-elle satisfaire et quels besoins veut-elle combler? Le chapitre 5 explique comment obtenir ces renseignements des clients. Il s'agit d'une tâche ardue, car la plupart du temps, les clients ont de la difficulté à exprimer ce qu'ils désirent. Cette difficulté à exprimer des besoins est encore plus évidente dans le cas des entreprises qui proposent des nouveaux produits et services. En fait, les clients ont plus de facilité à définir ce qu'ils n'aiment pas dans ce qu'ils connaissent et ils arrivent difficilement à exprimer leurs réactions à l'égard d'un nouveau concept qu'ils doivent essayer de se représenter. Déterminer ce que les clients désirent provient habituellement d'une série d'essais et d'erreurs. Les entreprises novatrices échouent souvent dans cette tentative d'établir les besoins réels des clients, d'où l'adage « C'est la seconde souris qui mange le fromage ! ». En d'autres mots, l'entreprise pionnière a fait faillite en tentant de peaufiner les nouveaux produits ou services qu'elle désirait offrir pour répondre aux besoins des clients, mais la seconde a su tirer la leçon... Voilà qui n'est pas très réjouissant pour les entrepreneurs !

L'entreprise qui tient les besoins de ses clients pour acquis court plus de risques de perdre de vue l'évolution de leurs besoins et désirs. Supposons, par exemple, qu'un concurrent que nous appellerons Bêta vienne s'établir à proximité de l'entreprise Alpha. Même les clients fidèles d'Alpha seront tentés d'aller jeter un coup d'œil du côté des services qu'offre Bêta, le nouveau concurrent. Si l'offre de Bêta est différente et plaît aux clients fidèles d'Alpha, alors celle-ci ne peut se permettre d'ignorer les changements survenus dans les besoins de ses clients par suite de l'offre de service du concurrent Bêta. Notez que, selon l'article 5 du tableau 3-2 et selon le sixième principe dit de « l'amélioration continue » du tableau 3-1, l'entreprise doit vérifier régulièrement ce que pensent les clients de ses produits et services. Elle doit recourir régulièrement aux différents outils de recherche, tels les sondages et les analyses, qui lui permettront d'établir un portrait qualitatif et quantitatif des besoins des clients et de l'offre des concurrents, afin que les gestionnaires puissent réagir et corriger la situation, s'il y a lieu.

La détermination des politiques et des objectifs

Comment l'entreprise peut-elle satisfaire les besoins et les désirs des clients que l'étape précédente a permis d'établir ? Et comment peut-elle assurer sa survie ? Elle doit prendre en compte ses ressources (humaines, financières, techniques et matérielles) et décider à quel besoin l'entreprise pourra satisfaire et à quels groupes de clients ce besoin répondra. Il s'agit de décisions fondamentales pour l'entreprise, car c'est de là que découleront toutes les autres décisions relatives à l'organisation, ainsi que le profit que tirera l'entreprise de son activité. C'est à cette phase que se définit la **mission** de l'entreprise, c'est-à-dire sa raison d'être. Selon le Groupe de concertation sur la qualité[10], une déclaration de mission d'une entreprise doit répondre aux questions suivantes :

- Quelle est notre vocation ? En répondant à cette première question, l'entreprise cerne le domaine dans lequel elle désire exercer ses activités.

- Pourquoi faisons-nous ce que nous faisons ? La réponse à cette deuxième question permet de déterminer la vision de l'entreprise dans l'avenir.

- Quelle est notre contribution à la satisfaction des besoins de nos clients ? En répondant à cette troisième question, l'entreprise détermine ce qu'elle apportera d'original à ses clients : un plus grand bien-être, une plus grande aisance, des coûts moins élevés. La réponse à cette question constitue l'élément le plus pertinent pour les clients, et plus encore pour l'entreprise qui souhaite profondément implanter l'approche client.

- Quel climat de travail désirons-nous offrir à nos employés ? Autrement dit, sur quelles valeurs seront basées les politiques de l'entreprise ? Notons que la plupart des consultants préconisent la participation de l'ensemble du personnel dans la rédaction de la mission corporative.

OBJECTIF 3

Rédiger une promesse de qualité de service à la clientèle.

Mission (*mission*)
Champ d'activité fondamental d'une organisation qui constitue sa raison d'être[11].

Idéalement, une déclaration de mission doit être concise, claire, engageante et donner le ton aux employés. Tous les membres de l'entreprise doivent pouvoir en prendre connaissance afin de pouvoir contribuer à l'essor de l'entreprise. La déclaration de mission sert donc de guide général à l'action des membres de l'organisation.

Les normes du service à la clientèle

Les résultats de la recherche effectuée sur les attentes, les besoins et les **désirs** des clients (abordés au chapitre 2) et l'expérience du personnel servent à définir les normes de services que vise l'entreprise. Par exemple, elle pourrait décider du nombre maximal de sonneries de téléphone que laissera retentir le personnel de la réception avant de prendre l'appel. Elle pourrait également rédiger la formule d'accueil que le portier utilisera afin de s'assurer que le niveau de langage de ce dernier reflète l'image que désire projeter la direction. Les normes de service pour un centre de contact client sont présentées au chapitre 7, qui traite des technologies. Notez que les normes de service sont des objectifs à atteindre, voire à dépasser. Vous trouverez des exemples pertinents de normes de service sur le site Internet du Conseil du Trésor du Canada.

La détermination des processus de l'organisme

Une fois sa mission déterminée, l'entreprise peut établir sa structure, c'est-à-dire indiquer comment elle compte s'organiser pour produire ce qu'elle désire offrir (produit ou service) à ses clients. Cette offre influe notablement sur la structure de l'organisation. Ainsi, un restaurant n'a pas la même structure qu'une imprimerie. Ce choix de structure inclut la division du travail et la détermination des responsabilités des personnes. Ces choix subsidiaires constituent également des activités de management qui, selon la norme ISO, constituent des processus (ce qui n'est pas sans ambiguïté). Les « processus » englobent le management, les ressources, la réalisation, ainsi que la mesure des résultats et leur amélioration. Ces « processus de l'organisme » renvoient à une manière plus conventionnelle d'aborder la gestion que proposent les cours généraux de gestion centrés sur la notion de cycle administratif. Rappelons que les éléments du cycle administratif sont la planification, l'organisation, la direction et le contrôle.

En résumé, l'entreprise doit déterminer sa structure à l'aide d'un processus de management. La théorie sur les structures de l'entreprise est un sujet qui est abordé dans les cours de gestion/management.

Nous examinerons maintenant quelques processus ISO liés au service client.

Management – direction

Après avoir organisé l'entreprise, autrement dit, après en avoir établi la structure, les gestionnaires fixent les objectifs à atteindre en termes de normes de qualité de service (voir l'encadré PRIMA sur les objectifs) ainsi que les tâches à accomplir. À titre d'exemple, prenons une unité administrative nommée « Service à la clientèle » dont les employés doivent accueillir les clients, prendre connaissance de leurs réclamations et trouver une solution conforme aux politiques de l'entreprise. Pour que cette unité administrative (qui, en fin de compte, constitue un processus) fonctionne correctement, il faut que les employés s'appuient sur des politiques et directives pour orienter leur travail. Ces instructions propres à l'entreprise couvrent un large éventail de domaines tels que le nombre (norme) de clients que les employés doivent servir durant leurs heures de travail. Elles influent sur le climat de travail et, par conséquent, sur la qualité du service. Lorsque les employés apprécient leur travail, ils transmettent cette satisfaction aux clients. À leur tour, les clients vanteront les services qu'ils ont reçus de la part de ces employés. Cette

<aside>
Désir (*wish*)
Appétit pour un objet qui a un caractère incitatif, parce qu'il est associé à un plaisir[12].

www.tbs-sct.gc.ca
</aside>

publicité de bouche à oreille est profitable pour tout le monde. De même, le travail de ces employés est soutenu par leurs collègues affectés aux processus internes, qui ne sont pas en contact direct avec la clientèle. Un soutien inadéquat risque d'avoir de graves répercussions sur le travail des employés qui sont en contact avec les clients et, par conséquent, de compromettre la qualité des services rendus aux clients. La figure 3-4 illustre la chaîne des liens entre la qualité du soutien apporté par la direction aux employés et la profitabilité de l'entreprise. Quand les employés en contact avec les clients reçoivent le soutien approprié et bénéficient d'un bon climat de travail, la qualité du service s'en trouve améliorée, ce qui contribue à la satisfaction des clients. Or, des clients satisfaits achètent plus et recommandent l'entreprise à leurs amis. Ces derniers deviennent de nouveaux clients, ce qui augmente les ventes et fait monter les profits.

Figure 3-4 Liens entre la qualité du soutien aux employés et la profitabilité

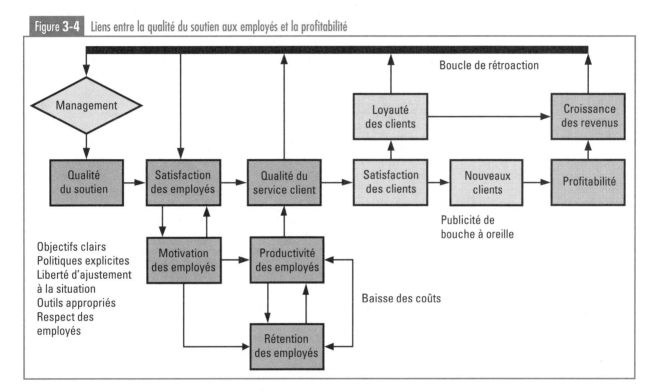

LA DÉMARCHE PRIMA D'ÉLABORATION DES OBJECTIFS

L'entreprise utilise une démarche particulière, connue sous l'acronyme PRIMA, afin de déterminer la qualité et l'opérationnalité de ses objectifs. Ces derniers doivent être plausibles, réalistes, intelligibles, mesurables et accessibles.

■ *Les objectifs doivent être plausibles.* Si la direction désire que les employés fassent des efforts pour atteindre l'objectif fixé, il faut que ces employés et leurs superviseurs soient convaincus qu'ils peuvent atteindre cet objectif. Ils doivent pouvoir atteindre cet objectif en respectant les conditions normales de travail du moment, à un rythme qu'ils pourront tenir à long terme. Supposons que l'objectif soit d'analyser un nombre *x* de requêtes de clients à l'heure. Si ce nombre dépasse ce qu'un employé ordinaire arrive à traiter durant cette période, les employés s'en rendront compte rapidement, se décourageront et réduiront leurs efforts. La direction de l'entreprise perdra la bonne volonté de ses employés.

■ *Les objectifs doivent être réalistes*. Les responsabilités et les comportements attendus des employés doivent être adaptés aux requêtes des clients et à la situation. Souvent, les dirigeants d'une entreprise tentent de copier et d'appliquer des normes et des pratiques de travail provenant d'autres secteurs industriels (voir le chapitre 4 à ce sujet). Or, dans certaines situations, les transferts de normes conduisent à des aberrations. Si vous êtes confronté à une telle situation, laissez à l'entreprise le temps de faire ses preuves avant de conclure que l'expérience est un échec. Tentez l'expérience honnêtement pour un mois. Après quoi, si vous trouvez que les exigences ne sont vraiment pas réalistes, faites-en part à votre superviseur, tout en lui proposant des moyens de corriger la situation. Si vous travaillez dans une grande entreprise, il se peut que l'application des changements traîne en longueur par suite de l'inertie de la bureaucratie. Si vous considérez que la situation est sans espoir et si vous ne pouvez compter sur l'aide d'un syndicat, alors dites-vous que le temps de mettre votre curriculum vitæ à jour est peut-être arrivé...

■ *Les objectifs doivent être intelligibles*. Les employés doivent pouvoir comprendre aisément les objectifs. Comment pourraient-ils atteindre un objectif dont ils ne saisissent pas le sens ou la portée? C'est pourquoi il est préférable que les employés participent à l'élaboration des objectifs. En s'engageant dans cette démarche, ils peuvent se familiariser avec les objectifs, puis se les approprier personnellement. C'est une bonne façon de rendre les objectifs plus attrayants. Même si la direction ne propose pas aux employés de participer à cette démarche, vous devriez le faire en utilisant les techniques de communication persuasive présentées aux chapitres 9 et 10.

■ *Les objectifs doivent être mesurables*. L'employé doit pouvoir déterminer lui-même dans quelle mesure il a réussi à atteindre l'objectif qu'il s'est fixé. Prenons le cas d'un employé chargé de traiter des déclarations de revenus. Si cet employé sait qu'il prend habituellement une demi-heure pour traiter une déclaration simple, il n'aura aucune difficulté à mesurer son rendement. Si son rythme de travail ralentit par suite de problèmes informatiques, alors il pourra facilement signaler ce contretemps à ses supérieurs et leur demander de prendre les mesures qui s'imposent pour corriger la situation.

■ *Les objectifs doivent être accessibles*. Les employés disposant de bons outils et d'une formation adéquate devraient pouvoir atteindre les objectifs en travaillant honnêtement et sans subir un stress indu. Le niveau de performance dépend souvent de l'attitude des employés vis-à-vis de leur emploi. La direction doit concevoir les systèmes client-employé afin d'obtenir des situations de type gagnant-gagnant. Malheureusement, ce n'est pas toujours le cas. Même lorsque des problèmes surviennent, les employés doivent se comporter convenablement et offrir les services auxquels le client s'attend. Le client est souvent indifférent aux ennuis des employés. Il ne remarque que le mauvais service: il a été sollicité par l'entreprise, il est venu et il est prêt à payer. Il s'attend donc à recevoir un service de qualité. Le client ne se sent pas concerné par le fait qu'un employé ne s'est pas présenté au travail ce jour-là ou qu'un appareil soit malheureusement tombé en panne.

L'entreprise doit évaluer la satisfaction au travail des employés par des techniques d'observation et de sondage, par exemple, et en suivre régulièrement l'évolution. De nombreux facteurs contribuent à la satisfaction au travail. Parmi ceux-ci, mentionnons le couplage de la tâche et de la personnalité, la motivation de l'employé, sa compétence, le degré d'autonomie exigé par le travail, l'encadrement et le soutien logistique que reçoit l'employé (formation, bureau, ordinateur, etc.), la mission de l'entreprise et sa philosophie de gestion. Somme toute, la direction exerce un rôle déterminant dans la qualité du service aux clients par la structure qu'elle confère au processus et par le soutien qu'elle fournit à ses employés.

Management – ressources et réalisation

La planification et l'organisation du travail influent profondément sur la qualité du service. Il est nécessaire d'étudier et d'améliorer régulièrement les méthodes de travail à la lumière des objectifs. Par exemple, certains services de messageries, comme Purolator, offrent aux expéditeurs et aux destinataires la possibilité de suivre le déplacement de leurs colis en temps réel, ou presque. Pour ce faire, ils ont créé des systèmes hommes-machines coûteux qui permettent d'offrir un service hors pair à leurs clients.

www.purolator.com

Management – organisation et contrôle

Un élément clé de la démarche de qualité du service client est la **promesse de service** de l'entreprise envers ses clients par le biais d'un document écrit stipulant les engagements qu'elle a pris. Ce document énonce le type de services auquel les clients peuvent s'attendre ainsi que la responsabilité de l'entreprise. Cet engagement lie tous les membres, qui doivent le respecter (figure 3-5). Un employé pourra difficilement se soustraire à cet engagement s'il est placé dans un endroit visible de tous.

Promesse de service
(*customer-commitment statement*)
Document dans lequel une entreprise présente à ses clients les normes de service qu'elle entend respecter.

Figure 3-5 La promesse de qualité de service

Le succès d'une promesse de qualité de service passe par la participation du plus grand nombre de personnes à son élaboration. C'est en effet le meilleur moyen de maximiser l'engagement des membres à respecter cet engagement. La direction de l'entreprise entérine le document final. La promesse procure plusieurs avantages importants à l'entreprise :

- Elle rappelle les attentes de l'entreprise aux employés.
- Elle contribue à créer une **pression des pairs** auprès des employés, donc aide à maintenir la qualité du service au client.
- Elle établit la responsabilité de l'entreprise.
- Elle appuie les demandes des clients qui réclament un service de qualité.
- Elle constitue un excellent outil de promotion marketing.

La détermination de la séquence des processus

Une fois que l'entreprise a déterminé les besoins primaires et secondaires à satisfaire, elle doit analyser les relations qu'entretiennent ces deux catégories de besoins. Selon la méthode ISO, il faut établir les relations entre les processus internes (toutes les entrées et les sorties des processus), tels la production ou les finances, et les processus externes, tels les fournisseurs, les clients, les gouvernements, etc. Le diagramme d'analyse de service de la figure 3-6 (p. 64) met en relief les processus, leurs séquences et leurs liens en prenant l'exemple d'un restaurant. Notez que la partie « Détermination des processus de l'organisme » du tableau 3-2 inclut la définition de la responsabilité des processus que nous n'aborderons pas ici.

LA PLANIFICATION D'UN PROCESSUS

La planification d'un processus ressemble à l'élaboration du plan d'une maison, mais au lieu de représenter des murs, des structures ou du câblage électrique, ce plan expose les activités, les séquences de dépendances et de flux, ainsi que les relations qui s'établissent entre ces opérations. Un **diagramme d'analyse de service** fait ressortir les relations entre les employés, les clients, l'équipement, les stocks et d'autres processus liés, tels l'approvisionnement ou le support informatique. Pour concevoir un diagramme d'analyse de service, il est nécessaire de simuler des processus pour en comprendre les liens. Par exemple, l'analyse de capacité effectuée pour déterminer le nombre de clients que le restaurant peut servir en une heure fait apparaître les relations entre le nombre de clients, le nombre de serveurs et le personnel des cuisines. Ce type de simulation permet de découvrir les points risquant de faire problème, tels d'éventuels goulots d'étranglement dans les processus, qui risquent de constituer des sources de déception pour les clients. La mise en évidence précoce de ces problèmes permet de réduire le coût des corrections nécessaires. Les chapitres 5 et 6 étudient en détail les techniques servant à planifier et à améliorer le service client.

Vous pouvez construire un diagramme d'analyse de service avec n'importe quel logiciel de dessin vectoriel, comme Canvas, Illustrator, Corel Draw, Freehand. Vous pouvez également utiliser des logiciels spécialisés, tels Visio, iGrafx Process et Smart Draw. (Notez que les sites Internet de ces entreprises proposent des versions gratuites de leurs logiciels que vous pouvez utiliser pendant 30 jours.)

La définition des activités composant le processus

Le diagramme d'analyse de service permet de contrôler « l'expérience service » offerte au client. La figure 3-6 (p. 64) présente, de manière simplifiée, le déroulement

---

Pression des pairs
(*peer pressure*)

Pression qu'un groupe exerce implicitement ou explicitement sur un individu pour qu'il adopte les comportements du groupe, afin que tous se comportent de la même façon.

Diagramme d'analyse de service (*service blueprint*)

Méthode d'analyse de la prestation d'un service visant à mettre en lumière ses principaux éléments, ses points faibles, s'il y a lieu, en vue d'établir des lignes directrices, des normes en matière de qualité, de délais de livraison qui pourront faire l'objet d'évaluations[13].

web
www.acdsystems.com
www.adobe.com
www.corel.fr
www.macromedia.com
www.office.microsoft.com
www.igrafx.fr
www.smartdraw.com

>> *OBJECTIF* 4

Concevoir un diagramme d'analyse de service.

planifié d'une visite pour un client du restaurant haut de gamme La marée haute. Les éléments principaux de ce plan sont :

- la définition des normes de service pour les activités visibles au client (éléments significatifs seulement) ;
- les éléments tangibles des activités visibles ;
- les illustrations des actions clés posées par le client ;
- les activités du personnel de contact client ;
- un écran symbolique de visibilité, derrière lequel les activités se font hors de la vue du client ;
- les activités cachées du personnel de contact client ;
- les processus d'appoint provenant du personnel de service ;
- les processus d'appoint provenant du matériel informatique.

Dans ce diagramme, le symbole △ localise les zones où pourraient survenir d'éventuels problèmes de nature temporelle, comme une attente indue lors du service des plats commandés par les clients, tandis que le symbole Ⓓ signale les activités importantes susceptibles de ne pas répondre aux autres normes du service client.

Le diagramme d'analyse comporte trois actes séparant les grandes étapes de la visite du client. La première phase commence par la réservation téléphonique que fait le client à une personne qu'il ne voit pas. Le client compte généralement le nombre de sonneries qui retentissent avant que le personnel réponde à l'appel ; c'est pourquoi, dans cette figure, un signe d'alerte a été placé vis-à-vis du temps de réponse. Une fois la communication établie, le client remarque le timbre et le débit de la voix de son interlocuteur, lesquels transmettent une information de nature affective sur la serviabilité du préposé à l'égard du client. Pour des précisions à ce sujet, consultez le chapitre 9 sur la communication non verbale. La disponibilité d'une table à l'heure et au jour désirés contribue également à la qualité du service, ce que souligne le signe d'alerte placé à cet endroit dans le diagramme. Derrière la communication téléphonique se situe le processus de vérification de la disponibilité d'une table et le processus de la prise en note de la réservation dans le système informatique du restaurant. Enfin, loin derrière il y a le processus d'entretien du système de réservation. La figure 3-6 inclut 13 autres vignettes de l'expérience service que le restaurant La marée haute propose à ses clients.

La définition des exigences en matière de surveillance et d'évaluation (les systèmes de management de la qualité)

L'entreprise doit concevoir et mettre en place un mécanisme (qui n'apparaît pas dans le diagramme de la figure 3-6) permettant de vérifier si les normes sont respectées avec la collaboration des employés. Le chapitre 4 présente les outils de gestion de la qualité du service et le chapitre 5 indique comment effectuer les sondages de vérification de la qualité du service.

La définition des ressources nécessaires

La définition des ressources nécessaires est une opération qui permet de déterminer les différents éléments nécessaires à la réalisation du plan, à savoir les personnes, les compétences, l'équipement, les ressources financières, les permis et le temps. Voici un bel exemple d'un processus, type ISO, se déroulant en même temps que d'autres. Souvent, ce type de processus se fait par essais et erreurs. Le plan de service

(suite p. 68)

Figure 3-6 Diagramme d'analyse de service pour un grand restaurant

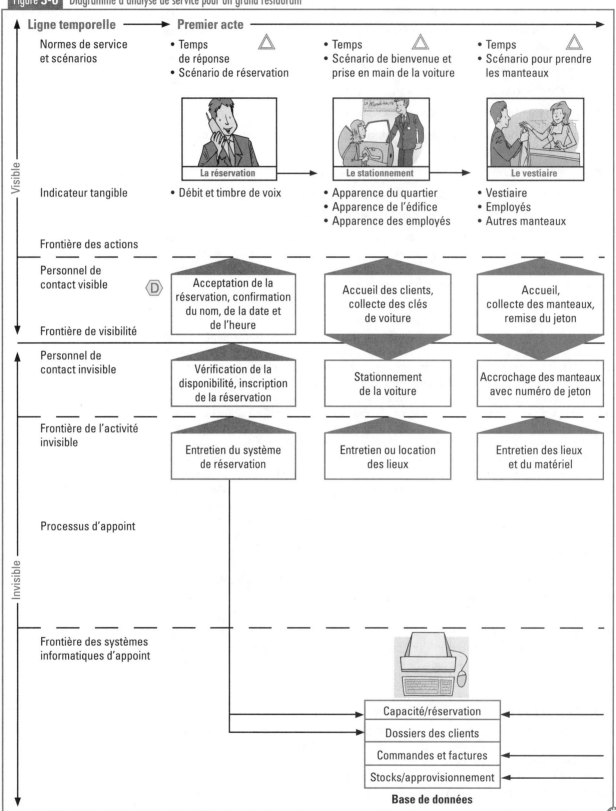

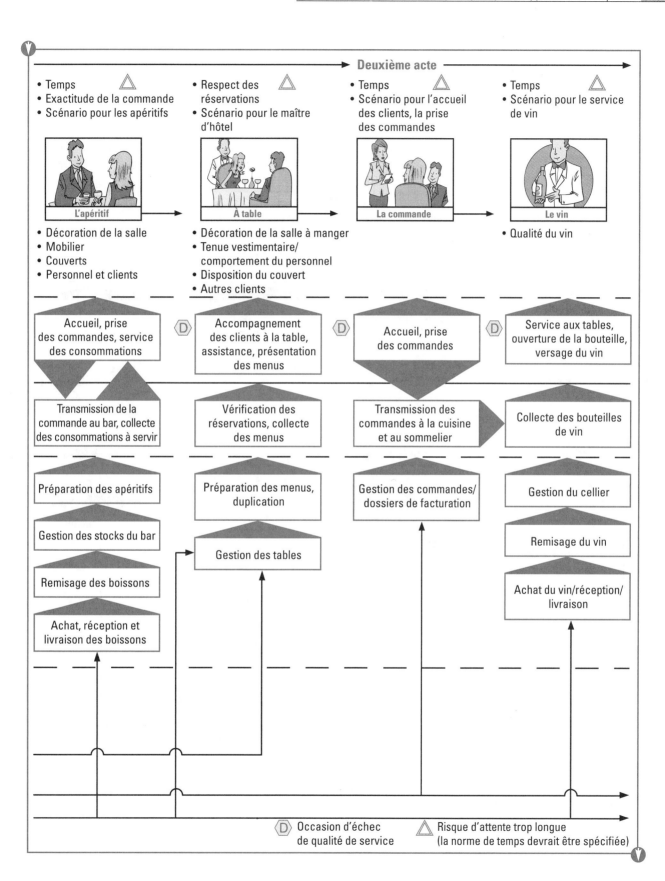

Deuxième acte

- Temps
- Exactitude de la commande
- Scénario pour les apéritifs

- Respect des réservations
- Scénario pour le maître d'hôtel

- Temps
- Scénario pour l'accueil des clients, la prise des commandes

- Temps
- Scénario pour le service de vin

L'apéritif

À table

La commande

Le vin

- Décoration de la salle
- Mobilier
- Couverts
- Personnel et clients

- Décoration de la salle à manger
- Tenue vestimentaire/ comportement du personnel
- Disposition du couvert
- Autres clients

- Qualité du vin

Accueil, prise des commandes, service des consommations

Accompagnement des clients à la table, assistance, présentation des menus

Accueil, prise des commandes

Service aux tables, ouverture de la bouteille, versage du vin

Transmission de la commande au bar, collecte des consommations à servir

Vérification des réservations, collecte des menus

Transmission des commandes à la cuisine et au sommelier

Collecte des bouteilles de vin

Préparation des apéritifs

Préparation des menus, duplication

Gestion des commandes/ dossiers de facturation

Gestion du cellier

Gestion des stocks du bar

Gestion des tables

Remisage du vin

Remisage des boissons

Achat du vin/réception/ livraison

Achat, réception et livraison des boissons

Occasion d'échec de qualité de service

Risque d'attente trop longue (la norme de temps devrait être spécifiée)

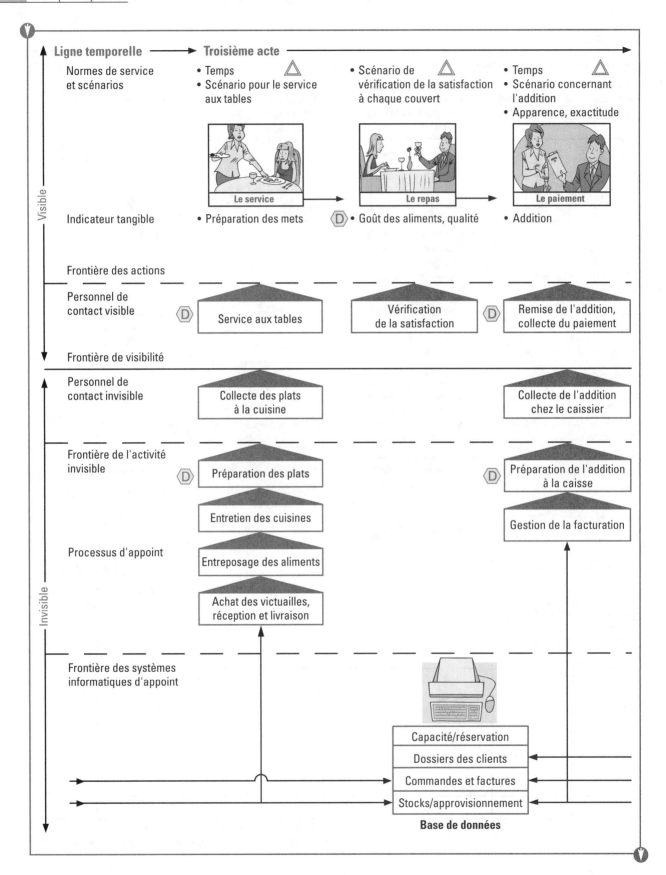

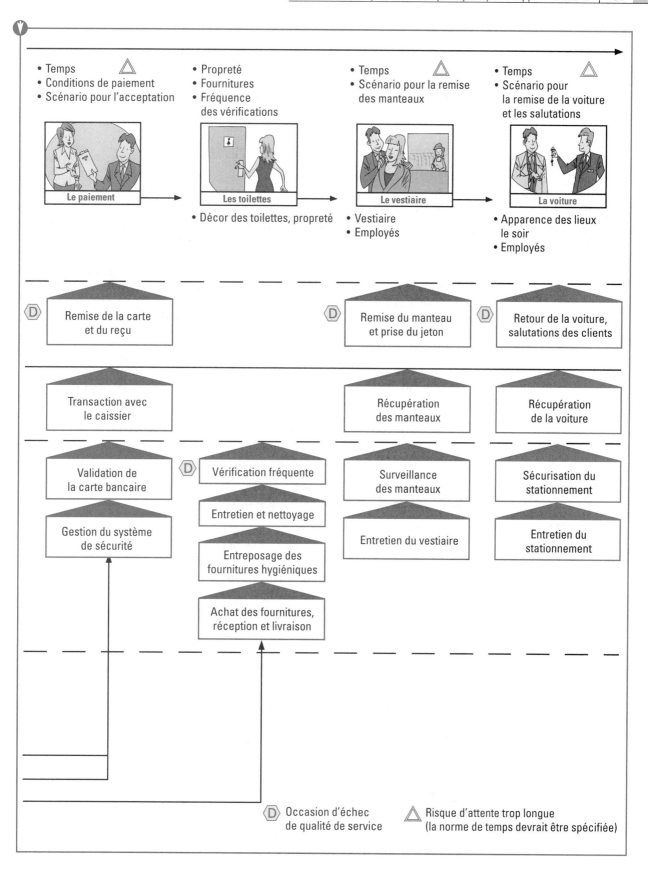

- Temps △
- Conditions de paiement
- Scénario pour l'acceptation

- Propreté
- Fournitures
- Fréquence des vérifications

- Temps △
- Scénario pour la remise des manteaux

- Temps △
- Scénario pour la remise de la voiture et les salutations

Le paiement

Les toilettes
- Décor des toilettes, propreté

Le vestiaire
- Vestiaire
- Employés

La voiture
- Apparence des lieux le soir
- Employés

Ⓓ Remise de la carte et du reçu

Ⓓ Remise du manteau et prise du jeton

Ⓓ Retour de la voiture, salutations des clients

Transaction avec le caissier

Récupération des manteaux

Récupération de la voiture

Validation de la carte bancaire

Ⓓ Vérification fréquente

Surveillance des manteaux

Sécurisation du stationnement

Gestion du système de sécurité

Entretien et nettoyage

Entretien du vestiaire

Entretien du stationnement

Entreposage des fournitures hygiéniques

Achat des fournitures, réception et livraison

Ⓓ Occasion d'échec de qualité de service

△ Risque d'attente trop longue (la norme de temps devrait être spécifiée) de la figure 3-6 ne peut-être élaboré sans déterminer les processus et les ressources. C'est pourquoi ces processus ISO se déroulent conjointement. L'analyse des ressources permet d'établir des listes d'activités, de ressources et d'états, qui serviront à la conception du plan de service. Et la conception du plan de service permet de mieux déterminer les ressources nécessaires. La boucle est ainsi fermée.

LA NORME ISO SUR LA CONVIVIALITÉ D'UN SITE INTERNET

Convivialité (*usability*)

Qualité d'un matériel ou d'un logiciel qui est facile et agréable à utiliser et à comprendre, même par quelqu'un qui a peu de connaissances en informatique[15].

La famille des normes ISO 9000 inclut les logiciels et particulièrement la **convivialité** des sites Internet (voir le chapitre 7 sur les technologies à ce sujet). La norme ISO 9241-11 vise la création de systèmes conviviaux permettant à l'usager d'accomplir sa tâche grâce à une interaction homme-machine[14] (IHM) efficace, efficiente et satisfaisante. L'efficacité représente l'aptitude à produire le résultat recherché ; l'efficience correspond à sa grande productivité, c'est-à-dire sa rapidité d'exécution des opérations, tout en n'exigeant que peu de moyens et d'efforts pour atteindre l'objectif. Elle se mesure aux ressources consommées pour atteindre l'objectif. La satisfaction est le sentiment de bien-être de l'usager lié à son plaisir et à son confort.

Offrir aux clients et aux employés un système convivial permet à l'entreprise de se démarquer de la concurrence et d'accroître la satisfaction des clients qui demeurent fidèles, ce qui augmente la rentabilité. Les systèmes conviviaux améliorent la productivité des usagers en réduisant les erreurs, concentrant l'attention des usagers sur la tâche et non sur l'outil. Le besoin de formation et de promotion des systèmes auprès des employés et des clients s'en trouve réduit. De bons systèmes réduisent la rotation du personnel[16].

>> OBJECTIF 5

Reconnaître les aspects de l'approche client pour lesquels la contribution des employés est déterminante.

3.3 LES RESSOURCES HUMAINES

Les employés sont le service et la marque de l'entreprise. Une organisation ne peut connaître de succès si elle est incapable de trouver, de former et de conserver de bons employés. Cette affirmation est encore plus vraie pour les entreprises qui offrent des services. Une caractéristique importante des services provient du fait que la production et la consommation du service se déroulent en même temps. La plupart du temps, les employés sont à la fois le service, l'entreprise, la marque, ainsi que le producteur et le fournisseur du service. Les services de coiffure, de garde d'enfants, d'entraînement physique, d'entretien ménager sont des cas typiques de ce genre de situation. Les guichets bancaires et les répondeurs téléphoniques sont des exemples d'automatisation qui réduisent l'intervention humaine.

En définitive, l'offre de service de l'entreprise, c'est souvent « ses employés » ! D'ailleurs, c'est bien ce qu'illustre la figure 3-4 (p. 59), qui souligne les liens étroits entre la qualité du service client et la satisfaction des employés qui fournissent ce service. Examinons comment l'entreprise s'y prend pour engager et conserver des employés compétents et satisfaits.

LES BESOINS EN PERSONNEL

Pour l'entreprise, l'effort de définir correctement ses besoins en personnel et de les combler exige beaucoup d'énergie. Idéalement, les employés de contact client doivent posséder les qualités que les clients considèrent comme importantes pour un service de premier ordre auquel ils s'attendent. Ces qualités doivent contribuer à l'atteinte des critères d'évaluation du client en matière de service à la clientèle. Rappelons que ces critères, présentés au chapitre 2, sont les suivants : 1) la communication ; 2) la compétence ; 3) la disponibilité ; 4) l'empathie ; 5) l'accessibilité ; 6) la crédibilité ; 7) la courtoisie ; 8) la fiabilité ; 9) la sécurité ; 10) la tangibilité.

LES DESCRIPTIONS D'EMPLOIS

Les critères énumérés dans le paragraphe précédent s'appliquent à l'ensemble du domaine des services. Toute entreprise qui décrit ses emplois doit tenir compte des particularités de son secteur d'activité ainsi que de sa philosophie de gestion de l'entreprise, laquelle fait partie de la déclaration de mission dont nous avons traité à la section «La détermination des politiques et des objectifs» de ce chapitre (p. 57). De plus, les **descriptions du travail** varient selon le type d'emploi, car elles doivent tenir compte de la **division du travail**. Le poste de représentant aux ventes internes nécessite des qualifications distinctes de celles du technicien à l'entretien de l'équipement chez le client.

Les descriptions du travail doivent donc contenir les précisions suivantes :

■ Des éléments communs à tous les employés de l'entreprise, dont les éléments associés aux 10 critères de qualité du service client énumérés plus haut.

■ Des éléments relevant de l'entreprise (mission et philosophie de gestion).

■ Des éléments concernant les normes de service client à atteindre.

■ Des éléments particuliers relatifs à la nature du poste.

Les éléments concernant le service client servent à souligner l'importance que l'entreprise accorde à ce type de service au regard de la tâche à accomplir. Comme ces éléments sont consignés dans sa description du travail, il n'y a pas d'équivoque pour l'employé : il est tenu d'offrir au client un service de premier ordre. Enfin, les éléments particuliers relatifs à la nature du poste figurent en dernier dans la description, car les candidats doivent d'abord démontrer qu'ils possèdent les compétences précédentes si l'entreprise fait preuve de sérieux dans son intention d'offrir un service de qualité à ses clients.

Les situations causant un niveau de stress élevé surviennent fréquemment dans les services, car les employés de contact client sont constamment tiraillés entre les intérêts du client et ceux de l'entreprise. Il arrive parfois que les politiques et les directives de l'entreprise soient inappropriées. Le personnel doit malgré tout servir le client courtoisement et promptement, même si le reste de l'entreprise ne lui donne pas le soutien nécessaire pour accomplir son travail adéquatement. Le cas échéant, les descriptions du travail doivent indiquer que de telles situations peuvent survenir.

L'entreprise doit rechercher des personnes détenant les compétences qui leur permettent à la fois de fournir correctement les services et de travailler en interaction avec la clientèle. Il est à noter que s'il est toujours possible de remédier à des compétences imparfaites par de la formation, il est plus difficile d'acquérir le goût de travailler avec le public. Un individu qui, au départ, ne présente pas ces dispositions risque d'avoir des difficultés à les développer. Lors de la sélection, il est indispensable de vérifier la motivation des candidats à travailler au service à la clientèle. Enfin, il importe de souligner que les niveaux de salaires pour les emplois de service sont habituellement bas, bien qu'ils exigent un haut niveau de compétences de la part des employés.

Description du travail
(*work description*)

Document qui décrit le travail en fonction des résultats attendus, des principales activités à exécuter, ainsi que des exigences et des conditions fixées par l'entreprise.

Division du travail (*division of labor*)

Morcellement des tâches en unités de plus en plus élémentaires, constituant autant de postes de travail isolés et spécialisés[17].

LE PROCESSUS DE SÉLECTION

L'entreprise ne doit pas hésiter à faire tous les efforts possibles pour engager les meilleurs employés. Après tout, dans le domaine des services, ce sont les employés qui font l'entreprise. Elle devrait consacrer autant d'énergie à trouver de bons employés qu'à recruter de nouveaux clients. Pour l'entreprise, cela signifie, notamment, s'efforcer de devenir le meilleur employeur afin que les meilleurs employés désirent venir travailler chez elle. Tous les ans, la revue *Affaires Plus* publie la liste des meilleurs employeurs. Il n'est pas nécessaire d'être une multinationale pour se qualifier ; en 2005, la meilleure entreprise n'avait que 80 employés[18].

Voici quelques moyens pour engager du personnel compétent :

- Être disposé à interviewer un très grand nombre de candidats pour les postes de contact direct, qui sont trop souvent mal rémunérés.
- Savoir hausser les qualifications requises pour recruter des personnes aux habiletés supérieures.
- Regarder du côté des personnes en fin de carrière ou des immigrants de fraîche date, qui cherchent une occasion de s'intégrer au monde du travail.
- Utiliser des mises en situation forçant les candidats à démontrer leurs aptitudes à servir le client adéquatement.

L'entreprise doit employer des méthodes permettant de déceler l'orientation service chez les candidats. Les simulations des conditions de travail permettent généralement de déceler la personnalité des candidats. Fiez-vous à l'adage « chassez le naturel, il revient au galop », car la plupart des gens sont incapables de dissimuler longtemps leur véritable nature.

LA FORMATION

La formation poursuit deux grands objectifs. Le premier concerne la compétence et vise à permettre aux employés d'acquérir et de maintenir les connaissances et les aptitudes qui leur permettent d'effectuer correctement leur travail. Le second objectif vise la motivation. Dans ce domaine, la formation consiste à offrir au personnel de participer à des activités de motivation, par exemple une conférence donnée par un spécialiste du domaine. On pourrait comparer ces activités au besoin de remplir le réservoir d'essence d'une voiture pour qu'elle puisse continuer de rouler. Les activités de formation combinent généralement ces deux volets.

Pour chaque catégorie d'emploi, l'entreprise doit déterminer les connaissances, les habiletés et les attitudes qu'elle attend de ses employés. Ces exigences doivent apparaître sur la fiche de description d'emploi. Avec la mondialisation des marchés et l'évolution technologique, peu d'emplois demeurent stables au-delà de sept ans. C'est pourquoi l'entreprise doit maintenir à jour ces fiches de description lorsqu'elle procède à des modifications qui transforment les tâches. L'entreprise doit également évaluer périodiquement son personnel afin de s'assurer qu'il répond toujours aux exigences qu'elle a fixées. Le tableau 3-3 présente un exemple de fiche d'évaluation des besoins de connaissances, d'habiletés et d'attitudes pour un emploi qu'elle fait remplir à ses employés afin qu'ils précisent eux-mêmes leurs besoins de formation. Ce type de fiche permet de déterminer ce qu'il faut savoir pour accomplir l'emploi correctement ainsi que l'importance à attribuer à chacun des éléments.

Lorsque vient le temps de choisir la façon de donner la formation, les dirigeants doivent tenir compte du profil des employés et du contenu à transmettre. Ce contenu peut porter sur le *savoir*, c'est-à-dire des connaissances élémentaires indispensables, sur le *savoir-faire*, c'est-à-dire des habiletés permettant d'accomplir un travail particulier, ou sur le *savoir-être*, c'est-à-dire des habiletés dans les relations interpersonnelles.

La formation peut se donner sur les lieux de travail et pendant les heures de travail. La formation à l'interne est intéressante pour des apprentissages directement liés aux tâches à exécuter dans le contexte des activités de l'entreprise. De plus, elle favorise le transfert d'apprentissage grâce à une rétroaction directe liée au travail lui-même. Il est également possible de donner la formation à l'extérieur de l'entreprise et en dehors des heures habituelles de travail. La formation en externe provoque une rupture qui se traduit par une diminution de la nécessité de performer rapidement. Elle a cependant l'avantage de pouvoir se dérouler dans un lieu spécialisé ou d'enseigner une technologie, en recourant à une simulation, par exemple. Enfin, il y a diverses solutions intermédiaires, qui consistent, par exemple, à donner une formation sur les lieux de travail, mais en dehors des heures ouvrables. Cette solution permet notamment de ne pas importuner les clients.

Tableau 3-3 Fiche d'évaluation des besoins de formation

Entreprise ALPHA
Fiche de besoins de formation
Nom du poste :   Date :
Indiquer les connaissances et les compétences nécessaires pour effectuer correctement votre travail actuel.

	Jamais	Rarement	Un peu	Fréquemment	Continuellement
Connaissances langagières :					
Français, anglais, autres :					
Comprend					
Parle					
Lit					
Écrit					
Connaissances techniques dans les domaines suivants :					
Textes, documents, manuels, fiches de contrôle					
Plans, schémas, diagrammes					
Rédaction de rapports, de fiches de contrôle, de lettres et autres documents					
Matériel informatique					
Logiciels					
Mesure des surfaces, des masses, des volumes, de la puissance, de la consommation, etc.					
Comparaison des mesures avec des normes					
Transposition des unités d'un système à l'autre (ex. : des euros aux dollars)					
Transport manuel des produits					
Manœuvre des appareils, de l'équipement pour effectuer des transformations, des manipulations physiques de produits					
Conduite de véhicules de transport					

La formation doit également tenir compte des grands principes d'apprentissage. Il faut en effet se rappeler que l'apprentissage s'améliore ou s'accroît lorsque :

- L'individu est prêt à apprendre et fait preuve de motivation (rappelez-vous l'expression populaire : « On peut amener le cheval à l'abreuvoir, mais on ne peut le forcer à boire. »).

- L'individu peut rattacher ce qu'il doit apprendre à des notions connues. Il importe donc de construire sur du connu.

- La formation peut être fractionnée en petites unités d'apprentissage, se faire par étapes, selon une séquence logique et à partir d'éléments connus.

- Les dimensions cognitives et affectives de la personne occupent une place importante au sein de la formation. Un climat d'apprentissage favorable maximise les capacités de compréhension et de rétention des nouvelles connaissances.

- L'individu met en pratique la théorie qui vient d'être exposée. Par ailleurs, certaines habiletés ne s'acquièrent que par la pratique. Savoir quoi faire devant une situation particulière et exécuter le geste approprié sont deux choses distinctes qui font appel à des processus mentaux différents. Or, l'individu doit maîtriser ces deux types de savoirs.

- Le formateur favorise l'usage et la répétition des nouvelles connaissances, car ces procédés pédagogiques aident à la compréhension et à la rétention des connaissances.

- L'individu réussit un apprentissage, car le succès d'un apprentissage en attire un autre. Les formateurs doivent savoir capitaliser sur l'accroissement de la confiance et des connaissances.

- Le formateur vérifie rapidement et continuellement l'apprentissage, afin de motiver et de combler les lacunes.

Il ressort de ces considérations que la formation du personnel (y compris les cadres de l'entreprise) doit constituer une préoccupation fondamentale de l'entreprise soucieuse de réussir son approche client, et ce, quel que soit le domaine dans lequel elle fait des affaires. L'entreprise qui lésine sur la formation risque de devenir non concurrentielle. C'est pourquoi l'État consent des crédits d'impôt pour la formation du personnel, et il est judicieux de le faire pour les employés du service client, car ces employés sont l'entreprise pour les clients, ne l'oublions pas.

L'ÉVALUATION DU RENDEMENT

L'entreprise soucieuse de la qualité des services qu'elle fournit se doit de mettre sur pied un système d'évaluation de la performance de ses employés. La figure 3-7 présente une fiche d'évaluation en matière de qualité de service. En procédant régulièrement à cette évaluation, l'entreprise peut mesurer le niveau de performance de ses employés et suivre leurs progrès. L'information sert à déterminer les besoins de formation ainsi que les niveaux de salaire et les gratifications.

LES SALAIRES ET LES GRATIFICATIONS

L'entreprise doit assujettir son système de rémunération et de gratification à ses objectifs de qualité du service à la clientèle. Si la qualité du service client est importante pour l'entreprise, cette philosophie devrait impérativement se refléter dans la rémunération des employés. La fiche d'évaluation de la figure 3-7 peut

Figure 3-7 Fiche d'évaluation critériée en service client[19]

Société ALPHA

Fiche d'évaluation du personnel de service client

Employé ....
Nom   Prénom

Poste .... Date ....

Sélectionnez toute valeur comprise entre 1 et le maximum indiqué dans chacune des catégories.

Évaluation qualitative

3	6	9	12	15	Nbre de points
Commet des erreurs très fréquemment. Ne démontre aucun souci quant à la qualité.	Commet des erreurs fréquemment. Ne semble pas concerné par la qualité. C'est de la frime.	Commet des erreurs tout en répondant aux normes de qualité. A une orientation qualité.	Commet quelques erreurs, tout en atteignant un seuil de qualité acceptable. Contribue à l'amélioration de la qualité et de la productivité.	Exécute la plupart du temps un travail parfait. Contribue activement à l'amélioration de la qualité et des procédés.	Pointage

Évaluation quantitative

3	6	9	12	15	Nbre de points
Est systématiquement en deçà de la norme.	Est fréquemment en deçà de la norme.	Répond aux normes fixées pour le travail.	Dépasse régulièrement les normes fixées pour le travail.	Dépasse systématiquement la norme de travail; employé très productif.	Pointage

Compréhension de l'emploi

3	6	9	12	15	Nbre de points
Inadéquate.	Important besoin de formation et d'aide.	Compréhension adéquate de son emploi.	Bonne compréhension de son emploi, fonctionnement autonome.	Expert en son domaine d'emploi.	Pointage

Service client

3	6	9	12	15	Nbre de points
Ne fait aucun effort pour satisfaire le client. La notion de satisfaction du client ne semble pas relever de sa responsabilité.	Fait quelques efforts pour satisfaire le client. La satisfaction du client ne semble pas un souci important.	Démontre une orientation client, malgré de sérieuses lacunes.	Fait preuve de fiabilité et de la capacité de gérer adéquatement ses activités de service client.	Démontre une grande maîtrise du service client.	Pointage
				Total	

servir à calculer un bonus pour les employés méritants. L'entreprise dispose de bien d'autres moyens que l'argent pour encourager ses membres à offrir un service de qualité. Il s'agit de la reconnaissance, autrement dit de l'expression de la gratitude de l'entreprise. La reconnaissance est un puissant facteur de motivation et fait partie des besoins d'estime, comme le montre la théorie des besoins élaborée par Maslow[20]. L'entreprise peut mettre sur pied un système de récompenses en collaboration avec les employés. Voici quelques types de récompenses susceptibles de motiver des employés.

- Création d'un programme de remise annuelle de certificats d'excellence.

- Réservation d'un lieu fréquenté de tous dans l'entreprise pour afficher le nom de l'employé du mois et souligner l'excellence de son travail.

- Présentation de félicitations par le président de l'entreprise à un employé méritant sur son lieu de travail.

- Transmission par le directeur du service d'une invitation à manger au restaurant à l'employé.

Comme la publicité, les formules de reconnaissance doivent changer de temps en temps afin qu'elles conservent leur efficacité.

RÉSUMÉ

1. **Nommer les éléments clés de l'amélioration du service à la clientèle.**

Les éléments clés sont l'accueil du client avec l'intention de le conserver longtemps, ce qui exige de prendre les moyens nécessaires pour répondre à ses demandes, en lui offrant des heures d'ouverture qui conviennent à ses besoins. L'entreprise doit également faire en sorte de dépasser les attentes exprimées par les clients, et doit soutenir ses produits et services.

2. **Nommer les avantages de la certification ISO 9000 en service client et décrire les étapes de la certification.**

La certification ISO de la norme 9000 s'applique au « management de la qualité ». Elle accorde une importance fondamentale à l'écoute du client afin d'accroître sa satisfaction. La certification ISO est une source d'avantages pour tous :

- Les clients se procurent des produits et services fiables, conformes à leurs besoins.

- Les employés obtiennent de meilleures conditions de travail. Ces conditions sont plus sécuritaires, contribuent au bien-être du personnel et à la satisfaction professionnelle.

- Les dirigeants et les actionnaires obtiennent un rendement supérieur sur leur investissement grâce à l'accroissement des parts de marché.

- La société s'assure du respect des exigences légales et réglementaires, de la réduction des effets environnementaux négatifs et d'une sécurité accrue.

Et les principales étapes de la certification sont : 1) la détermination des processus de l'organisme ; 2) la planification d'un processus ; 3) la mise en œuvre et l'évaluation du processus ; 4) l'analyse du processus ; 5) la correction du processus et son amélioration, s'il y a lieu.

3. **Rédiger une promesse de qualité de service à la clientèle.**

Une promesse de qualité de service est une déclaration publique dans laquelle une entreprise propose à ses clients des normes de service. Elle précise le niveau de service auquel les clients peuvent s'attendre ainsi que la responsabilité de l'entreprise à l'égard de ses produits et services. Cet engagement lie tous les membres, qui doivent fournir le niveau de service spécifié.

4. **Concevoir un diagramme d'analyse de service.**

Le diagramme d'analyse de service permet de mettre en évidence les liens entre les employés, les clients, l'équipement, les stocks et d'autres processus liés aux activités de l'entreprise. Il permet de contrôler « l'expérience service » offerte au client.

5. **Reconnaître les aspects de l'approche client pour lesquels la contribution des employés est déterminante.**

Les employés sont à la fois le service, l'entreprise, la marque, le producteur et le distributeur. Idéalement, les employés de contact client doivent démontrer les qualités que les clients considèrent importantes pour un service de qualité. L'entreprise recherche les personnes motivées et dont les compétences permettront de fournir adéquatement les services attendus. La formation permet aux employés d'acquérir et de maintenir les connaissances et les compétences dont ils ont besoin pour bien remplir leurs tâches.

MOTS CLÉS

Approche systémique (p. 56)	*Systemic approach*
Convivialité (p. 68)	*Usability*
Description du travail (p. 69)	*Work description*
Désir (p. 58)	*Wish*
Diagramme d'analyse de service (p. 62)	*Service blueprint*
Division du travail (p. 69)	*Division of labor*
Effet Pygmalion (p. 52)	*Self-fulfilling prophecy*
Engagement explicite (p. 52)	*Self explanatory commitment*
Engagement implicite (p. 52)	*Implied commitment*
ISO (p. 53)	*ISO*
Mission (p. 57)	*Mission*
Pression des pairs (p. 62)	*Peer pressure*
Processus (p. 56)	*Process*
Promesse de service (p. 61)	*Customer-commitment statement*

QUESTIONS DE RÉVISION

1. Comment l'entreprise peut-elle démontrer au client qu'il est le bienvenu ?

2. Indiquez un moyen permettant à l'entreprise de s'assurer que son personnel est en mesure de résoudre les problèmes des clients.

3. Nommez les deux catégories de facteurs que l'entreprise peut ajouter à son offre de service afin de mieux répondre aux attentes de ses clients, voire de les dépasser.

4. Nommez les quatre catégories de facteurs de ravissement et donnez un exemple pour chacune d'elles.

5. Caractérisez les deux catégories de soutien qu'une entreprise peut offrir à ses clients concernant ses produits et services.

6. Quelles sont les particularités des normes de la famille ISO 9000 ?

7. Quels sont les avantages de la certification ISO ?

8. Comment une entreprise peut-elle déterminer sa mission ?

9. Donnez un exemple de norme de service à la clientèle.

10. Quelles sont les cinq qualités permettant de déterminer la qualité et l'opérationnalité des objectifs ?

11. En quoi consiste la promesse de service ?

12. À quoi sert un diagramme d'analyse de service ?

13. Quelles sont les particularités des services ?

14. Comment l'entreprise peut-elle remédier à des carences dans la qualité des services prodigués par ses employés ?

15. Par quelle technique de sélection du personnel l'entreprise peut-elle s'assurer des qualités relationnelles des candidats à des emplois en service à la clientèle ?

ATELIERS | PRATIQUES

1. En équipe de deux étudiants, remplissez la fiche d'évaluation présentée à la figure 3-8 (une version Excel se trouve sur le Compagnon Web du manuel) et faites un rapport à la classe à la prochaine rencontre. Chaque équipe se verra assigner l'une des entreprises de service suivantes :
   - Un service de restauration rapide
   - Un centre de photocopies
   - Un magasin d'impression de photos numériques
   - Une discothèque
   - Un centre d'entraînement physique
   - Une station-service

2. Visitez le site Internet d'ISO (www.iso.org) pour recueillir de l'information sur la norme ISO 14000. Présentez les résultats de votre recherche à la classe.

Figure 3-8 Fiche d'évaluation de la qualité du service

Fiche d'évaluation de la qualité du service

Facteurs de satisfaction

Code	Renseignements	Note
A1	Rappels	
A2	Liste de prix	
A3	Avertissement	
A4	Notice d'utilisation	
A5	Reçus et billets	
A6	Horaire d'ouverture	
A7	Avis de modifications	
A8	Conditions de vente et de service	
A9	Emplacement et accès à l'établissement	
A10	Confirmations (réservation, prix, achat, etc.)	
A11	Relevés de comptes – détails sur les transactions	
	Sous-total	

Code	Facturation	Note
B1	À la pièce	
B2	À la fin du mois	
B3	Coupon de caisse	
B4	Affichage électronique	
	Sous-total	

Code	Paiement	Note
C1	Libre-service	
C2	Machine avec jeton	
C3	Machine avec monnaie	
C4	Machine à monnaie exacte	
C5	Machine par carte bancaire	
C6	Par la poste avec chèque	
C7	Transfert électronique (téléphone, Internet)	
C8	Avec intermédiaire	
C9	Par coupons	
C10	Par bon d'échange, par jetons	
C11	Par chèque, par carte bancaire	
C12	Comptant avec retour de monnaie	
C13	Par prélèvement automatique	
	Sous-total	

Code	Prise de commandes	Note
D1	Demande	
D2	Adhésion, abonnements, de crédit, etc.	
D3	Lieux et méthodes	
D4	Sur les lieux, poste, téléphone, télécopie, Internet	
D5	Réservation et inscription	
D6	Places, tables, chambres, véhicules, rendez-vous	
	Sous-total	

Facteurs de ravissement

Code	Consultation	Note
E1	Conseils	
E2	Vérification	
E3	Tutorat/formation	
E4	Gestion ou consultation technique	
	Sous-total	

Code	Hospitalité	Note
F1	Accueil	
F2	Toilettes	
F3	Sécurité	
F4	Transport	
F5	Salles d'attente	
F6	Pièces, chaises	
F7	Protection contre les intempéries	
F8	Journaux, magazines	
F9	Jeux	
F10	Nourriture et boissons	
	Sous-total	

Code	Garde/consigne/protection	Note
G1	Garde de sécurité	
G2	Surveillance des enfants	
G3	Surveillance des animaux	
G4	Surveillance des biens (véhicules, vêtements, bagages, objets de valeur)	
G5	Appui/protection	
G6	Emballage, cueillette	
G7	Transport, livraison, installation	
G8	Inspection et évaluation, nettoyage, ravitaillement	
G9	Entretien, réparation, rénovation, mise à niveau	
	Sous-total	

Code	Gestion des situations particulières	Note
H1	Communication	
H2	Plaintes, compliments, suggestions	
H3	Demandes spéciales avant le service	
H4	Menus spéciaux pour les enfants, pour personnes allergiques ou végétariennes	
H5	Prise en charge de problèmes particuliers	
H6	Urgence médicale, garantie, accidents, défectuosité	
H7	Remboursement	
H8	Remplacement	
H9	Compensation	
	Sous-total	

Grand Total

3. Travail sur les objectifs de l'entreprise.

   À partir des notions décrites dans ce chapitre, notamment celles qui se trouvent dans l'encadré portant sur la démarche PRIMA (p. 59), composez trois objectifs répondant à ces normes pour :
   - Un cégep
   - Une boulangerie artisanale
   - Une ferme écologique
   - Une école de karaté
   - Un fabricant de vélos de montagne

4. Travail sur la promesse de qualité de service.

   Rédigez une promesse type pour les entreprises suivantes :
   - Une entreprise de nettoyage à sec
   - Une pourvoirie (ZEC)
   - Une municipalité régionale de comté
   - Un club vidéo
   - Une imprimerie

5. Travail sur un diagramme d'analyse de service.

   En vous inspirant de la figure 3-6, concevez un diagramme pour :
   - Le service de photocopies de votre association étudiante
   - Un dépanneur de votre localité ou de votre quartier
   - Un poste d'essence libre-service
   - Un club vidéo
   - Un kiosque de vente dans une foire régionale.

RETOUR SUR LA
MISE EN SITUATION

LES CAPSULES BILL

Le mardi suivant, Marcel Giroux, Germaine Montambault et Pierre Harrisson se sont réunis dans la salle de conférence des Capsules Bill. Marcel passe en revue tous les avantages que procurerait l'adoption de l'approche client. À la place de Pierre Harrisson, que feriez-vous ?

La qualité et le service client

*Grâce aux difficultés, on se découvre
des qualités insoupçonnées.*

René Lessard

Après avoir étudié ce chapitre, vous pourrez :

1. Établir un lien entre la qualité et les profits.

2. Déterminer les stratégies de l'entreprise à choisir
   en matière de qualité du service client.

3. Établir l'importance de l'autonomisation des employés
   dans le succès de l'approche client.

4. Appliquer les notions d'étalonnage à un service client.

5. Énumérer et utiliser les outils fondamentaux
   de la gestion intégrale de la qualité.

6. Présenter une vision globale de l'approche qualité
   en matière de service client.

MISE EN SITUATION

NAUTIKAS

Alexandre Mitchell a toujours été un amateur de sports nautiques, et il était fou de joie quand il a appris qu'il venait d'obtenir le poste de directeur de la qualité chez Nautikas, le manufacturier bien connu de bateaux de plaisance à moteur. En examinant les dossiers de l'entreprise, il s'aperçoit que rien ne va plus! Les profits ont chuté de 20% au cours des deux dernières années; Nautikas a perdu des distributeurs et les charges liées à la gestion de la garantie ont monté en flèche. En examinant ces dossiers de réclamations de plus près, Alexandre et ses adjoints se rendent compte que la vaste majorité des plaintes concernaient les mêmes modèles de vedettes de croisière: ces bateaux proviennent presque tous de l'usine de Lanouette Marine de Grand-Mère, acquise par Nautikas il y a trois ans. Ce qui a fait bondir Alexandre, c'est surtout la nature des réclamations: les plaisanciers se plaignaient de la présence de marques de rouille sur le pont de leur nouveau joujou... Ces taches de rouille bien visibles sur la fibre de verre immaculée du pont donnaient vite une allure de vieux rafiot à ces chalets flottants achetés plus de 120 000 $. En fait, le problème provenait des vis d'assemblage. Le directeur d'usine d'alors avait imposé des normes budgétaires si strictes à son acheteur que ce dernier avait commandé des vis

ordinaires et non de quincaillerie de marine... Si bien que dès leur premier contact avec l'eau et les intempéries, les têtes de vis se mirent à rouiller et formèrent des cernes rougeâtres sur la fibre de verre. Près de 500 bateaux avaient été ainsi construits et livrés au Québec, en Ontario et en Nouvelle-Angleterre. Pour chaque réclamation concernant un bateau encore sous garantie, le détaillant devait voir à ce que Lanouette s'occupe de le récupérer dans la marina et le fasse transporter jusqu'à l'usine de Grand-Mère. Lanouette devait non seulement défrayer les frais de transport pour transporter chaque bateau à l'usine et le ramener à la marina du client, mais l'entreprise devait assumer tous les frais inhérents à la réparation du pont avec des matériaux correspondant aux normes marines de fabrication. Ces réparations couvertes par la garantie ont causé un véritable engorgement à l'usine, car les réparations exigeaient de l'espace physique et de la main-d'œuvre au détriment de la production courante, occasionnant ainsi certains retards dans la livraison des vedettes neuves. Certains détaillants aux prises avec la colère de leurs clients ont cessé de s'approvisionner chez Nautikas et choisi de transiger avec des firmes concurrentes.

Que feriez-vous à la place d'Alexandre Mitchell?

Établir un lien entre la qualité et les profits.

Qualité (*quality*)
Ensemble des caractéristiques d'un bien ou d'un service qui lui confèrent l'aptitude à satisfaire de manière continue les besoins et les attentes des utilisateurs ou des usagers[1].

www.Shell.com
www.petro-canada.ca

4.1 DÉFINITION DE LA QUALITÉ DANS LES SERVICES

La notion de qualité est complexe. Le terme générique **qualité** évoque une caractéristique, bonne ou mauvaise d'une personne, d'une chose, d'une idée, d'une action, etc. En ce qui nous concerne, nous dirons que la qualité représente l'ensemble des caractéristiques d'un produit ou d'un service qui répondent aux besoins et désirs des utilisateurs. Offrir un produit ou un service de qualité est important pour l'entreprise, car la qualité est une variable qu'elle contrôle et qui lui permet de se distinguer avantageusement de ses concurrents. Ceci est d'autant plus vrai que les produits sont de plus en plus similaires. Pour la majorité des automobilistes, un litre d'essence de la société Shell équivaut à un litre de son concurrent Petro-Canada, et ce n'est pas cet élément qui pèsera dans la balance quand le moment viendra pour le client de choisir un fournisseur. La qualité peut devenir un outil stratégique de différenciation favorable pour l'entreprise, puisque que la recherche dans le domaine démontre que qualité et profits vont de pair.

La figure 1-3 (p. 11) illustre une première étude effectuée sur ce sujet. La section suivante de ce chapitre démontre d'autres liens entre qualité et profits.

LES DIMENSIONS DE LA QUALITÉ

Même avec notre définition plus étroite, la notion de qualité laisse place à plusieurs interprétations, car il est possible de la considérer sous plusieurs points de vue. D'abord, nous pouvons parler de vision qualité sous l'angle *des produits et des services*. Elle donne lieu à l'élaboration de normes précises, aisément mesurables, tel ce restaurant livrant votre pizza dans le délai annoncé de 30 minutes. On peut également considérer la qualité sous l'angle *qualité/production*, qui concerne le processus permettant de fabriquer le bon produit ou d'assurer un service adéquat du premier coup, tel ce dentiste qui, pour anesthésier la mâchoire de son client, injecte la quantité adéquate d'anesthésiant et n'a pas besoin de repiquer la gencive durant l'intervention. Enfin, il y a l'angle de la *qualité selon l'usager* issu de l'approche marketing. Cette vision s'appuie sur l'hypothèse que le client est le seul compétent pour juger de la qualité. Après tout, c'est lui qui décide quoi faire avec son argent! Cette dernière façon de concevoir la qualité oblige l'entreprise à consulter ses clients pour découvrir les qualités et les caractéristiques qu'ils recherchent. Reportez-vous au chapitre 5 pour voir la méthodologie de recherche sur laquelle repose la collecte de cette précieuse information.

LES RELATIONS ENTRE LA QUALITÉ ET LES PROFITS

Les relations entre la qualité et les profits se démontrent plus aisément par les conséquences de la non-qualité. Il existe de nombreuses relations entre la profitabilité de l'entreprise et la qualité de son offre de produits et de services (figure 4-1). Bien que ces relations soient complexes et enchevêtrées, nous les avons réparties en deux catégories pour en simplifier la présentation. La première catégorie concerne la part de marché, et la seconde, la réduction des coûts. Précisons que ces relations s'appliquent lorsque l'entreprise est en situation de concurrence, c'est-à-dire une situation où le client trouve aisément le produit ou le service substitut qu'il recherche.

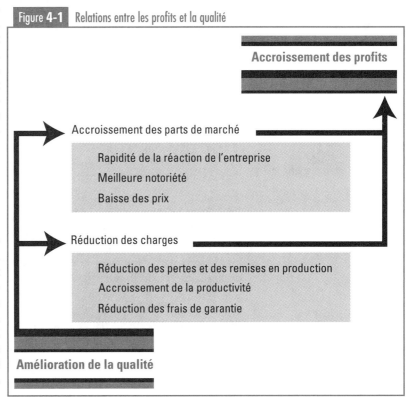

Figure **4-1** Relations entre les profits et la qualité

LES RELATIONS ENTRE LES PROFITS ET LA PART DE MARCHÉ

Offrir des produits et services de qualité fidélise les clients et permet d'en attirer d'autres, d'où un accroissement des ventes. De plus, la recherche[2] démontre clairement la relation entre la profitabilité de l'entreprise et sa part de marché. Les entreprises qui détiennent les plus importantes parts de marché sont habituellement les plus rentables, comme l'indique la partie supérieure de la figure 4-1.

La notoriété

Une vilaine réputation ne se corrige pas aisément. L'amélioration de la qualité de l'offre de l'entreprise devient rapidement un passage obligé. Pour ce qui est de décevoir le client, «une fois est l'exception, deux fois est la règle». Voilà une expression populaire que les dirigeants de l'entreprise ont intérêt à garder à l'esprit. L'entreprise ne peut se permettre de décevoir deux fois le même client s'il a la possibilité d'aller voir chez un concurrent. C'est une recette magique pour perdre rapidement tous ses clients. La nouvelle de la mauvaise qualité des produits et services de l'entreprise se répand rapidement par le bouche à oreille, et ce n'est pas la publicité de l'entreprise ni le baratin de ses représentants qui vont réussir à l'endiguer (voir le chapitre 1, section «Les comportements des clients insatisfaits»). De plus, les clients trouvent des alliés dans ces firmes et organisations spécialisées qui évaluent la qualité des produits. Mentionnons, par exemple, la revue Protégez-vous pour les produits et services de grande consommation, Santé Canada pour les médicaments et les aliments, et J.D. Power pour les automobiles.

www.protegez-vous.qc.ca
www.hc-sc.gc.ca
www.jdpower.com

La qualité de la relation d'affaires est à son plus bas si les clients entament des procédures judiciaires contre l'entreprise parce que ses produits ou ses services sont défectueux ou nocifs. Certains cas récents dans le domaine pharmaceutique ont fait les manchettes dans le monde entier, tels les anti-inflammatoires Vioxx[3] de Merck et Celebrex[4] de Pfizer aux prises avec des **actions collectives** préliminaires qui s'élèvent déjà à des montants astronomiques et qui ont fait chuter considérablement la valeur de la capitalisation de ces entreprises multinationales[5].

www.merck.com
www.pfizer.com

Action collective (*class action*)
Action permettant à une personne qui partage avec beaucoup d'autres un intérêt juridique commun de représenter en justice ses co-intéressés sans en avoir reçu le mandat[6].

La baisse des prix

Les entreprises disposant des plus grandes parts de marché bénéficient d'économies d'échelle qui leur permettent d'avoir une politique de prix agressive puisque leur coût de revient est inférieur à celui de ses concurrents. L'entreprise de distribution Wal-Mart est l'exemple le plus spectaculaire.

www.walmartcanada.ca

La rapidité de réaction de l'entreprise

Les entreprises dont l'efficacité résulte de la qualité de leur organisation réussissent à s'adapter rapidement à l'évolution des besoins de leurs clients. Dans les grandes entreprises, cette rapidité de réaction ne réside pas au sein de l'entreprise elle-même, mais plutôt dans la capacité de ses dirigeants d'anticiper les nouveaux besoins des clients et d'acquérir des PME innovatrices. La multinationale Nestlé est convaincue que l'eau en bouteille est un marché prometteur et a décidé d'être le numéro un de ce secteur. C'est ainsi qu'elle a acheté l'entreprise locale des eaux Montclair.

www.nestle.com

LES RELATIONS ENTRE LES PROFITS ET LA RÉDUCTION DES COÛTS

Lorsque l'entreprise réussit à réduire ses coûts, sa marge bénéficiaire augmente, donc chaque produit ou service facturé procure plus de profits qu'avant, comme l'indique la partie inférieure de la figure 4-1. Les conséquences les plus évidentes de la qualité et de la non-qualité s'observent dans les coûts. Certains coûts de la qualité sont liés aux frais de contrôle, comme les inspections destinées à découvrir les erreurs. Les contrôles consomment du temps et peuvent nécessiter du personnel et des appareils spécialisés.

Entrent également en ligne de compte les frais de prévention, tels les coûts liés au replacement préventif du matériel, de certaines pièces et des appareils, avant qu'ils ne tombent en désuétude, les coûts de formation pour éviter les erreurs, l'élaboration de procédures de contrôle, le maintien de stocks d'urgence, etc.

La productivité

L'entreprise qui augmente la qualité de ses produits et services accroît sa productivité, ce qui se traduit en une réduction des coûts. Lorsque les outils de travail sont inadéquats, les travailleurs perdent temps et énergie, comme l'illustrent les deux exemples suivants. Le dentiste dont la chaise de travail n'est pas munie d'un évier amovible et d'eau courante doit faire lever son client afin qu'il aille au lavabo pour se rincer la bouche à maintes reprises durant l'intervention. Ces déplacements vers l'évier indisposent le client et causent des pertes de temps qui ralentissent le travail du dentiste. Le second exemple provient du domaine du télémarketing, où l'usage de listes de clients éventuels qui n'ont pas été nettoyées des clients actuels nuit au rendement des télévendeurs. Quel abonné d'un quotidien ne s'est pas fait offrir un abonnement par un télévendeur qui ignore qu'il parle à un client actif ? Le client et le télévendeur gardent un goût amer de ces pertes de temps. Ces deux exemples suffisent à prouver le besoin d'amélioration continue. Nous y reviendrons plus loin dans le chapitre.

Outre les outils de travail, les **méthodes** de travail constituent un facteur déterminant de la productivité. Il faut noter qu'outils et méthodes de travail sont intimement liés. La pelle à main particulière que les employés de chez McDonald's utilisent pour sortir les frites du panier de la friteuse, les mesurer et les verser dans le cornet avec une marge d'erreur de 2 % est un bon exemple[7]. Cet outil, en forme d'entonnoir muni d'un manche, s'insère directement dans le cornet de frites servi au client. L'employé ramasse les frites qui tombent dans le cornet et le remplit exactement. Faites-en l'observation lors de votre prochaine visite et comparez cet instrument avec celui qu'utilise le personnel de la cafétéria de votre établissement.

Méthode (*method*)
Programme adopté pour régler une suite d'opérations à accomplir en vue d'atteindre un objectif[8].

www.mcdonalds.ca

La réduction des pertes et des remises en production

Les coûts de la non-qualité proviennent notamment de l'intérieur de l'entreprise, par exemple lorsqu'il faut engager des dépenses pour refaire un travail mal fait. Les sources internes de non-qualité sont nombreuses : matières premières inadéquates, méthodes de travail inappropriées, insouciance du personnel, maintenance déficiente des appareils, de l'équipement ou des bâtiments, etc. La non-qualité entraîne des remises en production, voire des mises au rebut. À cause de ces problèmes, non seulement l'entreprise perd du temps de production, mais en plus, elle gaspille des matières. Sans oublier la frustration et la démotivation du personnel qui accompagnent immanquablement ces incidents.

La réduction des frais de garantie

Si on ne réussit pas à arrêter les produits et services de qualité douteuse avant qu'ils ne quittent l'entreprise, ils iront se briser dans les mains des clients, ce qui cause une perte de temps et de l'insatisfaction à l'égard du fournisseur. L'entreprise doit alors s'occuper, à grands frais, de recevoir les plaintes, de procéder à des rappels lorsque la sécurité l'exige, de réparer, de remplacer, etc. Pour ce faire, elle doit mettre en place un coûteux département de service client…

LES DÉCISIONS STRATÉGIQUES CONCERNANT LA QUALITÉ

La qualité des produits et services de l'entreprise ne relève pas du hasard. La qualité est le fruit de décisions, conscientes ou intuitives de la part des dirigeants de l'entreprise. Dans les services, notamment dans le service à la clientèle, la qualité doit englober à la fois la réponse aux 10 éléments liés aux attentes des clients que nous avons abordés au chapitre 2 (communication, compétence, disponibilité,

OBJECTIF 2

Déterminer les stratégies de l'entreprise à choisir en matière de qualité du service client.

empathie, accessibilité, crédibilité, courtoisie, fiabilité, sécurité, tangibilité), ainsi que les dimensions «production» de la qualité des produits qu'a énoncées David Garvin[9], professeur à l'université Harvard, à savoir:

■ La performance, qui correspond à la capacité du produit de fournir le résultat attendu.

■ Les caractéristiques, qui rassemblent tous les attributs primaires et secondaires, tel le design du produit.

■ La fiabilité, qui correspond à la capacité du produit de fonctionner sans défaillance.

■ La conformité, qui correspond au seuil inférieur des attentes du consommateur.

■ La durabilité, c'est-à-dire la durée de vie utile adéquate du produit ou du service acheté.

■ La facilité d'entretien, qui se caractérise par sa rapidité et son faible coût.

■ L'esthétique, qui rend compte de l'aspect élégant et agréable du produit.

■ La qualité perçue, qui donne au consommateur l'impression que le produit ou le service a une bonne valeur au regard de ce qu'il a payé (autrement dit, qu'il en a pour son argent).

■ La sécurité, c'est-à-dire l'absence de danger (non identifié par Garvin) pour l'usager et son entourage.

LE NIVEAU DE QUALITÉ

L'entreprise doit définir le degré de qualité qu'elle désire offrir à ses clients et qu'elle mentionnera dans sa promesse. Par exemple, le marchand de frites d'un parc d'attractions n'offre pas la même gamme de services qu'un restaurant cinq étoiles. Cependant, les clients de la cabane à frites peuvent être tout aussi satisfaits de la qualité de ce qu'ils mangent que ceux du grand restaurant, compte tenu des attentes distinctes et des coûts. Une fois défini le niveau de qualité, il faut que l'entreprise prenne les moyens de tenir sa promesse. Ce chapitre présente les outils dont dispose une entreprise pour y arriver.

Figure 4-2 La faiblesse de la chaîne

Employés nonchalants

Le maillon le plus faible est celui qui cède le premier

Pour atteindre le niveau de qualité visé, l'entreprise doit prendre les bonnes décisions concernant les intrants de la production et de la servuction. Les intrants sont: la conception, les méthodes et les processus de travail, l'achat des matières premières, les employés, les machines et le matériel, l'information ainsi que l'environnement de travail. La direction de l'entreprise doit comprendre que la qualité se compare à une chaîne; sa résistance (qualité) équivaut à celle du maillon le plus faible (figure 4-2). Il ne sert à rien de dépenser sans compter pour acheter des matières de grande qualité si les employés sont nonchalants et gaspillent les ressources. Tout est question d'équilibre.

La conception, les méthodes et les processus

La conception d'un produit ou d'un service, y compris ses spécifications, peut contribuer fortement à distinguer l'offre d'une entreprise de celles de ses concurrents. Prenez l'exemple de la compagnie Apple avec son lecteur de musique IPod et son site Internet ITunes complémentaire qui a révolutionné la distribution de la musique et de la vidéo dans le monde. La simplicité, l'élégance du produit et du service combinés, ainsi que de son interface, ont charmé les consommateurs et permis à Apple d'obtenir la plus grande part de marché, du moins pour le moment.

Les efforts de conception dépassent évidemment l'apparence du produit. Ils comprennent la facilité de production, d'entretien et de recyclage en fin de vie. Nous parlons alors de méthodes et de processus. Le processus utilisé pour rendre le service influe considérablement sur la qualité du service. Par exemple, la qualité du service augmente lorsque l'employé possède la marge de manœuvre nécessaire pour rendre le service directement, sans avoir à demander d'autorisation ou à diriger le client vers une autre personne. L'auteur s'est heurté à ce type de problème quand il a voulu acheter des devises en euros € (Union européenne) et en livres sterling £ (Angleterre) dans un établissement financier populaire. Le commis au guichet avait l'autorisation de vendre des euros, mais pas les livres sterling. Pour ce dernier produit, il fallait :

1) prendre rendez-vous avec un conseiller ;

2) rencontrer le conseiller et faire un dépôt correspondant au montant de l'achat de devises ;

3) revenir à la date promise de livraison, prendre un rendez-vous ;

4) rencontrer le conseiller afin de prendre livraison des devises.

Voilà un processus particulièrement inefficace.

Les matières premières

Le pâtissier qui utilise de la margarine au lieu du beurre pour couper les dépenses ne peut espérer que les clients se laissent berner bien longtemps. Même si le reste du processus de production est de qualité, le mauvais choix des matières premières ruine tous les efforts subséquents.

Les employés

Pour une entreprise, le choix du personnel est capital. Comme nous l'avons dit précédemment, «dans les services, les employés sont l'entreprise». Il faut donc qu'ils soient compétents et motivés.

L'équipement

L'efficacité et la fiabilité de l'équipement sont essentielles pour la qualité des services. Quelles économies un centre de ski peut-il espérer faire lorsque ses remontes-pentes tombent en panne durant les périodes d'affluence en raison d'un manque d'entretien ?

L'information

Les systèmes d'information mis à la disposition des clients et de ses employés par l'entreprise influent considérablement sur la qualité du service offert. Le chapitre 7 traite de ce sujet en détail.

L'environnement physique

L'emplacement, l'aménagement des postes de travail, l'éclairage, la ventilation, le niveau de bruit et la sécurité ont un rapport direct avec la qualité du service que les employés peuvent fournir aux clients. Prenons le cas d'un employé complètement aveuglé par le soleil à certaines heures de la journée et qui travaille en clignant les yeux ; il est bien possible que cette personne fasse plus d'erreurs et qu'elle soit d'une humeur massacrante.

>> *OBJECTIF* 3

Établir l'importance de l'autonomisation des employés dans le succès de l'approche client.

Gestion intégrale de la qualité (GIQ) (*total quality control, TQC*)

Système fondé sur l'amélioration permanente de tous les secteurs de l'entreprise, de la conception du produit ou du service jusqu'à son utilisation par un client satisfait. L'objectif est d'atteindre le « zéro défaut » dans tous les domaines[10].

Amélioration continue (*continuous improvement*)

Mode de gestion qui favorise l'adoption d'améliorations graduelles qui s'inscrivent dans une recherche quotidienne d'efficacité et de progrès en faisant appel à la créativité de tous les acteurs de l'organisation.

Autonomisation des employés (*empowerment*)

Processus par lequel des employés d'une organisation acquièrent la maîtrise des moyens qui leur permettent de mieux utiliser leurs ressources professionnelles et de renforcer leur autonomie d'action[14].

4.2 LA GESTION INTÉGRALE DE LA QUALITÉ

La **gestion intégrale de la qualité (GIQ)** est une philosophie de gestion qui mise sur l'engagement de tous les membres de l'entreprise vers un but commun : l'élimination des défauts. L'obtention de la certification ISO 9000 peut être un moyen de rallier les employés autour de l'effort pour améliorer la qualité au sein de l'entreprise. La GIQ englobe plusieurs concepts : l'amélioration continue, l'autonomisation des employés, l'étalonnage, le juste-à-temps et les outils fondamentaux de la gestion intégrale de la qualité.

L'AMÉLIORATION CONTINUE

L'**amélioration continue** (*Kaïzen* en japonais) est un processus perpétuel visant la perfection, conçu pour bonifier le personnel, l'équipement, les fournisseurs, le matériel et les processus. Ce processus élaboré par Walter Shewhart[11] et bonifié par Edwards Deming[12] suit les étapes (planification, action, vérification et suivi) présentées à la figure 3-3 (p. 54).

Le succès des entreprises japonaises dans leur conquête du marché américain des voitures et de l'électronique grand public a contribué à répandre ce modèle de gestion de la qualité.

L'AUTONOMISATION DES EMPLOYÉS

L'**autonomisation des employés** vise leur participation à toutes les étapes de la servuction. L'entreprise procure les ressources et délègue aux employés la responsabilité et l'autorité pour fournir des services de qualité. L'autonomisation est l'une des techniques dont dispose la direction d'une entreprise pour améliorer la motivation et la satisfaction au travail des employés. L'expérience démontre que l'attitude du personnel est un élément clé du succès de l'entreprise. Habituellement, lorsqu'un service ou un produit n'est pas à la hauteur des attentes, les employés ne sont pas les responsables. Les études[13] indiquent que les problèmes de qualité sont principalement liés aux processus et aux matériaux plutôt qu'au personnel. Un des défis de l'entreprise est de s'approvisionner en matériaux de bonne qualité et de mettre au point des processus qui permettront de fabriquer des produits de qualité. Les employés ne sont peut-être pas les responsables, mais ils peuvent contribuer à résoudre le problème.

Les principales techniques pour autotomiser les employés sont :

- l'élaboration au sein de l'entreprise de réseaux de communication auxquels participent pleinement les employés ;

- l'encadrement ouvert des employés, avec une approche de soutien ;

- la délégation des responsabilités des cadres et des conseillers vers les employés de servuction ;

- une direction solidaire de ses employés ;

- la création d'équipes autonomes et de cercles de qualité.

Un **cercle de qualité** est constitué de groupes d'employés qui se rencontrent régulièrement afin de résoudre les problèmes liés à leur travail. Les réunions se déroulent habituellement en dehors des heures normales de travail et les membres trouvent leur gratification dans la reconnaissance dont ils font l'objet. Souvent, ces employés reçoivent une formation en planification, en techniques de résolution de problèmes (voir la section traitant de la gestion des plaintes au chapitre 10 et la note en fin de manuel[15]), en méthodes statistiques de contrôle de la qualité, etc. L'expérience démontre que ces cercles sont des moyens économiques et efficaces d'amélioration de la qualité et de la productivité.

L'ÉTALONNAGE OU L'ANALYSE COMPARATIVE

L'**étalonnage** est un processus d'échange mutuel d'informations sur les meilleures pratiques et méthodes d'affaires basées sur le principe selon lequel tous les partenaires sont gagnants. L'échange n'est pas nécessairement réciproque, ni proportionnel. Le fonctionnement se déroule comme suit : A donne à B, et reçoit de C, ou encore, vous donnez à vos enfants ce que vous recevez de vos parents. En gros, le processus comprend deux éléments :

a) la détermination de l'excellence (des produits, de servuction, des coûts, des processus, etc.) extérieure à l'entreprise ;

b) les efforts à déployer pour égaler et même dépasser cette excellence, afin de fidéliser ses clients et assurer la pérennité de l'entreprise.

Pour effectuer cette démarche, il faut au préalable trouver une compagnie modèle, œuvrant dans un domaine non concurrentiel, maîtrisant cette excellence et s'entendre avec elle pour apprendre. L'étalonnage va plus loin que l'**analyse concurrentielle**, qui se contente d'étudier à fond les produits et services des concurrents afin de les connaître, d'informer les représentants de leurs faiblesses et, éventuellement, de les dépasser ou du moins de les égaler. L'**ingénierie inverse**, souvent assimilée à de l'espionnage industriel, est une technique permettant de découvrir beaucoup sur les produits des concurrents. La technique de l'étalonnage est moins sournoise ; elle vise à acquérir honnêtement des savoirs internes cachés (qui ne sont pas directement visibles dans le produit ou le service proprement dit) permettant à l'entreprise de mieux servir ses clients et de dépasser les concurrents.

LES AVANTAGES ET LES INCONVÉNIENTS DE L'ÉTALONNAGE

L'étalonnage évite à l'entreprise d'avoir à réinventer la roue. En effet, si une autre entreprise a trouvé une méthode de livraison aux clients supérieure à celle de toutes les autres entreprises, pourquoi ne pas prendre exemple sur elle ? Pourquoi faudrait-il reprendre toutes les étapes nécessaires à la mise au point du même processus, puisque les entreprises qui en bénéficient ne sont pas des concurrents directs ? L'objectif de l'étalonnage est de découvrir des méthodes de travail plus efficaces utilisées dans des entreprises qui ont découvert ou mis au point des processus qu'une autre entreprise peut adapter à ses besoins. Les avantages qui en résulteront en termes d'économies ou de revenus seront considérables. Il ne s'agit pas de petits gains de productivité. Par exemple, les responsables de l'entreprise Alpha œuvrant dans le domaine de l'assurance pourraient aller visiter un centre d'appels de l'entreprise Bêta spécialisée dans la vente de vêtements de sport par catalogue pour voir comment améliorer leur propre centre d'appels.

Les défis de l'étalonnage sont nombreux. Il y a d'abord la difficulté de reconnaître les entreprises partenaires qui ont mis au point des processus miracles à partager. L'entreprise doit d'abord trouver une ou des entreprises dont les processus sont similaires aux siens, tout en n'étant pas en concurrence directe.

Cercle de qualité (*quality circle*)

Groupe d'employés, animé par un responsable hiérarchique et composé de cinq à dix volontaires, généralement de la même unité administrative ou du même atelier de production, qui a pour mission de cerner, d'analyser et de résoudre les problèmes en vue d'améliorer les procédés, la qualité des produits et la qualité de vie au travail[16].

OBJECTIF 4

Appliquer les notions d'étalonnage à un service client.

Étalonnage (*benchmarking*)

Démarche d'évaluation de biens, de services ou de pratiques d'une organisation par comparaison avec les modèles qui sont reconnus comme des normes de référence[17].

Analyse concurrentielle (*competitive analysis*)

Étude consistant à évaluer les performances et le potentiel de l'entreprise par rapport à ceux de ses concurrents au moyen de méthodes classiques fondées sur le cycle de vie des activités (portefeuilles d'activités) ou de la méthodologie de l'analyse industrielle[18].

Ingénierie inverse (*reverse engineering*)

Procédé consistant à désassembler et à analyser des produits ou des services disponibles sur le marché et à découvrir les principes de leur fonctionnement afin de les égaler.

Ces entreprises doivent avoir une maîtrise supérieure du processus, afin d'avoir quelque chose à enseigner et, en contrepartie, l'entreprise qui vient se renseigner doit avoir quelque chose à offrir. L'entreprise qui donne des informations doit désirer partager des problèmes et des compétences qui sont souvent des secrets commerciaux. L'étalonnage est un processus coûteux, long et qui consomme des ressources chez les partenaires, notamment les déplacements de la part des cadres de direction et du personnel clé de l'entreprise.

LES ÉTAPES DE L'ÉTALONNAGE

Les étapes de l'étalonnage sont : l'obtention du soutien de la direction, l'analyse de la situation actuelle, la sélection des processus à améliorer, la sélection de l'équipe d'évaluation comparative, la recherche d'entreprises à égaler ou à surpasser, la sélection d'entreprises partenaires, la collecte d'information sur les processus et les normes, l'analyse des données et la quantification des écarts, et, enfin, la planification et la mise en œuvre des mesures correctrices.

L'obtention du soutien de la direction

La démarche d'étalonnage consomme temps et argent et ne se fait pas à la légère. La direction de l'entreprise est la seule à détenir l'autorité de décider de s'engager dans un processus d'étalonnage. Sans l'appui inconditionnel de la direction, le projet est voué à l'échec.

L'analyse de la situation actuelle

Pour bien mesurer les progrès à réaliser, une entreprise doit avoir une bonne idée de l'état actuel de ses propres processus. D'où la nécessité de disposer de plans comme le diagramme d'analyse de service présenté à la figure 3-6 (chapitre 3, p. 64). Non seulement faut-il disposer de tels plans, mais également des normes correspondantes qui ne sont pas présentées dans cette figure. À titre d'exemple, revenons sur le temps de réponse maximal, calculé en coups de sonnerie, que désire fixer le restaurant La marée haute. Il est rare que tous les processus d'une entreprise soient les plus déficients ou les meilleurs de l'industrie. Certains sont faibles, d'autres sont bons et d'autres encore sont supérieurs. Il est utile de procéder à l'analyse de la situation actuelle pour déterminer quels processus nécessitent des améliorations, d'une part, et pour intéresser les partenaires qui ont peut-être quelque chose à apprendre chez vous, d'autre part.

La sélection des processus à améliorer

Il s'agit de sélectionner le ou les processus imparfaits et dont l'amélioration permettrait à l'entreprise de faire des gains substantiels de productivité, tout en maximisant son investissement dans le processus d'étalonnage.

La sélection de l'équipe d'évaluation comparative

En plus d'un membre de la direction, l'équipe doit comprendre les personnes directement concernées par le processus à améliorer. Il faut, par exemple, demander à un opérateur qui connaît bien le processus de se joindre à l'équipe, car c'est probablement lui qui saura repérer les détails qui expliquent la performance supérieure de l'entreprise partenaire que l'on examine.

La recherche d'entreprises à égaler ou à surpasser

Il faut trouver des entreprises qui maîtrisent parfaitement les processus que l'autre entreprise cherche à améliorer. Il n'est pas nécessaire que l'entreprise partenaire utilise le même processus de la même façon. Ainsi, un processus d'approbation de crédit d'une banque peut inspirer une entreprise d'assurance dans le perfectionnement de son processus d'approbation des réclamations concernant les sinistres.

Le Mouvement québécois de la qualité aide les entreprises qui recherchent des partenaires pour mener à bien une démarche d'étalonnage. Il en est de même de l'organisation américaine The Benchmarking Network.

www.qualite.qc.ca
benchmarkingnetwork.com/canada/Canada.html

La sélection d'entreprises partenaires

Quand l'entreprise a trouvé des partenaires prêts à divulguer de l'information sur certains processus, elle doit déterminer quel partenaire sera le plus intéressant et offrira le plus de renseignements intéressants. Il faut alors conclure une entente de partenariat précisant les responsables de part et d'autre, les processus à étudier, la modalité des rencontres, et, s'il y a lieu, la confidentialité de certaines informations divulguées. Il est préférable d'alléger au maximum les formalités afin de se concentrer sur l'objet de l'exercice.

La collecte d'information sur les processus et les normes

Au cours de cette étape, les membres de l'entreprise procèdent à la collecte de données et de renseignements concernant le processus du partenaire dont on veut s'inspirer. Ils tentent de comprendre les facteurs clés qui font le succès du processus. Le personnel de l'entreprise partenaire utilise-t-il une approche d'amélioration continue? Y a-t-il des cercles de qualité? Le climat organisationnel joue-t-il un rôle favorable? À l'issue de ces rencontres et de ces discussions, les membres de l'équipe d'évaluation doivent détenir les renseignements nécessaires pour modifier eux-mêmes leurs processus.

L'analyse des données et la quantification des écarts

Une fois l'information en main, il faut déterminer l'avantage que l'entreprise tirera de l'amélioration du processus en question. Il faut quantifier les coûts, les économies et vérifier la faisabilité auprès des clients internes et externes, selon le cas.

La planification et la mise en œuvre des mesures correctrices

Lorsque les conclusions de la phase précédente indiquent qu'il est pertinent de passer à l'adaptation des processus de l'entreprise en appliquant les méthodes étudiées chez le partenaire, il est temps de planifier leur mise en œuvre, c'est-à-dire recueillir les sommes nécessaires, obtenir l'accord et le soutien des employés, déterminer le moment propice pour procéder aux changements, etc. Une fois ces vérifications faites, il faut passer à l'action, ce qui suppose l'achat du nouvel équipement, l'établissement des nouvelles procédures, la formation des employés, la détermination des nouvelles normes à atteindre et les mesures de vérification que l'on utilisera.

Somme toute, l'étalonnage est une bonne façon d'aider l'entreprise à améliorer sa qualité, bien qu'il s'agisse d'un processus lourd et coûteux, et qui ne s'applique pas à toutes les situations. Cependant, il est possible de prendre quelques raccourcis pour atteindre l'objectif plus rapidement ou lorsque l'objectif est impossible à atteindre autrement. Dans le chapitre 7, nous présentons le cas des centres d'appels pour lesquels des entreprises de consultation offrent à grands frais des indices de performance par secteur économique. Ces consultants publient régulièrement des études qui, en plus des indices très détaillés, offrent de nombreux moyens d'améliorer la qualité du service des centres d'appels. Le chapitre 7 comporte une sous-section consacrée à l'évaluation des centres d'appels.

LES SYSTÈMES JUSTE-À-TEMPS

Juste-à-temps (*just-in-time*)
Philosophie de gestion visant l'élimination du gaspillage de manière continue[19].

Les systèmes **juste-à-temps** visent à fournir les matières et les informations seulement au moment où elles sont nécessaires à la production ou à la servuction. Idéalement, l'entreprise a peu de stocks et le système de production est épuré afin d'accroître la fluidité des processus, ce qui permet de répondre avec une grande flexibilité aux besoins des clients. Cette philosophie de gestion fait ressortir les problèmes cachés par les stocks qui agissent comme tampons. Le juste-à-temps oblige l'entreprise à revoir ses processus afin d'éliminer les problèmes en utilisant une approche d'amélioration continue.

Les stocks servent de tampons entre des processus non synchronisés, tel l'achat d'un produit de la part des clients en magasin et le réapprovisionnement du magasin chez le fournisseur. Avec l'approche juste-à-temps, la réduction des stocks oblige l'entreprise à examiner et à corriger les vices de conception et d'exécution responsables des ruptures de stock.

La gestion selon le principe du juste-à-temps s'applique bien dans les services. Voici quelques exemples de situations propices à cette méthode de gestion.

Fournisseurs. Les garagistes ne tiennent pas de stocks de pièces pour toutes les marques et tous les modèles de voitures qu'ils sont censés réparer. Ils commandent les pièces seulement au moment où ils en ont besoin et ils les reçoivent dans les heures qui suivent. Les restaurants font de même pour les banquets et les réceptions. Ils se font livrer les denrées dont ils ont besoin juste avant de les préparer et de les servir aux convives.

Aménagement. L'industrie de la restauration rapide est un modèle d'épuration des processus destinée à réduire les temps de production, ce qui accroît la fraîcheur des plats préparés et réduit les pertes de nourriture. L'entreprise McDonald's est un modèle d'aménagement optimisé. Les transports aériens sont un autre secteur où l'aménagement est constamment amélioré afin que les passagers puissent récupérer leurs bagages au plus vite entre autres. Mais ce n'est pas aussi vrai des procédures de sécurité….

Stocks. Les courtiers en valeurs mobilières achètent et vendent sur le champ les actions des clients sans maintenir de stocks. Les restaurants rapides maintiennent peu de stocks de produits finis puisque leur durée de vie se calcule en minutes pour des raisons d'hygiène.

Horaire. Les compagnies de transport conçoivent l'horaire de leur personnel en fonction des pointes d'usage. Ainsi, la majorité des chauffeurs d'autobus urbain ont leur horaire de travail étalé sur deux plages horaires par jour; l'une pour l'affluence matinale et l'autre pour celle du soir. Autre exemple, les magasins au détail embauchent un grand nombre de surnuméraires durant la période des Fêtes.

OBJECTIF 5

Énumérer et utiliser les outils fondamentaux de la gestion intégrale de la qualité.

LES OUTILS FONDAMENTAUX DE LA GESTION INTÉGRALE DE LA QUALITÉ

Pour atteindre et maintenir le niveau de qualité qu'elle recherche, l'entreprise dispose d'un éventail d'outils très efficaces. Les lignes qui suivent décrivent les sept outils de base en gestion de la qualité, soit : la feuille de relevé ou de vérification, l'ordinogramme ou organigramme, le diagramme de dispersion (corrélation), l'histogramme, le diagramme de Pareto, la carte de contrôle et le diagramme d'Ishikawa (causes-effets). Afin de faciliter la compréhension des principes sur lesquels reposent ces outils de gestion, nous présentons des cas très simples pour lesquels l'usage de tels outils peut paraître excessif. Il faut comprendre que, dans les entreprises, la réalité est beaucoup plus complexe et que ces instruments sont vraiment indispensables.

LES FEUILLES DE RELEVÉ OU DE VÉRIFICATION

Les feuilles de relevé ou de vérification sont de simples feuilles servant à consigner et à organiser l'information concernant un phénomène que l'on désire analyser. Le tableau 4-1 présente le nombre de personnes qui font la queue devant les guichets d'une entreprise. Les opérations effectuées ne sont pas les mêmes aux différents guichets et le personnel affecté à ces guichets est spécialisé afin de pouvoir effectuer les opérations qui s'y déroulent. Ces précisions permettent de mieux comprendre pourquoi les clients sont inégalement répartis entre les différents guichets et pourquoi il conviendrait d'assigner plus de personnel polyvalent pour qu'ils puissent traiter les problèmes qui ne sont traités qu'au guichet 1. Si l'entreprise disposait de personnel polyvalent, elle pourrait réassigner les employés des guichets 3 et 5 qui ne reçoivent personne durant les après-midi et les soirées.

Tableau 4-1 Relevé des files d'attente

Feuille de relevé

Date : Jour 17 janvier

Heure	Nombre de personnes en attente					Total
	Guichet 1	Guichet 2	Guichet 3	Guiche 4	Guichet 5	
9	111	1	11	1	1	8
10	̶1̶1̶1̶1̶ ̶1̶1̶1̶1̶		̶1̶1̶1̶1̶	11		17
11	̶1̶1̶1̶1̶ ̶1̶1̶1̶1̶	11				12
12	11					2
13			̶1̶1̶1̶1̶ ̶1̶1̶1̶1̶			10
14				1	111	4
15				̶1̶1̶1̶1̶		5
16	̶1̶1̶1̶1̶			11		7
17	̶1̶1̶1̶1̶	̶1̶1̶1̶1̶		̶1̶1̶1̶1̶		15
18		̶1̶1̶1̶1̶ ̶1̶1̶1̶1̶		111		13
19	11 ̶1̶1̶1̶1̶			1111		11
20	111 ̶1̶1̶1̶1̶			1		9
21	̶1̶1̶1̶1̶			1		6
Total	**55**	**18**	**17**	**25**	**4**	**119**

LES ORGANIGRAMMES FONCTIONNELS

Les organigrammes sont des diagrammes qui représentent des processus. Le diagramme d'analyse de services pour le restaurant La marée haute de la figure 3-6 (chapitre 3, p. 64) fait partie de cette catégorie d'outils. Quoique habituellement plus symboliques, ces diagrammes (figure 4-3, p. 92) aident à comprendre l'objet du processus et de chaque étape, ainsi que les relations entre les étapes afin d'éviter de nombreuses erreurs de planification. Ils permettent de valider la logique des étapes d'un processus avant de le mettre en œuvre. Au cours de l'étape, il s'agit de réaliser un diagramme des installations physiques (aménagement) afin de s'assurer que tout fonctionne correctement.

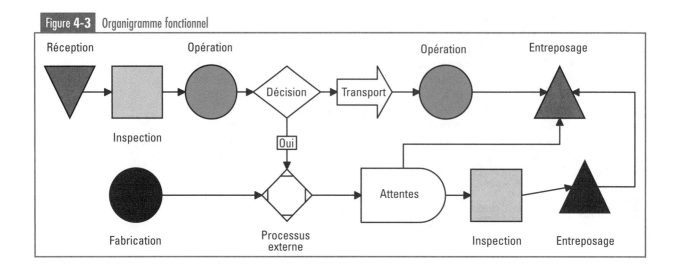

Figure 4-3 Organigramme fonctionnel

LES DIAGRAMMES DE DISPERSION (CORRÉLATION)

Les diagrammes de dispersion (corrélation), qu'illustre la figure 4-4, permettent de saisir mathématiquement et visuellement les relations entre les variables étudiées, comme l'absentéisme et la productivité d'un service de l'entreprise, par exemple. Lorsque la dispersion des données observées est faible et forme une droite, ou presque, il y a souvent une importante relation entre les deux séries de données. En observant bien cette figure, vous constaterez que le nuage de points ressemble à une ligne droite allant de gauche à droite et de bas en haut. La relation n'est pas parfaite, mais la tendance est nette. Le calcul de la **corrélation** permettrait d'en connaître la qualité.

Corrélation (*correlation*)
Indice mesurant le degré de liaison entre deux variables.

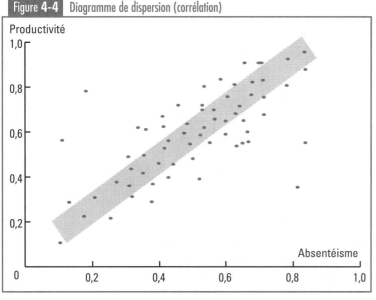

Figure 4-4 Diagramme de dispersion (corrélation)

LES HISTOGRAMMES

Les histogrammes sont des graphiques indiquant visuellement la distribution de fréquences d'une caractéristique du service étudié. Ainsi, la figure 4-5 reprend graphiquement les données de la feuille de relevé du tableau 4-1. Ces graphiques permettent de saisir globalement les données et de déceler rapidement des valeurs inhabituelles ou des situations particulières. Remarquez comment la faible occupation du guichet numéro 5 paraît encore plus évidente. Notez encore une fois que nos exemples sont simples (peu de données analysées) afin de faciliter la compréhension. Dans une entreprise, la quantité de données est souvent considérable et la lecture d'une grande matrice de chiffres ne laisse pas percevoir les relations aisément. C'est pourquoi l'usage d'un graphique peut s'avérer très utile pour comprendre les relations entre plusieurs variables.

LE DIAGRAMME DE PARETO

Selon la loi de Pareto, présentée au chapitre 1, 20 % des problèmes causent 80 % des plaintes. Le **diagramme de Pareto** de la figure 4-6 présente les données du tableau 4-1 en utilisant la classification de la loi de Pareto. En fait, il s'agit d'une variante de la figure 4-5, puisque vous constatez que les colonnes ont été placées en ordre d'importance décroissante. Imaginez l'avantage de cette présentation lorsque l'analyse porte sur trente guichets ! Ce tableau particulier permet d'observer que le guichet numéro 1 reçoit 11 fois plus de clients que le guichet numéro 5. On peut imaginer la frustration des clients du guichet numéro 1 qui font du sur place alors que l'employé du guichet numéro 5 se tourne les pouces.

Diagramme de Pareto (*Pareto diagram*)

Représentation graphique de l'importance des causes d'un phénomène qui consiste à présenter celles-ci par ordre décroissant en abscisse, et à leur attribuer en ordonnée une valeur en pourcentage de l'explication globale[20].

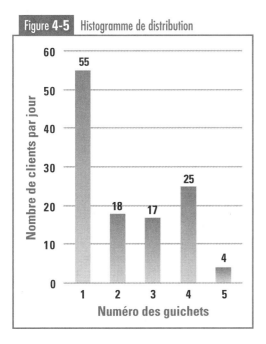

Figure 4-5 Histogramme de distribution

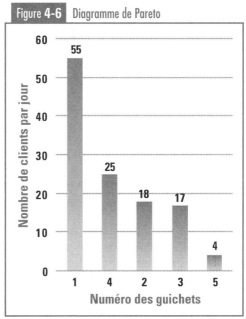

Figure 4-6 Diagramme de Pareto

LES CARTES DE CONTRÔLE

Les **cartes de contrôle** sont une représentation graphique de l'évolution d'un processus dans le temps. L'analyse des résultats permet de séparer les variations aléatoires, hors du contrôle de l'entreprise, de celles qui peuvent être corrigées. Prenons l'exemple d'un centre de télémarketing. La figure 4-7 (p. 94) présente les temps d'attente que subissent les clients de l'entreprise Alpha pour joindre un préposé au service à la clientèle entre 9 h et 10 h 20, disons mardi de la semaine dernière. La société Alpha désire que ses clients puissent parler à un préposé après 12 minutes d'attente, en moyenne, sans toutefois dépasser 20 minutes. Au-delà de cette limite supérieure, la direction considère qu'elle n'offre pas un service adéquat. À moins de 4 minutes d'attente, elle juge que ses préposés perdent trop de temps. Notez que trois clients ont attendu plus de 20 minutes ; ce graphique sonne donc l'alarme. La présence d'un préposé supplémentaire corrigerait peut-être la situation à court terme. Toutefois, le client qui a appelé vers 10 h 10 a attendu moins de 4 minutes, le chanceux !

Carte de contrôle (*control chart*)

Carte sur laquelle sont tracées des limites de contrôle et de surveillance inférieures et supérieures et où sont reportées les valeurs d'une statistique obtenue sur des échantillons successifs d'un processus répétitif, afin d'en évaluer la stabilité[21].

Figure 4-7 Carte de contrôle

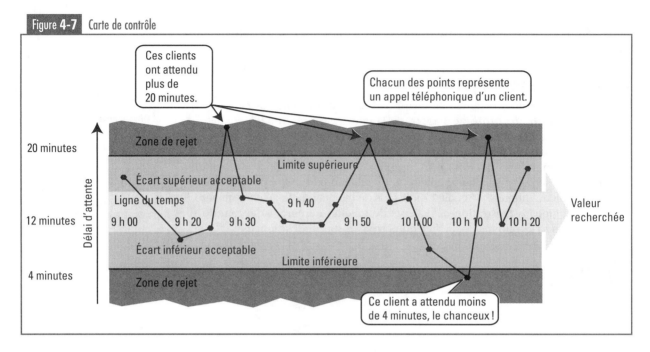

LE DIAGRAMME DES CAUSES-EFFETS (ISHIKAWA)

Le diagramme des causes-effets (Ishikawa) est un bon outil pour une entreprise qui décide d'améliorer le service. En effet, ce diagramme réunit l'ensemble des variables susceptibles d'influer sur ce service. C'est un outil très visuel, comme le montre la figure 4-8, qui permet de faire ressortir les facteurs déterminants de la qualité du service. Cette approche structurée permet de mettre en évidence l'ensemble des relations entre les différentes variables et de considérer toutes les causes. De ce fait, l'entreprise est en mesure de choisir l'élément ou les éléments les plus importants qu'elle désire améliorer. Ce diagramme s'appelle également *diagramme en arêtes de poisson*, en raison de sa forme, qui évoque un poisson. Kaoru Ishikawa, son promoteur, est le premier expert de la qualité à avoir attiré

Figure 4-8 Diagramme des causes-effets (Ishikawa) pour une société de transport aérien

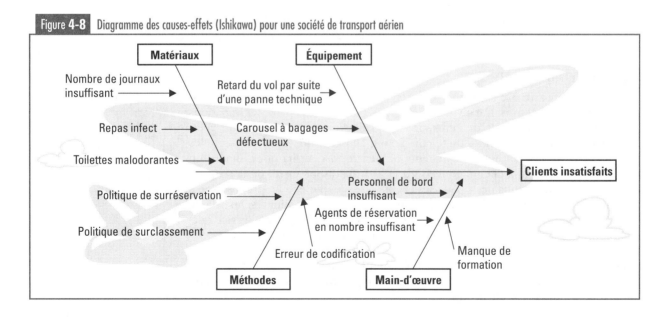

l'attention sur la notion de client interne qu'il décrit comme «la personne suivante dans le processus». La figure 4-8 présente les éléments qui constituent des sources d'insatisfaction pour les clients de la compagnie aérienne ZEBRA. Devant une telle liste de problèmes, que faire? À quel problème l'entreprise devrait-elle s'attaquer en priorité? Ce diagramme l'aidera sûrement à prendre la bonne décision.

4.3 LE CONTRÔLE DE LA QUALITÉ

Le contrôle est cette phase du processus administratif qui garantit à l'entreprise qu'elle donne un niveau de qualité qui respecte la promesse faite au client. Un bon contrôle permet de garantir au client un niveau stable de service et des produits conformes aux normes. Pour assurer la qualité, la vérification des produits, des services et des processus se fait généralement au moyen d'**inspections**. Selon les circonstances, ces inspections demandent de mesurer, de déguster, de peser, de toucher, etc. Inspecter est une opération qui sert à détecter des défauts! Elle est coûteuse, prend du temps, nécessite des employés, fait appel à des appareils particuliers et révèle le côté négatif des choses, ce qui n'est pas très stimulant. De plus, même avec un excellent service d'inspection, rien n'assure l'entreprise qu'elle livrera un produit ou un service sans défaut à son client, car même les inspecteurs font des erreurs...

Inspection (*inspection*)
Moyen de s'assurer que les extrants d'un système respectent le niveau de qualité recherché.

Dans le cadre de sa gestion intégrale de la qualité, ou GIQ, l'entreprise décide du lieu et du moment où elle effectuera l'inspection. Les points d'inspection habituels se situent généralement:

- *Chez le fournisseur*, durant le processus, par exemple quand le client signe le «bon à tirer» pour autoriser l'exécution de l'impression.

- *À la réception*, quand le préposé vérifie l'état de la marchandise, calcule les quantités, etc.

- *Avant un processus coûteux ou irréversible*, comme chez le marchand de couleurs, où le commis vérifie avec le client le numéro de l'échantillon de couleur avant de procéder au mélange.

- *Durant chaque étape clé du processus*, par exemple quand le préposé s'assure que ses intrants sont conformes aux normes de service.

- *À la fin du processus* dont le préposé est responsable, avant de livrer le produit à son client interne.

- *À la livraison*. Par exemple, le garagiste inspecte et nettoie le véhicule, puis il effectue un essai routier avant de remettre le véhicule au propriétaire.

- *L'inspecteur final est le client!*

L'étude en gestion de la qualité indique qu'il est préférable de concevoir un système de servuction/production dans lequel le produit est fabriqué ou le service est rendu correctement et du premier coup. L'autonomisation des employés, que nous avons évoquée plus haut dans ce chapitre, va directement en ce sens. L'approche préconisée par Ishikawa, selon lequel il faut traiter la personne suivante dans le processus comme un client interne, renforce la responsabilité de chacun à l'égard de l'obligation de fournir un produit ou un service de qualité.

Il existe des moyens simples pour réduire les erreurs, tel le **dispositif anti-erreur**, que les Japonais appellent *Poka-yoke*. Il suffit de penser aux fiches électriques dont l'une des tiges est plus large que l'autre, ce qui oblige l'utilisateur à respecter la polarité, ou encore au pistolet de distribution d'essence adapté à

Dispositif antierreur
(*foolproof*)
Dispositif technique, souvent simple, mis en place afin d'éviter l'erreur humaine lors d'opérations répétitives non mécanisées[22].

l'ouverture du réservoir de la voiture afin d'empêcher de verser du carburant diesel dans le réservoir d'une automobile dont le moteur fonctionne à l'essence sans plomb, par exemple. Les listes de vérification constituent un autre moyen de réduire les erreurs. Elles sont particulièrement utiles dans les services, notamment dans le domaine médical, qui ne saurait assurer la sécurité des malades sans les listes de vérification.

Il ne faut pas sous-estimer la pression qu'exerce l'environnement en tant que facteur de contrôle de la qualité. Si l'entreprise ne le fait pas, d'autres s'en chargeront. Ainsi, l'entreprise peut faire appel aux services de consultants pour l'aider à offrir un service de qualité. Ces services sont souvent très coûteux. Prendre la décision d'acheter un service particulier à un spécialiste en la matière ou de faire la vérification soi-même devient une préoccupation supplémentaire pour les dirigeants. C'est le cas, par exemple, du consultant The Customer Respect Group qui se donne pour mission d'évaluer la qualité du service client des sites Internet de certaines entreprises et qui, ensuite, vend ses rapports d'évaluation. Afin de mousser ses ventes, cet organisme communique dans les médias certains résultats qui font sensation, ce qui incite les entreprises visées à les acheter. Ainsi, en 2005, ce consultant a publié un classement des firmes de télécommunication au Canada. Vidéotron, une compagnie du Groupe Québecor, s'y classait bon dernier pour la qualité générale du service à la clientèle offert sur Internet, avec une note de 4,9 comparativement au 7,5 accordé à Telus[23]. La diffusion dans la presse de ce résultat devrait inciter Vidéotron à acheter le rapport afin de découvrir ses failles et de réduire ses pertes de clients!

www.customerrespect.com
www.videotron.com
www.telus.com

OBJECTIF 6

Présenter une vision globale de l'approche qualité en matière de service client.

4.4 UNE VISION GLOBALE DE LA QUALITÉ DU SERVICE

La figure 4-9 illustre comment procéder pour satisfaire la clientèle et assurer la pérennité de l'entreprise. Comme on l'observe dans cette figure, le projet qualité s'amorce au niveau de la direction de l'entreprise quand elle décide que la qualité constituera l'élément clé de sa stratégie. La direction détermine les objectifs à atteindre, c'est-à-dire ce qui est important et ce qui doit être accompli. Le leadership doit être sans faille et maintenir le cap sur la qualité fixée dans la mission de l'entreprise. Les employés doivent sentir ce soutien réel de la part de la direction par l'offre de formation à ses employés, l'élaboration de procédures efficaces, etc.

Les principes de qualité détermineront les moyens auxquels l'entreprise recourra pour atteindre ses objectifs. Ces principaux moyens sont : l'autonomisation des employés, l'étalonnage, le juste-à-temps, la vision client, l'amélioration continue et l'usage des outils fondamentaux en gestion de la qualité (la feuille de relevé ou de vérification, l'ordinogramme, le diagramme de dispersion, ou corrélation, l'histogramme, le diagramme de Pareto, la carte de contrôle et le diagramme d'Ishikawa – *causes-effets*).

Les employés sont «l'entreprise» pour les clients des services, ne l'oublions pas! Afin de refléter le fait que l'attitude positive des employés permet de «réaliser ce qui est important», l'entreprise prend les moyens pour permettre à ses employés de s'épanouir dans leur travail. L'engagement de tous au sein de l'organisation et l'autonomisation des employés sont deux moyens d'y arriver.

Finalement, la qualité procure à l'entreprise des avantages concurrentiels qui contribuent à mieux satisfaire la clientèle, à fidéliser les clients actuels et à recruter de nouveaux clients, ce qui assure la survie de l'entreprise.

Figure 4-9 Les activités nécessaires à la qualité des services[24]

RÉSUMÉ

7. Établir un lien entre la qualité et les profits.

La relation entre la qualité et les profits passe par la réduction des coûts et l'accroissement des parts de marché. La qualité aide l'entreprise à réduire ses coûts en diminuant les frais qu'elle doit engager pour honorer sa garantie, en accroissant sa productivité et en réduisant les pertes et les remises en production. Ces réductions de coûts augmentent la marge bénéficiaire de l'entreprise et, par conséquent, accroissent les profits. L'accroissement des parts de marché peut provenir de la baisse des prix de l'entreprise qui rend ses produits et services plus attrayants. L'amélioration de la qualité réduit le nombre de clients insatisfaits, ce qui accroît le nombre de ceux qui vantent et recommandent leur fournisseur à d'autres personnes. Enfin, la qualité permet à l'entreprise d'adapter rapidement son offre de produits ou de services à l'évolution des besoins de ses clients.

2. Déterminer les stratégies de l'entreprise à choisir en matière de qualité du service client.

La qualité doit tenir compte des dix éléments se rapportant aux attentes des clients (communication, compétence, disponibilité, empathie, accessibilité, crédibilité, courtoisie, fiabilité, sécurité, tangibilité). Elle doit également considérer les dimensions «production» de la qualité, à savoir: la performance, les caractéristiques, la fiabilité, la conformité, la durabilité, la facilité d'entretien, l'esthétique, la qualité perçue et la sécurité.

3. Établir l'importance de l'autonomisation des employés dans le succès de l'approche client.

L'autonomisation est l'une des techniques dont dispose la direction pour améliorer la motivation et la satisfaction au travail de ses employés. L'expérience démontre que l'attitude du personnel est un élément déterminant du succès de l'entreprise.

4. Appliquer les notions d'étalonnage à un service client.

L'étalonnage est une technique qui permet à une entreprise de comparer les processus qu'elle trouve insatisfaisants avec des processus similaires utilisés dans d'autres entreprises. En obtenant des renseignements, l'entreprise trouve des solutions qui lui permettront d'améliorer ses processus, voire de faire encore mieux. Les principales étapes du programme d'étalonnage sont l'obtention du soutien de la direction, l'analyse de la situation actuelle, le choix des processus à améliorer, la composition de l'équipe d'évaluation comparative, la recherche d'entreprises dont il est possible de s'inspirer, la sélection d'entreprises partenaires, la collecte d'information sur les processus et les normes, l'analyse des données et la quantification des écarts, et, enfin, la planification et la mise en œuvre des mesures correctrices.

5. Énumérer et utiliser les outils fondamentaux de la gestion intégrale de la qualité.

Les outils fondamentaux de la GIQ servent à atteindre et à maintenir le niveau de qualité recherché par l'entreprise. Ce sont les feuilles de relevé ou de vérification, les organigrammes ou ordinogrammes fonctionnels, les diagrammes de dispersion (corrélation), les histogrammes, le diagramme de Pareto, les cartes de contrôle et le diagramme des causes-effets (Ishikawa).

6. Présenter une vision globale de l'approche qualité en matière de service client.

Une approche globale en matière de qualité de service inclut quatre volets: 1) le comportement organisationnel; 2) des principes de qualité; 3) l'épanouissement des employés; 4) la satisfaction de la clientèle.

MOTS CLÉS

Action collective (p. 82)	*Class action*
Amélioration continue (p. 86)	*Continuous improvement*
Analyse concurrentielle (p. 87)	*Competitive analysis*
Autonomisation des employés (p. 86)	*Empowerment*

Carte de contrôle (p. 93)	*Control chart*
Cercle de qualité (p. 87)	*Quality circle*
Corrélation (p. 92)	*Correlation*
Diagramme de Pareto (p. 93)	*Pareto diagram*
Dispositif antierreur (p. 95)	*Foolproof*
Étalonnage (p. 87)	*Benchmarking*
Gestion intégrale de la qualité (GIQ) (p. 86)	*Total quality control (TQC)*
Ingénierie inverse (p. 87)	*Reverse engineering*
Inspection (p. 95)	*Inspection*
Juste-à-temps (p. 90)	*Just-in-time*
Méthode (p. 83)	*Method*
Qualité (p. 80)	*Quality*

QUESTIONS DE RÉVISION

1. En quoi la qualité peut-elle aider l'entreprise à assurer sa survie ?

2. Nommez six liens entre la qualité et les profits.

3. Nommez deux sources d'information sur la qualité auxquelles les clients peuvent accéder.

4. Donnez un exemple de relation entre la qualité des outils à la disposition des employés et la productivité.

5. Quelles sont les neuf dimensions de la production ?

6. En quoi consiste la gestion intégrale de la qualité ?

7. Que signifie le terme *Kaizen* ?

8. Nommez les principales techniques utilisées pour accroître l'autonomisation des employés.

9. Comment un cercle de qualité peut-il aider l'entreprise ?

10. Quelles caractéristiques permettent de différencier la technique d'étalonnage de l'analyse concurrentielle ?

11. Quelles sont les étapes de la technique d'étalonnage ?

12. Quelle caractéristique déterminante recherche-t-on auprès des entreprises partenaires susceptibles de participer à un programme d'étalonnage ?

13. Que découvrent les gestionnaires lors de la mise en œuvre d'un système juste-à-temps ?

14. En quoi consiste une feuille de relevé ou de vérification ?

15. Quels sont les avantages des cartes de contrôle ?

ATELIERS | PRATIQUES

1. Mesure de qualité.

   À partir du tableau de contrôle ci-dessous, faites un relevé des problèmes de qualité liés à chacun des postes informatiques de votre laboratoire.

	Écran	Clavier	Souris	Lecteur cédérom	Lecteur de disquettes	Chaise	Bureau
Défectueux							
Absent							
Total							

2. Concevez un diagramme d'analyse de service, comme celui de la figure 3-6 (p. 64) pour:

   a) le choix de cours des étudiants au début d'une session;

   b) le paiement des repas à la cafétéria de votre collège;

   c) le retrait de livres sterling de votre établissement financier.

   Dans ce diagramme, indiquez les zones de visibilité client et les zones invisibles.

3. Dessinez un diagramme causes-effets (Ishikawa) pour un accident dont vous avez été témoin.

4. Faites une analyse et un diagramme de Pareto à partir de l'information tirée du tableau ci-dessous concernant les plaintes reçues par le concierge de la résidence du collège à propos de l'état du terrain, de l'accès au stationnement, de l'état de la piscine, des comportements indésirables des résidents, ainsi que des problèmes liés au chauffage ou à la plomberie.

Résidence d'étudiants						
Semaine	**Terrain**	**Station-nement**	**Piscine**	**Problèmes bruit et alcool**	**Chauffage/ plomberie**	**Total**
1	0	8	0	1	2	
2	1	3	2	11	11	
3	0	0	1	7	7	
4	1	2	0	3	5	
5	2	0	1	2	4	
6	1	1	3	9	3	
7	0	3	1	2	3	
8	0	2	2	1	3	
9	1	2	1	2	2	
10	0	1	2	1	2	

Résidence d'étudiants

Semaine	Terrain	Station-nement	Piscine	Problèmes bruit et alcool	Chauffage/plomberie	Total
11	2	0	6	8	1	
12	2	1	7	3	0	
13	1	2	2	3	0	
14	2	3	0	7	0	
15	1	1	1	14	0	
16	0	5	0	6	0	
Total						

5. Pour chacun des processus suivants, nommez cinq entreprises qui pourraient devenir des partenaires dans un programme d'étalonnage :

   a) Choix des cours pour une session de la part des étudiants.

   b) Cafétéria de votre collège.

   c) Vérification des connaissances de fin de session dans un collège.

   d) Émission d'un certificat de fin d'études collégiales.

RETOUR SUR LA

MISE EN SITUATION

NAUTIKAS

Tout ça à cause d'une vis… Le cas de Nautikas illustre fort bien le principe selon lequel une entreprise est aussi forte que son maillon le plus faible. Du point de vue de la gestion de la qualité, il est certain qu'un sérieux coup de barre s'impose : Nautikas devra implanter l'une des approches de gestion de la qualité que nous avons décrites dans ce chapitre : normes ISO, GIQ, Kaïzen. Mais quelle que soit l'organisation du travail qu'elle choisira, la haute direction de Nautikas devra se l'approprier et voir à ce que l'ensemble du personnel participe largement à son implantation. Quand les nouveaux modèles fabriqués avec ces nouvelles normes de qualité sortiront de l'usine, il faudra que cela se sache, ce qui suppose une campagne de communication pour l'annoncer. Par ailleurs, Nautikas a décidé de commanditer des épreuves d'endurance pour ses nouveaux modèles et d'en rendre publics les résultats. L'entre-prise devra également s'assurer que tous ses employés acquièrent les compétences nécessaires et prennent conscience du fait que, peu importe le poste qu'ils occupent chez Nautikas, ils jouent tous un rôle crucial sur la qualité des services rendus à leurs clients tant directs (les détaillants) qu'indirects (les plaisanciers).

Il est clair que, à la suite de cet incident de non-qualité, Nautikas aura une sérieuse pente à remonter. Nous avons vu dans ce chapitre qu'une entreprise ne peut décevoir deux fois le client quand celui-ci peut se tourner vers la concurrence. Pour rétablir les commu-nications avec la clientèle victime de non-qualité, Alexandre compte mettre sur pied une campagne de marketing relationnel ciblant tous les distributeurs qui ont abandonné l'entreprise ainsi que les 500 clients lésés. Enfin, la force de ventes devra faire un effort spé-cial pour regagner la confiance des détaillants perdus.

L'évaluation du service client

— Miroir, Ô mon joli miroir, dis-moi qui est la plus belle?
— Vous, ma reine, c'est vous qui êtes la plus belle.

Jacob et Wilhelm Grimm, *Blanche-Neige*

OBJECTIFS D'APPRENTISSAGE

Après avoir étudié ce chapitre, vous pourrez:

1. Répondre aux questions préalables à l'évaluation du service client.

2. Choisir la méthode et la technique de mesure les plus appropriées.

3. Utiliser la bonne stratégie d'échantillonnage.

4. Élaborer l'instrument de mesure.

5. Traiter et analyser les données recueillies.

6. Produire et présenter un rapport de recherche.

7. Combiner les résultats de plusieurs études dans le but d'établir des normes.

UN SONDAGE POUR JOUVENSPAS ?

Détentrice d'un DEC en gestion de commerce, Marylène Beauséjour vient d'être embauchée par son père au service à la clientèle de Jouvenspas, chaîne de 12 spas situés aux quatre coins du Québec et offrant divers services : thalassothérapie, massothérapie, soins esthétiques (notamment dermabrasion et épilation au laser), vente de cosmétiques. Bernard Beauséjour fait part à sa fille de son insatisfaction quant aux résultats obtenus à ce jour et lui demande de l'aider à améliorer le service à la clientèle :

« Marylène, toi qui es forte en informatique, pourrais-tu nous préparer un sondage qu'on imprimerait sur des cartons et qu'on laisserait aux comptoirs de nos centres ? Tu sais, comme on en trouve dans les restaurants Saint-Hubert ?

— Tu sais, papa, il n'y a pas que ça pour améliorer un service à la clientèle !

— Ouais… Montre-nous donc ce que t'as appris au cégep !

— D'accord. Laisse-moi y penser et je t'en reparle demain ! »

OBJECTIF 1

Répondre aux questions préalables à l'évaluation du service client.

5.1 LES QUESTIONS PRÉALABLES À L'ÉVALUATION DU SERVICE CLIENT

Il existe encore des entreprises pour lesquelles être attentif au comportement des clients et mener des enquêtes sur leur satisfaction ne constituent pas des priorités. Les dirigeants pensent bien connaître leur clientèle, se fondent sur leur intuition et supposent que les besoins, désirs et comportements des clients étudiés dans le passé restent les mêmes. Or, dans une société comme la nôtre qui connaît des bouleversements (chapitre 2), les besoins des clients changent, et les entreprises doivent suivre leur évolution. Les entreprises doivent se tenir au courant des grandes tendances de la société et de l'actualité, facteurs qui influencent la consommation des clients. Ce genre d'informations, les **données secondaires**, sont aisément accessibles grâce aux médias.

Cependant, les entreprises ont également besoin de savoir ce qui se passe dans la tête de leurs clients aujourd'hui. Elles ne peuvent se fier pour cela uniquement à des hypothèses ou à des études antérieures. Il leur faut donc prendre régulièrement le pouls de leur clientèle. Une étude de la clientèle est d'autant plus nécessaire lorsqu'elles envisagent des modifications ou des améliorations au service à la clientèle. C'est qu'on ne peut améliorer ce qu'on ne connaît pas, ce qu'on n'évalue pas. Ce type d'informations que les entreprises ne peuvent se procurer qu'en les recueillant elles-mêmes auprès de leurs clients sont des **données primaires** en langage marketing. Mais attention, avant de se précipiter pour rédiger un questionnaire, les entreprises doivent s'intéresser à leur environnement, mener des études exploratoires informelles.

L'ÉTUDE EXPLORATOIRE

Lorsqu'un dirigeant d'entreprise a le sentiment que quelque chose ne va pas, mais n'arrive pas à mettre le doigt sur le problème, il doit être attentif. Il doit observer

Données secondaires
(*secondary data*)

Informations qui sont déjà rassemblées et organisées, en général, et que leur propriétaire, qui en a fait un premier usage, est prêt à communiquer sans toutefois fournir les documents qui ont permis de les établir.

Données primaires
(*primary data*)

Informations originales devant être recueillies directement à la source, par opposition aux informations secondaires, recueillies par autrui et disponibles.

les comportements, écouter les conversations, interroger les clients, les fournisseurs et les employés. Il doit partir en exploration, chercher à découvrir des indices qui le mettront sur la voie, lui indiqueront où scruter plus attentivement. Cette approche a l'avantage d'être informelle, naturelle, simple et facile à suivre. Elle permet de mieux cerner le ou les problèmes, de déterminer les paramètres clés et leurs relations afin de décider s'il y a lieu de pousser l'enquête plus loin. Elle permet également de mettre éventuellement en lumière des éléments à explorer systématiquement, d'établir des priorités quant aux éléments à étudier.

En d'autres termes, l'étude exploratoire justifie et alimente une étude formelle. L'étude formelle va permettre de répondre à quatre grandes questions :

- Que faut-il étudier ?
- Qui faut-il étudier ?
- Qui doit s'occuper de l'étude ?
- Quel type d'étude faut-il réaliser ?

QUE FAUT-IL ÉTUDIER ?

Qu'est-ce que l'entreprise désire savoir ? Quels problèmes a-t-elle ? Toute étude de la clientèle doit débuter par la détermination d'objectifs. L'évaluation d'un service à la clientèle ne doit pas être simplement une mesure de la satisfaction des gens. En effet, même les entreprises dont les clients sont heureux perdent des parts de marché. La question qui se pose alors est : « Pourquoi les clients heureux ne restent-ils pas fidèles à l'entreprise ? » Il faut donc non seulement vérifier si les attentes des clients sont satisfaites, mais également savoir quelles attentes sont les plus importantes. Autrement dit, il faut déterminer précisément les liens de fidélisation qui unissent l'entreprise et ses clients, découvrir ce qui va permettre à l'entreprise de garder ses clients.

Prenons trois exemples concrets.

1. Yvon achète un pain fait avec du blé entier multigrains à la boulangerie Niemand, à Kamouraska, chaque fois qu'il se rend dans le Bas-du-Fleuve. Le pain, les lieux, le décor, l'accueil du boulanger l'ont conquis. Cela montre le potentiel de fidélisation de la boulangerie Niemand concernant la clientèle locale, celle des voyageurs d'affaires et des touristes, potentiel qui repose sur la communication, la tangibilité et l'empathie.

2. Suzanne possède un salon de coiffure, Le Frisoux, à Alma. Or, depuis le départ de l'une de ses coiffeuses, Yolande, il y a un mois, elle a perdu 25 % de sa clientèle. Yolande a ouvert un salon à Hébertville, village situé à 19 km. En parlant à ses clientes, Suzanne apprend que plusieurs autres clientes ont suivi Yolande et n'hésitent pas à faire le trajet pour se faire coiffer par elle. Yolande, qui a travaillé au Frisoux pendant six ans, a effectivement des clientes fidèles qui aiment sa manière de les coiffer et ne font confiance à personne d'autre. Suzanne avait constaté dans le passé une réduction de la clientèle durant les vacances de Yolande.

3. Ron possède depuis deux ans un commerce d'articles de sport à Granby. Ces derniers temps, il ne comprend pas ce qui se passe. Alors qu'au début tout allait bien, récemment les ventes se sont mises à diminuer. Or, il offre les mêmes produits que ses concurrents, et aux mêmes prix.

Dans les deux premiers exemples, la situation est simple à comprendre. Une étude exploratoire suffit. Par contre, dans le dernier exemple, une étude approfondie est nécessaire. En effet, Ron a déjà comparé sa gamme de produits et ses prix à ceux des concurrents. Il doit donc chercher ailleurs l'origine de son problème.

QUI FAUT-IL ÉTUDIER ?

La réponse à la question « Qui faut-il étudier ? » semble évidente : la clientèle, voyons ! Il faut effectivement s'intéresser à la clientèle, mais il est également recommandé de regarder du côté du personnel de la relation client. En effet, il arrive fréquemment que des problèmes se manifestant au niveau de la clientèle trouvent écho dans le personnel. D'ailleurs, le personnel ne constitue-t-il pas, pour un nombre croissant d'entreprises, une clientèle interne ?

Prenons un exemple. Un fabricant de logiciels a effectué un sondage auprès de sa clientèle et de son personnel, simultanément. Les clients se sont dits fort mécontents de la qualité du soutien technique au téléphone. Les préposés au soutien technique, eux, ont confié qu'ils se sentaient stressés par le fait que leur temps d'intervention était contrôlé. Ils ont avoué qu'ils se sentaient obligés de donner des réponses rapides, souvent incomplètes, pour pouvoir atteindre leur quota de clients. L'étude a ainsi montré que ce n'était pas tant le comportement du personnel qui était en cause que les pratiques de gestion, la méthode d'évaluation du personnel. Or, une étude menée exclusivement auprès de la clientèle externe n'aurait jamais permis d'en arriver à cette conclusion. De plus, le fait de faire participer le personnel à l'évaluation de la qualité du service, même sur une base volontaire, le mobilise et contribue à ce qu'il s'approprie les mesures que les gestionnaires prendront pour améliorer la situation, aux vues des résultats de l'étude.

QUI DOIT S'OCCUPER DE L'ÉTUDE ?

Dans le cas d'une très petite entreprise, le propriétaire va assurément s'occuper lui-même de l'enquête auprès de la clientèle. Dans le cas d'une entreprise plus grande qui connaît des problèmes plus complexes, des gestionnaires peuvent, il est vrai, superviser l'enquête. Il existe un nombre croissant d'outils pouvant faciliter leur tâche dans ce sens. Des firmes telles que Sphinx offrent ainsi des logiciels de conception d'outils de recherche et de traitement des données tant quantitatives que qualitatives. Toutefois, ce type de situation requiert un certain nombre de connaissances en recherche et en statistiques. Le manque d'expérience dans le domaine des sondages peut faire faire des erreurs à l'entreprise, des erreurs parfois plus onéreuses à réparer que si elle avait confié l'enquête à une firme extérieure spécialisée.

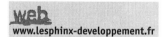
www.lesphinx-developpement.fr

Ainsi, selon la taille de l'entreprise et l'ampleur du projet, l'enquête nécessite plus ou moins de temps, de ressources humaines et de charges à imputer aux budgets de marketing. L'entreprise décidera si elle s'adresse ou non à une firme spécialisée en tenant compte des éléments suivants :

- la taille et la dispersion géographique de la clientèle ;
- la disponibilité des ressources humaines et matérielles ;
- les compétences, la disponibilité et l'ouverture d'esprit de son personnel.

QUEL TYPE D'ÉTUDE FAUT-IL RÉALISER ?

L'entreprise va choisir le type d'étude qu'elle veut mener en fonction de son ou ses problèmes, de ce qu'elle veut savoir. Cherche-t-elle à expliquer les causes d'une diminution de part de marché ? Veut-elle savoir pourquoi le taux de roulement de son personnel de relation client est si élevé ? Se donne-t-elle pour but de connaître ce que la clientèle pense d'elle ?

Ainsi, selon le but visé, l'entreprise optera pour l'une ou l'autre des études suivantes :

- L'étude globale de l'entreprise.
- L'étude de la clientèle.
- L'étude des clients perdus.
- L'étude de clients ciblés.
- L'étude de sortie auprès de la clientèle.

L'ÉTUDE GLOBALE DE L'ENTREPRISE

Une étude globale de l'entreprise, répétée périodiquement, permet de déterminer des tendances à plus ou moins long terme, de découvrir des zones critiques dans le diagramme d'analyse de service, en particulier concernant le personnel de la relation client.

Le climat de travail est devenu tellement important, de nos jours, que l'un des leaders mondiaux du conseil en management et ressources humaines, Hewitt & Associés, publie un palmarès[1] des entreprises ayant les employés les plus satisfaits au travail. Ces employeurs de choix se démarquent par l'utilisation efficace d'agents et d'outils de mobilisation dans leurs pratiques de gestion. Ils s'appuient ainsi sur la haute direction, le supérieur immédiat, les collègues, la motivation intrinsèque, les ressources, la responsabilité sociale, la carrière, le développement personnel, la conciliation travail-vie personnelle, l'environnement de travail, les pratiques de ressources humaines, la gestion de la performance, le salaire, les avantages sociaux et la reconnaissance. Le portail RHRI donne plus d'informations à ce sujet, notamment dans l'article « Sans mobilisation, point de salut ! », de Florent Francœur.

www.was4.hewitt.com
www.portail-rhri.com

L'évaluation globale de l'entreprise permet en particulier de répondre aux questions suivantes :

- À quel point le personnel est-il heureux au travail ?
- Les canaux de communication sont-ils ouverts ?
- Règne-t-il un esprit d'équipe au sein de l'entreprise ?

À quel point le personnel est-il heureux au travail ?

Il n'y a rien de pire pour la qualité du service à la clientèle que des employés malheureux. Un employé peut être malheureux pour plusieurs raisons : il ne se sent pas écouté ou apprécié ; il se sent débordé, surchargé de travail ; il n'a pas reçu la formation adéquate pour effectuer son travail ou ne dispose pas des outils de travail nécessaires ; il ne règne pas un esprit d'équipe autour de lui ; ses supérieurs immédiats manquent d'habileté en matière de direction. Plus les relations de l'employé avec son environnement seront saines, meilleure sera la qualité du service que l'employé fournira.

Les canaux de communication sont-ils ouverts ?

Rares sont les entreprises qui ne connaissent pas de problèmes de communication internes. Or, si les employés n'ont pas l'impression d'avoir accès à la direction de l'entreprise pour exprimer leur frustration, le service à la clientèle s'en ressentira. Il est donc important de mesurer l'ouverture de la communication au sein du service pour pouvoir l'améliorer.

Règne-t-il un esprit d'équipe au sein de l'entreprise?

S'il ne règne pas un esprit de corps au sein d'une organisation, l'employé à qui on a transféré par erreur un client qui téléphone ne sera probablement pas motivé à transférer l'appel à la bonne personne et en toute courtoisie. Pour savoir s'il règne un esprit d'équipe dans une entreprise, on évalue les attitudes générales par le biais d'un questionnaire confidentiel distribué tant au personnel qu'à la direction. Une étude bien menée permet de faire un diagnostic et d'amorcer une résolution des problèmes qui se répercutent sur la prestation du service. Si les perceptions sont les mêmes au sein des cadres comme au sein des employés, c'est signe de la santé de l'entreprise.

L'ÉTUDE DE LA CLIENTÈLE

L'étude de la clientèle est nécessaire parce que de la satisfaction du client dépend directement sa fidélité. Dans un contexte de concurrence active, l'entreprise doit régulièrement mesurer la satisfaction de sa clientèle, évoluer et ajuster son offre pour éviter les défections. Quand l'insatisfaction concerne la partie visible du service (figure 3-6, chapitre 3), on parle de défection de clients. Quand elle concerne la partie invisible, on parle de défauts dans la prestation du service. L'entreprise ne pourra jamais faire évoluer son offre et éviter les défections ou accroître la fidélité de sa clientèle si elle ne mesure pas sa performance. Or, le meilleur moyen de mesurer la qualité d'un service est de déterminer la perception qu'a le client de ce service, de la valeur qu'il en retire.

L'ÉTUDE DES CLIENTS PERDUS

Comme son nom l'indique, l'étude des clients perdus s'applique particulièrement dans une situation de défection de la clientèle. Elle permet de comprendre les motifs de la défection. Il s'agit, dans un premier temps, de repérer les clients qui ne se sont pas manifestés depuis un certain temps. Dans un deuxième temps, on rencontre les personnes concernées ou on communique avec elles par téléphone, afin de découvrir les motifs de leur départ. De préférence, par souci d'objectivité, l'entretien sera mené par une personne de l'entreprise n'ayant jamais eu de relations avec le client. Si l'on intervient à temps, on peut éventuellement récupérer le client (voir le chapitre 10, sur la gestion des plaintes et des clients difficiles).

L'ÉTUDE DE CLIENTS CIBLÉS

Parfois, plutôt que de s'adresser de manière aléatoire aux membres de la clientèle, il peut être plus intéressant de ne sonder que les clients qui rapportent le plus à l'entreprise. Comme l'indique la loi de Pareto (chapitre 1), il arrive souvent que 20% des clients d'une entreprise contribuent au chiffre d'affaires dans une proportion de 80%. Par ailleurs, l'entreprise peut souhaiter avoir l'opinion de différents types de clients. Dans ce cas-ci, elle peut marquer différemment les questionnaires selon le type de clients.

L'ÉTUDE DE SORTIE AUPRÈS DE LA CLIENTÈLE

Sœur de l'étude de la clientèle, l'étude de sortie auprès de la clientèle s'effectue, comme son nom l'indique, à la fin de la prestation d'un service. Il s'agit de faire remplir une fiche d'appréciation type au client. La figure 5-1 présente un exemple de fiche d'appréciation d'un établissement physique. La figure 5-2 (p. 110) présente un exemple de questionnaire de satisfaction interactif sur Internet, concernant une aide à la résolution d'une panne informatique. Les chaînes de restauration, les chaînes d'hôtels et les lieux de villégiature utilisent couramment la fiche d'appréciation. Elle permet de recueillir les commentaires en continu et «à chaud», lorsque les clients ont encore fraîchement en mémoire leur expérience du service. (Note : lire également à ce sujet la section «Les difficultés pour joindre les membres de l'échantillon».)

Figure 5-1 Fiche d'appréciation de Rona

La fiche d'appréciation, ou sondage express, peut être courte ou longue. Le sondage court comporte de 5 à 8 questions fermées (questions pour lesquelles un choix de réponses est proposé) touchant les dimensions de la courtoisie, de la qualité du service et du prix. Le sondage express long, lui, souvent utilisé par les grandes chaînes d'hôtels, comporte généralement de 15 à 20 questions fermées, une question ouverte (question à réponse libre) demandant des commentaires écrits et quelques questions relatives au profil démographique du client (sexe, âge, revenu, scolarité, lieu de résidence, etc.). La vérification systématique de la satisfaction concernant l'entretien des voitures est un exemple de sondage court de satisfaction effectué périodiquement.

Figure 5-2 Fiche d'appréciation interactive de Microsoft, sur Internet

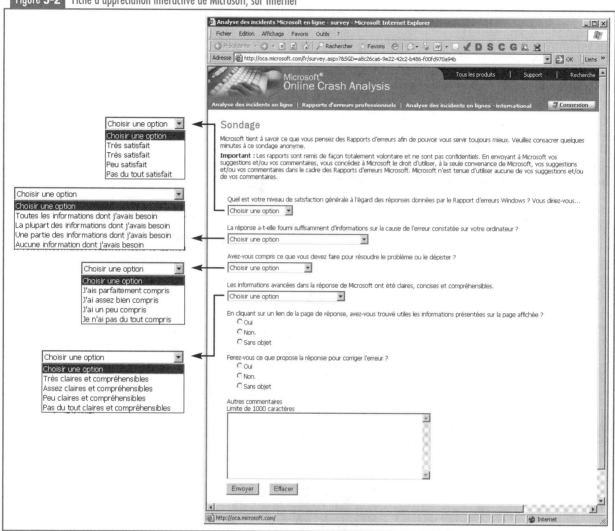

Choisir la méthode et la technique de mesure les plus appropriées.

Données quantitatives
(*quantitative data*)
Données numériques qui déterminent des quantités.

5.2 QUELLE MÉTHODE ET QUELLE TECHNIQUE UTILISER?

Selon les buts qu'elle vise, selon l'information dont elle a besoin, l'entreprise a le choix entre plusieurs méthodologies pour faire une étude. Les informations qu'elle doit recueillir auprès des clients (données primaires en terminologie marketing), sur leurs besoins et leur perception du service, peuvent être de nature quantitative ou de nature qualitative. Les **données quantitatives** sont des informations numériques qui font l'objet d'une analyse statistique, relevant de la **statistique**. Les **données qualitatives**, quant à elles, sont des renseignements non numériques qui permettent de mieux comprendre les attitudes des clients, leurs motivations…

La figure 5-3 part des types de données que l'entreprise peut recueillir auprès des clients pour indiquer la méthode et la technique à utiliser.

| Figure **5-3** | Synthèse des principales méthodes, techniques et outils de mesure de qualité du service clientèle |

	Données primaires		
Données qualitatives	Données quantitatives		**Catégories de données**
Explicatives	**Descriptives**		
Expérimentation	Observation	Sondage	**Méthodes de recherche**
	Entrevue	En personne	**Techniques de mesure**
	Groupe de discussion : • En personne • Sur Internet	Par téléphone Par la poste Sur Internet	
	Client-mystère		
	Analyse des minutes de vérité		
Questionnaire Grille d'observation	Grille d'observation Schéma d'entrevue	Questionnaire	**Instruments de mesure**

Statistique (*statistic*)

Une branche des mathématiques qui utilise des nombres, des mesures et des graphiques et qui permet des généralisations d'un échantillon à un ensemble plus vaste, ce qui implique le recours à des techniques de collecte, de classification, de présentation et de traitement des données ainsi que des mesures par indicateurs définis rigoureusement et sans ambiguïté[2].

Données qualitatives (*qualitative data*)

Données non numériques qui éclairent sur la nature d'une personne, ses caractéristiques, ses attitudes (par opposition aux données quantitatives).

L'OBSERVATION

Plusieurs recherches de marketing utilisent la méthode de l'**observation du comportement** pour obtenir de l'information descriptive sur les clients. Il s'agit d'observer de manière systématique les comportements des gens, les objets et les événements afin d'en retirer de l'information. Normalement, l'observateur n'interroge pas les personnes. Il utilise comme outil de mesure une grille d'observation qu'il a préparée au préalable et qui précise qui il doit observer, à quel endroit et quels comportements il doit observer. Il note au besoin dans cette grille d'observation ce qu'il voit. En général, l'observation se fait dans un milieu naturel.

Il faut distinguer deux types d'observations : l'observation non dissimulée et l'observation dissimulée. Dans le cas d'une observation non dissimulée, l'observateur doit, pour des raisons d'éthique, avertir les gens qu'ils seront observés. Les participants sont donc au courant de l'étude. Dans le cas d'une observation dissimulée, l'observateur n'évoque l'étude qu'à la fin. Il doit alors obtenir la permission des gens pour pouvoir utiliser les données recueillies.

En gestion des relations avec la clientèle, on utilise deux techniques dans le cadre de l'observation : les minutes de vérité et le client-mystère.

Observation du comportement (*behavior observation*)

Méthode de recherche qui consiste à observer le comportement humain dans ses manifestations extérieures et ses relations avec le milieu.

LES MINUTES DE VÉRITÉ

Les minutes de vérité sont une observation systématique de tous les points de relation entre l'entreprise et le client. La **minute de vérité** correspond au moment où le client entre en relation avec le produit, le système, le personnel ou les procédures de l'organisation et se forme une opinion à leur sujet.

Minute de vérité (*moment of truth*)

Moment où le client entre en relation avec le produit, le système, le personnel ou les procédures de l'organisation et se forme une opinion à leur sujet.

Voici quelques exemples de minutes de vérité se produisant dans une pizzeria qui vend dans son établissement et fait des livraisons[3] :

- Les réponses données aux clients au téléphone.

- L'apparence extérieure de la pizzeria pour les clients qui passent devant à pied ou en auto.

- L'accès au stationnement et l'aspect de l'entrée du commerce.

- L'accueil qui est fait au client.

- L'aspect physique du comptoir et du personnel.

- La communication lorsque le personnel appelle le client par son nom.

- L'allure du livreur et sa façon de saluer les clients à son arrivée.

- La façon dont le livreur conduit : «rage au volant» ou «multiplicateur de bonnes actions».

- Les plaintes des clients, en personne ou au téléphone.

- Le professionnalisme, les commentaires et le niveau de langage du personnel en présence des clients.

Chaque minute de vérité peut faire la différence entre un client insatisfait, que l'entreprise va perdre, et un client satisfait, qui va rester fidèle. C'est pourquoi il est important d'étudier minutieusement toutes les minutes de vérité pour y apporter les améliorations nécessaires. La figure 5-4 présente un exemple de grille d'observation des minutes de vérité qu'on pourrait construire pour un centre de conditionnement physique.

LE CLIENT-MYSTÈRE

Client-mystère (*mystery shopper*)
Représentant de l'entreprise qui se fait passer pour un client ordinaire et interroge le personnel dans le but d'évaluer l'efficacité commerciale du point de vente.

Plusieurs entreprises ont recours à la technique d'observation participante qu'est le **client-mystère**. Ainsi, des firmes de recherche spécialisées comme Spot Check services ou Service Intelligence engagent des personnes pour qu'elles personnifient des clients spécifiques à partir d'un scénario précis. Ces clients-mystère sont des acheteurs professionnels qui travaillent dans l'anonymat et font des audits de l'action commerciale et de la qualité du service client d'une entreprise donnée.

web
www.spotcheckservices.com
www.serviceintelligence.com

Avant toute chose, les gestionnaires du service à la clientèle de l'entreprise rencontrent les gestionnaires de l'agence de recherche qui supervise les clients-mystère. Ensemble, ils élaborent un scénario visant à évaluer la qualité du service fourni, à vérifier dans quelle mesure l'entreprise tient sa promesse quant à la qualité du service. Les agences spécialisées dans ce type d'étude possèdent une banque d'individus aux profils sociodémographiques variés. Les profils des individus qu'elle fait travailler pour une entreprise donnée correspondent à ceux des «vrais» clients de l'entreprise. Inconnu du personnel de l'entreprise, le client-mystère joue au client et est le témoin anonyme de ce que vivent chaque jour les «vrais» clients dans leur relation avec l'entreprise. Fondu dans le décor ou au contraire en relation directe avec les vendeurs, il sait observer ou poser les bonnes questions. Le but n'est pas de piéger le personnel de la relation client, mais de le contrôler, de faire un «état des lieux» de la relation client-vendeurs, que ce soit dans un contexte général ou au contraire dans une approche individuelle. Le client-mystère note ses observations et fait un rapport écrit. Il fournit des anecdotes et des informations étonnantes et instructives.

Figure 5-4 Grille d'observation des minutes de vérité pour un centre de conditionnement physique

Centre d'entraînement

Contact du client avec l'entreprise	Situation idéale	Situation observée	Évaluation (de 0 à 10)
Contact visuel avec l'extérieur du bâtiment	Peinture fraîche, vitrines éclatantes.	La peinture s'écaille sur les murs, les vitrines sont sales.	5
Contact visuel dans l'aire de réception	Sourire d'accueil.	Le réceptionniste, occupé au téléphone, fait un sourire d'accueil.	9
Contact oral avec le réceptionniste	Empressement du réceptionniste à dire bonjour et à offrir son aide.	Le réceptionniste est occupé dans une conversation téléphonique personnelle. Il regarde le client avec l'air de celui qu'on dérange.	3
Contact visuel avec l'entraîneur	Tenue vestimentaire fraîche et attrayante de l'entraîneur. Attitude dégageant dynamisme et bonne forme physique.	Tenue fatiguée, air blasé.	6
Séance avec l'entraîneur	Entraîneur dynamique.	Entraîneur dynamique.	8

Date : 24 septembre   Heure : 11 h 52   Responsable : Ralph

Plusieurs entreprises manufacturières ont recours à la technique du client-mystère pour mesurer l'efficacité de leur réseau de distribution. Par ailleurs, les pharmacies Jean Coutu l'ont déjà utilisée pour mesurer la qualité du service à la clientèle au rayon des cosmétiques. Les résultats obtenus grâce à cette méthode servent non seulement à déterminer comment améliorer le service, mais également à récompenser les employés modèles. La vidéo *Le client est roi* qui se trouve sur le DVD accompagnant ce livre explique le fonctionnement de la technique du client-mystère.

www.jeancoutu.com

L'ENTREVUE : LE GROUPE DE DISCUSSION OU *FOCUS GROUP*

Dans les méthodes par entrevue, le **groupe de discussion** constitue une technique de collecte de données qualitatives très populaire. Le principe est de réunir de 10 à 12 individus représentatifs de la clientèle à étudier. Les participants sont généralement recrutés par téléphone et rémunérés. La réunion a lieu dans une salle conçue à cet effet, c'est-à-dire munie de microphones, parfois de caméras, et d'un miroir sans tain donnant sur une seconde salle d'où l'on peut observer les participants. La firme Impact Recherche, division de Cossette Communication, organise des discussions de ce style.

Un spécialiste de cette méthode de recherche agit comme animateur et s'assure de la participation de tous et de la couverture de tous les thèmes figurant

Groupe de discussion
(*focus group*)

Groupe restreint de personnes que l'on réunit pour participer à une discussion assistée afin de recueillir leurs perceptions sur un champ d'intérêt défini[4].

www.cossette.com

Salle de la firme Impact Recherche destinée aux groupes de discussion.

dans le schéma d'entrevue préparé. Ensuite, le contenu des entrevues fait l'objet d'une analyse et d'un rapport évoquant les faits saillants.

Il est important de comprendre ici qu'étant donné la nature qualitative de la méthode et le très petit nombre de personnes interrogées, il est impossible de généraliser les informations obtenues à l'ensemble des clients de l'entreprise. L'intérêt de la technique de l'entretien de groupe est de permettre de recueillir des informations beaucoup plus riches et détaillées, par rapport à la technique du sondage. D'ailleurs, un certain nombre d'entreprises commencent leur protocole de recherche par des groupes de discussion. Elles se servent des résultats pour formuler des hypothèses de recherche poussées, pour peaufiner le vocabulaire du questionnaire qui sera utilisé pour l'enquête par sondage.

Blogue (*blog*)
Site Web ayant la forme d'un journal personnel, daté, au contenu antéchronologique et régulièrement mis à jour, où l'internaute peut communiquer ses idées et ses impressions sur une multitude de sujets, en y publiant, à sa guise, des textes, informatifs ou intimistes, généralement courts, parfois enrichis d'hyperliens, qui appellent les commentaires du lecteur[5].

LE BLOGUE : UN GROUPE DE DISCUSSION SUR INTERNET

La société **Umbria Communication**, de Boulder, au Colorado, offre aux entreprises une famille de rapports qu'elle nomme *Buzz Reports*. Il s'agit de rapports personnalisés donnant à chaque entreprise une vue d'ensemble de ce qui se dit sur elle dans les **blogues**, ces sites Internet à la mode où des internautes expriment leurs états d'âme, leurs perceptions concernant divers sujets. Ces rapports précisent les principales caractéristiques des blogueurs et de leur discours, et citent mot à mot des textes importants.

web
www.umbriacom.com

POUR EN FINIR AVEC LES GROUPES DE DISCUSSION[6] ?

Les annonceurs réinventent sans cesse de nouvelles stratégies pour pénétrer dans l'esprit du consommateur. S'il n'en tenait qu'à elle, Cammie Dunaway, chef du marketing chez Yahoo!, causerait bien la faillite des fabricants de verre sans tain. Chez Yahoo!, on préfère aux groupes de discussion les groupes d'immersion réunissant quatre ou cinq clients-participants avec lesquels les développeurs de produits dialoguent de manière informelle, sans animateur. En fait, on intègre carrément ces clients-participants au processus de conception et de développement de nouveaux produits. L'information ainsi recueillie s'est avérée beaucoup plus riche que celle qu'on obtient avec les groupes de discussion traditionnels.

Bien que non universelle, l'exaspération des entreprises concernant les groupes de discussion ne cesse de croître, au point que l'on admet rechercher de meilleures techniques de compréhension du consommateur. C'est ici qu'entrent en scène Internet et les nouvelles technologies.

Les participants des groupes de discussion peuvent-ils vraiment être francs et honnêtes en présence les uns des autres ? Il semblerait que la pression exercée par les pairs durant la discussion peut pousser les participants à cacher leurs attitudes, intérêts et opinions réels. Ainsi, la firme America Online a été l'une des premières, en 2003, à dénoncer l'écart entre les propos des participants des groupes de discussion et les nombreuses plaintes émises par courriel contre les pollupostages. Dans une salle de groupe de discussion, il était difficile d'avouer, devant des étrangers, avoir perdu le contrôle de son ordinateur envahi par les pourriels. Dans un contexte d'échanges par courriels, au contraire, les gens avouaient plus facilement être ennuyés par les impacts des dispositifs antipollupostage sur la performance de leur ordinateur. C'est ainsi qu'AOL s'est convertie aux techniques d'observation et d'entrevues à distance, avec des clients situés derrière leur clavier. Cela lui a permis de découvrir des pistes pour «revamper» ses dispositifs antipollupostage.

Le fait d'exiger de quelqu'un qu'il justifie devant les autres ses intentions réelles et ses comportements comportera toujours un biais, orientera toujours la personne vers le point de vue le plus conservateur, le plus connu, vers les idées reçues au détriment d'idées innovatrices, avant-gardistes.

Des tests faussement positifs

En dépit du fait qu'il est difficile d'établir l'identité de la personne qui clavarde, de plus en plus d'entreprises sondent en ligne les comportements des internautes. Prenons le cas du Pepsi Edge. Cette formule au même goût que le Pepsi original mais avec la moitié de calories avait été lancée à la suite de l'opinion favorable exprimée dans des groupes de discussion. Or, il s'est avéré que c'était un cas de test faussement positif avec des groupes de discussion. En effet, si le concept Pepsi Edge semblait tout à fait sensé pour les buveurs de Pepsi Diète, il n'a pas soulevé l'enthousiasme en raison de son positionnement flou, ni diète ni original.

Dans le but de trouver de meilleures façons de mesurer, de prévoir l'opinion des consommateurs concernant un nouveau produit, Pepsi a fait appel à la firme de recherche Invoke Solutions. Cette dernière a dirigé des groupes de clavardage de style messagerie instantanée de 80 à 100 internautes recrutés par sa filiale Greenfield Online. Pepsi s'est servi des informations recueillies pour évaluer les attitudes de la génération X concernant l'eau minérale. En quelques heures, en effet, elle pouvait rassembler et étudier les commentaires de centaines de consommateurs, ce qu'elle aurait mis plusieurs semaines à faire par le biais des groupes de discussion. De plus, les sondages en ligne protègent les répondants de l'influence des autres.

Grâce à leur rapidité et aux économies qu'elles permettent de faire, les nouvelles techniques de mesure permettent d'atteindre de vastes bassins de répondants. Les répondants ne sont plus seulement les personnes qui ont plusieurs heures à perdre ou qui ont besoin de la rémunération de 50 $ normalement versée pour la participation à un groupe de discussion.

Big Brother à domicile

Les nouvelles techniques de recherche ne visent plus à connaître les émotions des clients, mais à observer les clients dans leur vie quotidienne. En 2003, la société Kimberly-Clark tentait de comprendre la faiblesse des ventes des lingettes pour bébés Huggies. Or, rien ne semblait ressortir des groupes de discussion. C'est alors qu'elle eut recours à l'observation au quotidien. Elle se servit pour cela d'une caméra installée au-dessus d'une paire de lunettes que la maman portait chez elle au moment de changer son bébé. En peu de temps, l'entreprise put trouver des occasions de faire des affaires. Alors que dans les groupes de discussion les jeunes mamans affirmaient changer leur bébé sur une table à langer, il s'est avéré qu'en vérité elles le faisaient sur le lit, sur le plancher ou sur la lessiveuse, bref, en toutes sortes de lieux inconfortables. Les chercheurs de Kimberly-Clark ont constaté que les mamans devaient littéralement se battre avec les contenants de lingettes et de lotions. À la suite de ces observations, Kimberly-Clark a reconçu le design de ses emballages de manière à permettre une utilisation avec une seule main.

L'EXPÉRIMENTATION

La recherche par expérimentation est une méthode qui consiste à comparer deux groupes de participants ou plus qu'on expose à des situations identiques, sauf pour un facteur ou une variable dont on peut évaluer le rôle dans les comportements ou les pensées. Il s'agit en fait de comparer un **groupe expérimental** à un **groupe témoin** afin de vérifier les effets de la modification de la variable sur le groupe expérimental. L'expérimentation est à la base des marchés-tests en marketing. Elle peut aider le gestionnaire à confirmer le potentiel de modifications qu'on apporterait à la prestation d'un service.

L'expérimentation pourrait, par exemple, servir à comparer les conséquences sur les ventes d'articles disposés près des caisses, de diverses propositions verbales qu'adresseraient les caissiers aux clients. Il s'agirait alors, pour chaque proposition verbale, de comparer les ventes des articles en question aux caisses où l'on fait ce genre de proposition aux ventes aux caisses où l'on ne ferait aucune proposition.

L'expérimentation est une méthode assez lourde et assez coûteuse utilisée principalement par les grandes entreprises. Cependant, même les petites entreprises peuvent en tirer avantage pour valider le **script téléphonique** d'une campagne de télémarketing (chapitre 7).

L'ENQUÊTE PAR SONDAGE

De loin la technique de recherche quantitative la plus utilisée en marketing, le **sondage** est fort utile pour évaluer les attitudes, les intérêts et les opinions de la clientèle ciblée. Pour élaborer le questionnaire, instrument du sondage, il faut préciser assez clairement ce qu'on veut effectivement mesurer, afin d'aller droit au but avec les répondants dont le temps est précieux. Par souci de rapidité, les questionnaires de sondage comprennent habituellement des questions fermées, c'est-à-dire des questions pour lesquelles un choix de réponses est proposé.

La façon de joindre les gens, le mode de communication a un impact important sur l'information qu'on peut obtenir. Les principaux moyens sont le téléphone, l'entrevue en personne, la poste et Internet.

LE SONDAGE TÉLÉPHONIQUE

Le sondage téléphonique est la forme de sondage la plus fréquente, à cause de sa simplicité, de son faible coût et de sa rapidité. Il s'agit simplement d'appeler un échantillon de personnes et de remplir le questionnaire directement, en fonction des réponses données. Les centres d'appels sont bien équipés pour effectuer de tels sondages (chapitre 7). Grâce aux infrastructures informatiques, le sondeur peut personnaliser les questions et mettre le client à l'aise, ce qui fait croître le taux de réponse. Il saisit directement les réponses du client à l'ordinateur, ce qui réduit les erreurs de transcription et facilite l'analyse. De plus, les rapports peuvent être produits presque instantanément.

L'ENTREVUE EN PERSONNE

 Lorsque le sondage se fonde sur des entrevues, l'enquêteur rencontre la personne à son domicile, au travail ou dans un lieu public (restaurant, rue, etc.). Il débute en se présentant et en décrivant son projet d'enquête. Puis il soumet le questionnaire, qu'il peut remplir lui-même ou faire remplir par la personne (on dira alors un questionnaire autoadministré). L'entrevue est un moyen qui offre beaucoup de flexibilité. Elle permet d'utiliser des questionnaires complexes,

---

Groupe expérimental
(*test group*)
Effectif sur lequel porte l'expérience[7].

Groupe témoin (*control group*)
Groupe sur lequel ne s'exerce aucune influence expérimentale et qui est choisi pour servir de point de comparaison par rapport au groupe expérimental[8].

Script téléphonique
(*telephone script*)
Argumentaire de vente structuré de manière à réduire au minimum les résistances des clients.

Sondage (*opinion poll*)
Méthode d'enquête qui vise à déterminer la répartition des opinions sur une question dans une population donnée, par la collecte de réponses individuelles.

LA VIE DE SONDEUR TÉLÉPHONIQUE[9]

Louise Leduc, journaliste au journal *La Presse*, évoque son vécu de sondeur pour le dossier «Au bas de l'échelle». «[...] J'ai eu au bout du fil des interlocuteurs exaspérés d'être appelés pour la troisième ou quatrième fois en quelques heures. Non, ils ne voulaient pas répondre au sondage à 18 h 15, ni à 19 h 09, et encore moins à 21 h 15. [...] L'univers du sondage, c'est pour moi le Club Med: après avoir peiné comme serveuse il y a quelques semaines...»

L'emploi de sondeur n'est ni très stressant ni très fatigant: Louise Leduc a pu constater que de nombreux employés s'y complaisent et en font un métier. «La grande majorité des gens sont d'une politesse exemplaire, même quand ils déclinent l'offre de répondre.» Le sondeur tombe parfois sur des messages de répondeur téléphonique amusants: «Bonjour, soyez sage, laissez-moi un message, sinon, je trouverai ça très dommage. Mes hommages.»

---

puisque l'enquêteur est là pour expliquer et clarifier éventuellement des questions ambiguës. Elle permet également de recourir aux **questions ouvertes**, de laisser la personne s'exprimer librement. Enfin, avec l'entrevue, on peut accompagner le questionnaire d'un échantillon, d'un prototype ou d'un support promotionnel afin que les répondants le valident. Les entrevues à domicile ont presque disparu, à cause des coûts. Elles sont remplacées par les sondages téléphoniques. Par contre, les sondages dans la rue ou en magasin sont légion.

> **Question ouverte** (*open ended question*)
> Question où l'interrogé est libre de formuler sa réponse à sa guise[10].

LE SONDAGE PAR LA POSTE

Les entreprises font fréquemment des sondages par la poste. Cependant, pour y participer, le répondant doit voir un avantage concret concernant son influence sur la qualité du service qu'il obtient. Les taux de réponse sont généralement faibles avec cette technique. Aussi, les entreprises doivent souvent offrir une prime pour que les personnes renvoient leur questionnaire dûment rempli. Enfin, de plus en plus, le sondage sur Internet remplace la poste parce qu'il est moins coûteux et plus rapide.

LE SONDAGE SUR INTERNET

Dans le cas du sondage sur Internet, le questionnaire accompagne un courriel ou apparaît directement sur une page Web. Dans les deux cas, le client répond à l'écran. La technologie permet d'intégrer des éléments visuels (publicités, films, photos) aux questionnaires et d'offrir de l'aide en ligne au besoin. De plus, les liens hypertextes permettent de personnaliser les questions selon le profil démographique ou comportemental du répondant. Par exemple, lorsqu'un internaute répond «non» à la question «Prenez-vous du jus d'orange au petit-déjeuner?», il ne verra pas apparaître de sous-questions sur ses préférences en matière de jus d'orange, mais plutôt une autre question sur un sujet différent. Dans le cas de l'enquête sur Internet, l'entreprise accède aux données quasi instantanément et peut faire des analyses sommaires immédiatement. Elle peut aussi modifier son questionnaire quasi instantanément, ce qui constitue un avantage important.

L'entreprise choisit entre ces différentes techniques de sondage en se fondant sur différents critères. Tout d'abord, elle tient compte de l'accessibilité à l'échantillon que lui permet la technique. Ensuite, elle considère le taux de réponse qu'elle souhaite. Elle doit également tenir compte de la protection de l'anonymat et de l'éthique. Enfin, l'urgence qu'il y a à obtenir les informations voulues et les coûts constituent des critères non négligeables.

» OBJECTIF 3

Utiliser la bonne stratégie d'échantillonnage.

5.3 QUEL ÉCHANTILLON CHOISIR?

Étant donné l'importance de l'enquête par sondage dans l'évaluation du service à la clientèle, il convient de savoir comment sélectionner les participants, les membres de l'échantillon. Il faut donc connaître les principales techniques d'échantillonnage.

RECENSEMENT OU SONDAGE À PARTIR D'UN ÉCHANTILLON?

Lorsque les dirigeants d'une entreprise s'interrogent sur les comportements et les motivations d'un groupe de personnes et qu'ils décident de faire une enquête scientifique, ils doivent en tout premier lieu se poser la question suivante: «Allons-nous consulter chacun des clients ou seulement un sous-groupe représentatif?» Autrement dit, l'entreprise doit décider si elle va procéder à un **recensement** ou à l'étude d'un **échantillon** de personnes.

L'expérience démontre qu'un **échantillon aléatoire** (probabiliste) représentatif permet d'obtenir les mêmes informations qu'un recensement, mais plus rapidement et à moindre coût. L'ensemble de la population étudiée constitue la **base de sondage** ou la **base d'échantillonnage**. Cependant, plusieurs facteurs, notamment l'impossibilité de joindre certains individus, font en sorte qu'il y a déjà une différence entre la population et la base de sondage. Les personnes peuvent ne pas être là lors de l'enquête. Celles qui n'ont pas le téléphone sont peu dérangées par les sondeurs!

Il est très rare, de nos jours, de faire un recensement pour obtenir l'opinion des gens. Cependant, Statistique Canada procède au recensement de la population du pays tous les cinq ans. De plus, la plupart des communautés humaines font un recensement lors d'élections, pour maintenir l'image de la démocratie. Vous avez peut-être ainsi déjà remarqué la forte similarité entre les résultats des sondages effectués juste avant le jour du scrutin et les résultats du scrutin lui-même.

La figure 5-5 A illustre les différences qu'il peut y avoir entre la population étudiée et un échantillon non aléatoire de cette population. Elle indique les préférences des clients d'un restaurant entre la formule «tout inclus» et la formule «à la carte» et concernant l'inclusion ou non du pourboire dans les prix. Vous pouvez constater que l'échantillon non aléatoire des clients (points oranges) n'est pas représentatif de l'ensemble de la clientèle: les points oranges ne sont pas répartis également parmi les points noirs. Si la direction du restaurant se fonde sur l'opinion des membres de cet échantillon pour apporter des changements à son offre de service, elle fera des erreurs, car elle aura une mauvaise connaissance de l'opinion de la majorité de ses clients. Elle doit donc plutôt recourir à une technique d'échantillonnage aléatoire, probabiliste. L'échantillon aléatoire, probabiliste épouse beaucoup plus fidèlement la répartition des clients, comme le montre la figure 5-5 B.

Recensement (*census*)

Inventaire ou dénombrement portant sur tous les individus qui composent la population sous étude (qu'il s'agisse d'êtres humains, d'établissements ou de marchandises)[11].

Échantillon (*sample*)

Sous-ensemble sélectionné dans une population préalablement définie en vue d'étudier certaines caractéristiques quantitatives ou qualitatives de la population en question[12].

Échantillon aléatoire (probabiliste) (*random sample*)

Échantillon choisi au hasard, tous les individus de la population ayant les mêmes chances d'être choisis (équiprobabilité)[13].

Base de sondage ou base d'échantillonnage (*sampling frame*)

Liste de tous les éléments d'une population d'où l'échantillon sera tiré[14].

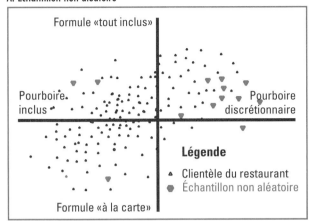

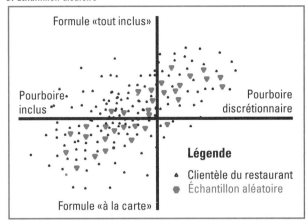

Figure **5-5** Différences de préférences entre un échantillon non aléatoire et l'ensemble de la clientèle d'un restaurant

LES DIFFÉRENTES TECHNIQUES D'ÉCHANTILLONNAGE

Il n'est pas toujours nécessaire de constituer un échantillon aléatoire, probabiliste, représentant fidèlement l'opinion du groupe. Tout dépend de l'usage qui sera fait de l'information recueillie. Ainsi, lors d'études exploratoires, un échantillon de convenance suffit souvent amplement.

La composition de l'échantillon détermine la fiabilité de l'information qui sera recueillie. Sélectionner un échantillon aléatoire représentatif exige une formation en statistiques et l'application d'une méthode scientifique. Toute erreur de méthodologie se répercute sur la composition de l'échantillon et sur la fiabilité des résultats, laquelle peut même devenir nulle !

Il existe diverses méthodes d'échantillonnage, selon que l'on désire un échantillon probabiliste ou non (figure 5-6). Tout d'abord, pour obtenir un échantillon probabiliste, on peut recourir à trois méthodes d'échantillonnage :

- ■ L'échantillonnage aléatoire simple : Tous les éléments de la population ont la même chance d'être choisis. On choisit chaque élément indépendamment des autres. Plusieurs raisons pratiques, notamment la non-disponibilité des gens sélectionnés, limitent cependant considérablement l'usage de la technique.

- ■ L'échantillonnage systématique : On choisit au hasard le premier élément de l'échantillon. Puis, on sélectionne les autres à intervalles égaux sur la base de sondage. Lorsque le sujet de l'étude implique un classement, le recours

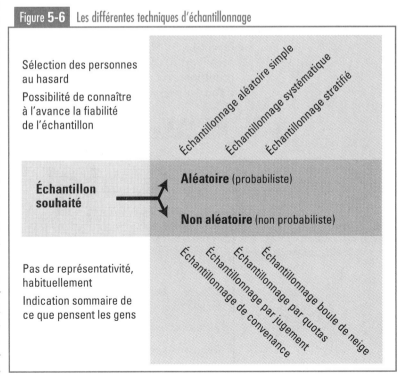

Figure **5-6** Les différentes techniques d'échantillonnage

à des quotas augmente la fiabilité de l'échantillon. Ainsi, s'il s'agit d'étudier les détenteurs de cartes de débit en fonction de leur niveau d'activité, le fait de sélectionner un nombre déterminé de personnes par niveau assurera la représentation de l'opinion de chaque sous-groupe.

■ L'échantillonnage stratifié : On choisit un échantillon dans chaque strate, de manière proportionnelle ou non, et l'ensemble des échantillons constitue l'échantillon final. Cette technique très utilisée permet la représentation de tous les sous-groupes.

Si l'on désire plutôt un échantillon non probabiliste, on peut recourir à quatre autres méthodes d'échantillonnage :

■ L'échantillonnage de convenance : Le chercheur sélectionne rapidement des personnes se trouvant à proximité, pour des raisons pratiques. La représentativité est faible et donne des résultats peu fiables.

■ L'échantillonnage par jugement : Il s'agit de choisir des personnes sur la base de leur appartenance au groupe cible. Les résultats sont moyennement fiables.

■ L'échantillonnage par quotas : Version améliorée de l'échantillonnage par jugement, cette technique permet d'avoir des représentants de chacun des sous-groupes (groupes d'âge, par exemple) constituant l'ensemble de la population à étudier. Les résultats sont moyennement fiables.

■ L'échantillonnage «boule de neige» : On choisit la première personne par hasard, puis on s'adresse aux connaissances que cette personne a nommées, puis aux connaissances de ces dernières, etc. Cette technique permet d'obtenir d'interroger des individus ayant des caractéristiques similaires. Les résultats sont moyennement fiables.

LA TAILLE DE L'ÉCHANTILLON

La taille de l'échantillon correspond au nombre de personnes à interroger pour l'enquête. En règle générale, plus l'échantillon est important, meilleure est la fiabilité des résultats. Malheureusement, plus il est grand, plus les coûts augmentent également. À titre de comparaison, un échantillonnage non probabiliste de convenance n'utilisera pas autant de sujets qu'un échantillonnage probabiliste stratifié. Le tableau 5-1 présente les tailles usuelles des échantillons dans les études de marketing.

Tableau 5-1 Tailles usuelles des échantillons dans les études de marketing[15]

Type d'étude	Taille minimum	Fourchette type
Étude d'identification du problème (potentiel de marché, par exemple)	500	1 000/2 500
Étude de résolution de problème (prix, par exemple)	200	300/500
Tests de produits	200	300/500
Études de tests de produits	200	300/500
TV/radio/publicité/presse (par publicité testée)	150	200/300
Audits de marchés témoins	10 magasins	10 à 20 magasins
Discussions de groupe	6 groupes	10 à 15 groupes

LES DIFFICULTÉS POUR JOINDRE LES MEMBRES DE L'ÉCHANTILLON

Déterminer qui doit faire partie d'un échantillon probabiliste est complexe. Joindre toutes les personnes sélectionnées relève du cauchemar. Un très grand nombre de personnes refusent en effet de collaborer. Songez à votre réponse la dernière fois qu'on vous a demandé de répondre à un sondage! Le taux de refus oscille ainsi entre 40 et 60 % et a donc un impact important sur la fiabilité du sondage. Ainsi, pour accroître cette fiabilité, il faut dès le départ sélectionner un échantillon de grande taille, ce qui fait augmenter les coûts.

Il faut bien préciser qu'on ne peut absolument pas remplacer les gens qui ne collaborent pas par d'autres. Par exemple, si l'on décide de sélectionner dans le bottin téléphonique le troisième nom de la deuxième colonne toutes les 27 pages, les personnes concernées seulement peuvent répondre. Notons qu'en prenant le bottin téléphonique comme source, on écarte déjà les gens qui n'ont pas le téléphone et on perd en fiabilité. Ainsi, si l'on sélectionne des personnes supplémentaires pour compenser les pertes, on commet une erreur de procédure importante qui fait diminuer encore plus la fiabilité des résultats. On ne sait pas, en effet, si les nouveaux répondants ont les mêmes opinions que ceux qu'ils sont censés remplacer. C'est pourquoi les sondeurs veulent absolument joindre telle ou telle personne et non pas son frère ou sa mère.

La personne qui fait une enquête doit bien avoir à l'esprit ce problème de participation lorsqu'elle analyse les résultats. Prenons l'exemple des fiches d'appréciation que les entreprises mettent à la disposition des clients (figure 5-1). Il est important de bien lire et analyser toutes les fiches que les clients ont pris la peine de remplir. En même temps, il faut avoir conscience du fait que ces fiches ne donnent pas l'opinion des clients qui n'ont pas répondu, et que certaines choses peuvent donc nous échapper. Les opinions non exprimées sont un peu comme la partie cachée d'un iceberg : on se rend compte du problème lorsqu'on s'y heurte.

Le problème de participation aux enquêtes et sondages est sérieux. C'est pourquoi les sondeurs professionnels ont mis au point des stratégies de communication visant à accroître le taux de participation, ainsi que des palliatifs visant à en réduire le plus possible les conséquences.

5.4 UN SCHÉMA D'ENTREVUE, UNE GRILLE D'OBSERVATION OU UN QUESTIONNAIRE AVEC CELA?

OBJECTIF 4

Élaborer l'instrument de mesure.

Rien ne sert d'essayer de deviner ce que pense le client. Mieux vaut le lui demander directement au moyen d'un questionnaire ou d'un schéma d'entrevue, ou observer son comportement en se servant d'une grille d'observation. Ces trois outils que sont le questionnaire, le schéma d'entrevue et la grille d'observation assurent l'uniformité dans la saisie des données recueillies et facilitent l'analyse et la comparaison des informations. Encore une fois, étant donné l'importance de l'enquête par sondage dans l'évaluation du service à la clientèle, après avoir brièvement décrit la grille d'observation et le schéma d'entrevue, nous nous concentrerons sur les questions du questionnaire de sondage.

LA GRILLE D'OBSERVATION ET LE SCHÉMA D'ENTREVUE

La **grille d'observation** est l'instrument de mesure utilisé dans la méthode de l'observation. On la construit à partir des éléments tangibles du processus de la

Grille d'observation
(*scoring rubric*)

Document permettant d'enregistrer les constats d'observations et simplifiant le codage et l'analyse des données.

prestation de service. La connaissance de ces éléments est donc essentielle. La figure 5-4 de ce chapitre (p. 113) donne un exemple de grille d'observation.

Quant au **schéma d'entrevue**, il est l'instrument de mesure utilisé dans la méthode des groupes de discussion. Il est pour l'animateur comme une carte routière l'aidant à guider la discussion. Il comporte quatre parties correspondant aux étapes de la discussion :

Schéma d'entrevue
(*discussion outline*)
Document contenant la liste de tous les aspects du sujet devant être abordés et le genre d'informations à recueillir au cours de groupes de discussion ou d'entrevues individuelles en profondeur.

1. La discussion d'accueil : L'animateur prévoit d'échanger de menus propos avec les participants dans le but de les mettre tous à l'aise.

2. Le démarrage de la discussion : L'animateur prévoit d'expliquer aux participants et leur fait accepter un certain nombre de consignes.

3. Le corps de l'entrevue : L'animateur prévoit une question d'amorce pour lancer la discussion, puis une série de questions de relance permettant de faire en sorte que les participants couvrent tous les sujets de discussion prévus.

4. La clôture de la discussion : L'animateur prévoit de remercier les participants.

LE QUESTIONNAIRE ET LES TYPES DE QUESTIONS QU'IL COMPORTE

Questionnaire (*questionnaire*)
Document présentant une série de questions formalisées destinées à obtenir des informations de répondants, lors d'une enquête par sondage.

Question fermée (*closed question*)
Question obligeant le répondant à choisir entre diverses réponses prédéterminées.

Le **questionnaire** est l'outil de base de l'enquête par sondage. Il est en fait la traduction des renseignements recherchés sous forme de questions. Il se doit d'être encourageant et motivant, afin de pousser les gens dont le temps est précieux à participer et d'accroître le taux de réponse.

Les questions du questionnaire servent à obtenir un éclaircissement sur quelque chose qu'on ne comprend pas. Dans un sondage, il ne faut poser que des questions importantes afin de ne pas avoir un trop long questionnaire. Les gens ont peu de temps à consacrer aux sondages et il est déjà difficile de les convaincre de répondre. Pourquoi perdre leur temps et le vôtre ?

Les questionnaires des sondages comportent le plus souvent des questions structurées, des **questions fermées** proposant une série de réponses et précisant le format de la réponse. Les réponses peuvent ainsi être des choix multiples, des propositions dichotomiques ou des échelles. Les questions à choix multiples (QCM) peuvent demander aux répondants de sélectionner une seule réponse ou leur offrir d'en sélectionner plusieurs (figure 5-7). Les questions dichotomiques invitent le répondant à faire un choix entre deux réponses, telles que oui et non. Par exemple : « Avez-vous utilisé les services de notre entreprise dans le passé ? » Enfin, les questions utilisant des échelles permettent d'obtenir des clients des nuances, des comparaisons, des classements.

Figure 5-7 Exemples de questions à choix multiples (QCM) avec un seul choix et plusieurs choix

a

Prévoyez-vous faire un autre voyage avec notre agence ?

Cochez **la** case appropriée.

☐ Au cours des six prochains mois

☐ Dans six mois à un an

☐ Dans plus d'un an

☐ Je ne prévois plus faire de voyages

b

Quelles destinations envisagez-vous pour votre prochain voyage?

Cochez **les** cases qui vous intéressent.

☐ Chutes du Niagara

☐ Sanctuaire de Beaupré

☐ Jardins de Métis

☐ Rocher Percé

☐ Tadoussac et ses baleines

DES SONDAGES À QUESTION UNIQUE CONCERNANT LA RECOMMANDATION

Plusieurs entreprises importantes ne posent qu'une question à leur client: «Recommanderiez-vous ce produit/service à un parent ou à un ami?» Or, si l'entreprise ne pose qu'une seule question, sa formulation doit être des plus claires, déclare Rick Jensen, vice-président au développement de produits chez **Intuit**, dans la division des impôts des particuliers, aux États-Unis[16]. En 2004, ce type de question a révélé que l'offre de rabais postal et les **bogues** lors de l'envoi électronique de la déclaration de revenus irritaient bon nombre de clients. La suppression de l'offre de rabais postal et l'élimination des bogues a ainsi fait augmenter le taux de recommandations de 6% et le nombre d'unités vendues de 27%, en 2005.

L'entreprise qui demande au client s'il recommande un produit ou un service cherche à obtenir une information facile à comprendre. Après avoir soustrait les réponses négatives ou neutres, elle obtient son score de référence qui lui indique le degré de satisfaction des clients. La division comptable Quick Books d'Intuit a découvert que sa norme de service client «obtenir une réponse en moins de 30 minutes» était moins importante pour les clients qu'«obtenir la solution» et «avoir une relation agréable avec le préposé», même si l'attente dure deux heures.

La société **Entreprise Rent-a-Car** a découvert une corrélation presque parfaite entre son score de recommandations et la croissance de ses profits. Cela l'a poussée à chercher comment faire augmenter le score de recommandations. Dans ce cas-ci, la question unique sur la recommandation permet de repérer les clients qui promeuvent le plus l'entreprise auprès de leurs relations. Par la suite, l'entreprise peut sonder ces personnes pour en savoir plus sur elles.

L'approche reposant sur la question unique relative à la recommandation convient quand il s'agit de produits ou de services simples. Cependant, elle perd sa qualité de guide lorsqu'il s'agit de produits ou de services complexes. Des questionnaires plus complets sont alors nécessaires. Enfin, même avec une seule question, les résultats peuvent faire l'objet d'une mauvaise interprétation.

www.intuit.ca

Bogue (*bug*)
Défaut de conception d'un logiciel ou d'un matériel se manifestant par des anomalies de fonctionnement[17].

www.enterprise.com

LA FORMULATION DES QUESTIONS

Quand l'entreprise est sûre de la nécessité d'une question, il lui faut faire en sorte d'obtenir en réponse l'information qu'elle souhaite. Si le sujet est complexe, il vaut mieux qu'elle y aille petit à petit, c'est-à-dire qu'elle pose plusieurs questions simples à la place d'une seule question complexe. Par ailleurs, il est important qu'elle formule bien la question. En effet, en cas de mauvaise formulation, le répondant va soit donner une information qui n'intéresse pas l'entreprise, soit ne pas répondre parce qu'il ne comprend pas ce qu'on attend de lui. C'est ainsi que le taux de questions restant sans réponse augmente.

Voici quelques principes de base à respecter pour s'assurer de bien formuler des questions.

- Poser des questions univoques, sans ambiguïté, c'est-à-dire qui ne peuvent avoir qu'un sens.

- Ne mesurer qu'un élément par question. Par exemple: «Votre mère et votre père travaillent-ils en ce moment?» porte à confusion pour le répondant dont l'un des deux parents travaille et l'autre pas.

- Utiliser des mots simples, courants, à la portée des répondants.

- Employer des mots précis, évoquer des quantités, des périodes précises. Par exemple, utiliser l'expression «trois fois par jour» plutôt que les mots «moyennement» ou «beaucoup». Sonder les comportements d'achat des quatre dernières semaines ou des sept derniers jours précisément.

■ Faire attention aux séries de déclarations affirmatives ou négatives. Une série d'affirmations allant dans le même sens peut entraîner des réponses automatiques qui faussent les résultats. En général, mieux vaut privilégier les tournures de phrases affirmatives.

■ Faire attention aux hypothèses implicites, qui anticipent la réponse. Par exemple, la question «Préférez-vous prendre les transports en commun?» ne précise pas la deuxième partie de l'alternative, qui peut être le transport automobile dans l'esprit du sondeur, mais le vélo pour le répondant. La réponse sera fausse. Dans ce cas-là, il vaudrait mieux une formulation du genre «Au cours des quatre dernières semaines, quel mode de transport entre votre domicile et votre lieu de travail avez-vous privilégié?», et offrir un choix de réponses.

■ Éviter les tournures de phrases négatives. Préférer, par exemple, «Êtes-vous d'accord ou non avec le fait qu'on interdise l'accès de ce bar aux fumeurs?» à «Êtes-vous d'accord ou non avec le fait qu'on n'autorise pas l'accès de ce bar aux fumeurs?»

■ Éviter les questions biaisées, exprimant déjà une opinion. Ainsi, la question «Croyez-vous que le préposé a été impoli?» influence le répondant, ce que ne fait pas la question «Que pensez-vous de l'attitude du préposé?»

L'ORDRE DES QUESTIONS

L'entreprise qui conçoit un questionnaire doit poser les questions dans un certain ordre pour s'assurer de l'entière participation du répondant. À moins qu'il ne s'agisse d'un questionnaire express comme celui de la figure 5-1, les premières questions doivent servir à instaurer un climat de confiance. Elles doivent être simples, intéressantes et inoffensives. Il s'agit de faire entrer doucement le répondant dans le sujet. Après ces premières questions viennent des questions relatives à des informations de base directement liées au sujet général. Cela peut être des questions comme «Êtes-vous un usager du service?» ou «Combien de fois, au cours du mois dernier, êtes-vous venu au guichet de la caisse?» Les questions difficiles se placent habituellement plus loin dans le questionnaire, lorsque le répondant est plus engagé émotivement dans le sujet et plus enclin à collaborer. Enfin, on réserve les questions d'identification personnelle pour la fin. Entre-temps, il faut tenter de conserver un ordre logique dans les questions, ne pas faire du coq à l'âne afin de ne pas dérouter le répondant.

LES ÉCHELLES DE MESURE

Mesure (*measure*)
Évaluation quantitative de caractéristiques d'un bien, d'un service ou d'un processus afin d'en apprécier la qualité[19].

Échelle (*scale*)
Catégorie de mesure qui permet aux personnes interrogées d'exprimer un jugement, une opinion ou une attitude de façon graduée[20].

Un questionnaire sert à mesurer quelque chose. Or, mesurer signifie attribuer un symbole ou un chiffre à des caractéristiques d'objets selon certaines règles prédéfinies[18]. On ne mesure pas l'objet lui-même, mais certaines de ses caractéristiques. Le questionnaire est un instrument de **mesure** des préférences des gens, de leur perception, de leur attitude concernant quelque chose qui intéresse l'entreprise. Les **échelles** sont des catégories de mesure, des continuums sur lesquels on peut situer les caractéristiques d'objets.

Lors des sondages, on se sert de divers types d'échelles pour comprendre les clients. Avec les quatre types d'échelles de mesure présentées dans le tableau 5-2, on peut faire toutes les études nécessaires. La figure 5-8 présente deux questionnaires utilisant deux types d'échelles. Les livres spécialisés présentés dans la bibliographie abordent le sujet plus en détail.

Tableau 5-2 Les quatre types d'échelles de mesure

Nom de l'échelle	Description	Exemples	
Échelle nominale	Qualitative. Échelle utilisant des « étiquettes » pour distinguer les diverses formes que peut prendre une variable.	1) français, 2) anglais, 3) autre	
Échelle ordinale	Qualitative ou quantitative. Échelle classant les différentes formes d'une réponse selon une hiérarchie.	Qualitative : 1. Tout à fait en désaccord 2. En désaccord 3. D'accord 4. Tout à fait d'accord	Quantitative : Montant du dernier achat : • Moins de 100 $ • De 100 à 199 $ • De 200 à 299 $ • 300 $ et plus
Échelle d'intervalles	Quantitative. Échelle de mesure se caractérisant par la présence d'une unité de mesure normalisée (zéro relatif). Permet de distinguer et de comparer des valeurs.	La température, les années…	
Échelle de rapports	Quantitative. Échelle servant à indiquer des proportions, à partir d'un zéro absolu.	Quel a été le montant de votre dernier achat ? _____ $ Combien de fois avez-vous dîné au restaurant ? _____ fois	

Figure 5-8 Exemples d'échelles ordinales qualitatives et quantitatives utilisées dans des questionnaires[21]

M
MUSÉE DES BEAUX-ARTS DE MONTRÉAL

NOUS TENONS À VOS COMMENTAIRES ET SUGGESTIONS

Comment évaluez-vous les installations du Musée des beaux-arts de Montréal ainsi que les services offerts ?

	Excellent	Bon	Moyen	Mauvais	Ne s'applique pas
Accueil	☐	☐	☐	☐	☐
Aménagement des lieux	☐	☐	☐	☐	☐
Café	☐	☐	☐	☐	☐
Droits d'entrée	☐	☐	☐	☐	☐
Information	☐	☐	☐	☐	☐
Signalisation	☐	☐	☐	☐	☐
Activités/animation	☐	☐	☐	☐	☐
Boutique/Librairie	☐	☐	☐	☐	☐
Sécurité	☐	☐	☐	☐	☐
Visites commentées	☐	☐	☐	☐	☐
Collection permanente	☐	☐	☐	☐	☐
Exposition temporaire	☐	☐	☐	☐	☐

Précisez laquelle _____

Date de la visite _____

Remarques _____
_____
_____

Veuillez laisser vos coordonnées si vous désirez recevoir une réponse à vos commentaires.

Nom _____

Adressse _____ Ville _____

Code postal _____ Téléphone _____

Êtes-vous Ami(e) du Musée? non ☐ oui ☐

Merci d'avoir pris le temps de remplir ce questionnaire.
Vos commentaires nous aideront à maintenir et à améliorer le haut niveau des services que les visiteurs du Musée sont en droit de recevoir.

Votre opinion S.V.P.

Nous aimerions connaître votre opinion… S.V.P. indiquez votre évaluation de nos services dans les secteurs suivants :

(1 - Pauvre / 7 - Excellent)

	1	2	3	4	5	6	7
1 Nourriture							
Qualité des aliments	☐	☐	☐	☐	☐	☐	☐
Goût	☐	☐	☐	☐	☐	☐	☐
Prix	☐	☐	☐	☐	☐	☐	☐
Apparence – présentation	☐	☐	☐	☐	☐	☐	☐
Variété des choix offerts	☐	☐	☐	☐	☐	☐	☐
Température des aliments chauds	☐	☐	☐	☐	☐	☐	☐
Température des aliments froids	☐	☐	☐	☐	☐	☐	☐
2 Service							
Rapidité du service	☐	☐	☐	☐	☐	☐	☐
Courtoisie du personnel	☐	☐	☐	☐	☐	☐	☐
Gentillesse du personnel	☐	☐	☐	☐	☐	☐	☐
Apparence du personnel (tenue, propreté)	☐	☐	☐	☐	☐	☐	☐
3 Ambiance							
Présentation des aliments	☐	☐	☐	☐	☐	☐	☐
Propreté des aires de service	☐	☐	☐	☐	☐	☐	☐
Propreté de la salle à manger	☐	☐	☐	☐	☐	☐	☐
Apparence des aires de service	☐	☐	☐	☐	☐	☐	☐
Atmosphère de la salle à manger	☐	☐	☐	☐	☐	☐	☐
4 Appréciation générale							
Rapport qualité/prix	☐	☐	☐	☐	☐	☐	☐
Les heures d'ouverture	☐	☐	☐	☐	☐	☐	☐
En général, le service alimentaire	☐	☐	☐	☐	☐	☐	☐

5 Suggestions/Commentaires

_____
_____
_____
_____
_____
_____
_____
_____

Prétest (*pretest*)

Épreuve que subit la première mise en forme d'un questionnaire d'enquête auprès d'un échantillon réduit afin d'en déceler les défauts et d'y faire les corrections qui s'imposent[22].

OBJECTIF 5

Traiter et analyser les données recueillies.

Consignes (*instructions*)

Informations et conseils donnés aux répondants sur les éléments à observer et la conduite à tenir pour assurer le bon déroulement d'une enquête par sondage.

LE PRÉTEST DU QUESTIONNAIRE

Un questionnaire est un document important qui doit faire l'objet d'une validation avant son utilisation pour un sondage. Ainsi, l'entreprise doit faire ce qu'on appelle un **prétest.** Il s'agit de faire remplir le questionnaire par des membres de l'échantillon, en présence d'un sondeur. Ce dernier s'assure de la bonne compréhension des questions par les personnes. De plus, il note le temps nécessaire pour répondre à l'ensemble des questions, afin de pouvoir l'annoncer à l'avance aux répondants de l'ensemble de l'échantillon. Prévenir de la durée totale du questionnaire évite les mauvaises surprises, les abandons à mi-chemin.

5.5 SAISIR, ORGANISER ET ANALYSER LES DONNÉES RECUEILLIES

Une fois le questionnaire conçu et prétesté, il faut recueillir les données. Pour s'assurer de l'uniformité des conditions d'administration d'un sondage, il faut élaborer des **consignes** pour la collecte des données. Dans le cas des sondages effectués par téléphone comme dans celui des entrevues, le sondeur lit les questions aux répondants et note les réponses. Il faut ainsi rédiger à l'avance le texte des consignes qu'il devra lire. Dans le cas des questionnaires ponctuels de satisfaction, lors de l'acquisition d'un produit ou de l'utilisation d'un service, le client lit seul les questions et coche seul les réponses. C'est aussi le cas des sondages sur Internet, de plus en plus courants. Internet permet d'atteindre des groupes dont le profil correspond aux utilisateurs du cyberespace, c'est-à-dire une clientèle jeune, scolarisée et à revenus élevés. Quel que soit le média utilisé, lorsque le répondant est seul, les consignes de réponse doivent être claires et compréhensibles.

LA SAISIE DES DONNÉES

Lorsque tous les répondants de l'échantillon ont répondu au questionnaire, il faut saisir leurs réponses sur l'ordinateur pour pouvoir ensuite les regrouper et les analyser. Normalement, cette opération doit faire l'objet d'une planification, d'une préparation. Lorsque le nombre de questionnaires est très important, on peut utiliser la technologie de la lecture optique par ordinateur. Cela réduit les erreurs de transcription et accélère la saisie. De nos jours, un numériseur équipé d'un alimenteur à papier, comme ceux qu'on trouve sur les imprimantes multifonctions, fait l'affaire.

Notez que la saisie manuelle des données sur l'ordinateur est plus rapide lorsque les cases-réponses du questionnaire sont judicieusement disposées. Ainsi, le logiciel de l'entreprise Sphinx (voir la section « Qui doit s'occuper de l'étude ? », p. 106) comporte un module de conception du questionnaire permettant d'optimiser la saisie des données. Il autorise même un traitement par lots, ce qui accélère et simplifie cette tâche essentiellement mécanique.

L'ORGANISATION DES DONNÉES ET L'ANALYSE

Après avoir saisi toutes les réponses recueillies, il faut les regrouper dans une matrice réalisée à l'aide d'un tableur (en général, une ligne par répondant et une colonne par code de réponse), de manière à pouvoir faire des opérations mathématiques telles que des sommes, des moyennes et des écarts-types. Un tableur électronique tel qu'Excel peut être utilisé. Il peut en effet organiser les données et effectuer ces opérations.

Après avoir rassemblé toutes les données recueillies, encore faut-il savoir quoi en faire ! Arrive ainsi l'étape de l'**analyse**. Mais normalement, durant la conception du questionnaire, l'entreprise doit avoir décidé comment elle analyserait les résultats pour en extraire de l'information utile à la gestion du service client.

L'analyse des données recueillies lors d'un sondage nécessite souvent des manipulations physiques de données, notamment des regroupements de données en **tableaux croisés** (tableau 5-3). Le but est de faire ressortir des caractéristiques non visibles au premier abord. L'outil de sondage spécialisé Sphinx effectue automatiquement un ensemble d'analyses utiles pour l'interprétation des réponses des clients. Un tableur permet également de faire des analyses statistiques, manuellement. Les exercices de la fin du chapitre vous invitent à faire quelques manipulations. Le Compagnon Web vous présente un exemple complet illustrant toutes les étapes d'un sondage, depuis la définition du problème jusqu'au rapport d'analyse.

Analyse (*analysis*)

Étude effectuée dans le but de connaître, de distinguer les diverses parties d'un ensemble, d'un tout, dans le but d'identifier ou d'expliquer les rapports qui les relient les unes aux autres.

Tableau croisé (*cross-tabulation*)

Tableau donnant pour chaque combinaison de modalités ou valeurs, ou intervalles de classes de deux caractères, l'effectif ou la fréquence des unités observées qui correspondent à cette combinaison.

| Tableau **5-3** | Exemple de tableau croisé[23] |

Répartition en pourcentage de répondants québécois exprimant leur opinion sur la sécurité des achats par carte de crédit			
	Sécuritaires	**Non sécuritaires**	**Ne sait pas/Ne répond pas**
2001	26	66	8
2002	28	64	8
2003	32	64	4
2004	31	58	11

5.6 PRODUIRE ET PRÉSENTER LE RAPPORT DE RECHERCHE

OBJECTIF 6

Produire et présenter un rapport de recherche.

Pour savoir ce que pensent les clients du service d'une entreprise, on a déterminé précisément un groupe cible, un échantillon, choisi une technique de mesure et élaboré l'instrument de mesure (questionnaire ou grille). Après la saisie et le regroupement des données recueillies, on a procédé à des manipulations statistiques, à des calculs et à une analyse des résultats. On a ainsi maintenant en main l'information souhaitée. Mais le travail n'est pas encore terminé. Il faut encore communiquer ses découvertes, observations et commentaires aux supérieurs et aux collègues. Pour cela, il faut en premier lieu déterminer clairement ce qu'on désire communiquer, ce qu'on souhaite que les lecteurs retirent du rapport. Il est important alors de ne pas se fixer trop d'objectifs, pour ne pas risquer la confusion.

LE RAPPORT ÉCRIT

On rédige un rapport pour dire quelque chose ; c'est le *contenu*. Le contenu peut comprendre les éléments suivants : le problème qui est à l'origine de la recherche ; le protocole de recherche, c'est-à-dire l'explication de la démarche et la présentation des outils utilisés (plan d'échantillonnage, questionnaire, grille d'observation, etc.) ; une description des résultats, chiffres à l'appui ; des commentaires et des recommandations. Selon les circonstances, c'est-à-dire l'usage qui en sera fait, les destinataires, les délais, les exigences de confidentialité, etc., il faut produire un rapport plus ou moins formel et plus ou moins détaillé. En affaires, tout va vite. L'entreprise dispose de moins de temps que l'école. Elle mène une recherche dans un but pratique précis, pour améliorer et mieux gérer son service client. Ainsi, il faudra vous adapter si vous êtes amenés à produire un rapport de ce type.

On produit un rapport pour dire quelque chose d'une certaine manière ; c'est la *forme*. La présentation physique du document est aussi importante que le contenu. Elle donne une certaine image de son auteur, de l'entreprise, même en cas de communication interne. Ainsi, avant de commencer un rapport, il est essentiel d'élaborer une stratégie de communication dans laquelle on énumère les principales informations à transmettre et détermine la meilleure méthode pour le faire, compte tenu de ses connaissances, du temps à consacrer au travail et des ressources dont on dispose. Habituellement, l'entreprise n'aura pas de modèle à vous proposer. Vous pouvez cependant partir des modèles universitaires de rapports de recherche et les adapter à vos besoins. Visitez, par exemple, les sites Internet de l'UQAM et de l'Université d'Ottawa. Consultez également les ouvrages cités dans la bibliographie.

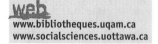

www.bibliotheques.uqam.ca
www.socialsciences.uottawa.ca

LES TABLEAUX ET LES FIGURES

Complétant le texte, les tableaux et les figures sont des outils qui aident à donner du sens aux données, aux chiffres. Ils fournissent une information que le texte ne peut expliquer ou présenter aussi aisément, aussi explicitement.

Les tableaux sont des énumérations organisées, structurées. Ils regroupent des informations chiffrées ou textuelles de manière structurée. Ils permettent ainsi de saisir les liens entre les éléments, ainsi que les différences. Généralement aisés à construire, ils requièrent un minimum de réflexion et d'analyse de la part du lecteur.

Les figures, elles, donnent instantanément une idée globale d'un phénomène, contrairement au texte qui entre dans le détail, les nuances. Elles servent à illustrer les faits les plus pertinents. Si les figures ont leur intérêt, il ne faut cependant pas en abuser. Pour construire une figure, on peut entrer les données quantitatives dans un tableur qui se chargera de les traiter automatiquement de manière graphique et de produire des figures simples. Excel ainsi que des logiciels de graphisme, tels que Canvas, Corel Draw ou Illustrator, évoqués dans le chapitre 3, permettent de construire des figures plus complexes. La figure 5-9 présente un exemple de diagramme réalisé à partir du tableau croisé 5-3.

Figure **5-9** Exemple de diagramme réalisé à partir du tableau croisé 5-3[24]

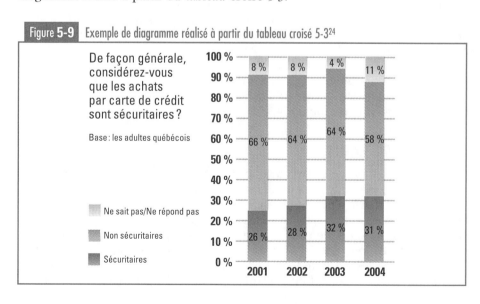

LA PRÉSENTATION ORALE

Une présentation orale devrait combiner le naturel d'une improvisation et la structure et la richesse de contenu d'un discours mûrement préparé. Si vous avez à présenter un rapport à l'oral, pour atteindre vos objectifs de communication, vous devez planifier votre présentation. Notez qu'une communication orale poursuit moins d'objectifs qu'une communication écrite. Il s'agit de déterminer clairement ce que les gens doivent retenir. Après l'avoir décidé, il faut le répéter trois fois, en introduction, dans le développement et en conclusion.

Vous devez adapter votre présentation à votre personnalité, mais aussi à votre auditoire. Si vous en sentez le besoin, vous pouvez utiliser des notes. Il est recommandé de faire au minimum une répétition, surtout si on est mal à l'aise à l'oral, devant un groupe. Idéalement, il faut le faire sur les lieux même de la présentation et dans les mêmes conditions : avec les vêtements qu'on portera et les outils et l'équipement qu'on utilisera (affiches, ordinateur avec présentation PowerPoint, micro, etc.). Le but est d'éviter les surprises au moment de la présentation réelle devant public. Prévoyez ainsi des solutions au cas où surviendraient des problèmes techniques. Vérifiez que votre voix porte bien jusqu'au fond de la pièce.

Le tableau 5-4 présente une série de consignes pour la présentation orale.

Tableau 5-4   Consignes pour la présentation orale

Apparence et attitude

- Choisissez une tenue vestimentaire adaptée au sujet et à l'auditoire.
- Restez debout afin de dégager dynamisme et confiance en vous.
- Établissez et maintenez un contact visuel avec l'auditoire.
- Dès le début, pensez à ne pas trop regarder vos notes, mais plutôt les gens.
- Ne restez pas immobile, bougez un peu.
- Attendez la fin de la présentation pour rassembler vos effets.
- Quittez la pièce avec assurance.

Comportement oral

- Parlez avec un débit normal, pas trop rapidement et avec une bonne élocution.
- Parlez assez fort pour vous faire comprendre de tout l'auditoire.
- Soyez enthousiaste et sincère.
- Adoptez un propos plus naturel que celui du rapport écrit.
- Ne mettez pas trop l'accent sur vos erreurs.
- Répétez plusieurs fois votre présentation si vous avez des problèmes d'élocution ; enregistrez-vous au besoin sur bande audio.
- Au début, précisez à l'auditoire s'il pourra poser des questions durant la présentation ou s'il devra attendre la fin de la présentation pour le faire.
- À la fin, remerciez l'auditoire de son attention.

5.7 ÉTABLIR DES NORMES DE SUIVI CONTINU DU SERVICE À LA CLIENTÈLE

OBJECTIF 7

Combiner les résultats de plusieurs études dans le but d'établir des normes.

En affaires, il y a un dicton qui dit « pour améliorer, il faut mesurer ».

Dans cette dernière partie, nous allons expliquer comment combiner les résultats de plusieurs études et de plusieurs mesures pour établir des normes de qualité concernant le service à la clientèle et surveiller de façon continue le respect de ces normes. Nous allons ainsi nous pencher sur les techniques suivantes :

- L'analyse multifactorielle
- Le tableau de bord
- Le forage de données
- L'analyse des écarts

L'ANALYSE MULTIFACTORIELLE

Analyse multifactorielle
(*multivariate analysis*)

Analyse répétitive reposant sur l'interprétation simultanée de plusieurs indicateurs de performance (indices et ratios).

L'**analyse multifactorielle** est une analyse qui consiste à déterminer les principaux facteurs qui ont un effet combiné sur la productivité et sur la qualité d'un service, et à évaluer leur poids relatif de façon périodique. Dans un premier temps, il faut énumérer toutes les minutes de vérité que comporte la prestation du service en question. Dans un deuxième temps, il faut nommer les normes de qualité d'un service (chapitre 3). Ces normes peuvent être liées aux attentes du client en matière de communication, de compétence, de courtoisie, d'accessibilité, de fiabilité, etc., telles que nous les avons décrites au chapitre 2. Pour chaque critère de qualité, il s'agit de calculer un ratio. Par exemple, pour obtenir une évaluation de la fiabilité d'un service, l'entreprise peut calculer le ratio du nombre de plaintes de clients par millier de transactions. Avec 98 plaintes sur 2 849 transactions, elle obtient ainsi 34,4 plaintes sur 1 000 transactions (98 ÷ 2 849 × 1 000 = 34,4). Le ratio obtenu sert à fixer des objectifs d'amélioration. Il constituera un point de comparaison lors de la prochaine mesure.

Enfin, dans un troisième temps, quand on a calculé les ratios de tous les facteurs touchant la qualité d'un service, on procède à la composition d'un indicateur maître de la qualité. C'est l'analyse multifactorielle.

Prenons l'exemple de la société Fedex, spécialisée dans la livraison de colis, secteur où il y a peu d'interactions avec les clients et où les clients sont extrêmement sensibles à la fiabilité du service. L'entreprise mesure la satisfaction de ses clients au moyen d'une enquête téléphonique trimestrielle lui permettant de calculer un indicateur maître, l'Indice de la qualité de service (IQS). Cet indicateur combine 12 critères de la qualité du service telle que la perçoit le client. Le poids affecté à chaque défaillance dans le service varie selon la gravité du problème pour le client et l'indicateur est la somme pondérée de toutes les défaillances quotidiennes. C'est un indicateur de démérite : plus il est bas, meilleure est la performance. La courbe de la figure 5-10 illustre l'évolution de l'indicateur dans le temps.

Figure 5-10 Évolution dans le temps de l'indicateur maître de la qualité de Fedex[25]

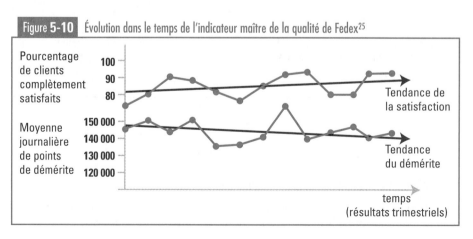

Il est intéressant de noter que les différents types de défaillances sont exprimés selon le point de vue du client. Ainsi, l'indice est une mesure du nombre de réclamations demandant une rectification de facture et non une mesure du nombre d'erreurs de facturation. De même, il mesure le nombre de colis perdus ou d'appels abandonnés et non le pourcentage d'utilisation du service. En se fixant des objectifs quantitatifs, l'entreprise peut établir un ordre de priorités pour les modifications à apporter, puis suivre les progrès. C'est la tendance générale qui compte. Des aléas tels qu'un encombrement, une grève, une coupure de téléphone ou des intempéries ne font changer que les résultats d'une journée. Le personnel n'y est pour rien et n'a aucune emprise sur ce genre d'événements.

LE TABLEAU DE BORD

Une entreprise soucieuse de la qualité de son service à la clientèle, de son approche client en suit l'évolution au fil des ans. Elle se renseigne sur ce qui est important pour les clients, se dote de **normes de qualité** et veille au respect de ces normes. Elle suit l'évolution de la satisfaction des clients au moyen de sondages périodiques ou en continu.

Les grandes entreprises possèdent souvent des logiciels spécialisés utilisant des indicateurs clés et donnant une vision globale de l'activité. Au nombre de leurs **indicateurs clés de performance** se trouve habituellement un indicateur relatif au service à la clientèle. Les logiciels spécialisés dans le suivi fournissent aux gestionnaires des **tableaux de bord** sur l'activité de l'entreprise, un peu comme le tableau de bord d'une voiture informe l'automobiliste de sa vitesse, de la distance parcourue, de la quantité de carburant restant dans le réservoir, etc. Ils constituent des outils précieux pour les dirigeants. La société Business Objects se spécialise dans ce genre d'applications qui proposent des analyses interactives permettant de détecter des tendances et de les suivre, et alertant l'utilisateur de l'atteinte d'un seuil critique. Grâce à de tels systèmes, les administrateurs d'entreprise peuvent suivre le travail de leurs employés travaillant de manière autonome auprès des clients.

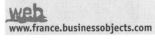

www.france.businessobjects.com

L'élaboration et l'établissement de normes de qualité et d'indicateurs clés de performance demandent beaucoup de réflexion. Un mauvais choix peut susciter des comportements indésirables de la part des employés. Par exemple, l'entreprise qui utilise comme indicateur clé le temps moyen que les employés passent au téléphone avec les clients pour une commande ne devra pas s'étonner si les employés bousculent les clients pour raccrocher au plus vite et être bien vus par leurs supérieurs. Si elle arrive ainsi à accroître ses ventes par heure, elle réduit peut-être beaucoup la satisfaction des clients! Ainsi, la détermination des bons indicateurs est souvent le résultat d'un long cheminement fait de tâtonnements. L'entreprise essaie un indicateur donné, en découvre les inconvénients, change d'indicateur ou apporte des corrections, découvre d'autres inconvénients, fait d'autres corrections, et ainsi de suite.

LE FORAGE DE DONNÉES

Outre le tableau de bord et ses indicateurs clés de performance, l'entreprise peut recourir au **forage de données** pour faire le suivi du service à la clientèle. Cette méthode faisant appel à l'analyse statistique consiste à puiser dans les bases de données internes concernant les clients pour tenter de trouver des informations significatives. Par exemple, à partir des données de facturation, elle peut essayer de découvrir les liens éventuels entre l'achat d'un service particulier et l'achat d'autres services ou produits qu'elle offre. Cela pourra la pousser éventuellement à regrouper des services pour faciliter la vie au client.

L'ANALYSE DES ÉCARTS

Le suivi du service à la clientèle permet à l'entreprise de découvrir ses manquements éventuels par rapport à sa promesse de qualité de service. Un manquement se manifeste par un écart entre les objectifs de qualité du service (la promesse) et les résultats obtenus. Lorsque l'entreprise découvre un écart, elle doit en déterminer la cause. Est-ce accidentel, ponctuel ou durable, permanent? Les conséquences sont-elles importantes?

Pour prendre conscience d'un problème, l'entreprise doit étudier les faits relatifs au service, mais aussi les perceptions des clients, du personnel offrant le service et des dirigeants. Elle pourra ainsi découvrir trois types d'écarts: l'écart de conception, l'écart de perception et l'écart de prestation (figure 5-11).

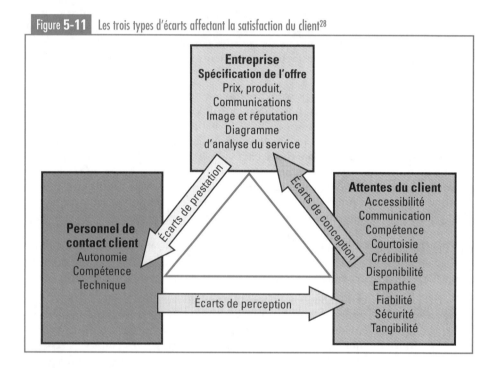

Figure 5-11 Les trois types d'écarts affectant la satisfaction du client[28]

L'ÉCART DE CONCEPTION

Lors de la phase de conception de l'offre de service, l'entreprise définit ce qu'elle désire offrir au client à la lumière de ce qu'elle perçoit de ses besoins. Mais a-t-elle bien compris les besoins de ses clients et des clients potentiels? L'offre de service qu'elle a conçue répond-elle en tous points aux besoins des clients? Ce n'est pas évident! Il s'agit en effet en partie de phénomènes liés à la perception. Si elle commet des erreurs dans l'analyse des besoins, l'entreprise va fournir correctement le mauvais service, du moins du point de vue du client. L'écart de conception se définit ainsi:

$$\text{Écart de conception} = \begin{array}{c}\text{Ce que perçoit} \\ \text{l'entreprise des} \\ \text{besoins du client}\end{array} - \begin{array}{c}\text{Ce que perçoit le} \\ \text{client du service conçu} \\ \text{par l'entreprise}\end{array}$$

Pour savoir s'il y a un écart, il est essentiel de mesurer. Mais que faut-il mesurer exactement? Là se trouve toute la difficulté. Si l'entreprise promet une livraison dans les 30 minutes, elle sait qu'elle doit mesurer les délais de livraison et peut aisément le faire pour découvrir les écarts éventuels. Mais ce n'est pas toujours aussi simple. Prenons un autre exemple. Une chaîne de quincailleries à grande surface a effectué un sondage clientèle jumelé à un **panel** intra-entreprise auprès de ses clients, du personnel de la relation client et de ses cadres. On a demandé aux répondants d'indiquer leur appréciation concernant chacun des énoncés suivants, en donnant une note de 0 pour «minable» à 5 pour «parfait»:

1. Les commis sont faciles à joindre.

2. Les employés sont compétents.

3. Les employés sont polis.

Le tableau 5-5 présente les résultats de ce sondage et le tableau 5-6 présente les écarts observés.

Panel (*panel*)

Échantillon représentatif et permanent d'une population donnée, qui est régulièrement interrogé sur un phénomène, un comportement, une opinion ou une variable quelle qu'elle soit[29]. Dans les cas qui nous concernent, les populations ciblées sont le personnel de la relation client et les gestionnaires de l'entreprise.

Tableau 5-5 Résultats d'un sondage avec panel effectué dans une chaîne de quincailleries

Énoncés	Clients	Personnel de la relation client	Cadres
Disponibilité des commis			
Les commis sont faciles à joindre.	3,2	4,3	4,2
Confiance			
Les employés sont compétents.	4,2	3,7	3,7
Les employés sont polis.	4,4	3,2	3,6

Tableau 5-6 Écarts dans les résultats du sondage du tableau 5-5

Énoncés	Écarts entre les réponses des clients et celles du personnel de la relation client	Écarts entre les réponses du personnel de la relation client et celles des cadres
Disponibilité des commis		
Les commis sont faciles à joindre.	−0,9	+0,1
Confiance		
Les employés sont compétents.	+0,5	0
Les employés sont polis.	+1,2	−0,4

Le tableau 5-6 met en évidence des écarts positifs, pour la variable «confiance», entre ce que désirent les clients et ce que pense livrer le personnel de la relation client (+0,5 et +1,2 d'écart). Les écarts entre les perceptions du personnel de la relation client et celles des cadres sont, quant à eux, nul et négatif (0 et −0,4). Pour la variable «disponibilité des commis», l'écart entre l'évaluation des clients et celle du personnel de la relation client est négatif (−0,9). Par ailleurs, l'écart entre l'évaluation du personnel et celle des cadres est positif (+0,1). Cela signifie que les clients estiment attendre trop longtemps pour parler à un commis, alors que les cadres et les commis pensent que la période d'attente est raisonnable. Il s'agit là d'un écart de conception du service. La clientèle a besoin d'avoir accès au personnel plus rapidement que ce que l'entreprise a prévu. L'entreprise devra donc accroître le nombre d'employés durant les périodes de fort achalandage et demander aux employés d'être plus vigilants et de guetter les signaux non verbaux de la clientèle (chapitre 9).

L'ÉCART DE PERCEPTION

L'écart de perception est l'écart entre ce que perçoit la clientèle de la prestation du service par le personnel de la relation client et la façon dont l'entreprise a défini le service, c'est-à-dire ce qu'elle a promis de livrer au client (la promesse). Notez que la perception est un phénomène subjectif, tant chez les clients que chez les membres de l'entreprise. L'offre de service peut être bien conçue, et les clients peuvent ne pas s'en rendre compte. Elle peut aussi être bien conçue et faire l'objet d'une mauvaise communication par l'entreprise. Cette dernière a alors un travail d'éducation de sa clientèle à faire.

Pour résumer, l'écart de perception est la différence entre ce que le client pense recevoir et ce qu'il espérait obtenir. Il peut s'exprimer par l'équation suivante :

Écart de perception = Qualité perçue − Qualité attendue

Un écart de perception négatif indique la non-satisfaction du client.

Prenons un exemple. Un marchand de peinture a effectué un sondage auprès de la clientèle de deux de ses succursales, posant notamment la question de la figure 5-12. Les résultats apparaissent dans le tableau 5-7, avec chacune des normes de service de l'entreprise correspondant à un score de 100. Le magasin A dépasse le score pour toutes les normes, excepté celle concernant les propositions de produits de substitution par les commis. Le magasin B, lui, accuse de sérieuses lacunes dans le domaine de la propreté et des propositions de produits de substitution.

Figure 5-12 Question posée par un marchand de peinture à sa clientèle sur sa perception du service

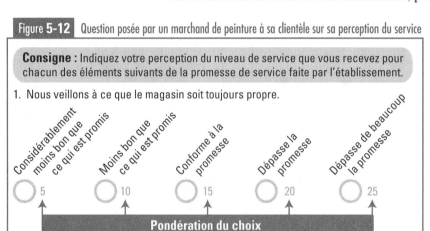

Consigne : Indiquez votre perception du niveau de service que vous recevez pour chacun des éléments suivants de la promesse de service faite par l'établissement.

1. Nous veillons à ce que le magasin soit toujours propre.

| Considérablement moins bon que ce qui est promis | Moins bon que ce qui est promis | Conforme à la promesse | Dépasse la promesse | Dépasse de beaucoup la promesse |
| 5 | 10 | 15 | 20 | 25 |

Pondération du choix

Tableau 5-7 Promesse de service et résultats du sondage

Éléments de la promesse de service (normes de service)	Score du magasin A	Écart par rapport à la norme	Score du magasin B	Écart par rapport à la norme
1. Nous veillons à ce que le magasin soit toujours propre.	115	+15	76	−24
2. Nous portons notre uniforme.	102	+2	105	+5
3. Nous accueillons le client avec un sourire et un bonjour chaleureux.	117	+17	100	0
4. Nous sommes disponibles et attentifs aux besoins du client.	111	+11	98	−2
5. Nous proposons un produit de substitution quand un produit n'est pas disponible.	88	−12	90	−10
6. Nous accompagnons le client jusqu'au produit désiré.	104	+4	105	+5
7. Nous offrons des services professionnels.	109	+9	103	+3
8. Nous sommes courtois et efficaces à la caisse.	100	0	100	0

Notez que plus le service est standard, plus il est facile d'en préciser les normes et les procédures. Plus il est personnalisé, plus il dépend de la performance et de la compétence du personnel de la relation client.

L'ÉCART DE PRESTATION

L'écart de prestation est la différence entre ce qui doit être fourni d'après la promesse de qualité de service faite par l'entreprise et ce qui est effectivement fourni par l'entreprise. Il se traduit ainsi par l'équation suivante :

$$\text{Écart de prestation} = \text{Promesse} - \text{Prestation réelle}$$

Pour pouvoir mesurer aisément cet écart, il faut idéalement que les éléments de la promesse, les normes de service, soient exprimés en termes quantitatifs. Le chapitre 3 sur les caractéristiques de l'entreprise pratiquant l'approche client traite abondamment des normes de service. Si la norme est quantitative, la mesure est assez simple. Si elle est qualitative, un sondage est nécessaire et la mesure est ardue.

Une norme *quantitative* est, par exemple, la norme d'un restaurant rapide promettant une livraison en moins de 30 minutes et offrant gratuitement la commande en cas de dépassement. Cette norme concernant le temps de livraison est facile à évaluer tant par l'entreprise que par le client.

La norme *qualitative* soulève le problème de la perception qui ne correspond pas forcément à la réalité. L'entreprise doit alors mesurer des écarts de perception. Par ailleurs, quand on exprime l'écart de perception en termes de différence, on obtient un résultat nul si la qualité perçue égale la qualité attendue. Pour éviter cette difficulté, on peut exprimer la satisfaction du client par le rapport suivant :

$$\text{Qualité perçue} = \text{Satisfaction du client} \div \text{Qualité attendue}$$

Ainsi, lorsque la qualité perçue égale la qualité attendue, on obtient 1 comme résultat.

Prenons l'exemple d'un concessionnaire automobile ayant effectué une enquête de satisfaction auprès de sa clientèle du service après-vente. Pour la norme « courtoisie du personnel de la relation client », le service a obtenu un score moyen de 95 %, pour « très satisfaisant », par rapport à une attente moyenne de 88 %. Si on utilise la deuxième équation, on obtient un indice de 1,1 : 95 % (qualité perçue) ÷ 88 % (qualité attendue). Ce résultat signifie que les attentes des clients sont plus que comblées en ce qui a trait à la courtoisie et que les clients sont ravis de leur expérience du service. Pour la norme « délai d'attente au comptoir d'accueil », le service a obtenu un score de 42 % par rapport à une attente moyenne de 90 %. L'indice est alors de 0,47 : 42 % ÷ 90 %. Il dénote une insatisfaction qui requiert des mesures.

RÉSUMÉ

1. Répondre aux questions préalables à l'évaluation du service client.

Avant de procéder à l'évaluation de la qualité de son service à la clientèle, l'entreprise doit effectuer une étude exploratoire de la situation. Cela va lui permettre ensuite de préciser ce qu'elle doit mesurer, auprès de qui elle doit faire l'évaluation et qui, en son sein ou à l'extérieur, doit se charger de l'évaluation. Les principales études sont l'évaluation globale de l'entreprise, l'étude de la clientèle, l'étude des clients perdus, l'étude de clients ciblés et l'étude de sortie auprès de la clientèle.

2. Choisir la méthode et la technique de mesure les plus appropriées.

Après avoir répondu aux questions de base qui ? et quoi ?, l'entreprise doit déterminer la méthode de recherche qui va lui permettre de recueillir l'information dont elle a besoin sur ses clients et son service. Le type de données dont l'entreprise a besoin détermine la technique de collecte à adopter. On distingue les données qualitatives et les données quantitatives. Si l'entreprise est en quête de données qualitatives, elle pourra avoir recours à l'observation et utiliser soit la technique du client-mystère, soit la technique de l'analyse des minutes de vérité. Elle pourra aussi choisir la méthodologie de l'entrevue et utiliser en particulier la technique du groupe de discussion. Si elle cherche à obtenir des données quantitatives, elle recourra à la méthode de l'enquête et choisira la technique du sondage par téléphone, en personne, sur Internet ou par la poste.

3. Utiliser la bonne stratégie d'échantillonnage.

Une fois que l'entreprise a décidé « qui » étudier, le service responsable de l'étude constitue un échantillon représentatif des personnes susceptibles de fournir l'information recherchée. On a ici le choix entre l'échantillonnage de type aléatoire ou probabiliste (tous les éléments de la population ont la même chance d'être choisis) et l'échantillonnage de type non aléatoire ou non probabiliste (dont les membres sont choisis souvent pour des raisons de convenance).

4. Élaborer l'instrument de mesure.

Les trois principaux instruments de mesure sont la grille d'observation pour les techniques du client-mystère et de l'analyse des minutes de vérité, le schéma d'entrevue pour le groupe de discussion et le questionnaire pour les enquêtes par sondage. Le questionnaire peut comprendre des questions ouvertes et des questions fermées (les réponses à ces dernières étant plus faciles à rassembler). La formulation et l'ordre de présentation des questions doivent faire l'objet d'une attention particulière.

5. Traiter et analyser les données recueillies.

Après les avoir saisies sur ordinateur, il faut traiter les données. Il s'agit de les encoder, de les rassembler et de les organiser, puis de les manipuler statistiquement pour en faire l'analyse. L'analyse des données permet d'obtenir des statistiques descriptives ainsi que des regroupements permettant de saisir des relations et de bien comprendre les informations fournies par les répondants. Les faits saillants et pertinents découlant de la recherche pourront être présentés sous forme de tableaux croisés puis de diagrammes.

6. Produire et présenter un rapport de recherche.

Le rapport de recherche résume la démarche entreprise et présente les principales conclusions accompagnées des recommandations qui en découlent. Les figures et les tableaux sont des outils qui aident à donner du sens aux données. Ils servent à fournir une information que le texte ne peut rendre. La présentation orale du rapport de recherche sert à exposer les grandes idées qu'on peut tirer de l'évaluation. Le présentateur doit alors adopter les mêmes attitudes que le représentant de commerce, car il doit persuader ses pairs d'adopter les recommandations découlant de la recherche.

7. **Combiner les résultats de plusieurs études dans le but d'établir des normes.**

Répétée périodiquement, l'étude des comportements des clients permet à l'entreprise de déterminer des variables clés de satisfaction et d'en suivre l'évolution. Le regroupement, sous forme d'analyses multifactorielles ou de tableaux de bord de gestion, des résultats de plusieurs études concernant divers indicateurs facilitent l'établissement de normes, d'indices qui permettent à l'entreprise de vérifier facilement et rapidement dans quelle mesure elle tient ses promesses en matière de qualité du service.

MOTS CLÉS

Analyse (p. 127)	*Analysis*
Analyse multifactorielle (p. 130)	*Multivariate analysis*
Base de sondage (base d'échantillonnage) (p. 118)	*Sampling frame*
Blogue (p. 114)	*Blog*
Bogue (p. 123)	*Bug*
Client-mystère (p. 112)	*Mystery shopper*
Consignes (p. 126)	*Instructions*
Données primaires (p. 104)	*Primary data*
Données qualitatives (p. 111)	*Qualitative data*
Données quantitatives (p. 110)	*Quantitative data*
Données secondaires (p. 104)	*Secondary data*
Échantillon (p. 118)	*Sample*
Échantillon aléatoire (probabiliste) (p. 118)	*Random sample*
Échelle (p. 124)	*Scale*
Forage de données (p. 131)	*Data mining*
Grille d'observation (p. 121)	*Scoring rubric*
Groupe de discussion (p. 113)	*Focus group*
Groupe expérimental (p. 116)	*Test group*
Groupe témoin (p. 116)	*Control group*
Indicateur clé de performance (p. 131)	*Key performance indicator*
Mesure (p. 124)	*Measure*
Minute de vérité (p. 111)	*Minute of truth*
Norme de qualité (p. 131)	*Quality standard*
Observation du comportement (p. 111)	*Behavior observation*
Panel (p. 133)	*Panel*
Prétest (p. 126)	*Pretest*
Question fermée (p. 122)	*Closed question*
Question ouverte (p. 117)	*Open ended question*
Questionnaire (p. 122)	*Questionnaire*
Recensement (p. 118)	*Census*
Schéma d'entrevue (p. 122)	*Discussion outline*
Script téléphonique (p. 116)	*Telephone script*
Sondage (p. 116)	*Opinion poll*
Statistique (p. 111)	*Statistic*
Tableau croisé (p. 127)	*Cross-tabulation*
Tableau de bord (p. 131)	*Dashboard*

QUESTIONS DE RÉVISION

1. Pourquoi faut-il évaluer le service client ?

2. Quelle est la première étape de l'évaluation d'un service à la clientèle ?

3. Qui peut faire l'objet d'études d'évaluation d'un service clientèle ?

4. Quels types d'études l'entreprise peut-elle mener ?

5. Quelle distinction établit-on entre le recensement et le sondage ?

6. Pourquoi est-il important de joindre les personnes de l'échantillon défini et pas d'autres personnes ?

7. Qu'est-ce que le sondage ?

8. En matière de service à la clientèle, que signifie l'expression « minute de vérité » ?

9. Qu'est-ce que la technique du client-mystère en matière de service à la clientèle ?

10. En quoi peut-il être utile d'interroger le personnel de la relation client, en plus de la clientèle, lors de l'évaluation du service à la clientèle ?

11. Quelles sont les quatre catégories d'échelles de mesure utilisées dans les sondages et quelles différences y a-t-il entre elles ?

12. Pourquoi est-il important de faire un prétest pour un questionnaire ?

13. Nommez deux techniques d'observation du comportement.

14. Dans le domaine du service à la clientèle, qu'est-ce que la technique du groupe de discussion et quelle est son utilité ?

15. Pourquoi l'entreprise fait-elle l'analyse des écarts ?

ATELIERS PRATIQUES

1. Construction d'une grille d'observation.

   Avec deux ou trois autres étudiants, choisissez un secteur industriel et construisez une grille d'observation des minutes de vérité pour une entreprise type de ce secteur. Vous pouvez choisir, par exemple, le nettoyage à sec.

2. Analyse d'écarts.

   Une entreprise fabriquant des emballages a effectué un sondage avec panel auprès de ses clients, de son personnel de la relation client et de ses cadres. Elle a ainsi demandé aux répondants de donner une appréciation cotée allant de 0 pour « minable » à 5 pour « parfait » pour une série d'énoncés correspondant à des normes. Le tableau 5-8 présente les résultats moyens de ce sondage.

En vous servant du tableau 5-6 (p. 133) comme modèle et de l'information du tableau 5-8, construisez un tableau présentant les écarts de perception entre les clients et les préposés ainsi qu'entre les préposés et les cadres de l'entreprise. Commentez ces écarts.

Tableau 5-8 Résultats du sondage avec panel effectué par une entreprise d'emballages

Énoncés	Clients	Préposés aux commandes	Cadres
Durée de l'attente			
Les préposés décrochent le téléphone avant la troisième sonnerie.	2,3	4,2	4,3
Le personnel répond aux courriels des clients en moins d'une heure.	1,4	2,8	2,2
Fiabilité			
Les commandes sont livrées le jour promis.	4,5	3,5	3,5
Les produits livrés correspondent bien à ceux de la commande.	3,2	3,2	4,0

3. Constitution d'un groupe de discussion.

   Vous venez de terminer vos études en service à la clientèle. Une entreprise travaillant dans la restauration rapide de type pizzeria fait appel à vous pour effectuer une enquête. Ayant son siège social à Moncton, au Nouveau-Brunswick, elle désire en effet s'implanter au Québec. Mais avant de se lancer dans ses projets d'expansion territoriale, elle aimerait avoir l'opinion des gros consommateurs de pizzas. Comment procéderiez-vous pour constituer un groupe de personnes à rencontrer?

4. Sondage à la cafétéria.

   Les responsables de la cafétéria de votre établissement souhaitent faire le suivi de la satisfaction de la clientèle sur une base continue. Ils vous demandent de concevoir une fiche de sondage express qui sera distribuée la première semaine de chaque mois. Concevez aussi la matrice de saisie des données sur un tableur ou un logiciel de sondage spécialisé.

5. Recherche de données secondaires.

   Constituez un groupe de travail avec deux ou trois autres étudiants. Choisissez un secteur industriel particulier. Puis faites des recherches sur les principales entreprises du secteur et sur les statistiques de ventes. Enfin, construisez un tableau comparatif ainsi que le diagramme correspondant et présentez-les à la classe en précisant vos sources d'information.

UN SONDAGE POUR JOUVENSPAS?

Marylène est prête à rencontrer son père concernant l'évaluation qu'il veut faire du service à la clientèle de Jouvenspas.

«Papa, je crois qu'un carton-questionnaire est insuffisant pour obtenir une juste évaluation de la qualité de nos services. Selon moi, il y a peut-être lieu d'interroger le personnel des 12 spas, en plus de la clientèle, sur la qualité de nos services. Il est en contact direct avec la clientèle et a sans doute aussi des choses intéressantes à dire. Dans un premier temps, je propose donc que nous procédions à un sondage avec panel. Nous pourrions interroger 70 clients par spa et tous les employés qui souhaitent participer à l'enquête. Je te suggère aussi de faire un sondage auprès de la clientèle passée. Nous avons de nombreuses coordonnées dans notre base de données. Les anciens clients pourraient nous indiquer quels éléments sont les plus importants pour eux en matière de visite dans un spa. Une analyse des résultats par établissement nous permettrait non seulement de déterminer les facteurs de satisfaction de la clientèle et leur importance relative, mais aussi de coter l'atteinte des normes relatives à ces facteurs.

«Si certains de nos établissements ont des résultats médiocres, nous pourrions en savoir davantage en y envoyant des clients-mystère. Ces derniers nous fourniraient une information plus détaillée que le sondage sur les différentes minutes de vérité de nos services. Leurs rapports nous permettraient de prendre certaines mesures concernant le personnel, notamment en termes de formation et d'information. Les clients-mystère pourraient aussi nous aider à repérer les meilleurs employés, que nous pourrions ensuite récompenser.

«Par la suite, nous pourrons élaborer un questionnaire de type sondage express à partir des attentes de la clientèle que nous aurons dégagées des enquêtes précédentes. Nous connaîtrons ainsi vraiment le degré de satisfaction de la clientèle. Je suggère aussi que nous procédions régulièrement à la saisie et au regroupement de ces données dans notre base de données. Je pourrais construire ainsi un tableau de bord qui nous permettrait de suivre la performance des différents spas. Nous aurions un vrai processus d'évaluation continue de la qualité.

«Alors, que penses-tu de tout cela?»

La gestion de l'offre et de la demande

Je ne remets jamais au lendemain ce que je peux faire le surlendemain.

Oscar Wilde, écrivain

OBJECTIFS D'APPRENTISSAGE

Après avoir étudié ce chapitre, vous pourrez:

1. Établir les causes générales de la variation de la demande.

2. Décrire les outils permettant de comprendre la demande.

3. Mesurer la capacité de l'entreprise et son taux d'utilisation.

4. Expliquer comment la manipulation des différentes variables marketing facilite la gestion de la demande.

5. Mettre sur pied un système de gestion des files d'attente.

MISE EN SITUATION

HERVÉ CÂBLE

Hervé Câble est une société œuvrant dans les domaines de la télédistribution, des services d'accès à Internet et de la téléphonie résidentielle dans l'Est du Québec. Hervé Câble compte 355 000 abonnés. Outre l'installation et l'entretien des services de télédiffusion et d'Internet, l'entreprise gère un centre d'appels où s'effectuent toutes les activités de vente directe et de service à la clientèle, y compris le soutien technique. Pour assurer ces services, Hervé Câble TV fait appel à 65 préposés, qui travaillent sous la responsabilité de 3 superviseurs. Ce centre d'appels est ouvert de 8 h à 22 h, du lundi au vendredi, et de 9 h à 18 h, le samedi, afin que les clients puissent accéder facilement aux services. La journée de travail normale est de 7 heures et demie (incluant deux pauses de 15 minutes), à laquelle s'ajoute une heure pour le repas.

En plus de détenir un DEC en techniques de gestion ou en informatique, chaque préposé doit suivre une formation d'appoint soit en informatique, soit en service client, selon les besoins, et il faut près de six mois d'expérience avant qu'un préposé donne son plein rendement.

C'est l'appel du client qui déclenche le processus de prestation des services. Le préposé qui reçoit l'appel dispose d'un scénario écrit comprenant une série de questions à poser. Il commence par vérifier s'il s'agit d'un abonné qui a besoin de soutien technique ou s'il s'agit plutôt d'un client potentiel qui désire une installation. Il faut environ une dizaine de minutes pour effectuer une vente de service et une vingtaine pour une demande de soutien technique. Par ailleurs, les préposés ne sont pas toujours disponibles pour répondre aux appels des clients. Il arrive aussi que les préposés soient en formation ou participent à d'autres activités planifiées par l'entreprise. Ces activités représentent environ 120 heures par

année pour chaque préposé. Il faut aussi compter une majoration pour fatigue et besoins personnels, de même que deux à trois minutes de travail administratif hors ligne après chaque appel. On estime ainsi qu'à n'importe quel moment de la journée 18 % des préposés présents ne sont pas disponibles pour prendre des appels.

Malgré cela, Coryne Thibault, responsable du service à la clientèle chez Hervé Câble, a parfois l'impression que nul ne sait réellement ce qui se passe dans le service. Par exemple, personne ne semble pouvoir déterminer avec précision le nombre de préposés censés travailler au centre d'appels aux différentes heures de la journée, ni savoir combien de dossiers le centre peut traiter quotidiennement. La question est pourtant cruciale, car, à certains moments de la journée et de la semaine, le centre croule littéralement sous les appels. Lassés d'attendre qu'on leur réponde, les clients actuels et potentiels raccrochent avant d'avoir parlé à un préposé. Mme Thibault hésite toutefois à augmenter le nombre de préposés, puisqu'un surplus de personnel entraînerait une augmentation des coûts, ce que l'entreprise cherche bien évidemment à éviter. Ce sont surtout les taux d'abandon élevés observés à certains moments de la journée qui inquiètent Mme Thibault et qui lui font croire que l'on doit souvent dépasser la cible de 30 secondes de temps moyen d'attente en ligne que l'entreprise s'est fixée. On parle d'abandon lorsqu'un client qui attend en ligne raccroche avant d'avoir parlé à un préposé. Elle craint que les clients impatients ne se tournent vers Estquétel, leur nouveau concurrent, et ce, justement au moment où il est crucial pour l'entreprise de consolider sa clientèle et de construire son image de marque. Comment parvenir à contrôler la situation? Comment résoudre ce casse-tête?

6.1 LES CAUSES DE LA VARIATION DE LA DEMANDE

OBJECTIF 1

Établir les causes générales de la variation de la demande.

L'entreprise doit déterminer avec précision les contraintes qui l'empêchent de répondre à la demande à court et à moyen terme. Plusieurs facteurs expliquent pourquoi les entreprises ont parfois de la difficulté à répondre adéquatement à une demande de service, mais l'un d'entre eux est beaucoup plus important que les autres. Il découle en effet de la nature même des services que nous avons décrits au chapitre 1. Les services sont éphémères et intangibles, autrement dit, nous bénéficions d'un service mais nous ne le possédons pas. La plupart d'entre eux sont périssables et il est impossible de les stocker. De plus, le client participe souvent à la production de ce service et le temps qu'il passe à l'obtenir, notamment la vitesse d'accès au service, représente un critère important de satisfaction. À cela s'ajoutent des facteurs propres à l'entreprise et au secteur d'activité économique.

L'entreprise doit souvent répondre à la demande de ses clients en temps réel, malgré les fortes fluctuations de la demande dans le temps, comme l'illustre la figure 6-1. On y observe les quatre zones dans lesquelles peut se situer, à un moment donné, la demande de service par rapport à la **capacité** de l'entreprise de fournir les services requis. Par exemple, dans le commerce de détail, alors que le lendemain de Noël, les clients arrivent en grand nombre pour rapporter ou échanger leurs achats, à la mi-janvier, les employés ont peine à trouver un client à qui parler. Comment gérer ces fluctuations de la demande de manière efficace et agréable pour les clients et pour les employés? C'est l'objet de ce chapitre.

Capacité (*capacity*)

Quantité maximale de produits qu'une unité de production est susceptible de fournir pendant une certaine période de temps lorsqu'elle fonctionne dans des conditions normales et préétablies[1].

Figure 6-1 Variation de la demande dans le temps[2]

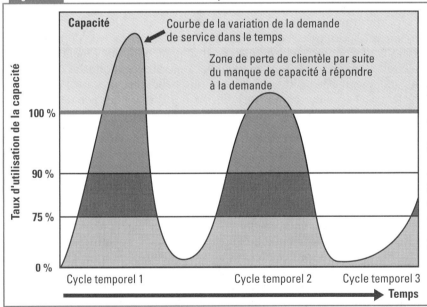

COMPRENDRE LA DEMANDE

OBJECTIF 2

Décrire les outils permettant de comprendre la demande.

La variabilité de la demande de service est liée à l'impossibilité de stocker les services. L'entreprise ne peut fournir le service à l'avance. Alors, l'entreprise se trouve tiraillée entre les situations suivantes:

1. *La demande de service excède la capacité d'offre de l'entreprise.* Cette situation est déplaisante pour les clients comme pour les employés. Il faut refuser de servir certains clients, compromettant ainsi les ventes immédiates

et probablement les ventes futures. Les clients que l'on n'a pu servir doivent s'adresser ailleurs pour trouver le service qu'ils recherchent, au risque de découvrir un autre fournisseur.

2. *La demande de service dépasse la capacité optimale d'offre de l'entreprise.* Tous les clients obtiennent le service qu'ils recherchent. Cependant, la qualité laisse à désirer, car les lieux ressemblent à une véritable fourmilière dans laquelle les clients sont entassés les uns contre les autres et les employés peinent à assurer le service.

3. *La demande de service correspond à la capacité optimale d'offre de l'entreprise.* Dans cette situation idéale, les clients reçoivent les services et l'attention auxquels ils s'attendent. Les employés maîtrisent la situation. Tout va pour le mieux.

4. *La demande de service est inférieure à la capacité optimale d'offre de l'entreprise.* Le manque de clients à servir entraîne une sous-utilisation du personnel et de l'équipement. Le service n'est pas rentable. Si cette situation se prolonge, il peut être nécessaire de réduire les coûts (nombre d'employés, espace utilisé, etc.) ou de fermer complètement le service. Dans d'autres cas, même si le service fourni est excellent, il arrive que les clients décident d'aller ailleurs en s'imaginant que le service est mauvais parce qu'il n'y a pas de clients. Inversement, la présence de nombreux clients fréquentant un commerce attire d'autres clients, comme cela s'observe dans les bars ou les restaurants à la mode.

La période d'affaires de nombreuses entreprises du secteur touristique des pays nordiques ne s'étend que sur quelques mois, ce qui constitue une situation favorable à de fortes variations de la demande, comme l'illustre la figure 6-1. Heureusement, toutes les entreprises ne sont pas aux prises avec de telles variations. Il suffit de penser aux commerces d'alimentation, qui répondent à une demande relativement stable tout au long de l'année (exception faite des régions très touristiques), malgré certaines fluctuations hebdomadaires ou journalières. C'est également le cas des entreprises de transport urbain des grandes agglomérations, qui doivent ajuster leur offre de service en fonction des heures de pointe.

L'entreprise qui désire répondre adéquatement à la demande de service de ses clients doit analyser ces fluctuations afin d'en comprendre les causes et de trouver les réponses appropriées.

LES CONTRAINTES LIÉES AU TEMPS

Pour les travailleurs autonomes, une heure ouvrable perdue représente un manque à gagner qu'ils ne pourront récupérer. Il suffit de penser aux dentistes, aux coiffeurs ou aux comptables, qui sont rémunérés à l'heure. Pour eux, les 24 heures de la journée représentent la limite maximale de leur offre de service! Cette contrainte absolue pour l'individu n'affecte pas nécessairement l'entreprise. En effet, tout en respectant un certain nombre d'obligations légales, de contraintes relatives aux heures ouvrables, etc., l'entreprise peut faire varier le nombre d'employés dont elle a besoin pour répondre au niveau de la demande. C'est ce que font les magasins lorsqu'ils embauchent du personnel supplémentaire durant la période des Fêtes, par exemple.

LES CONTRAINTES LIÉES À L'ÉQUIPEMENT

Il arrive que les ressources disponibles liées à l'équipement ne permettent pas de répondre à la demande des clients. Voici quelques exemples. A) Les transports publics aux heures de pointe se heurtent quotidiennement aux limites supérieures d'offre de service : lorsque la rame de métro est pleine, les clients demeurés sur le quai doivent attendre la prochaine. B) Le jour de la fête des Mères, le service téléphonique interurbain ne fournit pas à la demande et les clients doivent attendre que des lignes se libèrent avant de pouvoir appeler. C) En général, toutes les chambres d'hôtel disponibles dans la région de Montréal sont louées durant le week-end du Grand Prix de Formule 1.

Une entreprise doit donc commencer par déterminer correctement les contraintes qui limitent sa capacité de répondre à la demande à court et à moyen terme.

L'USAGE DE LA CAPACITÉ MAXIMALE

Il est rarement souhaitable de travailler à la capacité maximale, sauf dans certains cas particuliers, comme celui d'un match sportif où il est faisable, voire préférable, de fonctionner ainsi. En effet, c'est lorsque le stade est rempli à craquer, et que les spectateurs baignent dans une ambiance grisante et excitante, que les joueurs donnent leur plein rendement. C'est dans ces conditions que la rentabilité est maximale. S'il est possible de fonctionner ainsi dans le cas de certaines activités ponctuelles, il est impensable de pouvoir le faire pour la plupart des services qui se donnent huit heures par jour, cinq jours par semaine. Nous sommes souvent confrontés au principe du **rendement décroissant**, selon lequel au-delà d'un certain seuil toute organisation connaît de plus en plus difficultés à assurer ses services et finit par dépérir. Le plus bel exemple du phénomène est sans doute la capacité de circulation d'une route. Au-delà d'un certain débit, la route s'engorge : les automobiles ralentissent et finissent par s'immobiliser, convertissant la route en un immense terrain de stationnement !

> **Rendement décroissant**
> (*diminishing returns*)
> Principe selon lequel tout accroissement de rendement exige une augmentation plus que proportionnelle des ressources.

Sans aller jusqu'à cet extrême, il faut comprendre que le dépassement de la capacité optimale réduit la qualité du service client. Voici trois exemples qui illustrent ce principe.

- À la fête des Mères, les restaurants sont bondés et les gens font la queue, bien que l'on ait ajouté des tables. Clients et employés sont incommodés, et le service est médiocre, sinon pire.

- Le débordement des urgences des hôpitaux entraîne une augmentation du nombre d'erreurs médicales et dérange les malades et le personnel.

- La perspective de voyager debout dans un autobus bondé et surchauffé n'est pas très vendeur pour un service de transport.

Dépasser la capacité optimale entraîne une diminution de la qualité du service, car l'entreprise est aux prises avec la loi des rendements décroissants. La figure 6-2 (p. 146) illustre ce phénomène en l'appliquant au restaurant La marée haute, qui peut accueillir jusqu'à 120 personnes simultanément. Le nombre optimal de clients se situe entre 50 et 100. Les 20 clients supplémentaires compliquent la situation. En raison de l'encombrement, les serveurs courent plus de risque d'avoir des accidents, la cuisine suit difficilement le rythme des commandes et, en prime, tous les clients sont insatisfaits !

L'ANALYSE DE LA VARIATION DE LA DEMANDE

L'analyse de la variation de la demande aide à mieux comprendre ce phénomène, car elle révèle les différences de comportement entre les diverses catégories de clients qui ont recours aux services de l'entreprise. De plus, les résultats de l'analyse permettent à l'entreprise d'ajuster les services qu'elle fournit aux différents

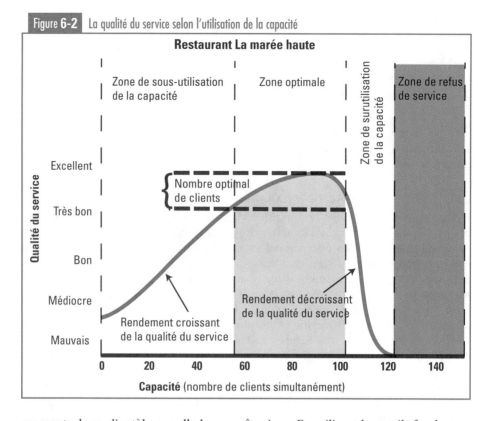

Figure 6-2 La qualité du service selon l'utilisation de la capacité

segments de sa clientèle, car elle la connaît mieux. En utilisant les outils fondamentaux de la gestion intégrale de la qualité, que nous avons présentés au chapitre 4 sur la qualité et le service client, comme les feuilles de relevé ou les histogrammes, les dirigeants de l'entreprise peuvent mieux comprendre l'évolution de la demande en fonction du temps. Les feuilles de relevé (voir le tableau 4-1, p. 91) sont des outils tout indiqués pour recueillir l'information nécessaire à l'analyse. Selon les besoins, il est possible de recueillir ces informations sur une base déterminée : horaire, quotidienne, hebdomadaire, mensuelle ou annuelle. En transformant les données recueillies en histogrammes ou en diagrammes de Pareto, les gestionnaires pourront mieux comprendre le comportement des clients et l'évolution de la demande. L'avantage de ces représentations graphiques est de rendre apparents des comportements évidents ainsi que d'autres qui ne le sont pas. La figure 6-3 reprend les données relevées dans le tableau 4-1 relativement à l'affluence au guichet n° 1 selon les heures de la journée. En observant cet histogramme, il devient évident que l'affluence n'est pas régulière. La forte demande de la matinée est suivie d'un temps mort entre 13 h et 15 h, puis d'une autre pause à 18 h. Enfin, la journée s'achève par une forte affluence en soirée, avec une pointe autour de 20 h. Cette première analyse soulève plusieurs questions. La clientèle du matin est-elle différente de celle de l'après-midi ou de la soirée ? L'analyse des problèmes traités à ce guichet élucidera-t-elle cette question ou faudra-t-il faire un sondage auprès des clients ? Il importe de comprendre ces comportements pour mieux répondre aux besoins des clients.

LES CYCLES DE LA DEMANDE

Cycle (*cycle*)
Suite plus ou moins régulière et périodique de phénomènes.

Après avoir expliqué l'analyse de la variation de la demande, il faut maintenant se pencher sur la question des **cycles**, qui constituent une dimension particulière de la variation de la demande. Tout comme la nature fonctionne selon des cycles

Figure 6-3 Utilisation d'un histogramme pour comprendre la demande de service

Affluence au guichet n° 1 selon les heures de la journée

Nombre de clients (axe vertical : 0, 2, 4, 6, 8, 10, 12)

Courbe de tendance (moyenne mobile)

Heures de la journée (axe horizontal : 9, 10, 11, 12, 13, 14, 15, 16, 17, 18, 19, 20, 21)

(saisons, journée, marées, cycle de vie, etc.), la demande pour les services de l'entreprise est plus ou moins cyclique (figure 6-1, p. 143). Il importe de connaître les cycles de la demande de service de l'entreprise afin de répondre adéquatement aux besoins des clients. En étudiant à nouveau la figure 6-3, vous constaterez que la demande varie selon un cycle quotidien. (On présume que le comportement des clients durant cette journée est typique.) Vous remarquerez que le cycle de la demande de service débute tôt le matin, atteint rapidement un sommet, retombe en milieu de journée, reprend en après-midi, marque une pause à l'heure du souper et reprend fortement en soirée. La transcription des données du tableau 4-1 (p. 91) sur un fichier Excel, logiciel de Microsoft, donne la figure 6-3. Ce chiffrier électronique permet d'ajouter une courbe de **tendance** qui révèle l'existence du cycle. Dans cet exemple, nous avons choisi la **moyenne mobile** construite sur trois périodes. N'hésitez pas à vous reporter à vos notes de mathématiques afin de revenir sur cette notion. L'annexe 1 à la fin de ce chapitre en rappelle les éléments essentiels.

En résumé, il faut réunir les données sur le phénomène à étudier et les analyser afin de découvrir les cycles. Exceptionnellement, il se peut qu'il n'y ait pas de cycles et que la demande de service soit complètement aléatoire. Alors, il faut s'interroger sur la ou les causes de ces variations. Par ailleurs, il arrive qu'un ou plusieurs cycles se superposent, comme cela se produit dans les services de transport en commun. Ainsi, la demande varie selon les périodes de la journée durant la semaine, mais elle varie également durant la fin de semaine et durant les jours fériés et les vacances. Voici quelques pistes permettant d'expliquer la nature cyclique de la demande.

■ *La demande de service suit un cycle prévisible.* Il faut alors se demander quelle est sa période, et si celle-ci se mesure en heures, en jours, etc. ? Il est également important de savoir si ces variations cycliques sont liées à la vente des produits ou des services de l'entreprise ou si des événements externes influent sur le comportement des clients, tels que les heures d'école,

www.Microsoft.com

Tendance (*trend*)

Mouvement de longue durée affectant l'évolution d'un phénomène[3].

Moyenne mobile (*rolling average*)

Moyenne calculée sur une période que l'on déplace de façon à couvrir une période de même longueur. Ces décalages successifs permettent de découvrir la tendance[4].

les émissions de télévision, les échéances fiscales, la période des Fêtes, la saison, etc.? Par exemple, bien des commerces de détail réalisent 50% de leur chiffre d'affaires dans les mois qui précèdent les Fêtes de fin d'année.

■ *La demande de service varie aléatoirement.* Dans ce cas, il faut se demander si les causes sont liées aux conditions météorologiques, à l'état de santé des clients (une épidémie de grippe, par exemple), aux difficultés de la circulation ou à des catastrophes naturelles? Ainsi, l'inondation des sous-sols d'un secteur résidentiel entraîne une augmentation du nombre de réclamations auprès des compagnies d'assurances, lesquelles doivent déployer un plus grand nombre d'experts en sinistres dans cette région.

■ *La demande de service reflète des changements auprès de certains segments de marché.* Il importe alors de se demander si certains segments du marché ont modifié leurs attentes ou leurs habitudes par suite de changements sociaux, techniques ou concurrentiels. Par exemple, un nouveau concurrent propose à ses clients insatisfaits de les rembourser complètement dans le mois suivant l'achat. Ce changement des conditions de vente peut obliger tous les concurrents à égaler cette offre, sans quoi ils risquent de perdre leurs clients.

La demande suit habituellement des cycles que l'entreprise doit d'abord reconnaître et comprendre afin de pouvoir s'y ajuster.

LA DÉTERMINATION DES CAUSES DE LA DEMANDE

Pour ajuster la capacité à la demande, il est important pour l'entreprise de savoir comment s'exprime la demande. Comme nous venons de le voir dans la section précédente, les variations cycliques sont un facteur déterminant de la demande. Mais l'entreprise doit aller plus loin dans sa recherche afin de découvrir les motivations de sa clientèle et d'ajuster ses services en conséquence. L'usage d'un diagramme des causes-effets (Ishikawa, présenté au chapitre 4) et les résultats des sondages (chapitre 5) peuvent faciliter cette démarche. La figure 6-4, présente ce

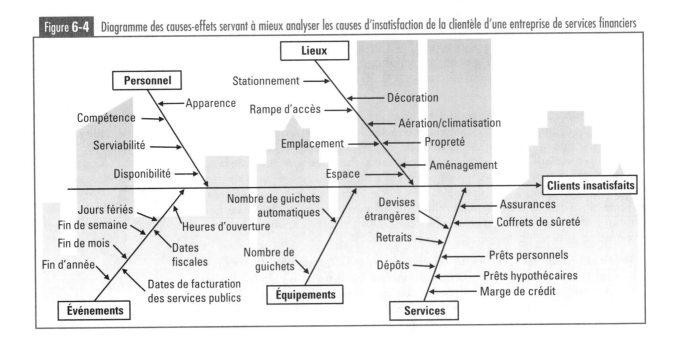

Figure 6-4 Diagramme des causes-effets servant à mieux analyser les causes d'insatisfaction de la clientèle d'une entreprise de services financiers

type de diagramme pour un établissement financier dont les responsables du service client essaient de déterminer les causes probables du mécontentement des clients. Avec un tel outil, il est plus facile de se faire une idée des principales causes de mécontentement. Évidemment, cet outil ne remplace pas le sondage auprès des clients qui peut fournir des informations que ne peuvent révéler la réflexion et l'observation.

Bien comprendre les besoins des clients n'est pas évident, car il arrive que plusieurs catégories de clients n'ayant pas les mêmes motivations requièrent cependant le même service. Les clients qui viennent prendre leur petit déjeuner dans un établissement de restauration rapide tôt le matin ont des besoins souvent très distincts des clients qui se présentent dans le même restaurant quelques heures plus tard. Les premiers sont pressés et désirent être servis rapidement alors que les seconds veulent plutôt prendre le temps de relaxer. C'est de cette question que traite la section suivante.

LES SEGMENTS DE MARCHÉ DE LA DEMANDE

Nous avons observé dans la section précédente que les gens ont parfois des besoins différents. Ce constat oblige l'entreprise à différencier son offre de produits et de services afin de répondre aux différents besoins des clients. Nous appelons **segmentation** le découpage du marché en plusieurs groupes (segments) de clients dont les comportements d'achat sont relativement proches. La segmentation a donné naissance à des offres différentes, comme l'illustre l'exemple suivant. Les stations-service où des employés s'occupent de faire le plein des voitures des clients vendent leur essence plus cher que les postes d'essence libre-service. Ces deux systèmes permettent de satisfaire deux clientèles distinctes. Il en résulte des produits et services mieux adaptés aux besoins particuliers de certains sous-groupes de clients dont les exigences sont plus homogènes. Le chapitre 5 sur l'évaluation du client présente des méthodes de recherche permettant d'établir avec précision les besoins et le profil des personnes appartenant aux divers segments.

Segmentation (*segmentation*)
Division d'un marché en groupes d'individus homogènes ou caractérisés par leur comportement d'achat[5].

En segmentant sa clientèle, l'entreprise améliore son service et sa rentabilité. Par exemple, dans l'industrie des télécommunications sans fil, les entreprises n'appliquent pas la même tarification aux communications faites durant les heures ouvrables et celles faites durant les soirées et les fins de semaine. Avec ce système, l'entreprise tire plus de revenus de ses clients d'affaires, auxquels elle garantit, en contrepartie, une meilleure disponibilité de service. Dans ce cas, les tarifs servent à segmenter les clients en fonction de leurs besoins et de leurs priorités. Tout le monde y gagne.

INFLUER SUR LA DEMANDE ET GÉRER LA CAPACITÉ

L'entreprise n'est pas démunie devant le phénomène de la variation de la demande de ses biens et services. Elle dispose en effet de deux grandes stratégies pour s'adapter à ces variations. La première consiste à modifier sa capacité de production de services, en l'augmentant ou en la réduisant, afin de s'ajuster à la demande. La prochaine section aborde cette question en détail. La seconde stratégie essaie d'influer sur la demande elle-même. Elle peut alors soit la stimuler, en intensifiant la promotion, soit la freiner en augmentant les prix, par exemple. Ces deux stratégies sont indissociables l'une de l'autre, comme le montre la figure 6-5 (p. 150). En fait, tout est question de nuances. Habituellement, une entreprise n'augmenterait pas son personnel de service tout en haussant ses prix ! La section intitulée «Les outils de marketing et la gestion de la demande» présentée plus loin dans ce chapitre aborde également cette question.

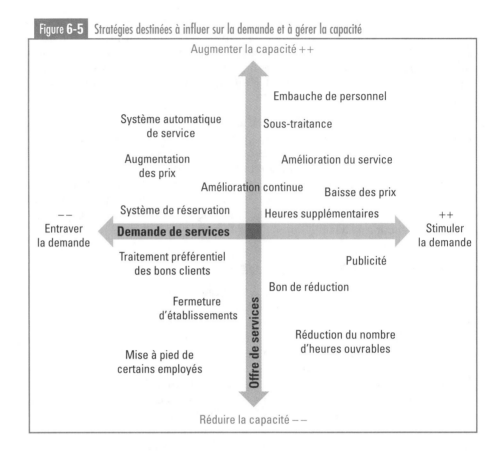

Figure **6-5** Stratégies destinées à influer sur la demande et à gérer la capacité

La modulation de la capacité de production des services est une prérogative de l'entreprise, alors qu'influer sur la demande relève plus tôt du désir des acheteurs. En effet, la demande est externe à l'entreprise, et, de ce fait, elle échappe à son contrôle, bien qu'elle soit tout de même sensible à son influence. C'est pourquoi nous employons l'expression « influer sur la demande ».

OBJECTIF 3

Mesurer la capacité de l'entreprise et son taux d'utilisation.

www.ikea.com/ms/fr_CA

6.2 LA PLANIFICATION DE LA CAPACITÉ DE SERVICE

Combien de magasins faut-il pour répondre correctement aux besoins d'une région ? Voilà une question qui demande à la haute direction de prendre une décision stratégique quant à la survie à long terme de l'entreprise en sélectionnant le niveau de sa capacité de service. Par exemple, Ikea possède 160 magasins en Europe, mais elle n'en a que 25 aux États-Unis. Chaque magasin coûte 66 millions de dollars US et la direction projette de doubler sa présence américaine d'ici 2010[6]. L'entreprise utilise tous les outils à sa disposition, qu'ils soient scientifiques (droite de tendance des ventes), empiriques (expérience) ou intuitifs, afin de prévoir au mieux l'évolution de la demande. Accroître de la capacité de services ou de biens exige des investissements importants et du temps pour mettre en œuvre la stratégie retenue. Ce choix est simple lorsque la demande est stable, mais c'est rarement le cas. En effet, la demande évolue dans le temps au gré de la concurrence, de la prospérité économique, etc. Par exemple, lorsqu'une entreprise se demande s'il est sage de construire un magasin dans cette banlieue en croissance, à l'heure du choix, elle doit pouvoir répondre à plusieurs questions. La demande sera-t-elle au rendez-vous à long terme, quel en sera le niveau et dans quelle mesure fluctuera-t-elle au fil du temps ?

LA MESURE DE LA CAPACITÉ DE L'ENTREPRISE

L'unité de mesure de la capacité varie selon les secteurs d'activités économiques et les situations. La distribution alimentaire diffère du secteur de l'entraînement physique et de la mise en forme. Il n'existe pas d'unité de mesure universelle de la capacité. Dans le domaine du transport aérien, la capacité se calcule en nombre de sièges par kilomètre parcouru, alors qu'elle se calcule en nombre de places pour une salle de spectacle, ou en mètres carrés de surface pour un commerce de détail. Ce dernier critère est commode pour comparer deux établissements dans le même secteur d'activité économique, comme celui de la distribution alimentaire. Mais cette unité de mesure perd sa pertinence si l'on veut comparer une épicerie et une bijouterie, car un simple comptoir de produits laitiers prend bien plus de place qu'un présentoir dans lequel sont exposés quelques bijoux de grande valeur !

Dans le domaine de la production de biens de consommation courante, la capacité se mesure en nombre d'unités produites. Par exemple : cette usine d'assemblage automobile a une capacité de 200 000 voitures (unités) par année. Lorsque la variété des produits fabriqués augmente, et qu'il y a **personnalisation** de ces produits, l'entreprise utilise la mesure de la capacité de production de chaque machine ou de chaque groupe de machines, ou encore la capacité de son personnel d'usine. Prenons l'exemple d'un imprimeur offrant sa capacité de production à des clients qui désirent tous se procurer des produits différents. L'un veut des cartes professionnelles avec son nom et le logo de son entreprise, l'autre désire une affiche pour son film et celui-ci un catalogue. Les produits sur mesure sont habituellement fabriqués au cours de processus différents, d'où l'intérêt de considérer la capacité de prestation en termes de personnes et d'équipement. C'est souvent le cas des services où l'on utilise des méthodes de mesure similaires, les services étant principalement réalisés par des personnes.

> **Personnalisation** (*customization*)
> Adaptation des biens ou des services aux attentes et aux besoins qui sont exprimés par chaque client[7].

L'**utilisation** est une notion complémentaire à celle de la capacité. L'utilisation indique l'usage d'une ressource en fonction du pourcentage de sa capacité théorique. Elle s'applique autant à une machine qu'à un processus complet, à une personne, etc. Elle permettra de connaître, par exemple, le nombre de freins qu'un mécanicien automobile pourra réparer en une journée. Le calcul de l'utilisation s'exprime ainsi :

> **Utilisation** (*utilization*)
> Degré d'usage auquel l'équipement, l'espace ou le travail est soumis par rapport à sa capacité.

$$\text{Utilisation} = \frac{\text{Cadence de production moyenne}}{\text{Capacité maximale}} = 100\%$$

La *cadence de production moyenne* (numérateur) se rapporte au nombre d'unités de produits ou de services que le processus réalise en ce moment par unité de temps. La *capacité maximale* (dénominateur) correspond à ce que peut, théoriquement, produire le processus en fonctionnement maximal continu, par unité de temps. Produire à capacité maximale nous ramène à la notion de surutilisation de la capacité, que nous avons introduite au début du présent chapitre, à la figure 6-1 (p. 143). Il n'est possible de soutenir un rythme de production de pointe qu'à court terme, et ce, sans oublier que la qualité de la prestation risque de chuter à tout moment. L'entreprise a donc intérêt à connaître sa capacité utile, c'est-à-dire sa limite optimale de production, et à ne pas la dépasser. Les pointes de production sont habituellement inefficaces.

Les calculs de la capacité et de l'usage servent à planifier l'offre aux clients de l'entreprise, c'est-à-dire à déterminer le nombre de services ou de produits par unité de temps qu'elle est en mesure de fournir. Il faut éviter de stimuler la demande lorsque l'entreprise fonctionne déjà à pleine capacité. En revanche, il convient de le faire lorsque la capacité tombe à 25 %. Soulignons cependant quelques exceptions découlant de situations particulières. Ainsi, l'entreprise dont le service de réparations est sous-utilisé en raison de la bonne qualité de ses produits doit plutôt se demander si elle ne devrait pas réduire la capacité de ce service plutôt que de stimuler la demande !

Lorsque l'entreprise désire augmenter sa capacité de production pour répondre à la demande, elle dispose des moyens que nous avons énumérés plus haut (heures supplémentaires, embauche d'employés surnuméraires, sous-traitance, etc.), qui augmentent rapidement la capacité de l'entreprise. Elle doit, également, agir à long terme, en étudiant ses processus afin de détecter la présence de **goulots d'étranglement** qui ralentissent sa productivité, puis éliminer ces points de blocage. Un processus, tel une chaîne, a la force de son maillon le plus faible. Les bonnes pratiques de gestion exigent que l'entreprise améliore continuellement ses processus d'affaires (amélioration continue, voir le chapitre 4 sur la qualité et le service client). À titre d'exemple, observez la figure 6-6. Vous y notez que la capacité horaire de l'étape B du système Alpha est de 6 unités, alors que celle des autres étapes est beaucoup plus élevée. Par conséquent, la capacité maximale de ce processus est de 6 unités à l'heure. Pour tripler la capacité du processus Alpha, il suffit tout simplement d'augmenter la capacité de l'étape B à 18 unités à l'heure. Il en résultera un nouveau goulot d'étranglement à 18 unités à l'heure imposé par les étapes B et C. Pour dépasser ce seuil de 18 unités, l'entreprise devra, cette fois, accroître également la capacité de ces deux étapes. Dans le cas du système Bêta, toutes les étapes ont une capacité identique puisque chacune d'elles produit

Goulot d'étranglement
(*bottleneck*)

Secteur de l'entreprise (installation, service, fonction, poste de travail, ressource) dont la capacité maximale est insuffisante par rapport à la charge de travail résultant du programme directeur de production, et qui ralentit, limite ou paralyse son activité générale[8].

Figure **6-6** Deux processus aux étapes de capacités inégales

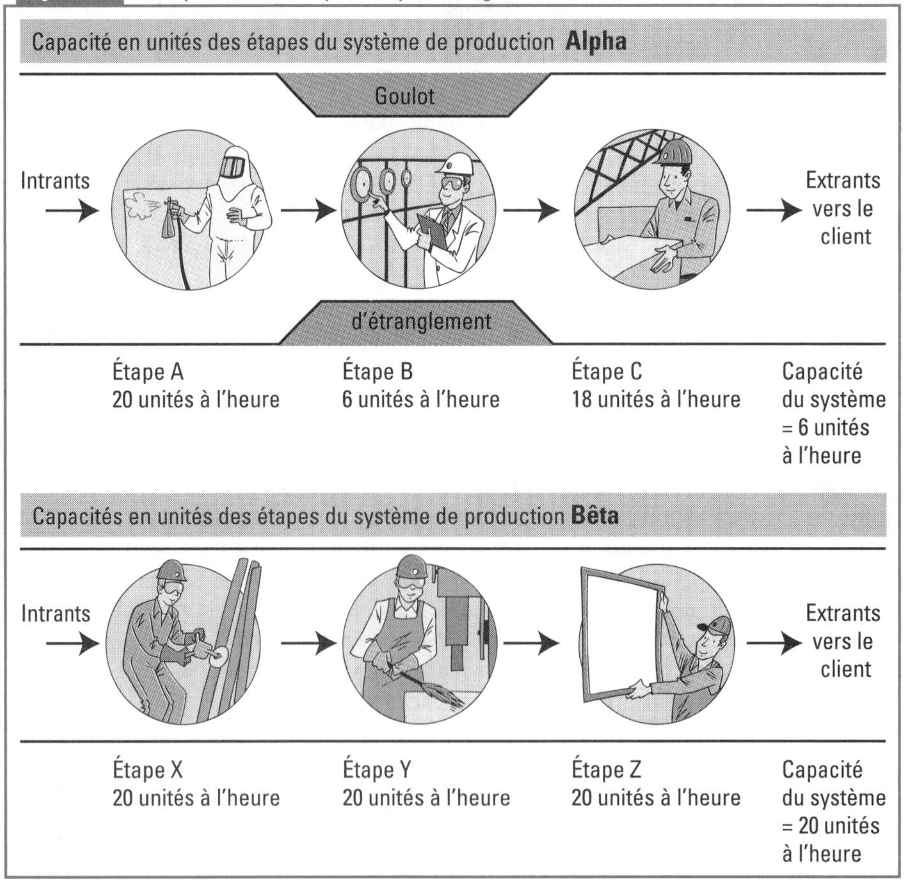

Capacité en unités des étapes du système de production **Alpha**

Goulot

Intrants → Extrants vers le client

d'étranglement

Étape A	Étape B	Étape C	Capacité du système = 6 unités à l'heure
20 unités à l'heure	6 unités à l'heure	18 unités à l'heure	

Capacités en unités des étapes du système de production **Bêta**

Intrants → Extrants vers le client

Étape X	Étape Y	Étape Z	Capacité du système = 20 unités à l'heure
20 unités à l'heure	20 unités à l'heure	20 unités à l'heure	

20 unités à l'heure. Alors, un accroissement de la capacité du système Bêta exigera d'accroître la capacité de chacune des étapes. Cette situation est assez exceptionnelle ; celle du système Alpha est plus courante.

En conclusion, l'entreprise doit connaître sa capacité de production ainsi que les taux d'usage afin de planifier l'offre qu'elle fait au marché. Lorsque le taux d'usage dépasse pour une courte période les seuils optimums, elle peut demander au personnel de faire des heures supplémentaires ; elle peut aussi embaucher des employés surnuméraires ou faire appel à la sous-traitance pour répondre aux pointes de demande. Toutefois, elle doit être attentive à l'augmentation des coûts et à la réduction du service client qui en résulte. Lorsque la demande excédentaire persiste, il faut d'abord éliminer les goulots d'étranglement avant d'augmenter l'ensemble de la capacité.

LES ÉCONOMIES ET LES DÉSÉCONOMIES D'ÉCHELLE

Lorsque l'entreprise augmente sa capacité de production, elle peut effectuer des économies substantielles par suite de la diminution de ses coûts unitaires et réaliser ce que les économistes appellent des **économies d'échelle**. La baisse des coûts est due à plusieurs facteurs :

- une répartition des coûts fixes sur un plus grand nombre d'unités produites ;

- un abaissement des coûts d'acquisition des matières premières ;

- une optimisation des processus.

À l'instar de la zone de surutilisation de la capacité évoquée au début du présent chapitre, un accroissement de la capacité de production risque d'entraîner des coûts supérieurs aux revenus engendrés par les ventes supplémentaires. Nous sommes alors en présence de **déséconomies d'échelle**. Les lignes qui suivent exposent ces notions.

LA RÉPARTITION DES COÛTS FIXES

À court terme, les coûts fixes ne dépendent pas des quantités produites ou vendues. Par exemple, les coûts de sécurité d'un commerce (gardiens, équipement de surveillance, frais de branchement à une centrale d'alarme, etc.) sont indépendants des ventes. Si les coûts mensuels de sécurité sont de 3 000 $ et que les ventes sont de 200 000 $, alors la sécurité représente 1,5 % des ventes. Mais si les ventes grimpent à 500 000 $ par mois et que les coûts de sécurité restent stables, ils ne représenteront plus que 0,06 % des ventes. Par ailleurs, utiliser son camion pour aller chercher une demi-charge de matériaux plutôt qu'une pleine charge ne coûte pas plus cher en coûts de transport ; ainsi, l'acheteur du restaurant prendra autant de temps à se procurer 1 kg de pommes de terre que 20 kg. Donc, plus le commerce effectuera d'achats ou réalisera de ventes, plus ses coûts fixes seront faibles en pourcentage des ventes, ce qui signifie que chaque unité de produit ou de service vendue rapportera plus à l'entreprise.

L'ABAISSEMENT DES COÛTS D'ACQUISITION

L'achat en grande quantité permet d'obtenir des escomptes supplémentaires des fournisseurs. Ces escomptes abaissent le coût unitaire des articles ou services. Supposons, par exemple, que l'entreprise Alpha désire offrir une prime à ses clients de longue date. Son fournisseur Primes de luxe lui facture 3 $ par prime et offre un rabais de 13 % pour tout achat supérieur à 5 000 unités. Si Alpha achète 4 000 articles, son coût total sera de 12 000 $ (4 000 unités × 3 $) et son coût

Économie d'échelle
(*economy of scale*)
Économie provenant de la meilleure organisation de la production[9].

Déséconomie d'échelle
(*diseconomy of scale*)
Perte occasionnée par suite d'une organisation plus vaste ou d'une production plus grande[10].

unitaire sera de 3 \$ par article. Par contre, si Alpha se procure 5 000 articles, son coût total sera de 13 050 \$ soit (3 \$ × 5 000 unités = 15 000 \$ − [15 000 \$ × 13 % = 1 950 \$]) et son coût unitaire sera de 2,61 \$ (13 050 \$ ÷ 5 000 unités). Alpha a tout intérêt à acheter en grande quantité de son fournisseur Primes de luxe : il refile ses économies à ses clients. C'est une situation gagnant-gagnant.

LA SPÉCIALISATION ET L'AUTOMATISATION DES PROCESSUS

Lorsque l'entreprise produit un grand nombre d'unités de service ou de produit, elle peut être justifiée de se procurer du matériel spécialisé plus efficace, même s'il est coûteux. L'accroissement du volume exige la spécialisation des employés et celle de l'équipement, comme l'illustrent les exemples suivants. Un conseiller spécialisé en prêts hypothécaires prépare ses dossiers plus rapidement et en faisant moins d'erreurs qu'un simple commis devant effectuer plusieurs tâches disparates, car il possède la compétence voulue pour traiter efficacement ce type d'opération. Un système automatisé de réponses et de navigation téléphonique traite en une heure plus d'appels qu'une standardiste, et ce, à un coût par appel beaucoup moins élevé. Les systèmes de lecture optique des articles à la caisse enregistreuse de l'épicerie réduisent les erreurs du caissier et accélèrent le service.

LES DÉSÉCONOMIES D'ÉCHELLE

La complexité d'une organisation croît à mesure que celle-ci se développe. La gestion devient plus lourde et nécessite l'instauration de mesures de contrôle interne pour éviter les erreurs et les fraudes. Les besoins de coordination exigent la mise en place et l'application de diverses procédures qui compliquent le travail et réduisent l'efficacité. Les économistes nomment ce phénomène « déséconomie d'échelle ». Au Québec, les très grandes écoles secondaires dites « polyvalentes », créées dans les années 1960-1970, dont les activités scolaires se déroulent sur deux quarts de travail, ont réduit le nombre d'élèves qu'elles accueillent (la baisse démographique aidant) après que l'on eut constaté qu'elles ne donnaient pas les résultats escomptés. Dans l'industrie, on remarque que les grandes entreprises devenues incapables d'innover transfèrent une partie de leurs budgets de recherche-développement à de petites entreprises externes plus efficaces[11]. Il existe donc des tailles optimales.

L'ACCROISSEMENT DE LA CAPACITÉ

Lorsqu'elle progresse sur l'échelle de la capacité, l'entreprise tient compte de ses réserves (de capacité) et des bonds qu'elle désire réaliser. Pour les services informatiques, l'accroissement de la capacité prend le nom d'**extensibilité**.

Extensibilité (*scalability*)
Possibilité pour un produit ou un système de changer de taille, selon l'évolution des besoins, tout en conservant ses propriétés fonctionnelles[12].

Nous avons vu précédemment que les entreprises cherchaient à gérer leurs activités en se maintenant dans une zone optimale d'efficacité. Il faut toutefois souligner le cas particulier des entreprises qui exercent leurs activités dans des secteurs à forte capitalisation et à faible main-d'œuvre, telles la pétrochimie, les alumineries, les chaînes d'assemblage, etc.). Ces entreprises ont en effet intérêt à fonctionner à plein régime afin de répartir leurs imposants coûts fixes sur le plus grand nombre d'unités de production.

Lorsque son taux d'utilisation moyen approche les 100 % et qu'elle a éliminé les goulots d'étranglement simples, l'entreprise n'a plus de réserves de capacité. Si elle n'a pas atteint sa taille optimale, alors, elle doit songer à augmenter sa capacité afin de répondre aux besoins de ses clients. Est-il préférable d'attendre la demande, de la devancer ou de se tenir entre ces deux positions ? Par exemple, lorsque le personnel du service client est souvent débordé et que les files d'attente sont si longues qu'elles s'étirent jusqu'à l'extérieur de l'édifice, faut-il s'installer dans des locaux plus spacieux pour accroître le nombre de guichets et d'employés ? Ou faut-il envisager de réduire les causes à l'origine de cette affluence ? Il n'y a pas de réponse magique à ces questions, car chaque situation est différente et exige un traitement particulier.

L'entreprise qui attend la demande court moins de risques de se retrouver en situation de sous-optimisation si la demande n'est pas au rendez-vous. Cette stratégie attentiste (figure 6-7) suggère que l'entreprise ne satisfait pas totalement à la demande et qu'elle indispose ses clients et ses représentants. Elle permet cependant d'incrémenter la capacité légèrement mais régulièrement, d'utiliser la technologie la plus récente, ou encore de ne pas recourir à la technologie qu'un concurrent utilise alors qu'elle connaît des problèmes. Cependant, après avoir accru sa capacité, l'entreprise doit reconquérir les parts de marché perdues. Elle peut également adopter une stratégie opposée, dite expansionniste, qui consiste à accroître la capacité de production avant que la demande ne se matérialise. Elle peut espérer attirer les clients que ses concurrents sont incapables de servir. Il faut toutefois faire preuve de prudence quand une entreprise a recours à cette stratégie, car elle perd de sa rentabilité si la demande ne se matérialise pas, ce qui conduit à de nombreuses faillites.

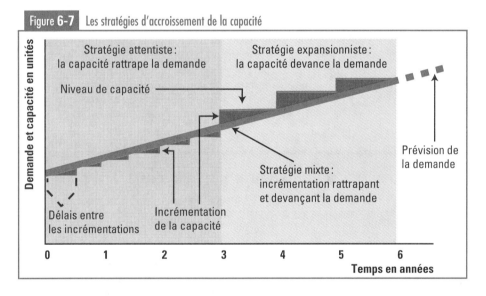

Figure 6-7 Les stratégies d'accroissement de la capacité

6.3 LES OUTILS DE MARKETING ET LA GESTION DE LA DEMANDE

OBJECTIF 4

Expliquer comment la manipulation des différentes variables marketing facilite la gestion de la demande.

L'entreprise dispose d'une vaste gamme d'outils de marketing pour adapter la demande de biens et de services à sa capacité. Chaque élément du marchéage (produit, prix, distribution et communication) offre des leviers permettant d'agir sur les marchés de l'entreprise. L'étude du comportement du consommateur montre que les clients consomment un service ou un produit donné selon des modalités différentes. Ce constat a entraîné la segmentation du marché que nous avons évoquée au début de ce chapitre. L'entreprise peut utiliser la segmentation pour gérer la demande.

LE PRODUIT OU LE SERVICE

La nature du produit ou du service recherché peut occasionner de grandes fluctuations dans le cycle de la demande. Par exemple, les motoneiges s'achètent principalement juste avant l'hiver et les voyages à destination des stations balnéaires tropicales se vendent tout au long de l'hiver. Même si ces deux secteurs économiques connaissent de longues périodes creuses, les entreprises ont toutefois la possibilité de remédier à ce genre de situation en fabriquant des produits ou en proposant des services ayant un cycle inverse. Par exemple, durant l'été, les voyagistes et les compagnies de transport aérien vendent des voyages en Europe pour soutenir la demande lorsque les destinations soleil perdent de leur attrait. Quant aux fabricants et aux concessionnaires de motoneiges, ils comptent sur le marché des motomarines durant la saison estivale (figure 6-8).

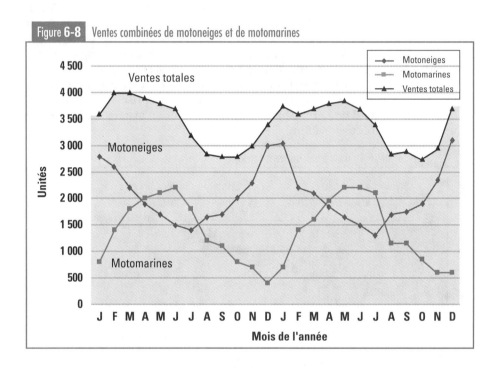

Figure 6-8 Ventes combinées de motoneiges et de motomarines

L'entreprise peut mettre au point de nouveaux services ou produits qui répondent mieux aux fluctuations de la demande. Par exemple, en début de mois (paiement de loyer), ainsi que les jours de paie, les établissements financiers connaissaient une forte affluence. Pour répondre à cette demande supplémentaire inhabituelle, les entreprises offrent maintenant de nouveaux services aux clients. Ces services permettent d'ouvrir le cadre horaire et d'effectuer des transactions bancaires 7 jours sur 7, 24 heures sur 24, par téléphone, par Internet ou en se rendant à un guichet automatique.

LE PRIX

L'entreprise doit décider si elle fait payer le client pour le service qu'elle lui fournit. Elle peut l'offrir gratuitement, et ce faisant rentabiliser indirectement ses opérations en établissant une relation client à long terme. Elle se sert alors de son service pour fidéliser ses clients et espère que ceux-ci lui feront de la publicité. Lorsque l'entreprise vend ses services à la clientèle, elle obtient une rentabilité directe. Mais il faut décider du prix à demander. Le prix devra alors tenir compte des coûts de production du service, de la perception de la valeur du service par le client, ainsi que du prix demandé par la concurrence. La figure 6-9 illustre la démarche de l'entreprise.

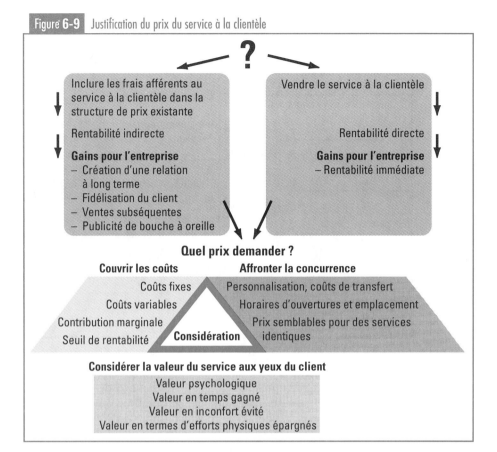

Figure 6-9 Justification du prix du service à la clientèle

?

Inclure les frais afférents au service à la clientèle dans la structure de prix existante

Rentabilité indirecte

Gains pour l'entreprise
– Création d'une relation à long terme
– Fidélisation du client
– Ventes subséquentes
– Publicité de bouche à oreille

Vendre le service à la clientèle

Rentabilité directe

Gains pour l'entreprise
– Rentabilité immédiate

Quel prix demander ?

Couvrir les coûts   **Affronter la concurrence**

Coûts fixes   Personnalisation, coûts de transfert
Coûts variables   Horaires d'ouvertures et emplacement
Contribution marginale   Prix semblables pour des services
Seuil de rentabilité   **Considération**   identiques

Considérer la valeur du service aux yeux du client

Valeur psychologique
Valeur en temps gagné
Valeur en inconfort évité
Valeur en termes d'efforts physiques épargnés

Le prix est l'instrument capitaliste par excellence de conciliation de l'offre et de la demande. Lorsque la demande dépasse l'offre, une augmentation du prix éloigne les acheteurs qui ne veulent pas ou ne peuvent pas payer le coût additionnel. Inversement, une baisse du prix attire les acheteurs peu fortunés qui cherchent à profiter du rabais ; elle incite même les plus riches à consommer plus. Plusieurs secteurs industriels utilisent largement le prix comme régulateur de la demande. C'est notamment le cas de l'industrie touristique (hôtels, restaurants, stations de ski, stations balnéaires, etc.), de l'industrie du spectacle (cinéma, théâtre, musées), des transporteurs (avion, bateau, train), et des entreprises de télécommunication. En baissant les prix durant les périodes creuses, les entreprises augmentent l'usage de leur capacité, qui serait autrement perdue. En haussant leurs prix, elles réduisent la demande en période de pointe, tout en maximisant leurs revenus. En plus, elles servent mieux le segment des clients qui est prêt à payer la prime de haute saison ! C'est la **gestion de la recette unitaire**, ou tarification en temps réel, qui nécessite d'allouer des tranches de capacité à chacun des segments de marché. Prenons le cas d'un hôtel dont la clientèle durant la haute saison comprend 40 % de gens d'affaires, qui réservent au dernier moment et dont les frais sont assumés par leur entreprise. En s'appuyant sur ces données, la direction voudra conserver cette capacité d'accueil jusqu'à la dernière minute et elle exigera le plein tarif pour ces chambres. Mais, en même temps, pour la même période, le même hôtel disposera peut-être d'un bloc de 15 % de ses chambres qu'il aura vendu à rabais à un voyagiste un an à l'avance. La figure 6-10 (p. 158) présente, pour un hôtel, la planification de l'allocation entre les divers segments de marché qu'il accueille durant la basse et la haute saison. La figure indique également les escomptes consentis selon les segments de marché.

Gestion de la recette unitaire
(*yield management*)

Principe de maximisation des revenus totaux, employé principalement dans les services (hôtellerie, transporteurs aériens, etc.), qui consiste à atteindre le meilleur équilibre possible entre le prix moyen unitaire et le taux d'occupation[13].

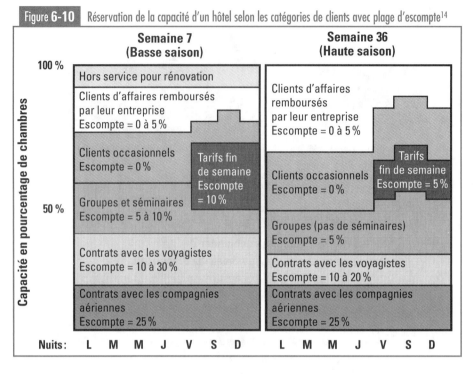

Figure 6-10 Réservation de la capacité d'un hôtel selon les catégories de clients avec plage d'escompte[14]

La variable marketing que représente le prix a l'avantage de pouvoir être modifiée très rapidement. Par exemple, lorsque la compagnie d'ordinateurs Dell modifie ses prix sur son site Internet, elle constate des changements dans la demande dans les minutes qui suivent[15]. L'entreprise peut donc s'ajuster rapidement pour adapter sa capacité (offre) à la demande. La tarification en temps réel permet d'adapter le prix aux circonstances. Quand les circonstances changent, le prix change. Cependant, l'entreprise ne peut simplement pas dire au client : «vous pensez que ce service vaut 100 $, alors vous payez 100 $», et à un autre client : «vous pensez que le service vaut 30 $, alors vous payez 30 $». C'est légalement et éthiquement intenable. L'entreprise doit alors établir les critères qui lui permettront d'obtenir le même résultat ! En voici quelques exemples :

- Les différentes classes offertes par les compagnies de transport aérien, ferroviaire ou maritime.

- Les catégories de sièges dans une salle de spectacles, telles que le parterre, la mezzanine, le balcon ou la loge.

- Le nombre de jours s'écoulant entre la réservation et l'achat proprement dit du produit ou la consommation du service pour bénéficier d'une réduction de prix.

- Le lieu où se prend la consommation ou le repas (sur la terrasse ou fond de la salle, près de la cuisine).

- Les tarifs variables selon les jours de la semaine (plein tarif durant les fins de semaine, tarif réduit le mardi et le mercredi).

La gestion de la recette unitaire fixe les prix non pas à partir des coûts, mais à partir de ce que les divers segments de marché sont disposés à payer. Avec cette méthode de gestion des prix, l'entreprise sert d'abord les clients prêts à payer plus cher. Cette méthode est d'autant plus rentable que, dans le secteur des services, le coût d'un client supplémentaire est souvent négligeable, notamment dans l'hôtellerie et le transport. Le raisonnement est le suivant : pourquoi prendre le client qui paiera un prix réduit si l'autre est disposé à payer le plein prix ?

Toutefois, l'entreprise doit s'assurer qu'elle ne trompe pas ses clients. Elle doit énoncer clairement sa politique de prix. Les barèmes de prix trop complexes sont souvent une source d'abus, car les clients ont de la difficulté à les comprendre. L'industrie bancaire est bien connue pour ce genre de problème[16]. L'annexe 2 de ce chapitre approfondit cette question de la tarification des services.

LA DISTRIBUTION

La distribution s'occupe de rendre le produit ou le service disponible au client. Accroître la disponibilité et la proximité contribue à stimuler la demande. Lorsque le produit ou le service fait l'objet d'une transaction électronique, l'entreprise peut l'offrir instantanément. Il s'agit là d'un atout important, qui joue sur le comportement impulsif du consommateur. Le client désire habituellement obtenir rapidement le service ou le produit qu'il convoite. Il l'acquiert peut-être en allant le chercher dans un magasin, mais de plus en plus, il se le procure à partir de chez lui ou de son travail, en employant les technologies auxquelles il peut accéder. Par exemple, un client peut envoyer un courriel pour faire corriger rapidement l'erreur qu'il a notée dans sa facture, sans devoir téléphoner une dizaine de fois avant de joindre le responsable de la facturation !

LA COMMUNICATION

La communication sert à garder contact avec le client et à lui rappeler que l'entreprise est là pour le servir. Tout comme dans le cas de la distribution, accroître la communication stimule la demande. Réduire les communications entraîne une diminution de la demande puisque les clients risquent de se laisser attirer par les messages des concurrents. Les chapitres 9 et 10 traitent en détail de la communication et des clients difficiles, tandis que le chapitre 7 aborde les moyens de communication que permettent les technologies.

La communication joue un rôle important dans l'éducation du client, notamment lorsque l'entreprise utilise le prix comme facteur de modulation de la demande. Les clients aiment bien savoir que les prix varient en fonction des pics de la demande, afin de planifier leurs achats en conséquence. Par exemple, sachant que les billets d'entrée au cinéma sont moins chers le mardi et le mercredi soir, beaucoup de clients économes profitent de cette réduction pour aller voir des films qu'ils n'iraient pas regarder autrement.

6.4 LE TEMPS, LES RÉSERVATIONS ET LES FILES D'ATTENTE

OBJECTIF 5

Mettre sur pied un système de gestion des files d'attente.

L'attente est un phénomène courant. Par exemple, dans l'aviation civile, au début de 2005, seulement 62 % des vols en direction de Toronto atterrissaient à l'heure, le retard moyen étant de 21 minutes[17]. Autre exemple, au printemps 2005, dans le secteur de la santé, le nombre de patients inscrits sur la liste d'attente de six mois et plus pour subir une opération aux yeux (cataracte) au centre hospitalier St-Mary de Montréal s'élevait à 248. Quant à la liste du centre hospitalier de l'université Laval, à Québec, elle comprenait 367 noms[18]. Les dépassements de capacité sont chose courante et il faut gérer le problème. Souvent, la régulation de la demande est faite par le mécanisme des prix dans le système capitaliste et par la file d'attente dans le socialisme.

La section précédente explique comment une entreprise peut moduler la demande en manipulant l'offre (marchéage), et plus particulièrement en haussant ses prix afin de réduire la demande. Ces manipulations ont un effet à long terme. Mais lorsque, à un moment précis, la demande excède la capacité de l'entreprise, comment, dans l'immédiat, peut-on répartir cette capacité entre ses clients? L'entreprise a le choix entre la file d'attente et le système de réservation.

LES DIMENSIONS PSYCHOLOGIQUES DE L'ATTENTE

Le temps, c'est de l'argent et perdre son temps à attendre est tout aussi déplaisant que perdre son argent. Qui plus est, les gens qui attendent trouvent que le temps semble passer plus lentement et même que l'attente stimule la colère. Il suffit de penser aux cas de rage au volant pour s'en convaincre.

Le client que l'on informe du temps qu'il devra patienter peut toujours décider de revenir à un autre moment, soit quand il pourra consacrer plus de temps à l'attente, soit quand il pourra choisir une période où l'attente sera moins longue. Les panneaux électroniques d'information sur les autoroutes alertent les conducteurs des bouchons de circulation. Ceux-ci peuvent alors opter pour un autre trajet ou prendre leur mal en patience.

LES ASPECTS PSYCHOLOGIQUES DE L'ATTENTE – DIX PRINCIPES[19]

1. *L'inaction fait paraître le temps d'attente plus long que l'action.* Quand vous attendez assis sans rien faire, le temps paraît toujours plus long. Pour les entreprises de services, le défi est donc d'occuper les clients quand ils attendent.

2. *Les attentes qui précèdent et qui suivent l'activité semblent plus longues que celle qui accompagne cette activité.* Par exemple, il y a une différence entre attendre pour acheter un billet d'entrée dans un parc d'attractions et attendre pour faire un tour de manège une fois que vous êtes arrivés sur place. De la même façon, il y a une différence entre attendre son café à la fin du repas et attendre l'addition avant de pouvoir quitter le restaurant.

3. *L'inquiétude rend l'attente plus longue.* Lorsque vous attendez quelqu'un avec qui vous avez rendez-vous et qui n'est pas encore arrivé, vous vous demandez si vous êtes au bon endroit, si vous ne vous êtes pas trompé d'heure ou s'il ne lui est rien arrivé de fâcheux. En particulier si le lieu est peu rassurant, sombre et froid.

4. *Les délais d'attente vagues paraissent plus longs que les délais clairement établis.* Alors que toute attente est frustrante, on prend plus facilement son mal en patience si l'on sait combien de temps l'attente risque de durer. C'est l'incertitude qui est frustrante. Imaginez que vous attendiez un avion en retard, et que l'on ait omis de vous informer de la durée de cette attente. Vous ne savez donc pas si vous avez le temps d'aller vous promener dans le terminal ou si vous devez rester à piétiner devant la porte d'embarquement parce que vous pourriez partir d'un instant à l'autre.

5. *Les attentes inexpliquées sont plus longues que celles qui sont explicables.* Vous est-il déjà arrivé de vous retrouver bloqué dans un ascenseur ou dans le métro entre deux stations sans que personne ne vous informe de la raison de cet incident? Non seulement vous ne savez pas combien de temps l'attente va durer, mais il y a l'anxiété occasionnée par la nature du problème. Y a-t-il un accident sur les voies? Devrons-nous rejoindre les quais à pied dans l'obscurité? L'ascenseur est-il tombé en panne? Risquez-vous de rester coincé pendant des heures avec des personnes inconnues à vos côtés?

6. *Les attentes injustifiées semblent plus longues que les attentes qui semblent justifiées.* L'interprétation de ce qui est juste et de ce qui ne l'est pas diffère selon les cultures. Dans les pays anglo-saxons, les gens font calmement la queue et ils sont très irrités lorsque quelqu'un passe devant eux, peu importe la raison. Chez le médecin, si un représentant médical attend dans la même salle que les patients, ces derniers ressentent un sentiment d'injustice, car ils croient que la santé devrait passer avant les rendez-vous d'affaires.

7. *Plus le service a de valeur, plus les personnes sont prêtes à attendre.* Les gens sont prêts à attendre pendant des heures dans des conditions particulièrement inconfortables pour assister à un concert exceptionnel ou pour visiter une exposition très courue.

8. *Attendre seul est plus long qu'attendre en groupe.* Il est rassurant d'attendre avec une ou plusieurs personnes que l'on connaît. La compagnie et le bavardage aident à faire passer le temps, quoiqu'il soit parfois difficile de parler avec un étranger !

9. *L'attente dans des conditions inconfortables semble plus longue.* « J'ai mal aux pieds ! » est l'un des commentaires les plus souvent entendus dans les files d'attente. Et assis ou non, l'attente se transforme en calvaire s'il fait trop chaud ou trop froid, s'il vente ou si l'air est sec, ou encore s'il est impossible de se protéger des intempéries.

10. *L'attente paraît plus longue aux nouveaux clients qu'aux habitués.* Les habitués d'un service savent à quoi s'attendre, tandis que les nouveaux clients essaient de deviner combien de temps ils devront patienter et comment les choses se passeront ensuite.

LES SYSTÈMES DE RÉSERVATION

Les systèmes de réservation sont conçus pour réduire l'attente, idéalement pour l'éliminer. Ils permettent également d'étaler la demande dans le temps afin que l'entreprise puisse fonctionner dans sa zone optimale de capacité (figure 6-1, p. 143), ce qui avantage clients et entreprise. L'entreprise peut offrir des rabais pour les périodes creuses. Lorsque l'entreprise accepte une réservation, elle fait en quelque sorte une prévente de son produit ou service. Par ailleurs, elle peut utiliser son système de réservation pour promouvoir ses produits complémentaires et obtenir des ventes additionnelles. Ainsi, l'entreprise Intrawest, qui exploite le complexe touristique du Mont-Tremblant, a réussi à accroître ses revenus de 10 % simplement en offrant sur son site Internet de réservation[20] des forfaits de location d'équipement, de remontées mécaniques et des leçons de ski. De plus, grâce aux réservations, l'entreprise peut ajuster sa capacité jusqu'à un certain point, en aménageant les horaires du personnel, par exemple. Le système doit être simple et flexible pour le personnel et les clients. Internet permet d'automatiser certaines réservations de services, comme le propose le site Admission spécialisé dans la réservation de billets de spectacle (figure 6-11, p. 162).

web
www.intrawest.com
www.admission.com

Les systèmes de réservation sont coûteux à mettre sur pied et à exploiter. De plus, ils souffrent des problèmes liés aux clients qui ne se présentent pas au moment prévu. Et le système dévoile à l'avance la limite de capacité de l'entreprise. Un client qui ne se présente pas, autrement dit qui fait **défection**, entraîne un manque à gagner pour l'entreprise. Et si celle-ci fonctionne à pleine capacité, le client en empêche un autre d'avoir accès aux services de l'entreprise, ce qui ternit son image aux yeux des clients. Afin de réduire les problèmes de défection des clients, l'entreprise peut :

■ Exiger un acompte pour toute réservation (industrie des voyages).

Défection (*no-show*)

Après avoir fait une réservation (pour une place dans un moyen de transport ou un lieu d'hébergement), ne pas se présenter au moment prévu[21].

■ Exiger un paiement complet pour toute réservation (industrie du spectacle).

■ Annuler les réservations restées impayées après un certain délai et retenir l'acompte (industrie des voyages).

■ Accepter un nombre de clients supérieur à la capacité (industrie des voyages).

■ Indemniser les clients dont la réservation n'a pu être honorée par suite d'un dépassement de la capacité.

Les entreprises pratiquent la gestion de la recette unitaire (présentée plus haut à la section traitant de la question du prix) et maximisent leurs revenus en allouant des tranches de capacité par segment de marché. Compte tenu des pertes liées aux systèmes de réservation lorsque l'entreprise fonctionne à pleine capacité, l'industrie du transport aérien accepte plus de clients qu'elle ne peut en asseoir dans ses avions. Voici pourquoi et comment elle procède ainsi. En fait, tous les billets vendus ne sont pas égaux. Les billets très coûteux de la classe affaires et de la première classe demeurent valides lorsque le client fait défection. Il suffit au voyageur de prendre le vol suivant. Il en est ainsi, car ces personnes payent une prime de flexibilité d'horaire dans le prix du billet et exercent au besoin le privilège pour lequel ils ont payé. De leur côté, les clients de la classe économique souscrivent à des assurances annulation. En raison du fort taux de défection, les compagnies aériennes se basent sur l'expérience des années passées pour établir le pourcentage de défection pour chacun de leurs vols. Supposons qu'une

---

Figure 6-11 Un site Internet de réservation de spectacles

compagnie aérienne ait eu dans le passé un taux de défection de 10 % pour le vol n° 810 du mercredi, à 14 h, et à destination de X, au cours de la deuxième semaine d'août. Pour compenser la défection pour ce vol, elle tentera de vendre jusqu'à 110 % de la capacité de l'avion. Les clients ne savent pas qu'il y a surréservation. Au jour prévu, à l'enregistrement des voyageurs, si l'entreprise a réussi à vendre plus de 100 % des places, elle se trouve confrontée à l'une des deux situations suivantes. Elle constate, comme elle l'a prévu, que 10 % des clients ne se présentent pas, et il n'y a aucun problème. Au contraire, si quelques clients de plus se présentent au guichet, les employés doivent allouer les derniers sièges en tenant compte de l'urgence de la situation des derniers arrivés au guichet. Les clients qui ne peuvent monter à bord se voient offrir une indemnité de défection. Le calcul du pourcentage de dépassement ainsi que les montants de l'indemnité donnent lieu à de savants calculs d'optimisation.

Les systèmes de réservation constituent donc un moyen efficace pour répartir la demande selon la capacité de l'entreprise. Ils servent à planifier l'offre de l'entreprise au quotidien.

LES FILES D'ATTENTE

Lorsque la demande excède la capacité de traitement d'un système, il se forme automatiquement une file d'attente. Elle est physique et bien réelle dans le cas de la personne qui fait la queue à la caisse de l'épicerie alors qu'il y a trois clients devant elle. La file d'attente est virtuelle pour la personne au téléphone, qui entend une voix indiquant «votre appel est important pour nous» et l'invitant à rester en ligne pour conserver sa priorité d'appel. Nous aborderons les technologies traitant de ce sujet dans le prochain chapitre de ce manuel. Mais, outre la technologie, voici quelques notions importantes à considérer dans ce domaine ainsi que des méthodes pour gérer les files d'attente.

FILE D'ATTENTE ET SEGMENTATION

En marketing, le concept de segmentation, dont nous avons traité précédemment, englobe la possibilité de fixer des degrés de priorités distincts aux diverses catégories de clients. Au sein d'une catégorie, les clients sont égaux, mais les diverses catégories ne sont pas nécessairement égales entre elles. Voici quelques exemples de segmentation.

- ■ *L'urgence de la situation.* Les services de santé utilisent ce critère pour décider quelle personne recevra des soins en priorité. Par exemple, à l'urgence de l'hôpital, une personne en arrêt cardiaque recevra des soins avant l'enfant qui a une ecchymose, même s'il est arrivé le premier. Autre exemple, dans l'industrie de la réfrigération, les équipes d'entretien et de réparation sont toujours prêtes à modifier leur calendrier de visites afin d'intervenir selon les priorités du moment, car la panne du comptoir réfrigéré d'un magasin grande surface risque d'occasionner de plus grandes pertes de nourriture que si cette panne affectait un réfrigérateur chez un particulier.

- ■ *L'importance du client.* Certains clients sont classés dans des groupes restreints, qui bénéficieront d'une attente plus courte. Par exemple, pour la chaîne de magasins entrepôts Costco, les clients d'affaires (dépanneur, restaurant, auberge, etc.) sont moins nombreux, mais ils représentent un volume de vente considérable. Ils peuvent effectuer leurs achats durant certaines heures d'ouverture du magasin qui leur sont réservées. Comme les autres clients n'ont pas accès au magasin durant ces périodes, les files d'attente sont beaucoup moins longues et le temps d'attente beaucoup plus court.

www.costco.ca

■ *Le mode de paiement.* Les clients d'affaires qui louent fréquemment des voitures, qui logent régulièrement dans les hôtels, etc. bénéficient d'un service accéléré de paiement quand ils remettent leur voiture ou quittent l'hôtel, comparativement aux clients occasionnels qui font la file.

■ *La durée de l'opération.* Il est possible de grouper les clients dont une étape du processus d'achat se déroule plus rapidement que chez les autres clients. Par exemple, un magasin d'alimentation peut offrir une caisse rapide aux clients qui ont acheté 6 articles ou moins.

LA GESTION DES FILES D'ATTENTE

Le modèle rudimentaire de gestion d'une file d'attente en file indienne du type « premier arrivé, premier servi » suppose un traitement équitable des usagers. Il existe toutefois plusieurs autres modèles tout aussi équitables, mais en étant plus efficaces que la file indienne. Ces autres modèles augmentent la satisfaction et le bien-être des clients, tout en réduisant leur frustration. La figure 6-12 présente, outre la file indienne illustrée en A, trois autres modèles. Le modèle dit en files parallèles menant à différents serveurs, illustré en B, est populaire dans les commerces de détail de type grande surface. Ce système peut inclure une variante comportant l'ajout de serveurs spécialisés, par exemple une caisse rapide pour les clients qui ont acheté moins de 8 articles. Le modèle en file unique vers de multiples serveurs, illustré en C, réduit la frustration que peuvent éprouver les clients qui craignent de se retrouver dans la file la plus lente. L'enregistrement des passagers dans un aéroport fait appel à ce modèle. Étonnamment, les commerces dont les clients se présentent à la caisse avec un chariot n'utilisent pas le modèle B, à cause des encombrements. L'autre modèle de gestion de l'attente, illustré en D, consiste à placer un distributeur de tickets numérotés et à appeler les numéros à mesure que les guichets se libèrent. L'usager peut s'asseoir et attendre confortablement. Les établissements financiers et gouvernementaux ont fréquemment recours à ce modèle.

De plus, il est possible d'améliorer ces modèles en indiquant le temps moyen d'attente. Par exemple, certaines entreprises de transport en commun, comme à Paris, affichent électroniquement l'arrivée de la prochaine rame de métro ou celle de l'arrêt du prochain autobus. Muni de cette information, le client peut gérer son horaire et mieux supporter l'attente. Dans la figure 6-12, les clients des files B ou C peuvent être informés de la durée d'attente par un panneau indiquant : « Vous avez 20 minutes d'attente à partir d'ici. » Pour la méthode du ticket (D), l'information peut être affichée sur le panneau indiquant le numéro de ticket à servir.

| Figure **6-12** | Les différentes configurations des files d'attente |

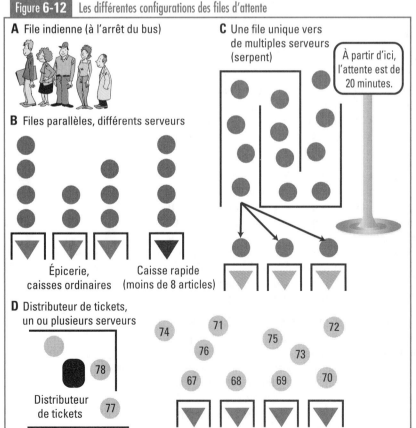

A File indienne (à l'arrêt du bus)

B Files parallèles, différents serveurs

Épicerie, caisses ordinaires   Caisse rapide (moins de 8 articles)

C Une file unique vers de multiples serveurs (serpent)

À partir d'ici, l'attente est de 20 minutes.

D Distributeur de tickets, un ou plusieurs serveurs

Distributeur de tickets

RÉSUMÉ

1. Établir les causes générales de la variation de la demande.

La variation de la demande découle principalement de la nature même des services, qui sont : éphémères et intangibles, c'est-à-dire un service auquel on peut accéder sans toutefois le posséder. La plupart des services sont périssables et non stockables. Les clients participent souvent au processus de production, et le temps, notamment la vitesse d'accès au service, représente un critère important de satisfaction. Les facteurs propres à l'entreprise et au secteur d'activité économique sont également à considérer. La demande peut être inférieure, égale ou supérieure à l'offre de service de l'entreprise. L'étude de la demande aide l'entreprise à s'ajuster à de telles variations.

2. Décrire les outils permettant de comprendre la demande.

Les principaux outils sont : l'analyse des facteurs propres à l'entreprise et à son secteur économique (la technique du diagramme des causes-effets s'applique bien à ce type d'analyse) ; l'étude des cycles de variation de la demande ainsi que sa tendance et l'étude des comportements des clients, qui permet de segmenter la clientèle en sous-groupes caractérisés par des besoins distincts.

3. Mesurer la capacité de l'entreprise et son taux d'utilisation.

La mesure de la capacité varie selon les secteurs industriels. Pour les produits, on se base sur le nombre d'unités produites par période. Pour les produits sur mesure et les services, on utilise la capacité de traitement des personnes et de l'équipement, les services étant principalement réalisés par des personnes. L'utilisation indique l'usage d'une ressource en pourcentage de sa capacité théorique.

4. Expliquer comment la manipulation des différentes variables marketing facilite la gestion de la demande.

Les quatre variables marketing (produit/service, prix, communication et distribution) contribuent à moduler la demande des produits et services de l'entreprise en fonction de sa capacité de production. La mise au point d'offres de service contra-cyclique peut atténuer les écarts de la demande. La hausse des prix fait baisser la demande, tandis que la chute des prix la fait monter. Un accroissement de la communication auprès du client augmente la demande, alors que l'absence de communication la fait baisser. Enfin, la distribution rapide stimule la demande.

5. Mettre sur pied un système de gestion des files d'attente.

L'attente est un phénomène courant qui apparaît lorsque la demande excède l'offre. Les modèles de gestion de l'attente sont : la file indienne, les files parallèles, la file unique vers de multiples serveurs et le distributeur de tickets. Il est possible de segmenter une file d'attente selon divers critères, tels l'urgence de la situation, l'importance du client, le mode de paiement et la durée de l'opération. Il y a un aspect psychologique important associé à l'attente. Les systèmes de réservation sont conçus pour réduire l'attente.

MOTS CLÉS

Capacité (p. 143)	*Capacity*
Cycle (p. 146)	*Cycle*
Défection (p. 161)	*No-show*
Déséconomie d'échelle (p. 153)	*Diseconomy of scale*
Économie d'échelle (p. 153)	*Economy of scale*
Extensibilité (p. 154)	*Scalability*
Gestion de la recette unitaire (p. 157)	*Yield management*
Goulot d'étranglement (p. 152)	*Bottleneck*
Moyenne mobile (p. 147)	*Rolling average*
Personnalisation (p. 151)	*Customization*
Rendement décroissant (p. 145)	*Diminishing returns*
Segmentation (p. 149)	*Segmentation*
Tendance (p. 147)	*Trend*
Utilisation (p. 151)	*Utilization*

QUESTIONS DE RÉVISION

1. Quelle est la principale cause de la variation de la demande?

2. Dans les services, que signifie l'expression «fonctionner à capacité optimale»?

3. En quoi consiste l'analyse de la variation de la demande?

4. Nommez deux outils permettant de découvrir les motivations de la clientèle afin d'adapter les services.

5. Nommez quelques moyens dont dispose une entreprise pour gérer la capacité et influer sur la demande.

6. Décrivez la notion d'utilisation et indiquez comment elle se calcule.

7. Que devrait faire l'entreprise désireuse d'accroître sa capacité de production?

8. Comment les déséconomies d'échelle peuvent-elles survenir?

9. Quelles stratégies d'accroissement de capacité s'offrent à l'entreprise?

10. Donnez un exemple d'entreprise offrant des produits ayant des cycles de marché inverses.

11. En quoi consiste la gestion de la recette unitaire?

12. Comment la variable communication peut-elle aider l'entreprise à gérer la demande?

13. Pourquoi y a-t-il des files d'attente?

14. Nommez et caractérisez quatre types de files d'attente.

15. Pourquoi est-il préférable d'informer le client de la durée de l'attente?

ATELIERS | PRATIQUES

1. Sélectionnez une entreprise œuvrant dans un secteur saisonnier, telle une cabane à sucre. Prenez un rendez-vous avec la direction de l'entreprise ou avec une personne ressource qui connaît bien l'entreprise, afin qu'elle puisse vous donner les renseignements suivants :

   a) Quelle est la capacité quotidienne de service ?

   b) Chiffrez la demande des clients et obtenez le nombre de visiteurs chaque jour de la semaine (midi, soir), ainsi que la durée et la répartition de la demande sur l'année.

   c) Indiquez les stratégies auxquelles l'entreprise pourrait recourir pour allonger la demande.

   d) Indiquez les marchés non traditionnels qu'elle pourrait tenter d'attirer.

   Faites un rapport sur le sujet et présentez-le à la classe. Commencez par une présentation générale de l'entreprise et de son emplacement géographique. Montrez une carte des lieux, en utilisant les services Web de cartographie, comme www.mappoint.msn.com.

2. Choisissez une entreprise locale afin d'analyser les goulots d'étranglement dans son processus d'affaires.

   a) Présentez l'entreprise, son profil et le processus.

   b) Faites un diagramme du processus.

   c) Présentez les différences de capacité des diverses étapes.

   d) Indiquez les solutions que vous préconisez et justifiez-les.

   e) Faites un rapport écrit que vous remettrez à l'entreprise et à votre professeur.

3. Faites une analyse de la variation de la demande pour un service offert par plusieurs personnes en même temps, telles les diverses caisses d'une épicerie de votre quartier.

   a) Contactez l'entreprise afin d'obtenir l'autorisation de faire l'étude.

   b) Concevez un système de collecte de l'information, du type feuille de relevé (par exemple, le nombre de personnes qui font la queue devant chaque guichet, par intervalles de 15 minutes).

   c) Validez le système à l'aide d'un test rapide, faites l'analyse complète et produisez un graphique des résultats. Au besoin, adaptez les éléments de votre système.

   d) Procédez à la collecte réelle des données.

   e) Procédez à l'analyse des données et à la conception des graphiques finaux.

   f) Rédigez votre rapport, qui comportera une description détaillée de l'entreprise, le problème étudié, vos recommandations et les pistes de mise en œuvre que vous suggérez.

4. Sélectionnez une entreprise de votre région où se forment habituellement des files d'attente. Faites un rapport dans lequel vous indiquerez des moyens permettant de réduire l'attente et ce que devrait faire la direction de l'organisation pour rendre l'attente moins pénible. Faites un rapport à la direction ainsi qu'à votre professeur.

5. Étudiez une entreprise qui utilise le prix pour segmenter son marché et réguler la demande. Identifiez les segments et établissez la structure de prix qui leur sont offerts. Faites un rapport à la classe.

HERVÉ CÂBLE

Afin d'équilibrer l'offre à la demande au sein de son service, Coryne Thibault procède à une analyse de la situation. Elle commence par installer une plate-forme informatique plus performante, qui permettra de mieux gérer l'arrivée, la mise en attente et la répartition des appels. Ce nouveau système effectue un contrôle constant des appels en attente et fournit aux superviseurs des informations en temps réel sur le nombre d'appels en attente et la disponibilité des préposés. Il fournit également des statistiques sur le nombre d'appels par période et sur les taux d'abandon. Enfin, le système établit des prévisions de la demande et calcule le nombre de préposés requis, et les horaires de travail, tout en tenant compte des pauses, des repas, des périodes de formation et de réunion, de même que des vacances.

Comme beaucoup d'entreprises de services, Hervé Câble doit répondre à une demande saisonnière coïncidant avec la période des déménagements. Mme Thibault pense qu'il existe également des cycles mensuels et hebdomadaires. Il lui semble que les préposés ont davantage de travail durant la dernière semaine du mois, ce qu'elle associe au fait que c'est généralement à ce moment que les consommateurs règlent leurs factures. Il lui semble également que les préposés consacrent plus de temps au soutien technique en soirée et les samedis, ce qui correspondrait aux fortes périodes d'écoute de la télévision. Enfin, en étudiant les statistiques concernant les taux d'abandon des clients et en s'appuyant sur ses propres observations du degré d'occupation des préposés, Mme Thibault a conclu à l'existence de périodes de pointe quotidiennes. Celles-ci lui paraissent correspondre aux horaires de travail des consommateurs, puisque le centre d'appels est souvent débordé entre 10 h et 10 h 30 (ce qui correspond à la pause-café pour plusieurs employés), de même qu'entre 17 h et 20 h (après le retour à la maison). Coryne Thibault a aussi fait en sorte que les heures de travail jugées moins agréables soient réparties équitablement entre tous les employés. Les préposés travaillent donc en rotation le samedi et les soirs de semaine et récupèrent leur jour de congé dans le courant de la semaine. L'horaire de travail de chaque employé (heure d'arrivée et de départ) varie également d'une semaine à l'autre, et ce, pendant un cycle de huit semaines. Coryne Thibault a envisagé de mettre en place des horaires brisés, quitte à compenser les employés affectés en les faisant travailler moins d'heures pour le même salaire (par exemple, 3 heures pendant la pointe du matin et 3 heures pendant la pointe du soir, plutôt que 7 heures et demie selon l'horaire habituel).

ANNEXES

ANNEXE 1 | LA MOYENNE MOBILE

La moyenne mobile est un calcul glissant sur les données. Le résultat est une nouvelle série de valeurs qui correspond plus ou moins bien à la série à l'étude. Elle est le résultat du calcul de la moyenne sur un nombre restreint de données. Vous décidez du nombre de données de la série originale qui sera pris en compte.

Afin de comprendre visuellement l'effet de la moyenne mobile, consultez le site Internet www.inrialpes.fr/sel/lexique/moy_mobile/moy_mobile.html.

Ce site offre une animation permettant de visualiser la notion de moyenne mobile. On y trouve un ensemble de données à étudier. Sélectionnez une valeur quelconque pour déterminer le nombre de données sur lequel vous désirez effectuer le calcul de la moyenne mobile. En faisant varier ce nombre, vous constaterez que la courbe suit plus ou moins bien les données. La moyenne mobile est utile pour attirer votre attention sur le phénomène principal en filtrant les variations trop importantes. Vous pouvez obtenir le même effet visuel avec le chiffrier Excel.

La moyenne mobile est un outil très populaire dans l'analyse boursière.

ANNEXE 2 | LA TARIFICATION DES SERVICES

L'entreprise qui facture ses services doit trouver réponse aux questions suivantes, qui concernent les prix :

- Ce service doit-il être facturé explicitement ou doit-il être inclus dans un ensemble de services ?
- À quel prix facturer ce service ?
- Quels doivent être les critères de facturation ?
  - Le temps (minute, heure, semaine, mois, année), dans le domaine de la téléphonie cellulaire, par exemple.
  - Un pourcentage de la valeur d'une transaction (courtier).
  - L'exécution d'une tâche déterminée (dentiste).
  - Un montant pour chaque transaction (téléchargement de musique Itune).
  - L'espace ou le volume occupé (entrepôt public).
  - La masse ou le volume (transport).
  - La distance (taxi).
  - Les ressources utilisées (personne, machine, matériaux), comme dans le domaine de l'imprimerie, par exemple.
- Qui encaisse ?
  - Le fournisseur direct (argent comptant).
  - Un intermédiaire (carte de crédit).

■ Où se fait le paiement?

- Sur les lieux de consommation.

- À un guichet spécialisé (autobus, métro).

- À un établissement financier (banque).

■ Quand se fait le paiement?

- Avant la prestation de service (cinéma).

- Après la prestation de service (restaurant).

- Dépôt avant d'entreprendre les travaux et solde à la fin (rénovation résidentielle).

■ Comment indiquer les prix aux clients?

- Par soumission (rénovation résidentielle).

- Affichage sur le lieu de vente (restauration rapide).

- Catalogue/Internet (librairie).

LES POLITIQUES DE FACTURATION

Les politiques de facturation varient d'un secteur d'activité économique à l'autre. Le secteur de la restauration rapide exige habituellement le paiement avant la livraison dans les cas de consommation sur place. Mais dans les cas de livraison à domicile, c'est l'inverse, le client paie après la livraison! Les dentistes facturent souvent après l'ensemble des travaux alors que les massothérapeutes facturent à chaque prestation de service.

Les technologies dans le service à la clientèle

La science, c'est ce que le père enseigne à son fils.
La technologie, c'est ce que le fils enseigne à son papa.
Michel Serres[1]

OBJECTIFS D'APPRENTISSAGE

Après avoir étudié ce chapitre, vous pourrez :

1. Établir les trois rôles principaux de la technologie dans le service à la clientèle.

2. Utiliser efficacement le message déposé dans une boîte vocale en tant qu'émetteur ou récepteur.

3. Décrire les éléments d'un système de gestion de la relation client.

4. Pratiquer les techniques de communication orale à distance.

5. Décrire les mesures de performance des centres d'appels.

6. Évaluer la qualité d'un site Internet d'entreprise pour le service client.

MISE EN SITUATION

LES TRIBULATIONS D'UNE TECHNOPHOBE

Voici la transcription mot à mot du message que Suzanne Girard, professeure en techniques de gestion a trouvé dans sa boîte vocale : « Euh, Suzanne ? J'ai eu votre nom par ma cousine Mélanie à qui vous avez déjà donné le cours de gestion clientèle... Euh... Mon nom est Hélène, 450 555 1212... Appelez-moi, parce que j'aurais besoin de conseils... Je repars en affaires, et Mélanie n'arrête pas de me dire qu'il faut que je m'informatise... Euh... et elle me dit que vous avez beaucoup d'expérience là-dedans. »

Après avoir écouté le message deux fois, Suzanne finit par comprendre la teneur des propos de son interlocutrice et décide de la rappeler. Il ressort de la conversation téléphonique qu'Hélène Boucher, 29 ans, ébéniste de profession, compte sur l'héritage généreux qu'elle a reçu après le décès accidentel de son conjoint pour quitter son poste d'apprentie et lancer son propre commerce de conception et de fabrication sur mesure de mobilier haut de gamme.

Durant sa formation à l'École du meuble, Hélène Boucher a suivi des cours de comptabilité, de marketing et d'implantation d'une entreprise artisanale. Toutefois, dès que Suzanne lui explique que les nou-velles technologies l'aideraient sûrement à gérer son commerce, Hélène se raidit :

« Je me suis toujours débrouillée sans ordinateur... et j'ai bien l'intention de continuer. Mes profs d'ébénisterie ont bien réussi à se bâtir une clientèle par le simple bouche à oreille... Je compte bien en faire autant ! Dès qu'on me demande de manipuler une souris d'ordinateur, je panique.

— Mais voyons, Hélène ! Ça n'a aucun sens ! Au XXIᵉ siècle, faire des affaires sans le soutien des nouvelles technologies, c'est se condamner à une certaine forme d'analphabétisme ! Surtout avec le type de produits que tu comptes vendre. Pense que, pour survivre, ton petit commerce devra rayonner géographiquement bien au-delà de ton quartier. Cela tombe bien, il se donne justement à notre cégep un cours portant sur les nouvelles technologies et le service client. Si tu veux, tu peux venir à titre d'auditrice libre si tu le souhaites.

— Mais oui, cela pourrait être intéressant.

— Absolument ! Mais, avant tout, laisse-moi te donner un conseil à propos du message que tu as laissé dans ma boîte vocale... »

OBJECTIF 1

Établir les trois rôles principaux de la technologie dans le service à la clientèle.

7.1 LE SERVICE À LA CLIENTÈLE ET LES TECHNOLOGIES

Pour offrir une relation client de qualité, les entreprises accordent une place toujours croissante aux technologies. Attention, les technologies ne sont qu'un moyen et la satisfaction du client est toujours plus importante que tout le reste. C'est pourquoi les entreprises ne doivent pas se laisser distraire. D'ailleurs, l'expérience montre que, même avec l'usage des technologies les plus avancées, la satisfaction du client dépend avant tout du niveau de compétence et du degré de motivation des employés, peu importe que le client soit servi en personne ou par l'intermédiaire du téléphone[2]. Il faut bien comprendre que les technologies ne remplacent pas l'employé, mais l'assistent. Relisez la dernière section du chapitre 1 à ce sujet. Les technologies facilitent les interactions entre le client et l'entreprise. L'objectif de l'entreprise est de satisfaire le client quel que soit le moyen de communication utilisé pour interagir avec lui. Les technologies sont à la fois *une source d'information, un moyen de communication et un moyen de transaction,* comme le montre la figure 7-1, qui analyse quelques-uns des moyens d'échange d'information, de produits et de services entre les clients et l'entreprise.

Afin de mieux comprendre les liens qui s'établissent entre une entreprise et un client, nous les avons regroupés dans la figure 7-1, en tenant compte de deux facteurs : leur déroulement simultané (**synchrone**) ou non simultané (**asynchrone**). Par exemple, vous pouvez consulter un livre écrit il y a plusieurs centaines d'années. Vous établissez alors une communication avec un auteur, même s'il est décédé depuis longtemps. L'autre axe de la figure considère le degré de personnalisation de l'interaction. En effet, la personnalisation enrichit la qualité de la relation avec le client et, inversement, l'anonymat ennuie le client. La cartouche blanche située dans la partie supérieure droite de cette figure (rectangle D) représente la seule situation au cours de laquelle le client et un représentant de l'entreprise sont en face l'un de l'autre. Dans toutes les autres situations, l'interaction se déroule par le truchement d'un moyen de communication (média). Rappelons que les supports à l'échange sont nombreux et changent constamment. Les lignes qui suivent décrivent les six cases de la figure 7-1.

Synchrone
(*synchronous*)
Qui se produit dans le même temps.

Asynchrone
(*asynchronous*)
Qui n'est pas synchrone.

Figure 7-1 Modes d'échange entre l'entreprise et le client selon la vitesse d'interaction et le degré de personnalisation

	Asynchrone	Synchrone

Élevé	**A Échange non simultané**
	
	• Poste
	• Boîte vocale
	• Internet
	   – Échange par courriel
		D Communication simultanée
		
		• Représentant en personne (face à face)
		• Téléphonie
		• Internet
		   – Clavardage
		   – Téléconférence, téléphonie IP
		   – Contrôle à distance d'un ordinateur

Degré de personnalisation	**B Échange libre-service information semi-ciblée**
	• Système interactif de réponse vocale
	• Internet
	   – Pages Web, audio, vidéo
	   – Base de connaissances avec moteur de recherche
	   – Banques de documents
	   – Foire aux questions
	• Démonstration
		E Libre-service échanges personnalisés
		• Guichet automatique, borne
		• Internet
		   – Compte rendu en temps réel
		   – Accès aux données en temps réel
		   – Pages Web personnalisées

Faible	**C Échange libre-service information générale** • Carte postale réponse d'affaires • Document de présentation technique • Catalogue • Publipostage • Dépliant • Publicité	**F Échange libre-service information générale** • Borne interactive • Panneau électronique sur l'état de la circulation

Information à jour et rapidité de l'échange

Case A. Lien asynchrone avec un degré élevé de personnalisation

Cette situation d'échange convient très bien aux personnes qui ne communiquent pas au même rythme. Supposons, par exemple, que vous désiriez poser des questions à votre professeur sur un travail à faire. Vous lui écrivez un courriel précisant votre demande. Lorsque l'enseignant prend ses messages, il note votre requête et vous répond. Les deux interlocuteurs ont communiqué selon leur horaire personnel. Un grand nombre d'échanges n'ont pas besoin de se dérouler en temps réel.

Points forts : liens présentant une grande flexibilité d'accommodation à l'horaire des usagers, simples à utiliser et accessibles.

Points faibles : liens coûteux pour l'entreprise, car les échanges rejoignent peu de gens à la fois. Les messages des boîtes vocales sont séquentiels et consomment beaucoup de temps. Beaucoup de requêtes transmises par courriel peuvent indiquer que l'information fournie en case B est inadéquate.

Case B. Lien asynchrone avec un degré moyen de personnalisation

Ce lien représente une situation d'échange automatisée de la part de l'entreprise et adaptée au rythme du client.

Par exemple, afin de ne pas vous déplacer inutilement, vous désirez savoir si un commerce est ouvert durant un jour férié. Il vous suffit de consulter le bottin téléphonique interactif pour trouver le numéro du commerce, puis de téléphoner à ce numéro pour obtenir l'information. Il n'y a aucune intervention humaine directe des entreprises.

Points forts : lien économique au regard du nombre de personnes jointes, accès 7 jours sur 7, 24 h sur 24 (7/24) ; information technique poussée accessible par diverses méthodes d'interrogation ; mise à jour centralisée et instantanée ; ubiquité d'Internet.

Points faibles : lien nécessitant des mises à jour fréquentes et exigeant une interface conviviale difficile à créer.

Case C. Lien asynchrone avec un degré de personnalisation faible

Le lien asynchrone avec personnalisation faible permet à une entreprise de publier de l'information selon ses priorités, comme dans le cas, par exemple, de fabricants de chocolat ou de fleuristes qui feraient la publicité de leurs produits peu avant la Saint-Valentin ou avant Noël.

Points forts : simplicité pour les usagers, stimulation des besoins.

Points faibles : mises à jour moins fréquentes ; le stock de dépliants devient périmé à l'issue des modifications apportées.

Case D. Lien synchrone avec un degré élevé de personnalisation

Ce type d'échange est très adapté aux situations pour lesquelles un échange en temps réel est préférable. Supposons, par exemple, que vous rapportiez au magasin un achat qui ne vous convient pas. L'échange se déroule en temps réel, au cours d'un face à face avec le préposé au retour des marchandises ; vous discutez de votre cas particulier. Les liens synchrones procurent au client un service client agréable assuré par un représentant compétent, efficace et affable.

Points forts : service client idéal, relation potentiellement chaleureuse.

Points faibles : relation de un à un coûteuse en main d'œuvre et en locaux, difficulté d'assurer la sécurité des données pour les relations à distance.

Case E. Lien synchrone avec un degré moyen de personnalisation

Il s'agit d'une situation d'échange individualisée automatisée de la part de l'entreprise, mais avec un échange en direct. Par exemple, vous vous rendez sur le site Internet de votre courtier en valeurs mobilières pour lui faire acheter des actions d'une entreprise. Vous accédez directement à votre compte, vous consultez la cote des actions qui vous intéressent et vous passez une commande.

Points forts : relation de personne à personne économique, rapide et adaptée. Service 7/24.

Points faibles : sécurité insuffisante des données.

Case F. Lien synchrone avec un degré de personnalisation faible

Les liens synchrones avec personnalisation faible permettent à une entreprise de transmettre de l'information en temps réel, selon ses priorités. Par exemple : dans l'allée d'un grand magasin, une affiche électronique annonce aux clients une promotion qui n'est valable que pour la prochaine heure. Les panneaux électroniques de signalisation routière indiquant aux automobilistes la présence de bouchons de circulation sont un autre exemple.

Points forts : information en temps réel.

Points faibles : information succincte.

LES TECHNOLOGIES : UNE SOURCE D'INFORMATION

Les technologies sont elles-mêmes une source d'information. Il suffit de penser aux caisses enregistreuses des commerces, par exemple, qui effectuent simultanément plusieurs opérations. Elles produisent une facture pour chacune des transactions, font les totaux et les moyennes des ventes par catégories de produits, déduisent les unités vendues des stocks, tiennent compte des différences de perception entre les taxes de vente fédérale et provinciale. Elles appliquent également les rabais aux articles en promotion, émettent les coupons pour les promotions croisées applicables à certains produits ou à certains clients. Mieux encore, certaines caisses enregistreuses impriment même l'information dans la langue du choix du client avec son nom. Il faut même s'attendre à la mise en service prochaine, dans les épiceries, des caisses libre-service que le client fera fonctionner lui-même. C'est déjà une réalité dans les stations-service où il est possible de payer directement à la pompe, si celle-ci est munie d'un lecteur de carte bancaire ou de carte de crédit.

L'ensemble formé par les ordinateurs, les réseaux de communication, les bases de données et les logiciels permet d'automatiser la création d'information et la consultation de données. La caisse enregistreuse dont il était question dans le paragraphe précédent crée de l'information en compilant les totaux des factures enregistrées par chacun des commis. Il est possible de consulter cette information à volonté, sur place ou à distance, après transmission par le réseau au chef caissier ou au contrôleur financier. La consultation et la production de l'information n'ont pas besoin d'être synchrones, ni de se dérouler dans le même lieu.

Les systèmes informatiques n'ont pas fini de nous étonner en créant de l'information ou en ajoutant de la valeur à l'information. Parmi les nouveaux services liés aux technologies émergentes, mentionnons la **géomatique d'affaires**, qui marie données géographiques et données d'entreprise. Les services Google Maps et Google Earth en sont deux exemples probants.
maps.google.com
earth.google.com

En résumé, la technologie permet :

1. d'automatiser la production de l'information, telle la caisse enregistreuse ;

2. de désynchroniser la production et la consommation de l'information, ce qu'illustre la boîte vocale ou le **numériscope** (récepteur vidéo personnel, téléphones cellulaires reliés à Internet et recevant la télévision) ;

3. de transmettre l'information à distance et non de la fournir uniquement là où elle est produite.

LES TECHNOLOGIES : UN MOYEN DE COMMUNICATION

Les technologies permettent de communiquer et d'agir à distance. Elles facilitent la diffusion et l'accès à l'information. Le mot magique est Internet, qui, tout comme

Géomatique d'affaires (*business geomatics*)

Stratégie d'entreprise fondée sur l'intégration des données d'entreprise et de la localisation géographique des phénomènes qui y sont associés[3].

Numériscope (*digital video recorder*)

Appareil doté d'un disque dur de grande capacité, qui permet l'enregistrement et la lecture de signaux numériques vidéo et audio, notamment des émissions de télévision, indépendamment du mode de transmission utilisé (hertzien, câblodistribution, satellite, etc.)[4].

l'électricité il y a cent ans, continue de révolutionner le monde dans lequel nous vivons. Pour la majorité d'entre nous, Internet est à la fois le contenant et le contenu. Il est souvent difficile de les distinguer l'un de l'autre. Le grand boulversement de l'heure est la **téléphonie sur IP**, qui permet d'offrir de nouveaux services téléphoniques tout en réduisant les coûts. En toile de fond, nous assistons au mariage forcé de diverses technologies qui occupaient des créneaux différents : téléphonie traditionnelle et cellulaire, Internet, radio, musique, jeux vidéo, cinéma, télévision, identification et mode de paiement.

Pour illustrer ces nouveaux moyens de communication, il suffit de songer à MSN Messenger de la société Microsoft (figure 7-2). En effet, la dernière version de ce logiciel permet d'accéder gratuitement à plusieurs fonctions, telles que le clavardage, l'échange de fichiers, la téléphonie, la téléphonie vidéo, le partage d'activités de jeu, le partage d'un tableau blanc de travail, l'assistance à distance, le partage d'applications et le partage de calendriers. Les entreprises peuvent bénéficier de services de débit et de confidentialité supérieurs à ceux de MSN en se procurant cet éventail de moyens de communication auprès de la société Webex. D'ailleurs, Microsoft offre des versions haut débit payantes de ces services sous le nom de *Live*.

La possibilité de transmettre de l'information par l'intermédiaire de la téléphonie, quelle que soit la forme qu'elle peut prendre (traditionnelle, sans fil, cellulaire, IP, vidéo, etc.), répond aux besoins des clients et ces technologies occupent une place privilégiée en service client. D'ailleurs, une importante section de ce chapitre traite de ces technologies de communication, en particulier celle des **centres d'appels**.

Téléphonie sur IP (*telephony over Internet Protocol*)

Ensemble des techniques qui, dans une entreprise ou un organisme, permettent de mettre en place des services téléphoniques sur un réseau utilisant le protocole IP[5].

web
www.microsoft.com
www.webex.com
www.live.com

Centre d'appels (*call center*)

Lieu où sont regroupés des agents qui utilisent des moyens de télécommunication et d'informatique pour recevoir ou émettre des appels[6].

Figure **7-2** MSN Messenger de Microsoft

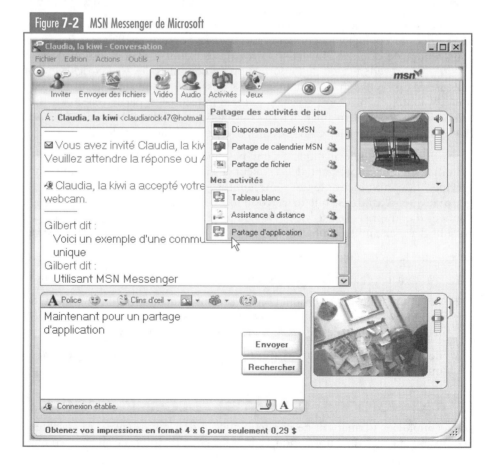

LES RÉPONDEURS TÉLÉPHONIQUES

Les répondeurs téléphoniques constituent un moyen extrêmement pratique de communication vocale asynchrone. Toute entreprise qui désire offrir un service client minimal ouvert 24 heures sur 24, 7 jours sur 7, utilise cette technologie. Facile et économique à installer avec un logiciel adapté, cette technologie peut servir de point d'accueil téléphonique, répondre directement aux demandes d'information simples. Elle permet également de diriger les communications plus complexes vers les personnes compétentes. Si la personne désirée ne peut prendre l'appel, l'interlocuteur peut laisser un message dans la **messagerie vocale**. Les messageries vocales accroissent la fluidité des échanges puisqu'un pourcentage important des communications n'a pas besoin de se dérouler en temps réel. Cette observation s'applique notamment aux demandes d'information simples, telles les heures d'ouverture.

La messagerie vocale est soumise aux mêmes règles d'éthique qu'une rencontre en personne. La politesse et le respect sont de mise. Le fait que la rencontre se déroule par l'entremise de la technologie, et avec un décalage temporel, impose des règles de conduite supplémentaires. Nous les exposons dans les lignes qui suivent.

CONSIGNES POUR LA PERSONNE QUI DÉPOSE UN MESSAGE DANS UNE BOÎTE VOCALE

Joindre une personne dans une entreprise demande habituellement plusieurs tentatives, et il n'est donc pas étonnant de tomber régulièrement sur un répondeur téléphonique. C'est pourquoi il faut être prêt à laisser un message invitant la personne absente à rappeler, d'où l'importance d'indiquer la raison de l'appel. De plus, comme certains systèmes ne laissent pas beaucoup de temps pour enregistrer un message, il importe d'être concis. Toutefois, si le message est très long et dépasse la durée prévue d'enregistrement, il est toujours possible de laisser plusieurs messages à la suite l'un de l'autre.

La personne qui désire déposer un message dans une boîte vocale devrait suivre les consignes suivantes :

- Avant d'appeler, assurez-vous de bien connaître l'information à transmettre ou à demander.

- Parlez lentement.

- Nommez-vous en donnant votre prénom et votre nom, et indiquez la raison de votre appel.

- Transmettez l'information ou la requête.

- En cas d'urgence, indiquez l'heure et la date à laquelle vous désirez que la personne réponde à votre question ou vous rappelle.

- Répétez votre prénom et votre nom une seconde fois.

- Répétez votre numéro de téléphone deux fois, indicatif régional compris, et votre poste téléphonique, s'il y a lieu.

- Remerciez.

Souvenez-vous que la boîte vocale n'est pas un ennemi, bien au contraire, car elle vous permet de gagner du temps. Sachez vous en servir.

CONSIGNES POUR LA PERSONNE QUI UTILISE UNE BOÎTE VOCALE

En affaires, le message d'accueil du répondeur n'a pas les mêmes fonctions qu'à domicile. À la maison, ce message est souvent vague, afin de préserver la sécurité

Messagerie vocale
(*voice mail*)

Messagerie basée sur la réception ou la transmission de messages vocaux à travers un réseau de télécommunication[7].

OBJECTIF 2

Utiliser efficacement le message déposé dans une boîte vocale en tant qu'émetteur ou récepteur.

et l'intimité des résidents. Mais, en entreprise, vous désirez que les personnes qui appellent à votre bureau par erreur s'en rendent compte instantanément et que celles qui désirent vous parler puissent vous joindre aisément. D'où l'importance de laisser un message d'accueil qui indique où l'on peut vous joindre ou qui donne le nom d'une personne à qui l'on pourra s'adresser durant votre absence.

Voici quelques consignes utiles:

- Enregistrez un message d'accueil pertinent, qui mentionnera le nom du service ou celui du département (ou celui de l'entreprise si vous disposez d'un accès direct au réseau téléphonique), votre prénom, votre nom et votre titre, s'il est significatif.

- Si vous prévoyez être absent, indiquez à quel moment vous serez de retour et laissez les coordonnées d'une personne à joindre en cas d'urgence.

- Au besoin, indiquez le type de renseignements dont vous avez habituellement besoin pour donner suite au message reçu.

- Expliquez comment rompre la communication (une procédure utile notamment pour les personnes qui se sont trompées de numéro).

- Au besoin, indiquez à quel moment la personne qui a laissé un message peut s'attendre à ce que vous donniez suite à son appel.

- Prenez régulièrement les messages déposés dans votre boîte vocale.

- Donnez suite à chaque message qui l'exige: redirigez immédiatement les appels qui ne vous concernent pas; répondez sans attendre aux requêtes simples et prenez note des requêtes complexes, avant de retourner un avis de suivi.

Outre ces consignes, vous pouvez également vous reporter au chapitre 2, à la section «Les théories relatives à la clientèle». Il est souvent difficile de manipuler efficacement une boîte vocale. Placez la notice technique à côté de l'appareil et n'hésitez pas à la consulter au besoin. Ces appareils permettent d'améliorer grandement le service client et votre productivité.

LES TECHNOLOGIES: UN MOYEN DE TRANSACTION

Un système comprenant des ordinateurs, des réseaux de communication, des bases de données et des logiciels permet d'automatiser un grand nombre de services existants et d'en créer de nouveaux, tout en accroissant la plage de disponibilité et en réduisant les coûts. Il suffit de penser, par exemple, à la facilité avec laquelle les personnes peuvent effectuer des paiements à n'importe quel moment de la journée avec une carte de crédit ou une carte de débit dans des établissements où elles ne sont pas connues. Le terme *e-commerce* qui est souvent associé à ce type de transaction connaît une croissance fulgurante. Il a augmenté de plus de 25% entre 2003 et 2004. Le tiers des achats des Canadiens se font sur des sites Web étrangers[8]. Nous discutons du site Internet de l'entreprise dans la dernière section de ce chapitre.

>> *OBJECTIF* 3

Décrire les éléments d'un système de gestion de la relation client.

www.accenture.com

7.2 LA GESTION DE LA RELATION CLIENT

La gestion de la relation client, ou GRC, est une philosophie de gestion qui s'apparente étroitement à celle de l'approche client. Elle vise à centrer l'activité de l'entreprise sur le client et à focaliser sa stratégie. Cette approche nécessite de repenser les processus de fonctionnement de l'entreprise et de se servir des développements technologiques pour mieux servir le client. Accenture, une grande société de consultation, offre ses services en GRC en soulignant qu'elle aidera l'entreprise à «extraire des bénéfices de l'information sur ses clients, réinventer le courant d'affaires et transformer le marketing en une science de la gestion[9]». Avec de telles attentes, il n'est pas étonnant que la majorité des entreprises qui investissent dans les technologies de GRC soient déçues des résultats[10].

LE CONCEPT DE GESTION DE LA RELATION CLIENT

Essentiellement, la GRC est une technologie qui vise à soutenir les activités de l'entreprise. Elle aide les employés à cibler les bons clients et à leur fournir un meilleur service. La technologie utilisée dépend des fournisseurs et des clients. Il n'y a pas de voie privilégiée; il y a plutôt des chemins sinueux dont certains débouchent sur des culs-de-sac. Une des idées maîtresses de la GRC est d'unifier les transactions du client avec l'entreprise afin de simplifier sa démarche d'affaires. Or, les conditions nécessaires pour réaliser cette unification sont difficiles à remplir. Il faut en effet que l'interface unique manipulée par les employés de l'entreprise présente plusieurs caractéristiques:

1. Elle doit permettre d'accéder à toute information pertinente que possède l'entreprise sur ce client afin de pouvoir réaliser la tâche à accomplir.

2. Le personnel de contact client doit être capable de comprendre cette information, ce qui suppose des compétences particulières.

3. Le logiciel qui fournit cette information doit être très rapide d'exécution et très facile d'utilisation.

4. Le personnel doit disposer du pouvoir d'adapter les règles de fonctionnement de l'entreprise aux besoins du client.

La nécessité de remplir toutes ces conditions permet de comprendre pourquoi la GRC connaît tant d'échecs. La figure 7-3 (p. 180) présente une vision idéale de la gestion de la relation client.

LES PRINCIPALES COMPOSANTES D'UN SYSTÈME DE GRC

Un système de gestion de la relation client (GRC) comporte cinq grandes composantes: l'automatisation des ventes, le service client, la gestion du marketing, le centre d'appels ou de contacts clients ainsi que les analyses de données et la veille économique.

L'AUTOMATISATION DES VENTES

La technologie permet d'automatiser plusieurs des tâches des représentants et leur permet ainsi d'être plus efficaces et plus présents auprès des clients.

Le soutien à la force de vente

Le soutien à la force de vente met en œuvre plusieurs activités. Il faut commencer par planifier les itinéraires des visites des représentants et l'affectation des clients potentiels, ce qui permettra d'alerter le vendeur de la présence d'éventuels nouveaux clients sur son territoire. Par ailleurs, il est nécessaire de gérer le calendrier et les tâches afin de programmer les décisions à prendre et de déterminer comment les partager. Il faut également effectuer le suivi des partenaires stratégiques et des concurrents afin de savoir comment ils évoluent. Il faut enfin synchroniser et intégrer ces différentes activités à l'aide d'un calendrier électronique, tel Outlook/Palm, qui donne accès aux courriels de façon centralisée et qui synchronise les postes mobiles des vendeurs à ceux de l'entreprise.

www.microsoft.ca
www.palm.com

Figure 7-3 Le concept de gestion de la relation client

La gestion de la relation client

Idéalement, l'approche de gestion de la relation client (GRC) traite l'ensemble des transactions effectuées avec le client. L'entreprise s'assure ainsi que chaque client reçoit le niveau de service déterminé par la stratégie marketing de l'entreprise, tout en maximisant ses revenus et en minimisant les ventes perdues.

Le client informe l'entreprise
Le système de GRC enregistre les transactions pour chaque client et les autres informations que le client a fournies. Le système détermine les besoins et les préférences du client et lui assigne un profil.

L'entreprise informe le client
L'entreprise fournit au client les produits, les services, le soutien et les informations dont il a besoin, au bon moment, au bon endroit et à un prix qu'il est prêt à payer.

Le système de GRC soutient toutes les transactions du client.

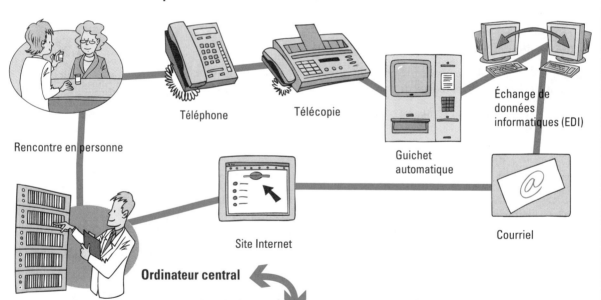

Rencontre en personne

Téléphone

Télécopie

Guichet automatique

Échange de données informatiques (EDI)

Site Internet

Courriel

Ordinateur central

Chaque service de l'entreprise accède au système intégré pour obtenir l'information dont il a besoin pour participer à l'effort collectif, qui vise à répondre aux besoins du client, tout en assurant la survie et la prospérité de l'entreprise. Chaque service puise de l'information dans la banque de données et en apporte à cette banque.

Le service à la clientèle
Utilise l'information pour créer un contact chaleureux et donner un service efficace.

Le service des ventes
Utilise le volet automatisation des ventes, répond aux requêtes des clients, répartit les clients et les clients éventuels entre les vendeurs.

La comptabilité
Utilise l'information pour calculer le prix de revient, les salaires et le paiement des fournisseurs.

Le service du marketing
Utilise l'information pour concevoir des produits, des campagnes de publicité, de promotions croisées et de marketing direct.

La production
Utilise l'information pour planifier la production et gérer les stocks.

La gestion des ventes

La gestion des ventes comprend la gestion des comptes (partage de l'historique des comptes), la gestion des contacts (suivi des appels du contact pour connaître ses activités, ses notes, ses demandes de service, ses occasions d'affaires), la gestion des occasions d'affaires, au cours desquelles on associe des activités commerciales et de marketing avec les clients particuliers.

La gestion des ventes repose également sur la création de catalogues de produits, qui fournissent aux équipes de vente des informations sur les produits et services, ainsi que sur la gestion des produits (gestion de catalogues de produits et services de l'entreprise), des quotas (définition d'objectifs mensuels, trimestriels ou annuels) et des activités (centralisation des appels d'offres, devis, rappels de diverses tâches ou activités, et détails de réunion).

Les rapports des ventes

Les rapports des ventes permettent d'effecteur des comparaisons avec les prévisions (prévisions antérieures et regroupement des historiques). Les rapports présentés sous forme graphique rendent plus apparents le chiffre d'affaires de la période qui vient de s'achever et les prévisions de ventes.

De plus, les analyses des ventes permettent d'obtenir des données interactives exploitables par l'ensemble de l'entreprise.

LE SERVICE CLIENT

Le service client correspond à la gestion des services et aux outils utilisés.

La gestion des services

La gestion des services comprend la gestion des demandes de service (centralisation de la saisie et du suivi des demandes de service), la gestion des comptes (consultation de l'historique des demandes de service d'un compte) et la gestion des contacts (consultation des demandes d'assistance de chaque contact). Elle comprend également la gestion des produits (par la création d'un catalogue des produits et services de l'entreprise) et la gestion des actifs (occasions d'affaires). Une telle gestion permet de donner par courriel des réponses personnalisées de manière homogène et professionnelle.

Les outils du service client

Les outils du service client sont la base de connaissances, qui procure des réponses aux questions les plus courantes des clients (FAQ), la gestion du calendrier et des tâches, qui permet de programmer les décisions à prendre et les tâches à partager, ainsi que les catalogues de produits (mise à jour des informations disponibles sur les produits et services destinées principalement aux équipes de soutien et de vente).

Il est possible d'intégrer et de centraliser les courriels au moyen d'un gestionnaire de contacts tel Outlook - Gestion.

www.microsoft.ca

LA GESTION DU MARKETING

La gestion du marketing inclut la création de campagnes de publicité et de promotion, la gestion des campagnes et du calendrier des événements, ainsi que le soutien à la recherche.

LE CENTRE D'APPELS OU DE CONTACTS CLIENTS

Un centre d'appels ou de contacts clients utilise les technologies suivantes:

1. Couplage de la téléphonie et de l'informatique (les appels sont acheminés vers le téléphone avec affichage à l'écran grâce au système de GRC).

2. Voix/Messagerie (fonctionnalité vocale hébergée par l'intermédiaire du téléphone ou par téléphonie Internet).

3. Serveur vocal interactif hébergé (le système dirige les appels vers les agents appropriés en fonction des chiffres saisis par l'appelant).

4. Distribution automatique d'appels hébergés (le système dirige automatiquement et rapidement les appels vers le bon agent selon des règles prédéfinies).

5. Support multicanal (support de canaux de communication multiples, par exemple téléphone traditionnel, téléphone cellulaire, courriel, télécopie) par l'intermédiaire d'une plateforme intégrée. Un tel système permet de transmettre des appels téléphoniques vers des périphériques mobiles ou portables sans ordinateur.

6. Intégration du centre de contacts avec les autres services de GRC.

   Voir la section sur ce sujet plus loin dans le texte.

LES ANALYSES DE DONNÉES ET LA VEILLE ÉCONOMIQUE

La GRC permet d'effectuer des analyses de données et une **veille économique** par la création d'un tableau de bord adapté aux besoins particuliers de l'entreprise et à partir des rapports des fils de presse spécialisés.

7.3 LES CENTRES D'APPELS OU DE RELATION CLIENT

Les centres d'appels constituent des services très importants pour les entreprises. Au Canada, ce secteur d'activité économique a connu une croissance fulgurante puisqu'il a quintuplé entre 1987 et 2004 (+ 447%) et qu'il fournit maintenant plus de 112 000 emplois. Seulement 10% des travailleurs affectés aux services de soutien aux entreprises occupaient un emploi temporaire en 2004, contre 13% dans l'ensemble des industries ou même de l'ensemble des industries de services[15]. Ces centres sont le fruit de l'évolution des technologies de la communication. Les entreprises ont pris conscience des avantages que procurait le fait de réunir en plusieurs endroits, voire en un seul, les **agents d'appels** chargés de communiquer à distance avec les clients. Les principales technologies utilisées sont le **système de réponse vocale interactif**, qui accueille le visiteur et lui offre des choix qu'il exerce en appuyant sur les touches du téléphone, et la **distribution automatique d'appels**, qui achemine les appels selon l'ordre d'arrivée vers les agents disponibles pour prendre l'appel suivant.

La mission des centres d'appels est de recevoir des appels, mais aussi d'en émettre. Les principales raisons des appels sortants sont des activités de vente (**télémarketing**), des sondages, des confirmations de livraisons et de rendez-vous, ainsi que de leurs modifications. Les appels sortants dérangent les gens et ils sont réglementés par le Conseil de la radiodiffusion et des télécommunications canadiennes, ou CRTC. C'est notamment le cas des pratiques de télémarketing concernant les **composeurs-messages automatiques,** une question abordée dans l'encadré décrivant les règles à suivre concernant les appels téléphoniques de télémarketing.

Veille économique (*business intelligence*)
Ensemble des activités liées à la recherche, au traitement et à la diffusion de renseignements utiles à l'entreprise en vue de leur exploitation[11].

Agent d'appels (*call center agent*)
Dans un centre d'appels, personne qui traite les appels en répondant aux demandes d'information ou de service[12].

Système de réponse vocale interactif (*interactive voice response system*)
Système qui permet, à partir d'un téléphone, d'établir une communication dans les deux sens entre un utilisateur et un serveur vocal[13].

Distribution automatique d'appels (*automatic call distribution, ACD*)
Dans un centre d'appels, fonction d'un système automatisé de répartition des appels entrants[14].

Télémarketing (*telemarketing*)
Utilisation des techniques et des moyens de télécommunication au service de la mercatique[16].

Composeur-message automatique, CMA (*Automatic dialing-announcing device, ADAD*)
Appareil composant automatiquement des numéros de téléphone et utilisé pour transmettre un message enregistré. Les appels par CMA à des fins de sollicitation sont interdits au Canada.

www.crtc.gc.ca

RÈGLES À SUIVRE CONCERNANT LES APPELS TÉLÉPHONIQUES DE TÉLÉMARKETING[17]

- L'appelant doit nommer la personne ou l'organisation qu'il représente.

- L'appelant doit fournir, si on le lui demande, les numéros de téléphone, le nom et l'adresse d'une personne responsable à qui la personne qui reçoit l'appel peut s'adresser par écrit.

- Le numéro d'où provient l'appel ou bien un numéro pour joindre la personne qui appelle doit être indiqué (sauf s'il est impossible de l'afficher pour des raisons techniques).

- Les noms et les numéros de téléphone des abonnés doivent être supprimés dans un délai de 30 jours, s'ils demandent d'être retirés de la liste.

- L'appelant doit tenir une liste de tous les abonnés ayant demandé *de ne plus recevoir d'appels*, et celle-ci demeure en vigueur pendant trois ans.

- Il n'y a pas de restriction à l'égard des heures d'appels téléphoniques de vive voix.

- Il est interdit de composer des numéros en série.

- Les appels ne doivent pas parvenir à des lignes d'urgence ou à des établissements de santé.

- La composition de numéros aléatoires et les appels à des numéros non publiés sont autorisés.

LA SÉQUENCE D'UN APPEL D'ARRIVÉE

Lorsqu'un client appelle une grande entreprise, l'appel se déroule selon la séquence présentée à la figure 7-4. Le client entend d'abord le message de bienvenue, suivi d'un choix d'options qu'il exerce en appuyant sur la touche correspondante sur

Figure 7-4 Séquence d'un appel d'arrivée

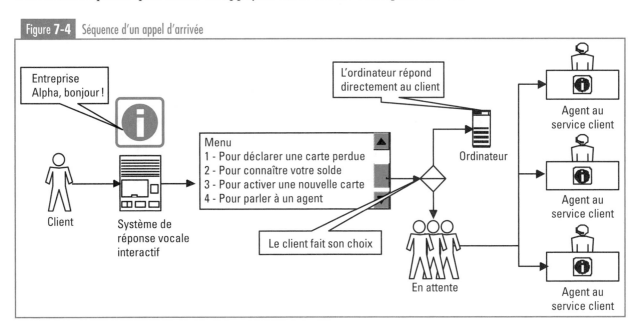

le clavier de son téléphone. Certaines options peuvent conduire l'appelant vers un automate. Celui-ci peut d'abord vérifier l'identité du client, puis lui offrir directement l'information recherchée. Il arrive aussi que les appels qui ne peuvent être acheminés immédiatement soient mis en file d'attente. Ces appels sont gardés en mémoire par ordre d'arrivée jusqu'à ce qu'un agent du service client puisse les traiter. L'attente en ligne est une récrimination que formulent souvent les clients contre les centres d'appels.

Dans le cas des services de soutien technique, les préposés au service client sont souvent des spécialistes dans leur domaine. Il suffit de songer, par exemple, aux compétences en informatique et en comptabilité nécessaires aux agents qui aident les utilisateurs des logiciels comptables spécialisés ou encore aux agents des centres de référence en pharmacologie qui répondent aux questions pointues des pharmaciens sur les effets secondaires des médicaments.

Pratiquer les techniques de communication orale à distance.

LA COMMUNICATION ORALE ET LES TECHNOLOGIES

Le client apprécie grandement de pouvoir faire affaire à distance, même s'il habite en ville. Il gagne un temps appréciable à négocier au téléphone ou par Internet au lieu de se déplacer, mais, en contrepartie, l'échange est moins personnel et moins chaleureux. La communication à distance demeure ce qu'elle est, c'est-à-dire un substitut qui ne remplace pas tout à fait les échanges en personne. Cette forme de communication peut facilement devenir froide et sans âme. Le défi de l'entreprise est de joindre automatisation et satisfaction des clients.

Pour pallier ce problème, il existe quelques techniques qui donnent à l'agent qui les maîtrise une compétence pour surmonter les carences de la communication à distance. Voici les principales techniques que vous devriez maîtriser pour être considéré comme un agent compétent.

- *Établissez un rapport personnel.* Pour ce faire, ajustez le ton de votre voix et votre débit à celui de votre interlocuteur et adaptez votre vocabulaire au sien. Ce faisant, vous devenez un miroir discret de l'autre. Cependant, il n'est pas toujours possible de procéder de la sorte, en particulier avec des clients maussades et agressifs. Il est alors préférable d'opter pour une approche calme et chaleureuse, et d'utiliser un vocabulaire simple. (Voir à ce sujet le chapitre 10, qui traite de la gestion des clients difficiles.)

- *Pratiquez l'écoute active.* Pour servir adéquatement votre client, il importe de bien comprendre sa situation, ses besoins et ses problèmes. Il faut savoir «lire entre les lignes», c'est-à-dire saisir ce qui est dit et ce qui est omis. Rétroagissez avec votre interlocuteur par des «oui, je comprends…», des «hum, hum», des «je vois», qui sont d'importants substituts aux regards qu'échangent les personnes quand elles se rencontrent. Il faut savoir également deviner, pressentir ce que le client ne sait pas, et qui pourrait l'intéresser, comme cette promotion portant sur un éventail de services qui contient ceux qu'il cherche, plus deux autres à prix très réduit. L'écoute active démontre au client que l'agent est attentif à ses besoins.

- *Soyez optimiste.* En présentant le côté positif des choses, vous pouvez gagner la sympathie de votre interlocuteur, même lorsque vous lui annoncez une nouvelle difficile à accepter, par exemple, le fait que sa garantie est terminée et que la réparation sera à ses frais ! Insistez plutôt sur le fait que l'entreprise effectuera correctement les réparations, avec du personnel compétent et des pièces d'origine, avant d'enchaîner en proposant un rendez-vous à très court terme.

■ *Offrez vos excuses.* L'erreur est humaine et personne n'est parfait. Lorsque l'entreprise est dans son tort, il faut l'admettre et offrir ses excuses. C'est un moyen très efficace pour dissiper la colère de votre interlocuteur. Rappelez-vous l'adage «Faute avouée est à moitié pardonnée»! Le client qui fait part de sa plainte et qui reçoit une juste réparation est beaucoup plus enclin à demeurer fidèle à l'entreprise malgré ce problème. (Reportez-vous à la figure 1-3, p. 11.)

■ *Faites preuve d'initiative.* Ne laissez pas les scénarios d'appel, les **argumentaires** et autres protocoles établis par la direction vous empêcher d'aider les clients. Ces outils sont des guides généraux qui ne peuvent s'appliquer à toutes les situations. Ne vous comportez pas comme un automate programmable, faites preuve d'esprit critique et, si nécessaire, prenez l'initiative qui permettra de résoudre le problème du client. Vous aurez créé une situation gagnant-gagnant entre le client et l'entreprise. Vous en tirerez de la satisfaction et vous aurez une meilleure opinion de vous-même et de votre emploi.

■ *Résolvez le problème du client.* Les clients recourent aux centres d'appels parce qu'ils n'arrivent pas à résoudre eux-mêmes leur problème. Les agents sont là pour les aider, et ils ont la connaissance et les outils pour le faire.

Argumentaire (*sales pitch*)
Document contenant des phrases et des expressions prédéfinies dont se sert un agent d'appels lors d'une campagne de prospection ou de vente.

L'emploi d'agent au service à la clientèle exige un moral à toute épreuve, notamment lorsque vous faites affaire avec des clients difficiles, comme nous le verrons au chapitre 10. Écouter des récriminations toute la journée risque de ruiner votre qualité de vie si vous n'arrivez pas à évacuer le stress lié à votre emploi. Relisez ce chapitre pour vous aider à faire le plein d'énergie.

L'ÉVALUATION DES CENTRES D'APPELS

 *OBJECTIF 5*

Décrire les mesures de performance des centres d'appels.

Dans le chapitre 3, vous avez étudié les normes de service dont la famille des normes ISO 9000:2000, et dans le chapitre 4 la technique de l'étalonnage ou analyse comparative. Ces divers outils contribuent à améliorer la qualité du service client. Dans cette section, vous trouverez quelques normes et indices permettant d'évaluer la qualité du service et de comparer le centre d'appels de l'entreprise avec celui des autres entreprises. La figure 7-5 présente les indices de performance des centres d'appels œuvrant dans divers secteurs économiques. L'indice utilisé provient de la combinaison pondérée de 20 critères d'évaluation. La figure montre que les centres d'appels faisant de la mise en marché (ventes et réservations) obtiennent un score supérieur à celui de ceux qui s'occupent du service client.

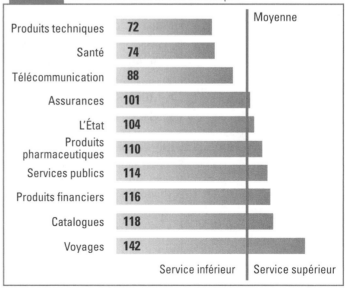

Figure 7-5 L'indice de performance (CPI) des centres d'appels œuvrant dans divers secteurs économiques[18]

LA MESURE DE L'ACCÈS DES CLIENTS AUX CENTRES D'APPELS

Le taux d'abandon

Un bon nombre de clients raccrochent avant d'avoir été servis par un agent ou d'avoir écouté le message provenant d'un serveur vocal. Dans certains domaines d'affaires, on sait qu'après trois minutes d'attente, les clients raccrochent.

L'entreprise doit trouver un équilibre entre les coûts liés aux pertes de clients insatisfaits et les coûts de personnel et d'infrastructure supplémentaires. Selon le Conseil du Trésor du Canada, le taux d'abandon devrait se situer entre 10 et 15 %[19]. La figure 7-6 présente l'évolution des abandons par rapport aux appels auxquels ont répondu les agents d'un centre de service technique d'une université. Le début de l'année universitaire et le début de la session d'hiver semblent être les périodes les plus occupées. Les nouveaux étudiants qui ne sont pas familiers avec les systèmes de l'université peuvent être à l'origine de ces pics du taux d'appels avortés.

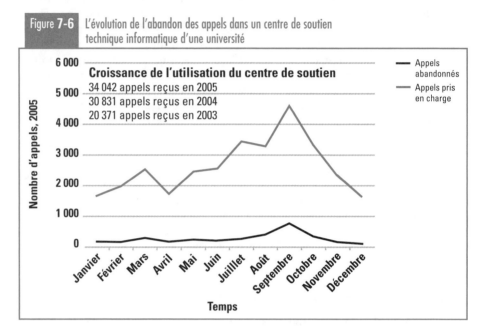

Figure 7-6 L'évolution de l'abandon des appels dans un centre de soutien technique informatique d'une université

Le taux d'abandon indique également le nombre d'appels composés automatiquement par le système en anticipation de la disponibilité d'un agent, mais qui doivent être interrompus, faute d'agent. Ce sont les appels que vous recevez où il n'y a personne au bout du fil quand vous décrochez le téléphone. C'est l'une des nuisances du télémarketing ou des sondages que subissent les citoyens.

Le taux d'accès

Le taux d'accès se définit comme le pourcentage des clients qui parviennent à accéder au service. Le Conseil du Trésor du Canada recommande un taux de 80 à 85 %[20].

LA MESURE DU DÉLAI D'ATTENTE

Le délai d'attente se mesure par le délai moyen de réponse et par le temps de sonnerie. Le délai d'attente correspond au temps moyen d'attente avant de pouvoir parler à un agent d'un centre d'appels. Plus ce temps est court, meilleur est le service. Quant au temps de sonnerie, il correspond au délai entre le retour de tonalité de l'appelant et le moment où l'appelé commence à lui parler. Le nombre d'abandons est d'autant plus élevé que le temps de sonnerie est long.

LA MESURE DE LA QUALITÉ

La qualité du service se mesure par le taux de résolution des problèmes des clients du premier coup. Le client désire que son problème se règle immédiatement. Plus sa démarche est longue, plus les frais sont élevés pour l'entreprise. L'insatisfaction du client augmente et sa loyauté envers l'entreprise diminue. Évidemment, un problème simple se résout plus rapidement et nécessite moins d'appels qu'un problème complexe.

LA MESURE DE LA SATISFACTION DES CLIENTS

La satisfaction du client se mesure par le degré de satisfaction, une variable généralement obtenue par sondage, et par le taux de plaintes à l'égard du service. Ce taux de plaintes se mesure en dénombrant et en classant par catégories toutes les plaintes reçues par toutes les voies de communication (écrites, orales et électroniques) au sujet du centre d'appels.

LA MESURE DE LA GESTION

La qualité de la gestion du centre d'appels se mesure au moyen des facteurs suivants :

- *La durée moyenne d'appel*, que l'on calcule en établissant la durée moyenne des communications effectuées par un agent, c'est-à-dire en effectuant la moyenne des temps de communication, qui correspond au temps écoulé entre le moment où cet agent entre en communication avec un client et où il raccroche. La durée de la communication varie selon la nature des appels. Le calcul de la durée moyenne des appels permet de distinguer l'efficacité des agents entre eux pour une même catégorie d'appels. Il va de soi que brusquer le client pour réduire ce temps n'est habituellement pas une façon valable de procéder pour récupérer du temps.

- *Le nombre d'appels par agent*, qui est une variante de la durée d'appel. Ce critère présente les mêmes limites que le précédent.

- *Le coût par appel*, qui s'établit en divisant le coût d'opération du centre d'appels par le nombre d'appels effectués au cours d'une année. Ce calcul permet d'évaluer la pertinence des dépenses engagées en les comparant aux autres moyens d'assurer un service de qualité. Ainsi, le coût associé à l'amélioration de la qualité d'une pièce défectueuse peut être inférieur au coût du soutien technique qu'il exige.

- *Le taux de rotation du personnel*, que l'on obtient en divisant le nombre de personnes embauchées par le nombre d'employés du centre d'appels. Un taux de rotation élevé entraîne d'importants coûts de formation, une baisse de la qualité du service et, par conséquent, une plus grande défection des clients.

- *La satisfaction du personnel*, qui se mesure par sondage. Une forte satisfaction des employés améliore la satisfaction des clients, en plus de réduire les frais d'embauche et de première formation.

- *Le taux d'absence*, que l'on établit en comptant le nombre d'absences non planifié durant les jours ouvrables. Un taux d'absence élevé entraîne une baisse de l'efficacité du centre d'appels, un accroissement des heures supplémentaires, une hausse du stress chez les employés, une baisse de qualité de l'offre de service et le désenchantement des clients.

LES CENTRES DE SOUTIEN TECHNIQUE

Les centres de soutien technique sont des centres d'appels spécialisés, qui sont apparus avec la complexification croissante de la technologie et de sa diffusion dans une large partie de la population. Les entreprises offrent des guides d'utilisation et de formation qui répondent aux besoins généraux, mais lorsque surviennent des problèmes plus complexes, l'usager peut recourir à diverses formes de soutien technique. Comme on l'a vu à la figure 7-1, les entreprises préfèrent d'abord offrir un dépannage de type libre-service, mais lorsque ce moyen ne fonctionne pas, elles proposent un accès au soutien technique en direct. Il s'agit d'un service très coûteux, et les entreprises hésitent à affecter beaucoup de ressources à ce genre de besoins. C'est pourquoi la qualité de service des centres de soutien technique est généralement inférieure à celle des centres d'appels consacrés aux ventes, comme l'indique la figure 7-5. Cette situation proviendrait du fait que le soutien technique est considéré comme une source de dépenses alors les ventes constituent une source de revenus. Pourtant, IDC, une entreprise de recherche sur l'industrie, estime que le chiffre d'affaires global des centres de soutien technique dépassera les 23,3 milliards de dollars en 2009[21].

Le soutien technique est un bel exemple de l'approche graduelle présentée à la figure 7-1 (p. 173) et reprise à la figure 7-7. Cette figure décrit quatre niveaux de soutien. La majorité des usagers accèdent généralement aux niveaux 1 et 2, tandis que les niveaux 3 et 4, plus coûteux, sont réservés aux personnes qui s'abonnent à un service spécialisé.

web
www.idc.com

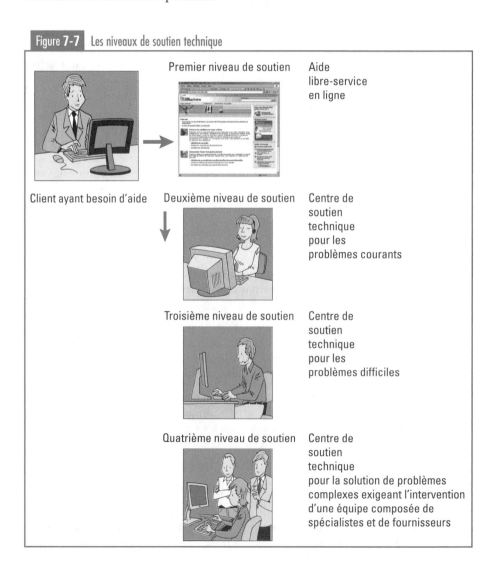

Figure **7-7** Les niveaux de soutien technique

7.4 LE SITE INTERNET DE L'ENTREPRISE

Une entreprise crée un site Internet pour offrir aux clients un lieu où ils peuvent se renseigner et échanger en toute sécurité et confiance sur les produits et services, consulter les prix, l'état des stocks, passer des commandes, suivre à la trace les livraisons ou l'état des requêtes de service. (Au besoin, consultez le chapitre 3, qui traite de la norme ISO sur la convivialité d'un site Internet.) Les entreprises doivent offrir des sites présentant ces caractéristiques afin de se démarquer de la concurrence, de mieux servir leurs clients habituels, de pouvoir se faire de nouveaux clients et de les retenir. En règle générale, le fait de trouver rapidement et aisément l'information aide à fidéliser les clients.

Pour l'entreprise, le site Internet est un moyen efficace d'offrir un service client de grande qualité accessible 7 jours sur 7 et 24 heures sur 24 pour les catégories d'échanges B, C, E et F décrites à la figure 7-1 (p. 173). Le site Internet Usability net contient une section décrivant les avantages commerciaux que procure l'amélioration de la convivialité du site Web d'une entreprise.

Le défi de l'entreprise est de concevoir un site facile à utiliser, et dans lequel les clients trouvent aisément et rapidement ce qu'ils cherchent. Il faut également tenir compte des grandes variations dans l'habileté des usagers lors de la conception du site.

Pour offrir ce niveau de service, les clients sont invités à s'identifier ou à accepter un **fichier de témoins** de leur visite. Créé par le fureteur Internet, ce fichier témoin identifie le client et établit son profil, afin de mieux le servir quand il reviendra visiter certains sites. Par exemple, il recevra une publicité répondant au profil détecté. Pensez notamment à Google Maps, qui propose des offres de services d'entreprises locales liées aux recherches effectuées avec ce logiciel. Notez que depuis l'avènement des fenêtres de **polluriel** 40% des utilisateurs suppriment systématiquement ces fichiers de témoins[22].

Tout le monde gagne à utiliser le système libre-service d'un bon site Internet. Le client n'a plus besoin d'attendre au téléphone qu'un agent se libère. Quant à l'entreprise, elle offre un service moins coûteux, plus rapide et plus flexible. Elle peut investir les sommes économisées dans l'amélioration du site, permettant ainsi d'accroître le service client. La figure 7-8, qui présente le coût moyen par transaction, montre que l'accès libre-service est très économique. Si tout le monde

web
www.hostserver150.com

Fichier de témoins
(*cookie file*)

Fichier créé dans l'ordinateur de l'internaute par le navigateur et rassemblant les indices issus de la visite de sites Web[23].

Polluriel (*spam*)

Message inutile, souvent provocateur et sans rapport avec le sujet de discussion, qui est diffusé massivement, lors d'un pollupostage, à de nombreux groupes de nouvelles ou forums, causant ainsi une véritable pollution des réseaux[24].

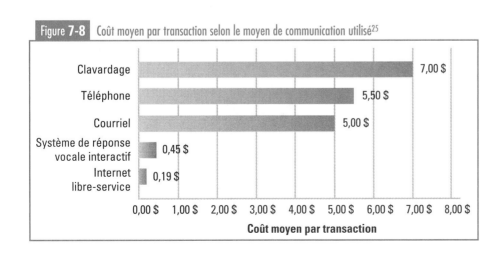

Figure 7-8 Coût moyen par transaction selon le moyen de communication utilisé[25]

gagne à utiliser un bon site Internet, il va de soi que tout le monde y perd si le site est inadéquat. Comme toute technologie, Internet est en constante évolution. Ce qui était avant-gardiste il y a trois ans fait aujourd'hui figure de dinosaure. Il est donc nécessaire de procéder régulièrement aux mises à jour techniques et visuelles.

L'entreprise doit périodiquement évaluer le service qu'elle offre en se demandant quelles sont les meilleures stratégies pour offrir un tel service. Un bon moyen est de procéder à des sondages de satisfaction, notamment auprès des nouveaux utilisateurs, parce qu'ils n'ont pas encore trouvé les trucs pour contourner les faiblesses de l'interface du site Internet de l'entreprise. Le tableau 7-1 présente un exemple de grille d'analyse permettant d'évaluer la convivialité d'un site Web.

Tableau 7-1 Grille d'évaluation de la convivialité d'un site Internet

Questions	Score sur 10	Commentaires
1. L'écran d'accueil permet-il de reconnaître aisément la zone du site pouvant répondre à vos besoins?		
2. L'écran d'accueil offre-t-il une zone de recherche?		
3. Chacune des pages permet-elle de revenir au début de la section ou à la page d'accueil?		
4. Le site présente-t-il une homogénéité graphique?		
5. Les textes sont-ils faciles à lire? Le contraste est-il adéquat?		
6. Les boutons de navigation sont-ils faciles à repérer?		
7. Les textes sont-ils simples à comprendre? Induisent-ils de la confusion chez le lecteur?		
8. La structure du site permet-elle aisément de savoir à qui s'adresse l'information: aux clients, aux fournisseurs, aux investisseurs, aux employés?		
9. Le client peut-il modifier une case d'un formulaire sans avoir à tout recommencer?		
10. Le client est-il informé de la case à l'origine du problème qui survient dans un formulaire qu'il est en train de remplir?		
11. Les pages se chargent-elles rapidement dans l'ordinateur?		
12. Le site offre-t-il un affichage distinct selon la vitesse d'accès?		
13. Le client trouve-t-il aisément réponse aux questions usuelles (FAQ)?		
14. Le client peut-il suivre dans le temps le cheminement d'une requête?		
15. Les requêtes par courriel reçoivent-elles une réponse au cours du prochain jour ouvrable?		

Questions	Score sur 10	Commentaires
16. L'affichage du site est-il interactif ?		
17. L'information d'aide est-elle présentée selon sa pertinence ?		
18. Le client peut-il aisément rejoindre le personnel de soutien de l'entreprise ?		
19. Le site offre-t-il un service de suivi à ses clients ?		
20. Le site reflète-t-il la promesse de service de l'entreprise ?		
Total		

Résultat : 200 = excellent, 175 = très bien, 150 = bien, 125 = médiocre, 100 = déficient

Le tableau 7-2 présente une grille d'évaluation qui pourrait servir à des gestionnaires désireux d'évaluer la qualité du site Internet de l'entreprise.

Tableau 7-2   Grille d'évaluation de la qualité de la gestion du site Internet de l'entreprise

Questions	Score sur 10	Commentaires
1. L'entreprise dénombre-t-elle les visiteurs du site ?		
2. L'entreprise mesure-t-elle le retour sur l'investissement de son site Internet ?		
3. L'entreprise a-t-elle un programme d'amélioration continue de son site ?		
4. L'entreprise utilise-t-elle l'étalonnage pour améliorer son site ?		
5. Les clients peuvent-ils aisément évaluer le site de l'entreprise ?		
6. Les employés du service client ont-ils accès à l'historique des transactions du client ?		
7. L'entreprise offre-t-elle à ses clients une sécurité contre la fraude, le vol d'identité, les virus informatiques ?		
8. Les réponses que fournit l'entreprise sur son site sont-elles identiques à celles que donnent les agents du service client ?		
9. L'entreprise intègre-t-elle l'offre en magasin avec son offre sur le Web ?		
10. L'entreprise tente-t-elle de créer un sentiment de communauté sur son site ?		
Total		

Résultat : 100 = excellent, 90 = très bien, 80 = bien, 70 = médiocre, 60 = déficient

Le site Web vise également à servir d'autres groupes gravitant autour de l'entreprise, tels les fournisseurs, les employés, les investisseurs, le public. Chaque groupe doit pouvoir y trouver son compte.

7.5 LE COURRIEL

Courriel (*e-mail*)

Service de correspondance qui permet l'échange de messages électroniques par l'intermédiaire d'un réseau informatique.

Le **courriel** est rapidement devenu chez les clients le moyen le plus populaire pour communiquer avec les entreprises (tableau 7-3). Selon Ivy Meadors[26], de nos jours, 72 % des gens préfèrent utiliser des moyens électroniques de communication. C'est également vrai pour le service client des entreprises qui contribuent à en répandre l'usage en installant sur leurs sites des boutons qui commandent l'ouverture d'une fenêtre de courriel préadressée. Le client n'a qu'à écrire son message et à appuyer sur le bouton « Envoi ». Le chapitre 9 comprend une section expliquant comment utiliser le courriel efficacement et correctement.

Tableau 7-3 Les avantages et les inconvénients du courriel

Avantages	Inconvénients
Grande disponibilité : Ce moyen de communication fonctionne 7 jours sur 7, 24 heures sur 24.	Perte de temps : Les employés passent beaucoup de temps à lire les courriels et à y répondre.
Liberté : Les clients peuvent s'exprimer dans leurs propres mots.	Digression : En raison d'un manque d'encadrement, certaines personnes sortent du sujet, ou encore ne fournissent pas les informations nécessaires à la compréhension du sujet.
Rapidité : Un courriel parvient à destination presque instantanément.	Coup de tête : Le courriel est un document souvent écrit et expédié rapidement au destinataire. Un emportement laisse des traces, beaucoup plus qu'au téléphone ou en personne.
	Accusé de réception : Il est nécessaire d'offrir un accusé de réception rapidement ainsi qu'une indication du temps qu'il faudra pour fournir la réponse.

Il faut toutefois savoir que, pour l'entreprise, l'usage du courriel est coûteux de plusieurs manières. D'abord, dans un centre de service, chaque courriel coûte en moyenne 7 $. Par ailleurs, l'arrivée constante de messages électroniques empêche le personnel de l'entreprise de se concentrer comme il le devrait. C'est pourquoi il est préférable de prévoir deux périodes par jour pour lire les courriels et y répondre. Idéalement, il convient de procéder à ce travail au début et à la fin de la journée. (Voir à ce sujet la section du chapitre 11 qui porte sur la gestion du temps.)

Les technologies sont d'excellents outils pour aider l'entreprise à offrir un service client de qualité. Toutefois, le personnel doit apprendre à s'en servir judicieusement.

RÉSUMÉ

1. Établir les trois rôles principaux de la technologie dans le service à la clientèle.

La technologie est à la fois *une source d'information, un moyen de communication et un moyen de transaction.* De plus, la technologie est elle-même une source d'information. La technologie permet de communiquer et d'agir à distance, et rend possible le commerce électronique.

2. Utiliser efficacement le message déposé dans une boîte vocale en tant qu'émetteur ou récepteur.

Rejoindre une personne dans une entreprise demande habituellement plusieurs tentatives et les appels aboutissent souvent à un répondeur téléphonique. Il faut donc que l'appelant soit prêt à laisser un message qui invite la personne à le rappeler. C'est pourquoi il est important que l'appelant s'identifie correctement et indique la raison de son appel. En entreprise, le message d'accueil du répondeur doit faciliter la tâche des appelants. Ce message doit donc contenir toutes les informations permettant de joindre aisément la personne qui utilise la boîte vocale.

3. Décrire les éléments d'un système de gestion de la relation client.

La gestion de la relation client (GRC) est une philosophie de gestion qui vise à centrer l'activité de l'entreprise sur le client et à en faire l'élément central de sa stratégie. Cette approche nécessite de repenser les processus de fonctionnement de l'entreprise et d'utiliser les développements technologiques pour mieux servir le client.

4. Pratiquer les techniques de communication orale à distance.

Les principales techniques sont : établir un rapport personnel avec le client, pratiquer l'écoute active, être optimiste, offrir des excuses lorsque l'entreprise est dans son tort, prendre l'initiative de la discussion en s'appuyant sur des argumentaires préétablis et résoudre les problèmes du client.

5. Décrire les mesures de performance des centres d'appels.

Les principales mesures de performance des centres d'appels sont : le taux d'abandon, le taux d'accès, le délai moyen de réponse, le temps de sonnerie, le taux de résolution immédiate des problèmes des clients, le degré de satisfaction des clients, le taux de plaintes à l'égard du service, la durée moyenne d'appel, le nombre d'appels par agent, le coût par appel, le taux de rotation du personnel, la satisfaction du personnel et le taux d'absence.

6. Évaluer la qualité d'un site Internet d'entreprise pour le service client.

Les entreprises utilisent des fichiers témoins pour suivre les clients et analyser leurs comportements afin de mieux les servir. Les questionnaires et les grilles d'analyse servent à évaluer la convivialité des sites.

MOTS CLÉS

Agent d'appels (p. 182)	*Call center agent*
Argumentaire (p. 185)	*Sales pitch*
Asynchrone (p. 173)	*Asynchronous*
Centre d'appels (p. 176)	*Call center*
Composeur-message automatique, CMA (p. 182)	*Automatic dialing-announcing device, ADAD*
Courriel (p. 192)	*E-mail*
Distribution automatique d'appels (p. 182)	*Automatic call distribution, ACD*
Fichier de témoins (p. 189)	*Cookie file*
Géomatique d'affaires (p. 175)	*Business geomatics*
Messagerie vocale (p. 177)	*Voice mail*
Numériscope (p. 175)	*Digital video recorder*
Polluriel (p. 189)	*Spam*
Synchrone (p. 173)	*Synchronous*
Système de réponse vocale interactif (p. 182)	*Interactive voice response system*
Télémarketing (p. 182)	*Telemarketing*
Téléphonie sur IP (p. 176)	*Telephony over Internet Protocol*
Veille économique (p. 182)	*Business intelligence*

QUESTIONS DE RÉVISION

1. Quels sont les trois principaux rôles de la technologie dans le service à la clientèle?

2. Nommez sept exemples de communication synchrone entre l'entreprise et le client.

3. En quoi consiste la géomatique d'affaires?

4. Décrivez les avantages et les inconvénients de l'usage des répondeurs téléphoniques.

5. En quoi consiste la gestion de la relation client?

6. Quelles sont les grandes composantes techniques de la gestion de la relation client?

7. Définissez la veille économique.

8. Quelles sont les règles à suivre concernant les appels de télémarketing?

9. Comment un agent d'un centre de contact client peut-il communiquer efficacement à distance avec un client?

10. Quels sont les principaux critères d'évaluation d'un centre d'appels?

11. Indiquez les quatre niveaux de soutien susceptible d'être offert dans un centre de soutien technique.

12. Quels sont les objectifs d'un site Internet d'entreprise?

13. Comment l'entreprise s'assure-t-elle qu'elle offre un bon site Internet à ses clients?

14. Quel est l'usage des fichiers de témoins?

15. Quels sont les coûts par transaction pour le clavardage, le téléphone, le courriel, le système de réponse vocale interactif et le libre-service Internet?

ATELIERS | PRATIQUES

1. À partir de votre expérience, distinguez deux situations au cours desquelles des instances de service client rebutent les clients en utilisant les technologies. Décrivez les irritants et indiquez quelles étaient la ou les causes du problème: technologie dysfonctionnelle, personnel incompétent, promesse de service surévaluée, hypothèse de compétence technique des usagers surévaluée.

2. Cet exercice vise à mesurer la qualité du service client d'une entreprise par la méthode du client-mystère (voir le chapitre 5). Les étudiants travaillent en équipe. Chaque équipe visite virtuellement la même entreprise afin de faire un portrait qui permettra la comparaison. Il est préférable de choisir une grande entreprise qui offre ses produits et services en magasin et sur Internet. Convenir d'un produit ou d'un service avant de communiquer avec l'entreprise.

Site Internet: À partir d'un lien à haute vitesse ainsi que d'un lien à basse vitesse, mesurez le temps nécessaire pour:

a) le chargement de la page d'accueil de l'entreprise;

b) le temps de réaction à la suite d'une interrogation pour le produit ou service que vous cherchez. (Si le site offre un outil de recherche.)

Utilisez un chronomètre pour calculer le temps; notez vos observations.

Centre d'appels: Communiquez par téléphone avec l'entreprise.

a) À l'aide d'un chronomètre, calculez le temps nécessaire pour obtenir le premier niveau de réponse de l'entreprise, habituellement un système de réponse vocale interactif.

b) Évaluez la simplicité des choix offerts par le système de réponse sur une échelle de 1 à 10 (10, excellent; 1, très mauvais).

c) Établissez une communication avec un agent du centre d'appels. Évaluez sur une échelle de 1 à 10 la compétence de l'agent à propos des techniques suivantes:

- Établissement d'un rapport
- Approche optimiste
- Écoute active
- Initiative

3. a) À l'aide de la grille présentée dans le tableau 7-1, évaluez le site Internet d'une entreprise de produits et services grand public.

b) À l'aide de la grille présentée dans le tableau 7-2, évaluez la qualité de la gestion d'un site Internet de l'entreprise pour laquelle vous travaillez, si vous avez accès au responsable. Sinon, faites ce travail pour le site de votre établissement scolaire.

4. En vous servant de Microsoft MSN Messenger, faites une démonstration à distance des résultats obtenus dans l'exercice n° 2.

5. Planifier une rencontre avec le logiciel MS Outlook.

Pour pouvoir faire cet exercice, vous devez :

- Avoir accès à deux ordinateurs branchés sur Internet et ayant le logiciel Outlook (version complète, différente de la version express).
- Remplir une fiche de contact sur l'un des ordinateurs avec le nom et l'adresse de courriel de l'utilisateur de l'autre ordinateur.

La personne qui invite l'autre à une rencontre (ordinateur A) doit :

a) Sélectionner dans Outlook la fiche de la personne à rencontrer.

b) Choisir la fonction « Nouvelle demande de rendez-vous au contact » dans le menu Actions de la fiche.

c) Remplir les champs concernant l'adresse de courriel de la personne à rencontrer, l'objet de la rencontre, le lieu ainsi que la date et l'heure ; appuyer sur « Envoyer ».

d) Vérifier que la rencontre apparaît bien dans le calendrier.

La personne qui reçoit l'invitation (ordinateur B) doit :

a) Vérifier la réception du courriel dans Outlook.

b) Cliquer, à la réception de l'invitation, sur le bouton « Accepter », dans le message d'invitation.

c) Vérifier que l'invitation apparaît bien dans le calendrier.

RETOUR SUR LA

MISE EN SITUATION

LES TRIBULATIONS D'UNE TECHNOPHOBE

Six mois plus tard, pour remercier Suzanne Girard des services qu'elle lui a rendus, Hélène Boucher lui envoie une invitation par courriel :

« Suzanne,

Je vous envoie ce courriel pour vous remercier pour le coup de pouce (pour ne pas dire le coup de pied ☺) que vous m'avez donné il y a déjà six mois ! Si vous écoutez le Canal DécoTV, vous savez peut-être qu'on a fait un reportage sur mes meubles. Une chance que je me sois mise à l'informatique ! Si mon atelier, qui compte déjà 10 employés, a réussi à répondre à la demande de mes clients, c'est bien grâce à vos conseils que je le dois ! Je n'avais pas réalisé à quel point ma clientèle cible est branchée sur les technos. Elle apprécie mon site Web à partir duquel elle peut visualiser mon portfolio avant de décider de faire un achat. Elle apprécie également de ne pas être obligée de se déplacer continuellement à mon atelier et de recevoir des photos numérisées de leur projet en cours

de réalisation. Vous devriez me voir aller. Je suis passée maître en rencontres virtuelles avec mes clients grâce à ma webcaméra. La base de données m'aide à planifier mon travail hebdomadaire, mes commandes de matières premières… et même mon suivi après livraison. Vous seriez aussi surprise du nombre de suggestions pour des nouveaux clients que je reçois de la part de clients ainsi fidélisés. De plus, à l'atelier, nous avons tous adopté Outlook pour les courriels, les contacts clients et même les calendriers d'activités. Finalement, j'apprécie le fait de pouvoir mettre à jour mes informations sur les tendances en matière de mobilier grâce aux moteurs de recherche sur Internet. Je tiens donc à vous inviter au lancement de ma toute nouvelle collection jeudi prochain et je serai heureuse de vous offrir un généreux rabais en guise de reconnaissance.

Bien à vous,

Hélène Boucher, ébéniste (et lettrée en technologie !) »

La sécurité du service à la clientèle

Mieux vaut prévenir que guérir.

Proverbe

OBJECTIFS D'APPRENTISSAGE

Après avoir étudié ce chapitre, vous pourrez:

1. Repérer des sources réelles et potentielles de danger.

2. Évaluer des situations comportant des risques liés à la sécurité des personnes.

3. Instaurer des mesures de sécurité pertinentes et conformes à la réglementation en vigueur.

4. Appliquer correctement les techniques de soins d'urgence.

5. Rédiger des rapports en cas d'accident et d'incident.

6. Reconnaître les risques liés à la sécurité des données.

7. Nommer les risques de nature financière associés aux services clients.

RIEN NE VA PLUS AU GRAND MAGASIN GÉNÉRAL!

Martin Vanelli, gérant de la toute nouvelle succursale montréalaise du Grand Magasin Général (30 000 m², 60 employés) et son adjointe Abigaëlle Verdieu, directrice des services à la clientèle, viennent de recevoir un courrier recommandé dans lequel le siège social indique que le bilan de la succursale est fort peu reluisant sur le plan de la sécurité pour le premier semestre. La note de service insiste sur les points suivants:

■ Certains clients se sont plaints d'avoir été victimes de vol d'identité après avoir effectué des transactions en ligne en utilisant le site Web du magasin.

■ Il y aurait un écart entre les stocks commandés et les stocks vendus, ce qui laisserait présager de la fraude de la part de clients (vols à l'étalage?).

■ La CSST enquête sur l'accident du travail de Marilou Latreille: cette dernière, employée de l'entrepôt, ne portait vraisemblablement pas les chaussures de travail sécuritaires qu'elle aurait dû porter pour accomplir la tâche qui lui avait été assignée. Elle a reçu une caisse de manutention sur le pied. Gravement blessée, elle risque l'amputation du pied gauche.

■ Un client, qui est employé du Service des incendies, a écrit au siège social de l'entreprise pour signaler que les allées du magasin montréalais sont étroites et encombrées, surtout en période de pointe, alors que les clients ont de la difficulté à circuler avec leurs chariots.

La direction demande à Martin et à Abigaëlle de régler ces problèmes d'ici trois mois, sinon ils pourraient bien devoir se chercher du travail ailleurs.

>> OBJECTIF 1

Repérer des sources réelles et potentielles de danger.

Sécurité (*safety*)
Situation dans laquelle l'ensemble des risques prévisibles est acceptable[2].

8.1 LES ENJEUX DE LA SÉCURITÉ

Toute entreprise est responsable de la **sécurité** de ses clients internes et externes, de ses employés et de toute autre personne se trouvant dans ses différents établissements[1]. Elle aménage ses locaux de manière à réduire les risques d'accident et met au point des procédures d'urgence. Elle prend les mesures de protection appropriées afin de contrer les risques d'agression sur les personnes, le vandalisme, le vol et la fraude concernant les personnes, l'équipement, l'argent, l'information et l'identité. Au besoin, elle signale aux clients et aux employés les dangers auxquels ils s'exposent; elle voit à ce que le personnel respecte les consignes de sécurité appropriées et leur donne une formation dans le domaine de la santé et sécurité du travail, s'il y a lieu. Enfin, l'entreprise produit les rapports d'incidents et d'accidents, comme le demande la loi. Par ailleurs, toute entreprise se doit de posséder les assurances raisonnables nécessaires pour se couvrir contre les accidents inhérents aux fautes et négligences commises par l'entreprise, par ses employés et par ses administrateurs. En effet, ces accidents sont passibles de poursuites judiciaires en vertu du Code civil du Québec[3] ou de la *common law* (dans les autres provinces canadiennes et, le cas échéant, du Code criminel) ou encore de lois spécialisées, comme la Loi sur la santé et la sécurité du travail. Ce chapitre décrit les principales menaces à l'égard de la sécurité et propose des moyens et des méthodes pour prévenir ou pour lutter contre ces dangers. Toutefois, il s'attarde peu à la question du partage de la responsabilité des parties en cause, qui fait l'objet des cours de droit.

La Commission de la santé et de la sécurité du travail du Québec, ou CSST, et le Centre canadien d'hygiène et de sécurité du travail, le CCHST, offrent tous deux d'excellents sites Internet sur le sujet. Ce chapitre traite plutôt des principales ressources que le lecteur trouvera sur les sites de ces organismes spécialisés.

www.csst.qc.ca
www.cchst.ca

8.2 LA SÉCURITÉ DES LIEUX : VIOLENCE ET AGRESSION

La sécurité commence par la conception et la planification adéquate des lieux et par la mise en œuvre de pratiques administratives réfléchies. Le respect des lois, règlements et codes de construction du bâtiment ainsi que la prévention des incendies (CNPI) en vigueur sont une dimension essentielle de cette démarche. Le Conseil national de recherches du Canada publie un certain nombre de codes nationaux. La réglementation change constamment, car elle doit s'adapter à l'évolution des matériaux, aux changements technologiques ; de plus, elle tient compte de l'expérience et des connaissances tirées des sinistres qui surviennent à l'occasion. C'est pourquoi toute entreprise doit instaurer des procédures afin de s'assurer régulièrement qu'elle respecte les normes en vigueur. Elle peut soit s'en occuper elle-même, soit confier cette tâche à des entreprises spécialisées.

www.irc.nrc-cnrc.gc.ca

L'AGENCEMENT D'UN LIEU

L'agencement d'un lieu doit prendre en compte son aménagement, la disposition des postes de travail, les zones accessibles au public et celles dont l'accès est réservé au personnel, ainsi que les aires de circulation et d'attente. Il faut également penser à l'affichage, à l'éclairage, aux moyens de contrôle et à la surveillance électronique. Une conception adéquate des lieux contribue à réduire les risques de violence et d'agression.

Lors de la conception du bâtiment, il importe de s'assurer que la vue est bien dégagée, que les accès sont contrôlés et que des issues de secours ont été prévues.

Pour assurer une bonne visibilité :

- Disposer les aires de réception, de vente et de service à la clientèle de telle sorte que les autres employés et le public puissent voir ce qui se passe à l'intérieur.
- Éclairer les entrées ainsi que l'extérieur de l'immeuble.

Pour contrôler les accès :

- Limiter le nombre d'entrées donnant accès aux lieux de travail.
- Contrôler l'accès aux lieux de travail (postes de garde, clés, codes, etc.).

Pour assurer l'évacuation des lieux :

- Aménager les lieux de sorte que les employés se trouvent plus près d'une sortie de secours que les clients et qu'ils ne puissent pas être coincés à l'intérieur du bâtiment.
- Afficher un plan d'évacuation en cas de sinistre.

L'usage dicte la conception des lieux. Il faut étudier les risques d'agression et de violence auxquels les usagers peuvent être exposés. De cette étude découlera l'aménagement des lieux. Par exemple, on ne planifiera pas la disposition des locaux d'un dépanneur situé à proximité d'une importante voie de circulation de la même manière que s'il devait se trouver à l'intérieur d'un centre commercial très fréquenté, car les risques relatifs à la sécurité sont différents.

LES PRATIQUES ADMINISTRATIVES SÉCURITAIRES

Les méthodes de travail influent sur la sécurité de tous. Par exemple, les risques de vol et de fraude augmentent lorsqu'il y a manipulation d'argent ou de biens de valeur. Si tel est le cas, l'entreprise doit prévoir des mesures de sécurité supplémentaires afin de protéger clients et employés.

Voici une série d'exemples de pratiques administratives qui contribuent à réduire les risques de violence et d'agression :

- Limitez le montant d'argent contenu dans les caisses en effectuant régulièrement des dépôts dans des caisses à minuterie.

- Encouragez les clients à utiliser des systèmes de paiement électronique.

- Relevez les caisses à des heures variables.

- Utilisez les services d'entreprises de dépôts sécurisés, telles que Garda.

- Vérifiez les pièces d'identité des employés et des clients.

- Informez vos collègues de votre horaire quotidien de travail pour qu'ils sachent où vous devriez vous trouver à différents moments de la journée et qu'ils puissent donner l'alerte, en cas de besoin.

- Désignez chaque jour une personne chargée d'établir les contacts au bureau et une personne chargée d'appeler les secours en cas de besoin, et de défendre ou de remplacer une autre personne.

- Travaillez en équipe de deux dans les situations jugées dangereuses.

- Évitez systématiquement les situations ou les endroits peu sécuritaires ou encore difficiles d'accès.

8.3 LES RISQUES POUR LA SANTÉ ET LA SÉCURITÉ DES PERSONNES

Les employés qui travaillent au service à la clientèle ou à la vente au détail s'exposent à un certain nombre de risques :

- Violence et agression de la part des clients.

- Stress d'origines multiples.

- Exposition à divers produits chimiques, à des parfums et à de l'air de mauvaise qualité.

- Postures de travail contraignantes ou tâches manuelles répétitives.

- Exposition à des températures extrêmes.

- Travail dans des endroits isolés.

- Chutes après avoir glissé ou trébuché.

- Maux de dos après avoir poussé, tiré ou soulevé des objets lourds.

- Fatigue ou autres effets fâcheux causés par les horaires de travail.

LA VIOLENCE ET LES AGRESSIONS DE LA PART DES CLIENTS

OBJECTIF 2

Évaluer des situations comportant des risques liés à la sécurité des personnes.

Le chapitre 10 explique comment traiter avec les clients difficiles, mais cela n'empêche pas certains employés d'être exposés aux comportements agressifs et menaçants de certains clients qui pourraient :

- Faire preuve de violence physique, par exemple en montrant le poing, en lançant et en détruisant des objets, ou encore en bousculant des personnes, etc.

- Menacer verbalement ou par écrit de s'en prendre à un employé.

- Harceler les employés ou les clients en entravant leur mouvement, en les importunant, en les injuriant (insultes, langage grossier, condescendant, etc.), ou en les humiliant.

Les clients peuvent se comporter de façon inadéquate dans les locaux de l'entreprise, dans un lieu public (salles de conférence, foires, expositions, etc.), vis-à-vis de personnes avec lesquelles ils sont directement en contact, mais aussi au cours d'échanges téléphoniques, écrits ou électroniques. Avec les technologies de communication modernes, ces échanges et comportements disgracieux peuvent survenir n'importe où et n'importe quand.

Certaines tâches s'accompagnent de risques plus élevés de violence et d'agression. En voici quelques exemples :

- Interagir avec le public en général.

- Manipuler de l'argent en espèces, des objets de valeur ou encore des médicaments ou des cigarettes, comme le font les caissiers et les livreurs, par exemple.

- Veiller à l'application des règlements ou procéder à des inspections (vérificateurs d'impôt, experts en sinistres, examinateurs de permis de conduire, etc.).

- Fournir des services, donner des conseils, faire de la formation auprès de certaines personnes (des mésadaptés sociaux, par exemple), ou prodiguer des soins à des toxicomanes.

- Travailler dans les établissements où l'on sert de l'alcool, comme le font les barmen et les serveurs.

- Travailler seul ou avec quelques collègues seulement, comme cela arrive au personnel des petits commerces, aux gardiens de sécurité, etc.

- Effectuer un travail itinérant, comme agent d'immeuble, conseiller financier, etc.

- Faire face à des compressions de personnel, des grèves, des coupures de service, etc.

Par ailleurs, les risques pour la sécurité des clients et des employés sont plus élevés dans certains emplacements, quand ils travaillent à des heures particulières, notamment les heures tranquilles (tôt le matin ou tard le soir). C'est le cas notamment des commerces situés aux alentours des bouches de métro, à Montréal, dans les bars, les banques, les lieux isolés, les lieux situés à proximité des grands axes routiers. Il en est de même de certaines périodes de l'année durant lesquelles se déroulent des activités particulières ou susceptibles d'entraîner des comportements inhabituels. Il suffit de penser, par exemple, aux jours de paye, aux fins de mois, aux échéances des comptes (loyers, impôts, services publics), aux remises des bulletins scolaires et aux réunions avec les parents, aux rencontres des évaluations du rendement, aux fêtes publiques, etc.

LE STRESS

Le stress est une réaction du corps à son environnement. Selon les circonstances, il peut être bénéfique ou nocif pour l'organisme. Le chapitre 11 aborde ce sujet ainsi que la gestion du temps. Il propose différents moyens pour s'adapter au stress. Quant au tableau 8-1, il énumère les principales sources de stress en milieu de travail.

Tableau 8-1 Les sources de stress au travail[4]

Facteurs directement liés au travail
- Charge de travail (surcharge ou charge insuffisante)
- Isolement au travail
- Milieu physique (bruit, qualité de l'air, etc.)
- Rythme/variété/consignes de travail incompréhensibles
- Autonomie dans la prise de décision (par exemple, la capacité de prendre ses propres décisions concernant l'emploi, ou le pouvoir d'accomplir des tâches précises de façon autonome)
- Durée du travail

Rôle dans l'organisation
- Conflits résultant des différents rôles accomplis par l'employé (demandes contradictoires liées à l'emploi, relevé de nombreux superviseurs/gestionnaires)
- Tâches ou rôles ambigus (manque de transparence de la direction au sujet des responsabilités, des attentes, etc.)
- Niveau de responsabilité de l'employé

Perfectionnement professionnel
- Aucune possibilité de promotion ou promotion trop rapide
- Insécurité d'emploi (peur de l'excédent de personnel, que ce soit en raison de la situation économique ou d'un manque de travail)
- Possibilités de perfectionnement professionnel inférieures aux prévisions et satisfaction liée à l'emploi en général inférieure aux attentes de l'employé

Relations interpersonnelles au travail
- Difficultés avec l'administration, avec les collègues ou les subalternes
- Menaces, harcèlement, violence

Structure/climat organisationnel
- Degré significatif de participation à la prise de décision
- Style de gestion
- Mode de communication au sein de l'entreprise

L'EXPOSITION À DIVERS PRODUITS CHIMIQUES, À DES PARFUMS ET À DE L'AIR DE MAUVAISE QUALITÉ

Dans les milieux de travail, il est à peu près impossible d'échapper à l'exposition à des substances chimiques, notamment celles qui entrent dans la composition des peintures, des solvants, des produits nettoyants, des pesticides ou même des parfums. La prolifération des produits synthétiques et l'incorporation de matières inhabituelles dans les produits courants accroissent l'exposition à des produits potentiellement dangereux pour la santé, notamment pour le système nerveux.

Outre leur pouvoir neurotoxique, ces produits peuvent endommager les reins ou les poumons, provoquer la stérilité, divers cancers ou des lésions cutanées qui se manifestent par des brûlures ou des démangeaisons. De plus, certaines matières dangereuses risquent de s'enflammer spontanément ou d'exploser. Un *Système d'information sur les matières dangereuses utilisées au travail*, ou **SIMDUT**, a été mis sur pied sous l'égide des gouvernements fédéral et provinciaux. Le SIMDUT comporte cinq volets dont l'objectif est de déterminer les conditions sécuritaires d'utilisation des matières et des produits chimiques au travail. Ces cinq catégories sont :

- la signalisation des dangers ;
- la classification des produits dangereux ;
- l'étiquetage des produits dangereux ;
- les fiches techniques sur la sécurité des substances ;
- la formation et l'éducation du personnel.

Le SIMDUT responsabilise les fournisseurs, les employeurs et les employés. Au Québec, la Commission de la santé et de la sécurité du travail, ou CSST, diffuse l'information à ce sujet par l'intermédiaire du Répertoire toxicologique qu'elle a produit. La figure 8-1 présente les symboles distinctifs du SIMDUT servant à reconnaître rapidement les sources de danger.

SIMDUT (*WHMIS, Workplace Hazardous Material Information System*)

Système d'information sur les matières dangereuses utilisées au travail visant à protéger la santé et la sécurité des travailleurs.

web
www.reptox.csst.qc.ca

Figure 8-1 Les symboles de danger du SIMDUT

Matières comburantes

Matières causant d'autres effets toxiques

Matières corrosives

Matières infectieuses

Gaz comprimés

Matières inflammables et combustibles

Matières toxiques et infectieuses

Matières dangereusement réactives

Le terme parfum désigne toute odeur provenant habituellement d'un produit cosmétique (parfum, eau de Cologne, déodorants, shampoing, etc.), de désodorisants ou de produits de nettoyage. Les parfums peuvent provoquer divers symptômes, tels des maux de tête, des étourdissements, des nausées, de la fatigue, des malaises, des problèmes respiratoires, des irritations cutanées, voire des réactions graves chez les personnes souffrant d'asthme ou d'allergies. À partir de novembre 2006, les produits cosmétiques vendus au Canada devront mentionner tous les ingrédients qu'ils contiennent afin de permettre de faire des choix éclairés[5].

La qualité de l'air dans les bâtiments constitue désormais une source de préoccupation en raison du grand nombre d'édifices aux fenêtres étanches. Les systèmes d'air conditionné des immeubles recyclent l'air afin de réduire les coûts d'énergie (chauffage ou refroidissement) en réduisant l'apport d'air extérieur. Quand les filtres de ces systèmes ne sont pas remplacés ou nettoyés adéquatement, les polluants et les germes s'accumulent à l'intérieur des bâtiments. Il en est de même à bord des transports en commun, particulièrement dans les avions, où la promiscuité accroît le risque de transmission des maladies infectieuses. Dans les grandes tours à bureaux, les hôtels et les hôpitaux, la maladie des légionnaires est un exemple bien connu des maladies respiratoires qui se répandent par les systèmes de climatisation centraux. La plupart du temps, les personnes exposées aux polluants transportés par l'air se plaignent de maux de tête, d'étourdissements, de diverses manifestations respiratoires, d'irritation des yeux et de la peau, de réactions allergiques prenant diverses formes, ou encore de fatigue et d'essoufflement. Ces symptômes sont manifestement liés aux conditions de travail dans la mesure où ils disparaissent dès que les personnes quittent l'immeuble dans lequel elles travaillent ou quand elles prennent des vacances.

LES POSTURES DE TRAVAIL CONTRAIGNANTES ET LES TÂCHES MANUELLES RÉPÉTITIVES

Troubles musculosquelettiques
(*musculoskeletal disorders*)
Ensemble d'atteintes douloureuses des muscles, des tendons et des nerfs.

Les emplois concernant le service client, la vente et le service à la clientèle exigent souvent des efforts physiques de la part du personnel, ce qui risque d'entraîner des **troubles musculosquelettiques**, ou TMS. Ces troubles résultent de la répétition de gestes accomplis dans des postures difficiles et se soldent généralement par diverses pathologies affectant les muscles et les articulations des mains, des bras, des poignets, des coudes, du cou et des épaules, de même que des hanches, des chevilles ou des pieds. Le syndrome du canal carpien, la tendinite, le syndrome du défilé thoracobrachial et le syndrome de la tension cervicale sont des exemples de ces troubles musculosquelettiques.

Chaque année, plus de 45 000 Québécois en souffrent[6]. Les principales causes sont :

- les postures fatigantes ou inconfortables ;
- le travail au froid ;
- les efforts musculaires ;
- les gestes répétitifs ;
- les vibrations ;
- les chocs ;
- les pressions.

Le travail au froid engourdit les muscles et l'organisme évalue plus difficilement les forces nécessaires pour effectuer un travail. Le corps perd de sa souplesse et les mouvements demandent plus d'effort, ce qui accroît les risques de troubles musculosquelettiques. Le guide sur l'ergonomie de bureau de la Défense nationale, cité dans la bibliographie et disponible dans le guide de l'étudiant, donne des conseils pour réduire les troubles musculosquelettiques.

L'EXPOSITION À DES TEMPÉRATURES EXTRÊMES

Les personnes qui travaillent dans des lieux où il fait très chaud ou qui travaillent à l'extérieur durant les périodes de canicule s'exposent aux coups de chaleur. Ces troubles surviennent lorsque la température du corps dépasse 40°C. Ils risquent d'entraîner la mort s'ils ne sont pas soignés immédiatement. Tous les ans, quelques personnes en meurent. L'évanouissement (syncope) et l'épuisement par la chaleur sont moins graves, mais ils peuvent cependant réduire la capacité de travail d'un individu. Le moyen le plus simple de prévenir le coup de chaleur consiste à boire souvent lorsqu'il fait chaud.

Les personnes qui travaillent dans des endroits où il fait très froid, dans les chambres froides ou les entrepôts frigorifiques, par exemple, risquent de souffrir d'hypothermie (abaissement au-dessous de la normale de la température du corps) et s'exposent aux engelures. L'hypothermie provoque des engourdissements entraînant des maladresses ; le grelottement très marqué (au début), une baisse de vigilance, un manque de concentration. La personne en hypothermie démontre parfois des comportements inhabituels ou bizarres. Si l'hypothermie n'est pas traitée immédiatement, elle peut être fatale. La CSST publie un guide sur les conditions de travail à respecter s'adressant aux personnes que leur travail expose à des températures extrêmes.

LE TRAVAIL DANS DES ENDROITS ISOLÉS

On considère qu'un employé se trouve en situation d'isolement lorsqu'il est seul pour accomplir son travail, qu'il ne peut compter que sur lui-même, que personne ne peut le voir ou l'entendre, ou encore lorsque personne ne lui rend visite pendant un certain temps. Travailler en isolement peut devenir dangereux, surtout chez les personnes qui manipulent de l'argent ou qui travaillent à l'extérieur de leur lieu habituel.

Un moyen d'accroître la sécurité des personnes qui travaillent en isolement est d'instaurer une procédure, que l'on appliquera rigoureusement. Cette procédure consiste à surveiller ces employés régulièrement, à les faire pointer et à leur fournir un moyen de communication, tel un téléphone cellulaire, afin de rompre leur isolement.

Figure 8-2 La signalisation des dangers

LES CHUTES

Chaque année, au Canada, près de 100 000 travailleurs se blessent après avoir fait une chute. Une personne glisse et perd l'équilibre par suite du manque d'adhérence quand elle marche sur des surfaces humides (figure 8-2) ou graisseuses, sur des tapis ou des couvre-planchers décollés ou mal ancrés, ou encore sur des surfaces dont le degré d'adhérence varie d'un endroit à l'autre. Les gens trébuchent lorsqu'ils heurtent quelque chose du pied et perdent l'équilibre. Les causes de trébuchement sont généralement :

- ■ Une vision obstruée de la zone de travail.

- Un éclairage déficient.

- La présence de câbles non recouverts sur le sol.

- Un sol raboteux, des marches inégales ou un tapis avec des plis.

- Des encombrements au niveau du sol.

- Un tiroir mal fermé au niveau du sol.

Des locaux bien tenus réduisent les risques d'accident. Voici quelques consignes élémentaires à respecter :

- Laisser les passages libres de tout obstacle et de tout encombrement.

- Veiller à ce que les aires de travail et les zones de circulation soient bien éclairées.

- Fixer (avec du ruban adhésif, des agrafes, etc.) les tapis et autres couvre-planchers de manière à ce qu'ils restent à plat.

- Recouvrir les câbles qui courent sur le sol, en particulier dans les endroits passants.

- Signaler clairement les endroits mouillés ou humides.

- Essuyer ou balayer les planchers.

- Nettoyer immédiatement les produits déversés sur le sol.

- Remplacer les ampoules brûlées et les commutateurs défectueux.

- Fermer les tiroirs des classeurs et des armoires.

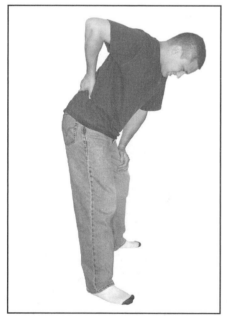

Chaque année, près de 8 000 travailleurs canadiens sont frappés d'une incapacité permanente à cause de blessures au dos.

LES MAUX DE DOS

Chaque année, près de 8 000 travailleurs canadiens sont frappés d'une incapacité permanente à cause de blessures au dos. Bien que le travail dans les domaines de la vente et du service à la clientèle ne soit pas considéré comme du travail manuel, il exige parfois certaines activités manuelles, telles qu'utiliser un chariot à main, emballer ou empaqueter des objets, actionner des manettes de commande, ouvrir et fermer des portes, faire glisser des boîtes sur le sol, etc. La plupart du temps, ces travaux sont sans danger. Cependant, ils peuvent causer des blessures, notamment quand les objets poussés ou tirés ne se trouvent pas directement devant la personne qui les manipule, et plus particulièrement quand ces objets sont portés au-dessus des épaules  ou sous la taille, et que la force s'exerce pendant plus de cinq secondes. L'École du dos, site Internet de l'Université du Québec en Abitibi-Témiscamingue, offre divers conseils pour prévenir les maux de dos.

web
uriic.uqat.uquebec.ca

LA FATIGUE ET LES AUTRES CONSÉQUENCES DES HORAIRES DE TRAVAIL

Dans le domaine du service à la clientèle, les horaires variables ou le travail par quarts sont fréquents, surtout depuis qu'Internet permet d'assurer un service 24 heures sur 24, 7 jours sur 7. Les employés qui se plient à ces horaires voient leur vie familiale et sociale perturbée, en plus de subir les effets néfastes que ces pratiques exercent sur la santé et la sécurité[7].

Ainsi, les employés travaillant par quarts successifs éprouvent parfois plus de problèmes sociaux que les personnes qui travaillent avec des horaires fixes. Les problèmes de santé physique sont les suivants :

- Perturbation du **rythme circadien** de la personne.

- Perte de sommeil et troubles des systèmes gastro-intestinaux et cardiovasculaire.

- Aggravation des problèmes de santé physique ou mentale existants.

L'entreprise qui adopte le travail par quarts peut en réduire les effets négatifs en concevant des horaires qui tiennent compte des nécessités d'adaptation des employés. Les recherches sur le sujet démontrent qu'il n'existe pas de cycle de rotation idéal (nombre de jours passés à un quart particulier). Il semble être préférable de passer d'un horaire de jour à un horaire de soir, plutôt que l'inverse, car le rythme circadien s'ajuste plus facilement. Il est également préférable de disposer d'une période de repos d'au moins 24 heures après une rotation complète et il faut s'assurer que chaque équipe de travail bénéficie régulièrement d'un temps de repos « socialement avantageux », durant les fins de semaine, par exemple. Enfin, les calendriers de travail doivent être déterminés longtemps à l'avance afin que les employés puissent planifier leurs activités personnelles.

Les journées prolongées sont une autre manière d'adapter l'offre de service de l'entreprise aux besoins des clients. Ce type d'organisation du travail a également des répercussions sur la santé, la sécurité et la vie sociale des employés. Les principaux avantages sont la réduction de temps de transport, l'accroissement de temps consacré aux activités sociales et à la récupération, ainsi qu'une plus grande satisfaction au travail. En revanche, les employés ont du mal à reprendre un horaire allongé immédiatement après des loisirs épuisants, ou après un retour de voyage. L'entreprise et les clients y gagnent par une réduction de l'absentéisme et un meilleur moral. Cependant, l'employé qui prend de nombreux jours de congé consécutifs perd contact avec son travail. Certains employés y trouvent un avantage, alors que d'autres y voient un inconvénient. Les longues journées de travail doivent comporter un plus grand nombre de pauses. On note également un ralentissement du rythme de travail, un accroissement de l'irritabilité des employés et un taux d'accidents plus élevé, notamment en raison de la fatigue. Au bout de la dixième heure de travail consécutive, un client de mauvaise humeur n'est pas nécessairement bien accueilli !

L'entreprise soucieuse de la santé de ses employés doit porter une attention particulière aux installations physiques qu'elle met à leur disposition. Les postes de travail doivent être assez rapprochés pour permettre aux employés d'être en contact les uns avec les autres. Il est important que les employés puissent disposer d'un service de restauration, d'aires de repos et de repas. L'entreprise peut mettre sur pied des activités sociales, de formation, de conditionnement physique et de loisirs pour les quarts de soir et de nuit qui ne peuvent bénéficier des services de jour.

Rythme circadien (*circadian rythm*)

Rythme des phénomènes biologiques cycliques qui se déroulent selon une périodicité de 20 à 24 heures.

8.4 LES MESURES DE PRÉVENTION POUR LES CLIENTS ET LES EMPLOYÉS

OBJECTIF 3

Instaurer des mesures de sécurité pertinentes et conformes à la réglementation en vigueur.

L'entreprise doit prendre les mesures nécessaires afin d'éliminer ou de réduire les sources de danger auxquels s'exposent les personnes, comme nous l'avons mentionné à la section précédente. Les organisations de santé et de sécurité du travail, telle la CSST au Québec, préconisent la mise sur pied de programmes de prévention au sein des entreprises. À cet effet, la CSST publie à l'intention des entreprises un guide de prévention conforme à la Loi sur la santé et la sécurité du travail. Ce *Guide de prévention en milieu de travail à l'intention de la petite et de la moyenne entreprise* est inclus dans le DVD qui accompagne ce manuel.

La prévention est une démarche continue qui comporte trois étapes : l'inventaire des risques, leur correction par la prise de mesures appropriées et le contrôle des résultats obtenus (figure 8-3). Elle s'apparente au processus d'amélioration continue que nous avons présenté au chapitre 4, qui porte sur la qualité et le service client. Le personnel de l'entreprise est le mieux placé pour effectuer cette tâche. Pour mettre en œuvre les mesures de prévention adéquates, le personnel peut s'inspirer des démarches mises au point par d'autres entreprises ou recourir à celles que proposent les organismes de sécurité du travail. L'inventaire des sources de danger doit être effectué périodiquement, de préférence au moyen d'une grille d'analyse des dangers, afin de travailler systématiquement. Il est nécessaire de signaler chaque accident ou incident (voir plus loin), et de l'analyser afin de prendre les mesures correctrices qui s'imposent. Il est bon de prévoir un mécanisme pour recevoir et analyser les plaintes, les suggestions et les commentaires, qu'ils proviennent du personnel ou des clients. Supposons, par exemple, que les employés du service à la clientèle de l'entreprise Alpha se plaignent de fréquents maux de cou à cause des courants d'air que provoque l'ouverture continuelle des portes extérieures par les clients. Albert Ledos décide qu'il en a assez de cette situation et rédige une note à ce sujet et la place dans la boîte à suggestions. Boutros Patala, le responsable du comité de sécurité, la soumet à la prochaine réunion. L'entreprise doit établir les priorités concernant les mesures correctrices à prendre. Il va de soi qu'un danger aux conséquences graves et immédiates doit être traité plus rapidement qu'un inconvénient mineur ou passager.

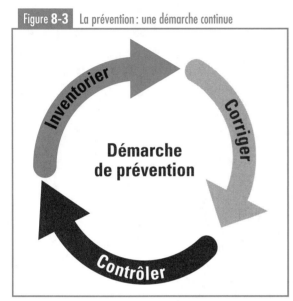

Figure 8-3 La prévention : une démarche continue

Inventorier

Corriger

Contrôler

Démarche de prévention

Après avoir effectué l'inventaire des dangers, il faut mettre en œuvre les moyens qui permettront de les éliminer. C'est la phase de correction. Idéalement, il faut éliminer la source du danger, mais si c'est impossible, il faut faire en sorte de les atténuer. La diffusion d'information concernant ces dangers, la formation des personnes exposées et l'affichage sont des moyens permettant de réduire les risques. Ces mesures doivent être planifiées afin que leur mise en œuvre se fasse de façon réaliste. Par exemple, comment l'entreprise Alpha peut-elle éliminer les problèmes de maux de cou dont souffrent les employés du service à la clientèle ? En présumant que ce problème passera à la phase de correction, les membres du comité de prévention de l'entreprise, en concertation avec les employés, commencent par étudier les différentes solutions susceptibles d'être appliquées, puis ils choisiront la meilleure de ces solutions, compte tenu des contraintes relatives au bâtiment et des conséquences pour les clients. Le comité détermine un calendrier de mise en œuvre. Les travaux sont ensuite exécutés et les employés évaluent si le problème des courants d'air a été réglé. C'est la phase de contrôle. Si le problème demeure, il faut trouver une autre solution. C'est pourquoi il faut considérer la démarche de prévention comme un processus continu. L'entreprise doit vérifier que les mesures de sécurité qu'elle met de l'avant sont appliquées. Elle doit instaurer des procédures d'inspection, d'entretien, faire des rappels de formation et, bien sûr, éviter d'introduire de nouveaux dangers. Un bon contrôle aide à régler les problèmes à mesure qu'ils apparaissent au lieu d'avoir à faire face aux conséquences d'un accident.

LES PROCÉDURES DE SÉCURITÉ ET L'ÉQUIPEMENT DE SÉCURITÉ

La sécurité provient de pratiques de gestion sécuritaires. Voici un exemple : les sorties et issues de secours des locaux doivent être bien indiquées et on doit pouvoir y accéder sans difficulté en tout temps. C'est cette règle fondamentale qui permet d'assurer l'évacuation sécuritaire du bâtiment en cas d'urgence. De plus, en temps normal, cette pratique réduit les risques de chutes des personnes qui circulent dans ces zones. Pour être utile, cette règle doit être absolue. L'entreprise doit inspecter fréquemment les lieux afin de s'assurer que tous les employés prennent au sérieux ces procédures de sécurité et les appliquent rigoureusement.

Les personnes responsables dans l'entreprise, c'est-à-dire la direction, le comité de sécurité, etc., doivent déterminer quelles sont les pratiques sécuritaires à suivre, compte tenu des normes en vigueur dans le milieu ainsi que des accidents survenus antérieurement. Pour une entreprise, la consultation des centres de documentation des organismes de réglementation en matière de santé et de sécurité du travail constitue un excellent point de départ pour instaurer des pratiques de travail sécuritaires. L'entreprise y trouvera les dispositions légales et réglementaires à suivre en matière de santé et de sécurité. Par exemple, pour les produits chimiques, la CSST exploite sur Internet un répertoire toxicologique en rapport avec le SIMDUT (voir la section précédente sur l'exposition à divers produits chimiques). Elle offre des publications et des documents audiovisuels sur la sécurité dans les bureaux, ou encore sur l'ergonomie des postes de travail informatiques. Le DVD qui accompagne ce manuel contient plusieurs de ces documents.

Les deux sections précédentes, qui traitent de la violence et des agressions de la part des clients et du travail en milieu isolé, indiquent que la manipulation d'argent accroît les risques d'agression. Or, les entreprises peuvent réduire ce genre de risques en plaçant la caisse près de la vitrine de sorte que les employés puissent voir les alentours et que les gens qui se trouvent à l'extérieur du commerce, y compris la police, puissent voir ce qui se passe à l'intérieur. L'utilisation de caisses enregistreuses munie d'une minuterie contribue à réduire les risques d'agression.

L'ENTRETIEN

L'inspection et l'**entretien** préventif de l'équipement et des divers appareils sont des moyens efficaces pour assurer la rentabilité et la sécurité de l'entreprise. Le choix judicieux de l'équipement, et son emploi à bon escient, est un facteur déterminant de la sécurité. Pour illustrer cette affirmation, il suffit de penser à l'inspection visuelle que fait le pilote d'un avion et à la vérification systématique des divers systèmes électriques, électroniques et hydrauliques de l'appareil, en plus du fait que les mécaniciens appliquent un programme d'entretien rigoureux de l'appareil. Au-delà des pertes de vie et des souffrances humaines, il faut aussi penser au coût d'un accident d'avion sur la rentabilité de l'entreprise (coût de l'appareil à remplacer et indemnisation des proches des victimes), et vous comprendrez rapidement l'importance de la sécurité. Accepteriez-vous une réduction de 50 % de prix pour monter à bord d'un avion sachant que le risque d'avoir un accident avec cet appareil est de l'ordre de 25 % ?

L'automobiliste responsable fait inspecter et entretenir régulièrement son véhicule selon les normes prescrites par le manufacturier. Il en est de même de toutes les installations d'une entreprise. Nul ne devrait tolérer un corridor mal éclairé à cause d'ampoules brûlées, des détritus qui traînent et gênent la circulation dans les corridors, ou des plans de travail souillés qui servent à la préparation de nourriture, par exemple. Tous les systèmes d'optimisation de la production

Entretien (*maintenance*)
Action de maintenir un bien en bon état de fonctionnement.

Maintenance (*maintenance*)
Ensemble des mesures et des moyens nécessaires pour remettre et maintenir les facteurs de production en bon état de fonctionner[8].

www.mcdonalds.ca

> OBJECTIF | 4

Appliquer correctement les techniques de soins d'urgence.

présument que les appareils et les bâtiments sont en bon état. Un entretien régulier est primordial au bon fonctionnement de l'entreprise, c'est pourquoi les entreprises se dotent de services de **maintenance**.

Les milieux de travail propres, éclairés, bien entretenus et utilisant des outils ergonomiques sont propices au travail de qualité et à un rendement élevé. Il ne faut pas s'étonner que la chaîne de restauration McDonald's, le plus gros restaurateur de la planète, souligne qu'une bonne partie de son succès phénoménal relève du respect rigoureux de cette simple règle.

LES TECHNIQUES DE SOINS D'URGENCE

Malgré tous les efforts pour éliminer les dangers au sein des entreprises, il arrive que des accidents surviennent. Il est donc souhaitable de s'y préparer et de mettre en place des plans d'urgence et de préparer le personnel à réagir promptement. L'article 3 du Règlement sur les normes minimales de premiers secours et de premiers soins[9] stipule que, au Québec, il faut un secouriste pour 50 employés.

Employer les techniques de soins d'urgence appropriées et au bon moment permet de sauver des vies. Lorsqu'un client s'étouffe dans un restaurant ou qu'un autre fait un arrêt cardiaque, lorsque le responsable du crédit l'informe qu'il a dépassé sa marge de crédit, ce n'est pas le temps de fouiller au fond des tiroirs pour essayer de mettre la main sur le manuel de premiers soins de l'entreprise ! Il faut agir rapidement, en effectuant les bons gestes, ce qui suppose une formation appropriée et mise à jour régulièrement.

Toute entreprise doit donc s'assurer qu'elle dispose des personnes compétentes en techniques de premiers soins et que leurs connaissances sont à jour. Le site Internet de la CSST contient une liste des organismes de formation en secourisme au travail. De plus, pour soutenir les interventions des secouristes, elle a publié deux ouvrages : *Secourisme en milieu de travail* (5e édition) et le *Guide pratique du secourisme en milieu de travail*. Elle vend, par le truchement de Publications Québec, la vidéo «Secourisme en milieu de travail» facilitant l'apprentissage des méthodes de premier secours.

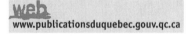
www.publicationsduquebec.gouv.qc.ca

Le site Internet Secourisme.net et les sites de la CSST et de l'Académie de Caen offrent d'excellentes ressources ainsi que des liens intéressants sur le sujet.

www.secourisme.net
www.csst.qc.ca
www.ac-caen.fr

> OBJECTIF | 5

Rédiger des rapports en cas d'accident et d'incident.

8.5 LES RAPPORTS D'ACCIDENTS ET D'INCIDENTS

Tous les accidents et incidents doivent faire l'objet de rapports écrits indiquant la date et les circonstances de l'événement, les personnes, les lieux et l'équipement en cause, ainsi que la nature des préjudices. L'étude de ces rapports est très utile pour les personnes engagées dans la prévention au sein de l'entreprise, une démarche que nous avons présentée à la section précédente.

Au Canada, la majorité des cas d'accidents du travail se trouvent sous la juridiction des organismes publics provinciaux de santé et sécurité du travail, comme la CSST au Québec. Il y a cependant plusieurs exceptions dans divers secteurs qui relèvent directement du gouvernement canadien, notamment la fonction publique fédérale, ainsi que les employés des secteurs des banques, des communications et du transport. Qu'elles soient de juridiction provinciale ou fédérale, ces organisations chargées de promouvoir la sécurité ont toutes un volet assurance qui indemnise les victimes d'un accident ou d'une maladie professionnelle. Chaque organisme possède cependant ses propres exigences quant aux rapports d'accidents, aux réclamations et aux prestations versées.

8.6 LES RISQUES LIÉS À LA SÉCURITÉ DES DONNÉES

Dans les entreprises modernes, les données et les systèmes informatiques qui en assurent le stockage et le traitement constituent des ressources d'une grande importance. Il est donc capital de les protéger correctement. Les systèmes informatiques, tels ceux de la gestion de la relation client (GRC) dont nous avons parlé au chapitre 7 sur les technologies, sont des éléments qui contribuent à accroître la qualité du service à la clientèle. Voici les principales menaces auxquelles sont exposés les systèmes informatiques :

- *Le matériel.* Le matériel proprement dit se trouve exposé à divers types de défaillances, comme celles qui affectent les circuits de protection électrique (panne, surtension, etc.), les disques durs (mémoire à long terme) ou les disques d'archives, ou encore le réseau de communication (modem, routeur, câblage, fournisseur Internet, etc.). Enfin, divers cataclysmes (inondations, incendies) peuvent aussi détruire le matériel.

- *Les logiciels.* Les fichiers peuvent être corrompus, présenter des bogues ou être détruits par des virus.

- *Les comportements humains.* Les systèmes informatiques peuvent être abîmés par suite de l'incompétence ou de l'ignorance de certaines personnes, tandis que d'autres peuvent se livrer à des vols, à des usurpations d'identité ou à des actes malveillants.

- Toute défaillance des systèmes d'information nuit au service client. Les défaillances humaines sont courantes, et il ne se passe pas de semaine sans que surviennent quelques histoires d'horreur de données confidentielles transmises par suite d'erreurs ou d'incompétence. Mais ce sont encore les défaillances résultant des vols, des fraudes et des actes malveillants qui sont les plus dévastatrices pour les clients et les fournisseurs se trouvant à l'extérieur de l'entreprise. Le vol de données et la fraude d'identité qui en résulte obligent tout le monde à prendre des précautions afin d'éviter ce genre de problème.

LA CONFIDENTIALITÉ

Les entreprises accumulent beaucoup de données personnelles sur leurs clients afin de bien les servir, mais elles doivent traiter ces renseignements avec **confidentialité**. En plus des nom, âge, sexe, langue et adresse des gens, elles peuvent garder en mémoire leur numéro d'assurance sociale, les numéros de leurs cartes de crédit ou d'assurance santé, ou encore celui de leur permis de conduire que réclament fréquemment les services de crédit. L'entreprise garde également en mémoire les transactions antérieures. Il incombe aux entreprises de protéger ces renseignements, et d'en limiter l'accès aux personnes qui en ont expressément besoin pour effectuer leur travail, et ce, conformément aux conditions qu'elle a mentionnées aux clients au moment où cette collecte a été effectuée.

Des lois ont été instaurées afin de protéger les clients de l'usage de fausses informations à leur sujet. Au Québec, les renseignements personnels sont régis par la Loi sur la protection des renseignements personnels dans le secteur privé[10]. Selon l'article 27 de cette loi, les entreprises sont tenues de fournir à toute personne qui lui en fait la demande la confirmation qu'elle détient des renseignements personnels et de révéler la nature de ces informations.

Confidentialité
(*confidentiality*)
Propriété d'une information ou de renseignements personnels qui ne doivent pas être divulgués à des personnes ou à des entités non autorisées.

LE VOL D'IDENTITÉ

Tous les ans, en Amérique, des millions de personnes sont victimes de vol d'identité[11]. Il s'agit d'un délit très populaire chez les fraudeurs qui y trouvent un moyen facile de soutirer de l'argent[12]. Chaque année, une partie importante des 37 millions de dollars de pertes que subissent les institutions financières canadiennes provient de vols d'identité. L'incompétence, un mauvais contrôle de l'accès aux données ou des procédures inadéquates de la part des entreprises sont à l'origine de la plupart des vols d'identité, qu'ils soient l'œuvre de pirates informatiques, d'employés malintentionnés, ou qu'ils résultent de la perte de fichiers ou de supports informatiques[13]. Les entreprises ne sont pas toujours responsables des vols d'identité de leurs clients. Toutefois, la technique de l'**hameçonnage** sur Internet où les gens se font berner en communiquant volontairement des renseignements confidentiels aux fraudeurs y compte pour beaucoup.

Hameçonnage (*phishing*)
Envoi massif d'un faux courriel, dans lequel on demande aux destinataires leurs coordonnées bancaires ou personnelles, et où le pirate utilise l'information pour détourner des fonds à son avantage[14].

Authentification (*authentication*)
Procédure consistant à vérifier ou à valider l'identité d'une personne ou l'identification de toute autre entité, lors d'un échange électronique, pour contrôler l'accès à un réseau, à un système informatique ou à un logiciel[15].

LE CONTRÔLE DE L'ACCÈS AUX DONNÉES

Un des principaux moyens d'assurer la sécurité des données consiste à restreindre l'accès aux seules personnes qui en ont besoin pour leur travail. Le contrôle d'accès se fait par **authentification** des personnes.

L'utilisation de mots de passe est la procédure la plus répandue. Quoiqu'elle offre un faible niveau de sécurité, sa simplicité et son faible coût en expliquent le succès. Toutefois, de nouvelles méthodes faisant appel à des données biométriques font progressivement leur apparition.

>> *OBJECTIF* 7

Nommer les risques de nature financière associés aux services clients.

8.7 LES RISQUES FINANCIERS

En service client, il faut être attentif aux transactions financières, car elles comportent un volet émotif en raison de leur importance. Lorsque les clients achètent, l'entreprise désire être payée, et lorsque les clients sont insatisfaits, ils désirent souvent être remboursés. Dès que de l'argent est en jeu, il y a un besoin accru de sécurité. Voici les principaux risques à considérer dans ce cas :

- Risques à l'égard de la sécurité des personnes. (Voir la section «Les risques pour la santé et la sécurité des personnes».)

- Risques de fraudes liés à l'usurpation d'accès. (Voir la section précédente.)

- Risques de défaut de paiement.

Outre la fraude, le défaut de paiement est habituellement le fait de clients qui peuvent éprouver des problèmes de trésorerie. Quelquefois, ces difficultés sont importantes au point d'acculer le client à la faillite. Ce type de problème relève de la gestion du crédit à accorder au client. Plus la politique de crédit est généreuse, plus l'entreprise aura de chances d'obtenir des ventes que des concurrents auront refusées. Mais il y a toutefois des limites à ne pas dépasser… En fait, l'art de la gestion du crédit vient de l'équilibre entre les coûts liés aux défauts de paiement et l'augmentation de la rentabilité que permettent ces ventes supplémentaires.

Pour l'entreprise, le service de recouvrement des comptes en souffrance représente une importante section du service à la clientèle. Les résultats qu'elle obtient peuvent affecter considérablement la rentabilité de l'entreprise. Une règle de base en recouvrement des comptes est de faire en sorte que les coûts engendrés par la démarche demeurent inférieurs aux revenus supplémentaires qu'elle permettra de récupérer. Ainsi, les entreprises qui font affaire avec un très grand nombre de clients, comme celles qui vendent par catalogue, regroupent généralement les créances par période de souffrance, à 90 ou à 120 jours, par exemple. Chaque groupe de «période de souffrance» fait l'objet de rappels de paiements à recouvrir tant que les revenus totaux de la période de créance dépassent la rentabilité que l'entreprise désire pour ses placements. Si les ressources affectées à la perception des comptes étaient utilisées dans un autre secteur de l'entreprise, dégageraient-elles une plus grande rentabilité? Les comptes en souffrance ne sont pas considérés individuellement, mais de façon globale. Évidemment, cette approche ne s'applique que pour les petits montants en souffrance. Pour les sommes plus élevées, un traitement cas par cas s'impose. Le doigté est de mise dans le recouvrement de compte. Ce n'est habituellement pas par mauvaise volonté que les clients éprouvent des difficultés de trésorerie. Une fois qu'ils ont surmonté leurs difficultés, ces clients peuvent redevenir rentables, d'où l'importance de les traiter respectueusement et de leur accorder des modalités de paiement adaptées à leur situation.

Il existe des logiciels spécialisés[16] qui permettent d'accroître la satisfaction de la clientèle et la rentabilité des comptes clients par des stratégies d'encaissement et de recouvrement répondant aux caractéristiques des différents segments de clientèle. Ces logiciels permettent d'adapter les offres de crédit aux besoins des clients, tout en réduisant les pertes de clients en déterminant rapidement les clients à risque. Ces logiciels font habituellement appel au forage de données, un procédé servant à révéler certains comportements des clients à partir de quelques indices.

RÉSUMÉ

1. Repérer des sources réelles et potentielles de danger.

L'entreprise est responsable de la sécurité de ses clients et de ses employés. Les principales sources de danger sont les agressions sur les personnes, le vandalisme, le vol et la fraude concernant les personnes, l'équipement, l'argent, les données et l'identité des clients.

2. Évaluer des situations comportant des risques liés à la sécurité des personnes.

Les principales situations de risque sont la violence et les agressions des clients à l'égard des employés, le stress, l'exposition à divers produits chimiques et parfums, et la qualité de l'air. Les postures de travail contraignantes, les tâches manuelles répétitives, l'exposition à des températures extrêmes, le travail dans des lieux isolés constituent d'autres sources de danger. En se déplaçant, les employés peuvent également glisser, trébucher ou tomber; ils peuvent s'infliger des maux de dos en poussant, en tirant ou en soulevant des objets, et, enfin, souffrir de fatigue ou d'autres problèmes de santé causés par les horaires de travail.

3. Instaurer des mesures de sécurité pertinentes et conformes à la réglementation en vigueur.

Un moyen de se conformer à la réglementation est d'adopter la démarche de prévention préconisée par la CSST, qui comprend l'inventaire des dangers, la correction des problèmes détectés et le contrôle de l'efficacité des solutions apportées. Il faut mettre au point des procédures de sécurité et utiliser des installations sécuritaires. Un choix judicieux d'appareils, de même que leur entretien préventif, constitue le meilleur moyen pour assurer la sécurité.

4. Appliquer correctement les techniques de soins d'urgence.

Les techniques de soins d'urgence relèvent des secouristes en milieu de travail. La formation dans le domaine est fournie par des organismes affiliés à la CSST.

5. Rédiger des rapports en cas d'accident et d'incident.

Tous les accidents et incidents doivent faire l'objet de rapports écrits indiquant la date et les circonstances de l'événement, les personnes, les lieux et l'équipement en cause et la nature des préjudices. L'étude de ces rapports est très utile pour les personnes engagées dans la prévention au sein de l'entreprise.

6. Reconnaître les risques liés à la sécurité des données.

Les données relatives au service à la clientèle doivent être protégées contre trois grandes catégories de risques. La première concerne le matériel informatique (défaillance des circuits de protection électrique, comme les pannes ou les surtensions), et les supports d'enregistrement (disques durs, disques d'archives), ainsi que les défaillances du réseau de communication, et divers cataclysmes susceptibles d'endommager le matériel. La deuxième catégorie de risques concerne les logiciels (corruption des fichiers, bogues, virus). Quant à la troisième, elle relève de la nature humaine (incompétence, ignorance, erreur, vol, fraude d'identité, malveillance).

7. Nommer les risques de nature financière associés aux services clients.

Les trois grandes catégories de risques financiers associés aux services clients sont les risques à la sécurité des personnes, les risques de fraudes liés à l'usurpation d'accès et les risques de défaut de paiement.

MOTS CLÉS

Authentification (p. 212)	*Authentication*
Confidentialité (p. 211)	*Confidentiality*
Entretien (p. 209)	*Maintenance*
Hameçonnage (p. 212)	*Phishing*
Maintenance (p. 210)	*Maintenance*
Rythme circadien (p. 207)	*Circadian rythm*
Sécurité (p. 198)	*Safety*
SIMDUT (p. 203)	*WHMIS*
Troubles musculosquelettiques (p. 204)	*Musculoskeletal disorders*

QUESTIONS DE RÉVISION

1. Quelles sont les responsabilités de l'entreprise vis-à-vis des clients et des employés ?

2. Nommez deux organisations au Canada offrant des informations sur la santé et la sécurité du travail.

3. Dites comment aménager les aires de réception, de vente et de service à la clientèle afin de réduire les risques de vol et d'agression.

4. Donnez des exemples de pratiques administratives permettant de réduire des risques de violence et d'agression.

5. Nommez les principaux risques pour la santé et la sécurité des personnes.

6. Nommez les facteurs associés à la nature du travail qui risquent d'accroître les risques de violence et d'agression.

7. Quelles sont les grandes catégories de sources de stress au travail ?

8. Que signifie le sigle SIMDUT ?

9. Nommez les principales causes des troubles musculosquelettiques.

10. Donnez quelques consignes permettant de réduire les probabilités d'accidents causés par des glissades ou des pertes d'équilibre.

11. Qu'est-ce que le rythme circadien ?

12. Quelles sont les trois composantes d'un programme de prévention ?

13. En quoi consiste la maintenance ?

14. Nommez les principales menaces concernant la sécurité de l'information et expliquez-les.

15. Quelle est la principale méthode permettant de contrôler l'accès aux données utilisées par les entreprises ?

ATELIERS PRATIQUES

1. Inventaire des risques dans une entreprise.

   Après avoir formé des équipes de travail, communiquez avec une entreprise de votre région afin d'offrir les services de votre équipe pour déterminer les risques relatifs à la sécurité en utilisant la grille de sélection des moyens de prévention du document de la CSST intitulé *Guide de prévention en milieu de travail à l'intention de la petite et de la moyenne entreprise*, 2e édition. Remplissez cette grille et remettez-en un exemplaire à la direction avec vos propositions. Faites un rapport écrit et présentez-le en classe.

2. Inventaire des risques dans un établissement scolaire.

   Après avoir formé des équipes de travail, faites une évaluation des risques relatifs à la sécurité des étudiants de votre établissement en vous servant du document de la CSST intitulé *Guide de prévention en milieu de travail à l'intention de la petite et de la moyenne entreprise*, 2e édition. Faites un rapport écrit et présentez-le en classe.

3. Analyse de l'ergonomie d'un poste de travail informatique dans un établissement scolaire.

   Après avoir formé des équipes de travail, faites l'analyse des postes de travail informatiques destinés aux étudiants en utilisant les informations du *Guide du MDN et des FC sur les ergonomiques de bureau*, version 1, Défense nationale, Ottawa, Canada, 2004.

4. Inventaire des risques relatifs à la sécurité des données.

   Faites un relevé des problèmes relatifs à la sécurité des données auxquels vous avez été confrontés (à la maison, au laboratoire et dans votre emploi) au cours du dernier mois. Utilisez la classification présentée dans ce manuel en notant le degré de gravité de chacun des problèmes. Faites un rapport synthèse et présentez-le en classe.

5. Inventaire des risques relatifs à la sécurité des données (suite).

   À partir du rapport d'inventaire des risques à la sécurité des données que vous avez rédigé précédemment, faites des propositions permettant de corriger les difficultés rencontrées et, s'il y a lieu, décrivez la procédure à suivre pour instaurer ces mesures correctrices.

RETOUR SUR LA
MISE EN SITUATION

RIEN NE VA PLUS AU GRAND MAGASIN GÉNÉRAL!

En tenant pour acquis que la sécurité est une situation dans laquelle l'ensemble des risques prévisibles est acceptable, Abigaëlle et Martin doivent considérer les risques qui guettent les clients internes et externes du Grand Magasin Général. Nous constatons que l'entreprise est l'objet de fraudes (vols à l'étalage), que les clients externes peuvent être victimes de vols d'identité, les clients internes, d'accidents de travail, et que les deux clientèles risquent de se retrouver en situation fort précaire s'ils devaient évacuer rapidement les lieux en cas d'incendie.

Sur ce dernier point, il est clair que Martin et Abigaëlle devront repenser tout l'aménagement intérieur du Grand Magasin Général afin que la largeur des allées et les aires de circulation soient conformes aux règlements municipaux. Pour les promotions extraordinaires qui attirent un très grand nombre de clients, ils devront contrôler l'accès à l'intérieur du bâtiment afin de ne pas dépasser la capacité maximale fixée par le règlement. Il serait possible de réduire le nombre de vols en respectant les principes suivants : limiter les montants d'argent contenu dans les caisses, augmenter le nombre de caméras de surveillance et récompenser les employés qui dénonceront confidentiellement tout comportement fautif. Abigaëlle et Martin devront tenir des exercices d'évacuation avec les employés afin que chacun sache exactement quoi faire en cas de sinistre. Afin de prévenir d'autres accidents de travail comme celui de Marilou Latreille, les gérants devront s'assurer que toutes les normes de sécurité sont appliquées, tant à l'intérieur du magasin qu'à l'entrepôt, et, si nécessaire, sanctionner les employés fautifs. Ils pourraient aborder cet aspect d'une manière positive en lançant un programme de sécurité accordant des primes aux employés advenant une diminution des problèmes liés à la sécurité. Finalement, Martin et Abigaëlle devront se pencher sérieusement sur l'architecture de leur site Web, notamment en ce qui concerne les protocoles relatifs au cryptage des données et à la sécurité des transactions. Ils devront limiter l'accès aux fichiers d'informations confidentielles des clients aux seuls employés responsables de la facturation. Il faudra en plus vérifier leurs antécédents avant de les charger de ce travail.

La communication verbale et non verbale dans un contexte de mondialisation

Il était une fois quatre individus prénommés Toulemonde, Kelkun, Personne et Nimporteki. Un jour où il y avait une tâche importante à accomplir, Toulemonde était sûr que Kelkun était là pour la faire. Nimporteki aurait pu la faire, mais Personne l'a effectuée. Kelkun s'est fâché, parce que la tâche revenait à Toulemonde. Toulemonde croyait que Nimporteki pouvait la faire, mais Personne réalisait que Kelkun ne la ferait pas. Alors Toulemonde blâma Kelkun et Personne fit ce que Nimporteki aurait dû faire en premier lieu.

Fable anonyme

▷▷ *OBJECTIFS D'APPRENTISSAGE*

Après avoir étudié ce chapitre, vous pourrez :

1. **Énumérer et expliquer les aspects non verbaux de la communication.**

2. **Appliquer les règles de base de la courtoisie et de l'étiquette en matière de service à la clientèle.**

3. **Distinguer les différentes personnalités éprouvantes et se comporter de façon courtoise avec les divers types de clients.**

4. **Appliquer les règles d'étiquette propres à la téléphonie et à la télécopie.**

5. **Expliquer ce qu'est la nétiquette et adopter ses principes.**

MISE EN SITUATION

UNE PARURE QUÉBÉCOISE ?

Ayant obtenu son DEC en techniques de gestion avec des résultats scolaires supérieurs à la moyenne, Audrey Denault vient d'être embauchée au service à la clientèle du siège social de BôT, chaîne de magasins spécialisée dans les vêtements sport pour adolescents et préadolescents. Or, elle a appris que l'entreprise avait récemment adopté un code vestimentaire plus informel pour les vendredis. Ce vendredi matin-là, elle se présente donc au travail ainsi vêtue : camisole laissant voir ses tatouages sur les omoplates, jeans à taille ultrabasse savamment déchirés au niveau de la poche arrière et montrant une partie de la peau de sa fesse gauche dénudée par le port d'une petite culotte de coupe brésilienne. Dès qu'elle arrive, Julien Dufour, son supérieur, lui demande de bien rester dans son coin bureau pendant la prochaine heure : il attend des fournisseurs japonais importants d'une minute à l'autre. Audrey se fâche : « Ben, on est au Québec icitte ! Qu'ils s'adaptent ! » Un silence gêné s'installe alors dans les bureaux de BôT.

Trois jours plus tard, Audrey est convoquée au bureau des ressources humaines. Elle est sur la défensive. Julien Dufour la reçoit avec le responsable des ressources humaines. Il l'avertit que, si elle ne changeait pas de comportement avec ses collègues et la clientèle, l'entreprise devra mettre un terme à son emploi avant la fin de sa période d'essai.

« C'est-tu à cause de ma paire de jeans de l'autre jour ?
— Si ce n'était que ça ! Mais j'ai reçu plusieurs plaintes vous concernant. (Julien Dufour montre un dossier, qu'il ouvre.) Écoutez, Audrey, pour ce qui est de vos compétences techniques et de la réalisation de votre travail, nous n'avons absolument rien à vous reprocher. C'est dans les communications interpersonnelles que cela ne va pas. Vous manquez de courtoisie. Par exemple, j'ai ici une copie d'un courriel que vous avez envoyé à l'un de nos fournisseurs. Vous avez écrit tout le message en majuscules, en adoptant un ton sec. Que croyez-vous que votre destinataire en a pensé quand il l'a reçu ? Ensuite, vos voisins de bureau se sont plaints d'être constamment dérangés par vos conversations à voix haute sur votre cellulaire. Or, ces conversations ne semblent pas toujours être liées à votre travail... »

Audrey éclate en sanglots.

« Je... Je ne savais pas que... J'ignorais que...
— Écoutez, Audrey. Si vous tenez à votre emploi, vous devrez suivre dès la semaine prochaine un séminaire sur l'étiquette et la courtoisie en affaires. Nous prolongeons votre période d'essai de 30 jours. Mais nous voulons voir des progrès immédiats et fulgurants dans vos attitudes et vos comportements. Nous vous laissons quelques heures pour réfléchir à notre proposition. »

OBJECTIF 1

Énumérer et expliquer les aspects non verbaux de la communication.

9.1 LES ASPECTS NON VERBAUX DE LA COMMUNICATION

Dans le domaine du service à la clientèle, en particulier dans un contexte de mondialisation de l'économie, une certaine habileté en communication est nécessaire, que vous soyez émetteur ou récepteur, que vous émettiez un message ou en receviez un. En tant que récepteur, comme nous allons le voir dans cette section, il faut être attentif aux comportements de la clientèle pour bien les interpréter et adopter soi-même le comportement adéquat. Le langage non verbal des clients est très important : regard, sourires, hochements de tête, gestes des mains, silences, rires spontanés, timbre de la voix... Il est même plus révélateur que le contenu même des messages qu'ils envoient.

Cette section présente l'importance de la communication non verbale et aborde les diverses catégories de communication. Elle traite en détail, d'une part, de la communication non verbale et vocale, c'est-à-dire des aspects de la voix en tant que telle, et, d'autre part, de la communication non verbale et non vocale, c'est-à-dire des signaux spatiaux et temporels et des signaux visuels.

PLUS DE LA MOITIÉ DE LA COMMUNICATION PASSE PAR LE NON-VERBAL

La **communication non verbale** transmet à elle seule des messages, indépendamment des mots. Elle est comme un tout qui vaut plus que la somme de ses parties. Ainsi, dans la communication face à face, tous les canaux, **verbaux** et non verbaux, sont importants. Dans ses travaux de recherche, le psychologue américain Albert Mehrabian[1] a démontré que 93 % de la signification sociale de la communication face à face venait des canaux non verbaux (figure 9-1).

Communication non verbale
(*non verbal communication*)

Communication qui s'effectue en dehors d'un code linguistique formel[2].

Verbal (*verbal*)

Qui se fait de vive voix (opposé à écrit). Qui concerne les mots représentant une chose, une idée, plutôt que la chose ou l'idée[4].

LES CATÉGORIES DE COMMUNICATION

Tubbs et Moss[3] ont défini quatre catégories de communication :

1. La communication verbale et vocale, qui concerne à la fois les mots et la voix (ex. : discussion).

2. La communication verbale et non vocale, qui concerne les mots mais pas par la voix (ex. : courriel).

3. La communication non verbale et vocale, qui concerne les divers aspects de la voix, à l'exclusion des mots eux-mêmes (ex. : ton).

4. La communication non verbale et non vocale, qui concerne notamment l'apparence et les gestes.

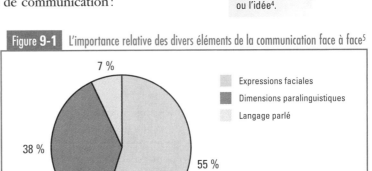

Figure 9-1 L'importance relative des divers éléments de la communication face à face[5]

- Expressions faciales
- Dimensions paralinguistiques
- Langage parlé

7 %
38 %
55 %

Le tableau 9-1 (p. 220) présente ces quatre catégories en format croisé opposant les concepts de communication vocale et de communication non vocale aux concepts de communication verbale et de communication non verbale. Cette section s'inspire du chapitre 4, « The non verbal message », de *Human Communication : Principles and Contexts*, 9e édition, de Stewart L. Tubbs et Sylvia Moss.

La différence entre le message verbal et le message vocal est similaire à la différence entre ce qui est dit et la façon dont cela est dit. Comme l'explique Albert Mehrabian, les informations vocales sont les informations qui sont perdues quand le langage est écrit. La **paralinguistique**, l'étude des phénomènes vocaux, du paralangage, s'intéresse à ce qui se situe derrière le langage, à ce qui s'ajoute au langage. Le paralangage compte deux composantes :

- Les qualités de la voix (ton, contrôle des lèvres, contrôle de l'articulation, résonance, etc.).

- Les vocalisations ou les bruits sans structure linguistique (cris, pleurs, grognements, etc.).

Selon Albert Mehrabian[6], les gens savent juger le degré de sympathie que leur communique vocalement un interlocuteur. Ils distinguent les types d'émotions

Paralinguistique
(*paralinguistics*)

Science des aspects non sémantiques du langage ; elle étudie toutes les caractéristiques du langage, sauf les mots. C'est donc la façon de dire les choses, et non ce qui est dit qui fait ici l'objet de l'observation : ton de la voix, vitesse du discours, arrêts, sons extra-linguistiques tels que les soupirs[7].

| Tableau **9-1** | Les catégories de communication selon Tubbs et Moss[8] |

Catégories de communication		
	Communication verbale	**Communication non verbale**
Communication vocale	**A** Dialogue, discussions, conversations téléphoniques	**B** 1. Volume 2. Débit élocutoire et fluidité 3. Tonie 4. Qualité
Communication non vocale	**C** Lettres, courriels	**D** *Signaux spatiaux et temporels* 1. Proxémie 2. Orientation 3. Toucher 4. Chronotaxie *Signaux visuels* 5. Kinesthésie 6. Gestuelle 7. Parure 8. Expressions faciales 9. Mouvements oculaires

suivantes : les émotions positives ; la tristesse ; la colère ; l'appréhension, la peur, l'aversion ; et le mépris, le dégoût. Ainsi, il est possible de détecter l'agressivité dans un enregistrement audio ou lors d'une conversation téléphonique, alors qu'on ne le peut pas dans une transcription écrite. L'intonation, le volume de la voix et la fluidité des paroles contribuent à la persuasion d'une personne.

LA COMMUNICATION NON VERBALE ET VOCALE

Comme le montre le tableau 9-1 (case B), les aspects vocaux de la communication sont le volume de la voix, le débit élocutoire et la fluidité, la tonie et enfin la qualité de la voix.

LE VOLUME

Un volume de voix adéquat est l'une des conditions nécessaires à une communication verbale efficace. L'intensité de la voix permet à une personne d'en interrompre une autre, de couper court à ses efforts pour s'exprimer. Le niveau sonore approprié varie d'une culture à l'autre. Par exemple, au Mexique comme au Royaume-Uni, il est malvenu de parler fort : cela peut être interprété comme un signe de colère ou de désaccord. La plupart des gens ont tendance à associer le volume à certains traits de personnalité. Ainsi, une personne sûre d'elle tend à parler plus fort qu'une personne réservée et timide.

LE DÉBIT ÉLOCUTOIRE ET LA FLUIDITÉ

Le **débit élocutoire** de la voix est le nombre de mots qu'on prononce dans une période donnée. Il est en moyenne de 125 à 150 mots par minute et est en général assez stable. Un débit élocutoire supérieur à la moyenne est associé à de la peur ou à de la colère, tandis qu'un débit inférieur est associé au chagrin ou à la

Débit élocutoire
(*flow of speech*)
Index quantitatif, en termes de nombre de mots produits par unité de temps, de nombre de pauses et de nombre de mots entre les pauses, dans la production orale[9].

dépression. Il n'y a pas de taux optimal. En fait, il faut adapter la vitesse de la parole aux circonstances. Ainsi, il faut ralentir le débit quand on dicte une lettre, un texte ou quand on parle à un client de langue étrangère.

La fluidité est étroitement liée au débit et aux pauses. Ainsi, la personne qui fait des pauses continuellement, produit constamment des vocalisations telles que « hum », « heu », « ah », « okay » ou « genre » manque d'efficacité dans sa communication. À ce sujet, vous devez vous habituer à vous exprimer sans ce genre de tics : il en va de votre crédibilité.

QUAND LES TICS DE LANGAGE ALTÈRENT VOTRE CRÉDIBILITÉ

Aline Courtois est professeure en techniques de gestion de commerces. Elle se rend au siège social des magasins ABC pour rencontrer Nathalie Lafranchise, responsable des ressources humaines, à propos d'un étudiant stagiaire, Jonathan Vanelli. Nathalie Lafranchise lui confie : « Jonathan fait de l'excellent travail. Il maîtrise très bien l'outil informatique et est plein d'idées et de créativité. Toutefois, il aurait plus d'avenir chez nous et plus de crédibilité, surtout auprès de la haute direction, s'il abandonnait son langage d'adolescent truffé d'expressions comme "Tsé là", "genre", "t'sé, veux dire", "okay"... »

Le silence a son importance dans la communication, en particulier dans les négociations. Le Japonais est très à l'aise avec le silence. Il s'en sert à son avantage dans plusieurs situations. Si vous devez être en contact avec ce type de clientèle, vous avez tout intérêt à contrôler vos tics paralinguistiques.

Enfin, dans un autre ordre d'idées, notons que les Mexicains n'hésitent pas à utiliser l'interjection « psitt » pour appeler quelqu'un en public, alors qu'ici c'est impoli.

LA TONIE

La **tonie** est le niveau de fréquence de la voix. Elle est déterminée par la taille et la forme des cordes vocales dans le larynx. En général, une tonie grave est agréable à écouter. Une voix à la tonie invariable est monotone et peu appréciée. Parfois, les gens tirent des conclusions relatives aux émotions à partir des variations de tonie de la voix. La tonie n'affecte pas la compréhension, le nombre d'informations transmises, mais elle influence l'attitude de la personne qui écoute. Qui ne s'est pas trouvé gêné par une personne à la voix criarde ?

Tonie (*pitch*)
Caractère de la sensation auditive lié à la fréquence des sons[10].

LA QUALITÉ DE LA VOIX

Chacun de nous a une qualité de voix distincte, car la résonance de notre voix est fonction de la taille et de la forme de nos cordes vocales. Dans notre culture, différentes qualités de voix sont considérées comme désagréables : parler du nez, parler comme si on avait tout le temps un rhume, grasseyer... Avec de la pratique, il est possible d'améliorer sa qualité de voix. Le meilleur média pour étudier les styles de communication est l'enregistrement audio. En fait, les personnes qui travaillent avec le public devraient régulièrement s'enregistrer et s'autoévaluer, de façon à s'exprimer avec la meilleure qualité de voix possible.

LA COMMUNICATION NON VERBALE ET NON VOCALE: LES SIGNAUX SPATIAUX ET TEMPORELS ET LES SIGNAUX VISUELS

Les messages non verbaux peuvent remplacer, renforcer ou contredire un message verbal. Le message non verbal qui se substitue à un message verbal est souvent facile à interpréter. Le message non verbal qui renforce un message verbal en améliore la compréhension, permet une transmission plus rapide et plus facile du sens. Enfin, le message non verbal qui contredit un message verbal l'emporte souvent : on a en général plus tendance à croire le message non verbal que le message verbal. Cela est dû au fait que les canaux non verbaux reflètent plus clairement les intentions et les émotions des individus. D'ailleurs, l'humour joue beaucoup sur cette contradiction entre le verbal et le non-verbal. Nous ne sommes pas tous des comédiens professionnels. En général, nous ne pouvons bien simuler des expressions faciales, des qualités vocales et des mouvements du corps avec naturel. Les canaux non verbaux transmettent des messages concernant l'émotivité et les sentiments, plutôt que l'intellect. De plus, ils sont souvent ambigus. En résumé, les messages non verbaux nuancent dans une mesure plus ou moins grande ce que nous disons.

Comme le montre le tableau 9-1 (case D), les aspects non verbaux et non vocaux de la communication sont spatiaux et temporels, d'une part, visuels, d'autre part. Il est important de savoir que plusieurs normes de conduite, règles (implicites ou explicites) concernant les comportements, ont été apprises, qu'elles relèvent de notre culture. Chaque culture fournit continuellement à ses membres des indications concernant sa façon de voir la société dans laquelle elle s'inscrit. Les signaux liés à l'espace et au temps sont certainement ceux qui dépendent le plus de la culture. Ils sont ainsi parfois source de difficultés de communication entre cultures. Ces signaux sont la proxémie, l'orientation, le toucher et la chronotaxie. Les signaux visuels, quant à eux, sont la kinesthésie (mouvements corporels), la gestuelle, la parure (vêtements qu'on porte et objets qu'on montre), les expressions faciales et les mouvements oculaires. De plus, des mouvements spécifiques de la tête constituent des messages brefs tels que «oui» et «non»; ils varient d'une culture à l'autre.

LA PROXÉMIE

Proxémie (*proxemics*)
Ensemble des observations et théories concernant l'usage que l'homme fait de l'espace en tant que produit culturel spécifique. La proxémie est assimilable à une dialectique de la distance[12].

La **proxémie** concerne l'utilisation que font les personnes de l'espace physique. Edward Twichell Hall[11] distingue à ce sujet quatre types de distances : la distance intime, la distance personnelle, la distance sociale et la distance physique.

La *distance intime* est une distance de 45 cm ou moins, correspondant à la longueur de l'avant-bras replié, coude contre le corps. À cette distance, la présence d'une autre personne est indubitable et écrasante, principalement à cause des contributions sensorielles. Dans sa partie proche (moins de 15 cm), la distance intime favorise la communication non verbale. Dans sa partie éloignée (de 15 à 45 cm), elle sert aux discussions confidentielles, presque chuchotées. Dans leur bulle intime, les personnes peuvent se toucher, parlent moins fort, perçoivent la chaleur et l'odeur de l'autre. Dans cette zone affective que délimite la distance intime, le récepteur perçoit les sentiments de l'émetteur. D'ailleurs, les personnes peuvent expriment leur refus d'accepter l'autre dans leur bulle par des paroles telles que «Ah! Je ne peux pas la *sentir*, celle-là!». Si la distance intime est imposée et non acceptée, dans l'ascenseur ou le métro en pleine heure de pointe, par exemple, les personnes mettent en place des mécanismes de défense.

La *distance personnelle* est une distance allant de 0,46 à 1,22 m et correspond à la longueur d'un bras tendu. Elle délimite en quelque sorte une petite sphère ou une bulle qu'une personne met en place pour «se protéger» des autres.

Dans sa partie proche (de 0,46 à 0,76 m), elle sert aux relations intimes. Dans sa partie éloignée (de 0,76 à 1,22 m), elle est une distance confortable pour converser avec des amis. La distance personnelle est la distance des relations interpersonnelles. Elle correspond à la limite d'emprise physique sur autrui ; elle délimite une zone sans contact qui sépare d'autrui. La distance personnelle permet de bien voir les traits du visage, l'expression des yeux et la texture de la peau. Elle délimite comme une bulle protectrice qui nous permet de nous isoler des autres, dans laquelle nous pouvons laisser pénétrer ou non les autres pour des raisons spécifiques. Le refus d'accepter l'autre dans cette bulle s'exprime par des paroles telles que «Ah ! Je ne peux pas le *voir*, lui ! ».

La *distance sociale* est une distance allant de 1,22 à 3,66 m. Elle est une distance psychologique. Dans la zone qu'elle délimite, l'homme devient anxieux. Dans sa partie proche (de 1,22 à 2,13 m), elle convient aux discussions d'affaires et aux rencontres sociales. Dans sa partie éloignée (de 2,13 à 3,66 m), elle est adaptée aux entrevues et aux réunions. À cette distance, on n'a moins d'emprise physique sur autrui et on ne perçoit plus bien toutes les caractéristiques corporelles d'autrui. L'œil remarque surtout la bouche et les yeux de l'autre. La distance sociale correspond à la distance de deux personnes séparées par un élément de mobilier, lors d'une rencontre pour des négociations, par exemple. Le refus de laisser l'autre pénétrer dans la zone délimitée par la distance sociale s'exprime par des paroles telles que «J'ai pris mes distances avec elle». Notez que les technologies telles que le téléphone, la radio et la télévision allongent la distance sociale.

Enfin, la *distance publique* est une distance supérieure à 3,66 m. Dans sa partie proche (de 3,66 à 7,62 m), elle est utile pour la communication de groupe. Elle requiert un style de langage formel et une voix forte. La distance publique est la distance qu'impose le protocole des chefs d'État. Elle est la distance de la scène, au théâtre. Les signaux émis par le visage sont alors perdus et les communications non verbales passent par les attitudes, l'exagération des mouvements du corps et des gestes. Le discours doit être lent et très articulé. On dit d'un homme public, qui a de l'emprise sur son environnement, qu'«il a le bras long».

Les diverses cultures utilisent différemment ces types de distances et créent ainsi leurs us et coutumes. Dans les recherches portant sur les communications interculturelles, on trouve une distinction entre les cultures à fort contact et les cultures à faible contact. Ainsi, les personnes des peuples du Nord (Suède, Écosse) mettent plus de distance entre elles que celles des peuples des pays méditerranéens (Italie, Grèce). La figure 9-2 présente graphiquement les quatre types de distances que nous venons de présenter et les différences culturelles entre peuples à leur propos.

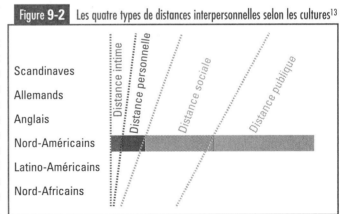

Figure 9-2 Les quatre types de distances interpersonnelles selon les cultures[13]

L'ORIENTATION

L'orientation est l'angle que forme notre corps avec les personnes avec lesquelles nous interagissons. Elle reflète la nature de la relation qu'entretiennent deux personnes. Ainsi, une orientation de 90° facilite la conversation. Une position côte à côte met en évidence la coopération. Le face à face est la position de la compétition. Enfin, l'éloignement convient à la coaction. Lorsqu'un client a un mouvement général de recul du corps, cela peut signifier qu'il est en désaccord avec ce que l'employé du service à la clientèle lui dit. Les membres d'un groupe de discussion ont plus d'interactions quand ils sont assis face à face que quand ils sont côte à côte. En d'autres termes, plus la visibilité est large entre deux personnes, plus le potentiel de communication est grand.

LE TOUCHER

Le toucher est l'un des moyens de communication non verbaux les plus importants. L'étude de son utilisation dans la communication est l'**haptique**. Le toucher sert à la fois dans une relation professionnelle, dans une relation sociale, dans une relation d'amitié, dans l'intimité et dans les rapports sexuels. Concernant les relations sociales en général, dans notre culture, une poignée de main molle évoque des sentiments négatifs, est interprétée comme un manque d'intérêt ou de vitalité. Une main moite est souvent considérée comme un signe d'anxiété.

Haptique (*haptics*)
Science du toucher, des perceptions tactiles.

Une orientation de 90° entre deux personnes facilite la conversation.

Le toucher est essentiel non seulement au développement physique et psychologique des enfants, mais également au bien-être émotionnel des adultes. On a recours au toucher pour influencer les autres, pour obtenir leur approbation. Inversement, éviter de toucher l'autre est une façon de mettre de la distance avec lui. Il existe au moins douze types de touchers, notamment le toucher de contrôle, le toucher de rituel, le toucher espiègle… Le toucher est une forme d'engagement. Il constitue un comportement d'approche. Les comportements tant verbaux que non verbaux ainsi que la situation donnent une signification particulière au toucher qui est effectué.

L'ABC DE LA POIGNÉE DE MAIN[14]

Dans le monde des affaires, la poignée de main est l'une des rares formes de toucher qui soit à peu près universellement acceptée (figure 9-3). Ainsi, on se serre la main :

- Dès que quelqu'un nous tend la sienne.
- Lorsque nous faisons la connaissance d'une personne pour la première fois.
- Lorsque nous accueillons des invités ou des clients à une réunion.
- Lorsque nous revoyons un client ou une connaissance.
- Lorsque nous saluons quelqu'un avant de le quitter.

Il convient d'être au courant des interdits de certains groupes culturels. Ainsi, chez les Juifs Hassidim, on ne serre jamais la main d'une femme : la femme menstruée est considérée comme impure ; il vaut mieux ne pas la toucher.

Dans les situations où il est possible de serrer la main, il convient de suivre les indications présentées à la figure 9-3 :

| Figure **9-3** | Principes d'une bonne poignée de main |

On débute en présentant la main avec le pouce en l'air et les autres doigts ensemble.

On serre la main de l'autre, paume contre paume, avec juste assez de fermeté, mais pas trop pour ne pas être perçu comme quelqu'un de brusque, de violent.

On ne présente jamais les doigts uniquement. Cela donne une poignée de main molle qui peut faire penser à l'autre qu'on est timide, peu intéressé ou sans volonté.

PETIT TOUR DU MONDE DES SALUTATIONS

Bien que la poignée de main soit universellement connue, elle n'est pas le seul geste de salutation, loin de là. Selon les cultures, on se salue de diverses manières.

En Allemagne, on se serre la main même après plusieurs années de travail en commun. On se serre la main au début et à la fin des rencontres, puis on fait une légère révérence. Il faut toujours répondre à une révérence : le fait de ne pas répondre constitue une insulte. De plus, il importe de maintenir le contact visuel durant la poignée de main. Enfin, s'il s'agit de saluer une femme, il faut attendre qu'elle tende la main pour la lui serrer.

Au Mexique, les hommes se serrent la main au début et à la fin des rencontres. De plus, ils attendent que les femmes leur tendent la main pour la serrer.

Au Japon, on se salue en inclinant la tête, yeux baissés et paumes au niveau des cuisses. Il ne faut donc pas serrer la main de clients japonais, mais les saluer en inclinant la tête au moins aussi bas que la personne s'est inclinée devant vous en vous saluant. Le degré d'inclinaison est une indication du statut de la personne.

En Inde, on a recours au *namaste*; en Thaïlande, au *waï*. Dans ce type de salutation, on joint les deux mains paume contre paume, en position de prière, tout en établissant un contact visuel avec l'autre.

En Jordanie, les plus vieux se saluent en effectuant un geste de balayage avec la main droite, vers le cœur, sur le front et vers l'extérieur. Tout en faisant un léger mouvement de la tête vers l'avant, ils prononcent les mots *salaam alékoum* («que la paix soit avec vous»).

Enfin, en Russie, on accompagne généralement la poignée de main d'une accolade et d'une embrassade avec tapes dans le dos.

Il existe des différences culturelles quant au toucher, dans la communication non verbale (tableau 9-2). Par exemple, les Mexicains sont chaleureux et aiment les contacts physiques. Ils se touchent souvent les épaules. Il est normal pour une Mexicaine de toucher l'épaule d'une autre femme et son avant-bras ou encore de l'embrasser. Les amis de longue date s'embrassent. Ne vous étonnez pas si, au Mexique, on cherche à vous embrasser après plusieurs rencontres. Les Japonais, au contraire, n'aiment pas trop les manifestations publiques d'affection. Ils ne se touchent pas en public, surtout entre personnes de sexes opposés.

Tableau 9-2 Différences culturelles concernant le toucher[15]

On peut toucher l'autre	Pas touche !	Prudence
Moyen-Orient	Japon	France
Amérique latine	États-Unis, Canada	Chine
Italie	Angleterre	Irlande
Grèce	Scandinavie	Inde
Espagne, Portugal	Autres pays d'Europe du Nord	
Certains pays d'Asie	Australie	
Russie	Estonie	

LA CHRONOTAXIE

Chronotaxie (*chronemics*)

Organisation temporelle sous sa forme la plus générale, comprenant l'emploi du temps, le minutage d'une séance, etc.

La **chronotaxie** concerne l'étude de la communication dans le temps. Les conceptions quant au temps, au fait d'être en retard et en avance par rapport à une heure donnée varient d'une culture à l'autre. Hall[16] distingue la conception monochronique du temps de la conception polychronique. Dans la conception *monochronique*, le temps est perçu de manière linéaire et segmentée. Les personnes qui adoptent cette conception aiment faire les choses à temps, aiment les planifications précises. C'est ainsi le cas des Nord-Américains et des Suisses. Dans la conception *polychronique*, on considère qu'on peut faire plusieurs choses en même temps. Les Mexicains ont cette conception du temps.

Pour les hommes et femmes d'affaires d'Amérique du Nord, les discussions ne sont qu'un moyen d'atteindre un but. Pour ceux des pays latins, de la Grèce et du Moyen-Orient, il importe de se préoccuper des détails et il est nécessaire

LA *HORA ESPAÑOLA* OU LA *DEUTSCH ZEIT* ?

Une femme ou un homme d'affaires nord-américain doit être patient au Mexique. Là-bas, en effet, un retard de 30 minutes est tout à fait acceptable. Les Mexicains ont la mentalité *mañana* qui est nettement à l'opposé de la mentalité « le temps, c'est de l'argent ». Pour eux, on ne vit pas pour travailler, mais on travaille pour vivre. Ainsi, au Mexique, il convient de ralentir la cadence de travail et de ne pas prévoir plus de quatre réunions par jour.

En Allemagne, au contraire, il faut arriver bien à l'heure à tous les rendez-vous d'affaires ou mondains. Tout retard constitue une insulte pour le cadre allemand.

de s'engager dans des discussions prolongées (ce qui est excessif pour les Nord-Américains). Les conceptions distinctes de la cadence adéquate, lors de négociations internationales, sont à l'origine de nombreuses incompréhensions. Par ailleurs, on note des variations de conception entre les pays concernant l'heure des rencontres. Au Royaume-Uni, il faut toujours être ponctuel et même arriver quelques minutes à l'avance aux rendez-vous. Au Japon, on peut se permettre d'arriver légèrement en retard.

LA KINESTHÉSIE

La **kinesthésie** concerne l'étude des mouvements du corps dans la communication. Birdwhistell[17] a estimé que les mouvements pouvaient transmettre jusqu'à 700 000 signes. Dans ce domaine encore, la signification des gestes et le langage corporel varient selon les cultures. Les signes ont une valeur ; ils sont intentionnels. Les gestes sont démonstratifs, pas toujours conscients. Ils ponctuent le discours, manifestent la nervosité. La posture du corps, quant à elle, révèle les états d'âme de la personne. Elle est plus inconsciente.

Kinesthésie (*kinaesthesia*)
Perception des déplacements des différentes parties du corps les unes par rapport aux autres, mais aussi des déplacements globaux du corps[18].

Nous avons vu précédemment que l'orientation du corps constituait un signal de plus ou moins grande ouverture à l'autre. Avec l'expérience, il est possible de décoder le langage corporel des individus en observant non seulement la position de leur corps, mais également leurs mouvements. Par exemple, chez un homme qui fait la cour à une femme, on note des signes tels que l'ajustement de la cravate et le lissage des cheveux. Les œillades et les mouvements de la tête constituent des signes d'appel. En général, les mouvements de la tête et de parties du visage indiquent quelle émotion vit la personne, tandis que les mouvements du corps renseignent sur l'intensité de l'émotion.

Il convient de faire attention aux transpositions interculturelles. Les différents signes n'ont en effet pas la même signification d'une culture à l'autre. Si, chez nous, un mouvement de la tête de haut en bas signifie « oui », en Bulgarie, il veut dire le contraire.

LA GESTUELLE

La **gestuelle** est le mode de communication non verbal qui vient juste après les expressions faciales. Paul Ekman[19] distingue une centaine de mouvements de mains constituant des signaux et se substituant parfois à la communication verbale. La plupart de nos mouvements de mains sont déterminés culturellement. Ainsi, les différences de signification de ces mouvements d'une culture à l'autre sont la source de difficultés de communication. À titre d'exemple, chez nous, le pouce en l'air marque l'approbation, alors qu'en Australie, il « envoie promener » de façon très vulgaire et correspond chez nous au majeur levé. Les Japonais ne parlent pas avec les mains. Ils n'aiment pas les grands gestes théâtraux et les expressions faciales inhabituelles, qu'il vaut mieux éviter avec eux. Faire un rond avec le pouce et l'index, qui signifie « okay » chez nous, veut dire « monnaie » chez eux. Au Japon, il est grossier de pointer du doigt et de se moucher en public. Enfin, au Mexique, se tenir debout avec les mains sur les hanches constitue une agression et garder les mains dans les poches est très impoli.

Gestuelle (*gestures*)
Ensemble des gestes expressifs considérés comme des signes[20].

LA PARURE

Malgré le proverbe selon lequel l'habit ne fait pas le moine, les vêtements et l'apparence physique en général donnent souvent une première impression durable d'une personne. Dans plusieurs études, les gens qui en faisaient la demande recevaient plus d'aide quand ils étaient habillés de façon formelle que quand ils étaient habillés de façon informelle. On s'habille souvent pour impressionner, pour paraître mieux que les autres. Si l'on est très consciencieux quant à ce qu'on porte, on reflète plutôt l'anxiété et la conformité. Si l'on attache peu d'importance à notre tenue, on donne plutôt une impression d'agressivité et d'indépendance. Notre habillement communique souvent notre conformité ou notre non-conformité aux valeurs traditionnelles. Dans certaines circonstances, une tenue très élégante et très coûteuse peut constituer une barrière à la communication.

LA PARURE DANS LE SERVICE À LA CLIENTÈLE

À moins que vous ne travailliez dans l'industrie de la mode ou dans celle du divertissement, vous n'aurez pas besoin d'être habillé comme à un défilé de mode pour faire bonne impression sur vos clients. Bien que, dans le milieu des affaires, en Amérique, le code vestimentaire se soit relâché au cours des dernières années, il importe de se conformer à celui de l'entreprise pour laquelle on travaille. Dans le doute, il est préférable de pécher par excès de conservatisme et d'éviter toute excentricité. N'oubliez pas que les vêtements et accessoires que vous portez donnent une certaine image de vous à vos interlocuteurs, avant même l'établissement d'un contact réel. Déterminez donc la façon dont vous voulez être perçu et habillez-vous en conséquence !

Au cas où la clientèle de l'entreprise pour laquelle vous travaillez se composerait en partie de personnes d'origine étrangère, vous devez savoir que certains groupes culturels entretiennent des tabous, des principes concernant certaines pratiques vestimentaires. Ainsi, au Japon, les hommes d'affaires ne tolèrent pas le port du pantalon chez les femmes. Dans ce pays, on s'habille selon son statut, pour impressionner. Les messieurs portent donc des complets foncés de coupe classique (les tenues décontractées sont bannies, en toutes circonstances). Les femmes, elles, privilégient le conservatisme, utilisent le moins d'accessoires possible et portent des chaussures à talons bas pour éviter de paraître plus grandes que les hommes ! Le kimono se noue pan gauche sur pan droit ; l'inverse symbolise la mort. Dans les pays musulmans, la femme ne doit jamais montrer son plexus solaire. Elle peut donc adopter l'encolure bateau, mais pas le décolleté en V. En Allemagne, le conservatisme est également de rigueur. Ainsi, les hommes portent des complets unis, des cravates classiques et des chemises blanches. Les femmes, elles, revêtent des tailleurs classiques et des chemisiers blancs. Au Mexique, les hommes doivent porter des complets d'allure classique gris ou marine avec cravate. La chemise blanche est réservée aux réunions formelles. La chemise traditionnelle, la *guayabera*, se porte quant à elle par-dessus le pantalon et convient aux rencontres informelles. Les femmes mexicaines doivent porter une robe ou un tailleur à jupe à l'allure classique et aux tons neutres de gris, de marine, de blanc ou d'ivoire. Pour les rencontres informelles, elles peuvent porter un chemisier avec un pantalon ou une jupe dans les tons de gris, de bleu, de beige, de blanc ou d'ivoire. Les jeans ainsi que les vêtements très ajustés à taille basse et les grands décolletés sont déconseillés. Aux États-Unis même, il existe des nuances dans le code vestimentaire des gens d'affaires, en fonction des régions, entre le Nord-Est, le Sud-Est, le Midwest, le Sud-Ouest et le Nord-Ouest. À titre d'exemple, les femmes du Nord-Est suivent beaucoup la mode (en évitant les pastels et les froufrous) et porter des marques. Dans le Sud-Est, on porte davantage les *loafers* et les pantalons kaki. Enfin, dans le Midwest, région plus conservatrice, on prend soin de sa coiffure et de ses ongles.

LES EXPRESSIONS FACIALES

Très mobiles, les muscles du visage peuvent, en quelques secondes, exprimer l'ennui, puis la surprise, l'affection et la désapprobation. Les expressions faciales attirent le regard et invitent au décodage. En fait, les signaux du visage constituent la source la plus importante de communication non verbale. Pour décrire un visage, on recourt en général soit à la *dimension générale évaluative* en disant qu'il est bon ou mauvais, sympathique ou cruel, soit à la *dimension dynamique* en disant qu'il est actif ou passif, inerte ou mobile.

Les deux sourcils à moitié levés manifestent le souci ; un seul sourcil levé exprime le scepticisme. Les yeux à moitié fermés manifestent de l'ennui ; les yeux complètement fermés, le désir de sommeil. La bouche inclinée vers le haut exprime la joie ; la bouche inclinée vers le bas, la tristesse.

En fait, Charles Darwin[21] a découvert que la plupart des expressions faciales des êtres humains et de quelques autres animaux sont instinctives et ne correspondent pas à des comportements appris. C'est ainsi qu'elles sont universelles. Par exemple, on peut voir des enfants aveugles de deux ou trois ans rougir de honte. Les expressions de la partie supérieure du visage surtout sont les mêmes d'une culture à l'autre. Celles de la partie inférieure du visage peuvent varier et avoir une signification différente d'une culture à l'autre. Par exemple, au Japon, le sourire a une double signification ; il peut exprimer la joie ou le déplaisir. Ainsi, avec des clients japonais, il faut prendre garde à ses expressions faciales, qui peuvent être mal interprétées.

LE SOURIRE DU CHINOIS ET DU JAPONAIS

Perdre la face est la pire chose qui puisse arriver à un Chinois ou à un Japonais. Faire perdre la face à quelqu'un est considéré comme un comportement très grave. C'est l'une des raisons pour lesquelles les Chinois comme les Japonais expriment très peu leurs sentiments.

Le Chinois et le Japonais ne formulent donc pas de demande quand ils savent à l'avance que la réponse ne pourra qu'être négative. En effet, un « non » fera perdre la face à celui qui a émis la demande et mettra les deux interlocuteurs dans une situation fort embarrassante. Quand on leur adresse une demande à laquelle ils doivent répondre par la négative, le Chinois et le Japonais préfèrent éviter de répondre pour ne pas en arriver à une situation gênante. Ils se contentent souvent de sourire pour signifier qu'il est temps de passer à autre chose.

D'après Forgas[22], l'attractivité physique d'une personne peut influencer la façon dont les autres vont interpréter ses expressions du visage. Ainsi, on peut avoir tendance à interpréter le sourire de personnes désavantagées physiquement comme un signe de manque de confiance en soi ou de soumission. Au contraire, on considérera le sourire d'une personne avantagée physiquement comme un signe d'extraversion et de confiance en soi.

FAITES LE TEST DU DR EKMAN[23]

Regardez attentivement chacune des 14 photos suivantes et précisez chaque fois l'émotion exprimée*.

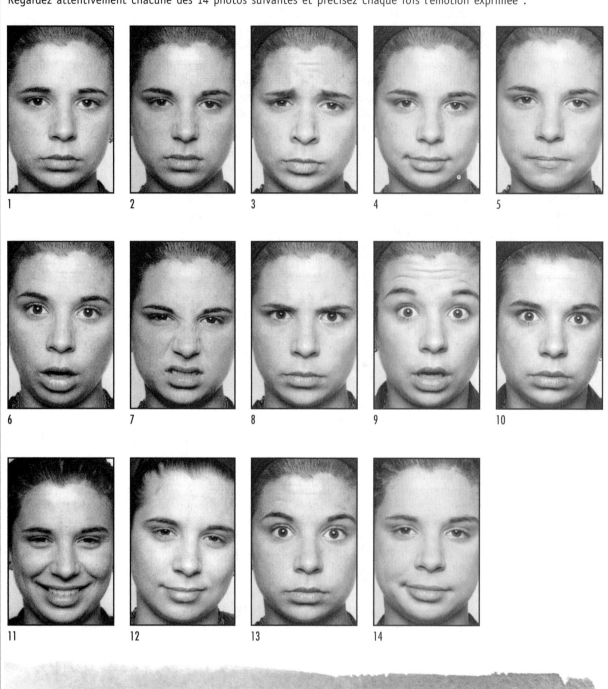

* **Solutions du test du Dr Ekman :** 1) tristesse légère ; 2) léger dégoût ; 3) tristesse ; 4) amusement léger ; 5) colère contenue ; 6) étonnement ; 7) dégoût ; 8) colère ; 9) peur ; 10) peur ou étonnement ; 11) joie ; 12) mépris ; 13) surprise ; 14) suffisance.

LES MOUVEMENTS OCULAIRES

Si le visage est le principal moteur non verbal, le contact visuel (en anglais, *oculesics*) dans la communication peut révéler une bonne partie de la personnalité d'un individu. Il semble que nous ayons un plus grand contrôle sur les muscles de la partie inférieure de notre visage que sur les muscles situés autour des yeux. Ainsi, tandis que la partie inférieure du visage suit des règles culturelles apprises, les yeux donnent des réponses spontanées. La **programmation neurolinguistique** (PNL) tente de reprogrammer ou de modifier les comportements à partir des pensées[24]. Elle étudie donc les pensées et les comportements qui y sont associés. Ainsi, l'individu qui est en train d'imaginer un événement qu'il n'a jamais vu bouge les yeux vers le haut et vers la droite.

> **Programmation neurolinguistique**
> (*neurolinguistic programming*)
> Analyse des modes de pensée d'un individu à partir de l'observation d'indices visuels, auditifs et kinesthésiques.

On estime à 30 à 60 % le temps passé dans le contact visuel, dans la communication de groupe. De plus, de fréquents contacts visuels sont un signe d'affection ou d'intérêt. Toutefois, le degré de contact visuel dépend de la personnalité. Dans la communication publique, la fréquence des contacts visuels influence le récepteur du message. Les étudiants aiment les professeurs qui maintiennent un bon contact visuel. De plus, on considère les yeux comme une bonne source d'information : une pupille qui se dilate manifeste un intérêt croissant ; la taille de la pupille est un indice de l'intérêt d'une personne. Attention ! au Mexique, éviter les contacts visuels avec son interlocuteur est un signe de respect. De même, au Royaume-Uni, le contact visuel est rarement long durant les conversations : mieux vaut éviter de fixer trop longtemps les autres du regard.

9.2 L'ÉTIQUETTE ET LA COURTOISIE DANS LE SERVICE À LA CLIENTÈLE

>> *OBJECTIF* 2

Appliquer les règles de base de la courtoisie et de l'étiquette en matière de service à la clientèle.

Dans le service à la clientèle, il est essentiel d'acquérir et de développer des habiletés de négociation et de persuasion. Il faut pour cela non seulement savoir écouter, mais également bien respecter les règles de courtoisie. Comme nous l'avons vu au chapitre 2, la courtoisie constitue en effet l'une des attentes les plus importantes de la clientèle à l'égard d'une entreprise commerciale.

Dans cette section, nous allons ainsi étudier quelques règles de base de la courtoisie constituant ce qu'on appelle l'**étiquette en affaires**. Il s'agit de règles à suivre non seulement avec les clients internes et externes en général, mais également avec certains d'entre eux se distinguant par leur personnalité, par des besoins particuliers ou par leur appartenance à un groupe culturel donné. Dans le cadre de cet ouvrage, comme nous ne pouvons traiter de tous les groupes culturels, nous allons nous intéresser aux nations qui constituent les principaux partenaires commerciaux du Canada : les États-Unis, le Japon, la Chine, la France, le Royaume-Uni, l'Allemagne et le Mexique.

> **Étiquette en affaires**
> (*business etiquette*)
> Code traditionnel de bonne conduite en affaires.

VIE PROFESSIONNELLE ET VIE PRIVÉE

LES SUJETS DE CONVERSATION

Il est tout à fait normal, au travail, d'aborder des sujets qui n'ont pas de liens avec les tâches à accomplir. Le menu propos sert à détendre l'atmosphère, à créer un climat de travail agréable, à briser la glace, à éliminer les zones d'incertitude entre des individus. Il faut cependant faire preuve de discernement, car tous les sujets de conversation ne sont pas appropriés.

Il importe de faire preuve de discernement quant aux sujets à aborder ou non au travail.

De fait, on ne demande pas l'âge d'une personne de plus de 30 ans et on évite de s'informer d'une éventuelle chirurgie plastique. On ne parle pas de mise à pied, de congédiement, de sa vie sexuelle. On évite les plaisanteries sexistes ou sexuellement explicites.

Il faut savoir qu'il existe différents degrés d'ouverture, concernant les sujets de conversation, d'un groupe culturel à l'autre. Chacun a ses propres sujets tabous. Ainsi, avec un interlocuteur originaire du Mexique, il vaut mieux ne pas parler de la guerre entre les États-Unis et le Mexique, de la pauvreté, des immigrants illégaux et des séismes. À l'opposé, il ne faut s'étonner si un cadre japonais pose des questions qui nous semblent indiscrètes, à nous Québécois : « Quel est votre salaire ? » « Quelle taille a votre maison ? » Le Britannique considère la vie privée comme quelque chose de sacré. Avec lui, il faut donc s'abstenir d'aborder des sujets personnels dans un contexte d'affaires. Enfin, avec l'Américain, il est de bon ton d'éviter de sacrer ou de blasphémer, d'éviter de dénigrer le président des États-Unis et ses stratégies politiques.

Il est facile et tentant de colporter des commérages sur les clients ou les collègues de travail, et d'alimenter ainsi le moulin à rumeurs. La meilleure façon de ne pas faire l'objet de rumeurs malveillantes, c'est d'éviter soi-même de raconter des choses sur les autres. Si, malgré toutes vos bonnes intentions, vous êtes l'objet de ragots, essayez de déterminer comment vous vous en êtes rendu compte : Vous avez eu une intuition ? Une personne digne de confiance vous a prévenu ? Quelqu'un vous a directement rapporté la rumeur ? Dans une telle situation, la pire des choses à faire, c'est d'affronter sur un ton accusateur la personne qui a lancé la rumeur, car cela serait comme jeter de l'huile sur le feu. Vous devez effectivement parler à la personne en question le plus tôt possible, mais dans le seul but de rétablir les faits, sans crier ni chercher à dominer la conversation, sans menacer ni devenir émotif.

« QU'EST-CE QUI VOUS DONNE LE DROIT DE ME TUTOYER ? »

La langue française a toujours fait une différence entre le tutoiement et le vouvoiement. Le pronom « vous » est associé au nom de famille et le pronom « tu », au prénom. Entre personnes du même âge, entre camarades de classe, entre membres d'un même club sportif, en général, on se tutoie. Dans le milieu professionnel également, sous l'influence de la culture d'entreprise américaine, on a tendance à plutôt se tutoyer. Cependant, dans certains domaines, le tutoiement est en régression. Tout comme on revient à certaines conventions dans les habitudes vestimentaires et les relations sociales, on est réticent à tutoyer tout le monde tout de suite. On préfère ainsi garder de la distance avec certaines personnes. Dans le domaine du service à la clientèle, il faut toujours vouvoyer un interlocuteur qu'on ne connaît pas, en particulier une personne étrangère ou du troisième âge (voir plus loin dans ce chapitre). La seule exception survient lorsque les deux individus se sont expressément donné l'un à l'autre l'autorisation de se tutoyer.

Sachez que, dans certaines cultures, il faut s'adresser aux gens ou les nommer en précisant leur titre. Ainsi, en Angleterre, il faut s'adresser aux personnes qui ont été faites chevaliers en disant « Sir » ou « Lady ». En Allemagne, on utilise Monsieur ou Madame, Herr ou Frau, devant le nom de famille, même entre collègues de travail de longue date. Au Mexique, les gens portent à la fois leur prénom, le nom de famille du père et le nom de famille de la mère. On s'adresse à eux en utilisant le nom de famille du père. Ainsi, on dira Señor Gomez pour Pablo Gomez Ortega. Par ailleurs, non seulement il

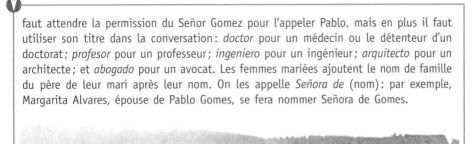

faut attendre la permission du Señor Gomez pour l'appeler Pablo, mais en plus il faut utiliser son titre dans la conversation : *doctor* pour un médecin ou le détenteur d'un doctorat ; *profesor* pour un professeur ; *ingeniero* pour un ingénieur ; *arquitecto* pour un architecte ; et *abogado* pour un avocat. Les femmes mariées ajoutent le nom de famille du père de leur mari après leur nom. On les appelle *Señora de* (nom) : par exemple, Margarita Alvares, épouse de Pablo Gomes, se fera nommer Señora de Gomes.

LE SEXISME

Au XXIe siècle, faut-il le rappeler, le sexisme n'a pas sa place dans le milieu professionnel. Les clients et collègues de travail sont avant tout des clients et collègues à traiter comme tels. Cela signifie qu'il faut éviter de les voir comme des hommes et des femmes, et d'agir avec eux en fonction de cette vision. Le partage de l'information doit être équitable ; le ton doit être amical et professionnel avec tous. Il convient de rester ouvert aux critiques. Si un collègue de travail ou un client vous traite avec dédain ou de façon dégradante en vous critiquant, dites-vous bien que c'est lui qui a un problème, pas vous.

LES LIAISONS EN MILIEU DE TRAVAIL

C'est un fait que la plupart des gens rencontrent leur futur conjoint au travail. Avoir une liaison intime avec un collègue de travail n'est pas évident, surtout lorsque l'un des deux occupe un poste d'un niveau hiérarchique supérieur à celui de l'autre. Dans tous les cas, il est essentiel de faire preuve d'une très grande discrétion. De plus, la liaison ne doit jamais prendre le dessus sur le travail à accomplir.

ÉTERNUEMENTS, TOUX, BÂILLEMENTS...

Il arrive parfois qu'on se trouve dans des situations embarrassantes, difficilement contrôlables. On peut ainsi avoir une envie irrépressible d'éternuer, de tousser, de bâiller. On peut avoir tout d'un coup le hoquet, faire entendre des gargouillis d'estomac ou encore avoir des flatulences. Dans ce genre de situation, la discrétion est de mise. Si l'humour peut alléger l'atmosphère, il faut éviter de tomber dans la vulgarité. Le client n'a pas besoin de partager toutes vos expériences physiologiques.

Dans le cas d'une toux et d'éternuements, masquez-vous la bouche et excusez-vous dès que possible. Si vous devez vous moucher, ne vous mettez pas face à la personne, mais tournez la tête. Si vous ne parvenez pas à vous empêcher de bâiller en serrant les mâchoires, n'étalez pas vos plombages, mais mettez la main devant la bouche et excusez-vous. Pour le reste, excusez-vous et allez à la salle de bains la plus proche, le temps de prendre quelques grandes respirations et de boire lentement un grand verre d'eau pour calmer un hoquet.

LE TABAC

Les entreprises prévoient en général des zones pour fumeurs à l'extérieur des bureaux. Si vous devez vous absenter de votre poste de travail pour fumer, prenez conscience de l'impact que vos pauses fréquentes peuvent avoir sur votre disponibilité à l'égard de la clientèle. Rappelez-vous également que l'odeur de nicotine imprègne les vêtements. Ainsi, il vous faudra nettoyer et rafraîchir vos vêtements fréquemment. Par ailleurs, ne profitez pas des pauses-cigarette pour participer aux rumeurs ou en lancer. Enfin, par respect pour les clients, évitez de vous installer trop près de l'entrée du commerce, afin de ne pas en enfumer l'accès. Ne jetez pas non plus vos mégots à terre.

LA MAUVAISE HALEINE

La mauvaise haleine est quelque chose de délicat dont personne n'ose parler. Il faut y faire particulièrement attention lorsqu'on travaille face à face avec les clients tout au long de la journée. Si vous ne pouvez vous occuper de votre hygiène dentaire durant les heures de travail, munissez-vous de menthes ou de pellicules fraîcheur. Ce conseil est d'autant plus important pour les fumeurs.

LE COMPORTEMENT AU BUREAU ET À L'EXTÉRIEUR

LA PONCTUALITÉ

«La ponctualité est la politesse des rois», dit-on. Cependant, comme nous l'avons vu précédemment, les conceptions du retard et de l'avance peuvent varier d'une culture à l'autre. Il reste que, en matière de service à la clientèle, la ponctualité est essentielle. Il faut respecter toutes les échéances, voire être légèrement en avance. Si vous avez des problèmes chroniques de ponctualité, lisez attentivement le chapitre 11 et mettez en application les conseils qu'il donne en matière de gestion du temps.

LE CAS DES VISITES

Si vous devez aller voir un client interne ou externe sans nécessairement avoir pris de rendez-vous, vous devez avoir conscience que vous allez interrompre cette personne dans son travail. Il est alors nécessaire de respecter son temps et son espace personnel. Si vous avez un manteau, ne le transportez pas avec vous : demandez où vous pouvez l'accrocher. Accrochez-le quelque part ou déposez-le sur un fauteuil. Les jours de pluie ou de neige, enlevez vos bottes ou vos couvre-chaussures et posez votre parapluie pour ne pas salir le bureau de votre hôte.

Avant d'entrer dans le bureau de la personne, si vous voyez qu'elle est au téléphone ou avec quelqu'un d'autre, attendez. Avant de parler, attendez que votre interlocuteur établisse un contact visuel avec vous. Si la personne est seule, demandez-lui si elle est disponible et peut vous recevoir. Attendez pour vous asseoir qu'on vous y invite. Ne vous asseyez pas si vous n'en avez que pour quelques minutes. Si, au contraire, vous avez besoin de plus de temps, informez votre interlocuteur de l'objet précis de votre visite.

Quand on est dans le bureau de quelqu'un d'autre, comme quand on est dans la maison de quelqu'un d'autre, on ne touche pas aux objets personnels (photos de famille, etc.). Si vous avez rendez-vous et que vous êtes en retard, excusez-vous en donnant éventuellement et rapidement une raison. Enfin, ne vous éparpillez pas : gardez vos papiers et effets personnels sur vous, et votre porte-documents ou votre sac à main à vos pieds.

LE COMPORTEMENT DANS UN ENVIRONNEMENT DE BUREAUX À CLOISONS

Un nombre croissant d'entreprises aménagent leurs locaux en installant des bureaux à cloisons, c'est-à-dire des petits bureaux fermés sur deux ou trois côtés à l'aide de cloisons amovibles et de hauteurs variables[25]. C'est pourquoi il est bon de connaître quelques règles de politesse élémentaire à suivre dans ce genre d'environnement de travail.

Tout d'abord, il faut se comporter en considérant le bureau à cloisons du collègue de travail comme un bureau complètement fermé et muni d'une porte. Entreriez-vous sans frapper dans un bureau fermé ? Non. Ensuite, il faut éviter d'adresser la parole au collègue de travail de l'extérieur de son bureau à cloisons. Ne vous penchez donc pas au-dessus de la cloison et ne vous y accrochez pas pour entamer une conversation impromptue avec lui. De plus, si vous entendez ou voyez que votre collègue est au téléphone ou avec quelqu'un, ne l'interrompez pas. Attendez et revenez plus tard. Enfin, lors de votre entretien avec votre collègue, comportez-vous comme si vous étiez dans un bureau complètement fermé.

En général, il faut considérer les bureaux à cloisons comme des bureaux fermés munis d'une porte.

L'ATTITUDE DANS L'ASCENSEUR

Lorsque vous entrez dans un ascenseur au rez-de-chaussée et que vous devez descendre à un étage inférieur de l'édifice, vous devez vous placer en retrait dans un coin pour ne pas bloquer l'accès de l'ascenseur.

Si l'ascenseur est plein et que vous êtes à l'avant bien que vous deviez sortir à un étage supérieur, sortez à chaque arrêt. Tenez les portes ouvertes et rentrez une fois que toutes les personnes qui voulaient sortir à l'étage en question seront sorties.

Si vous vous trouvez à proximité du panneau de contrôle, demandez à ceux qui entrent dans l'ascenseur où ils vont et appuyez pour eux sur les boutons correspondants. Si le panneau de contrôle comporte un bouton pour maintenir les portes ouvertes, appuyez dessus jusqu'à ce que tout le monde ait pu entrer dans l'ascenseur ou en sortir.

L'ATTITUDE EN AUTOMOBILE

Si votre travail requiert des déplacements en automobile, soyez respectueux des autres automobilistes, des cyclistes et des piétons, en particulier si vous conduisez un véhicule arborant les couleurs de votre entreprise. Personne n'aime qu'on lui fasse un bras d'honneur, qu'on le suive de trop près ou qu'on lui envoie des coups de klaxon. De plus, certains des automobilistes et piétons que vous croisez en voiture seront peut-être un jour vos clients.

Au volant de sa voiture, l'employé en déplacement représente encore son entreprise.

Au moment de garer votre véhicule pour aller rencontrer un client, suivez les règles suivantes :

- Soyez respectueux des zones réservées aux personnes handicapées.
- Prenez le temps de bien garer votre véhicule de manière à ne pas empiéter sur une autre place de stationnement.

Enfin, si vous vous garez dans le stationnement du commerce où vous travaillez, laissez les places les plus proches de l'entrée du bâtiment à la clientèle externe.

LES CRITIQUES ET LES COMPLIMENTS[26]

Dans le milieu du travail comme ailleurs, il arrive toujours un jour où l'on doit recevoir une critique, en formuler une, faire un compliment ou en recevoir un. Il convient alors de suivre certains principes, certaines règles.

COMMENT ÉMETTRE UNE CRITIQUE[27]

Tout d'abord, quand il s'agit d'émettre une critique, il faut toujours le faire *en privé*. Il est très humiliant pour une personne de se voir critiquée devant d'autres. Pensez à ce que vous ressentiriez ou même avez déjà ressenti dans une telle situation désagréable.

Ensuite, il convient d'adopter le mode *impersonnel*, de prendre comme objet de la critique non la personne elle-même, sa personnalité, mais ses comportements. De plus, il faut être *spécifique* et *constructif*. Ainsi, affirmer qu'une réunion s'est déroulée dans le chaos est vague et ne fait pas avancer les choses. Au contraire, déclarer que les participants de la réunion n'avaient pas reçu la documentation au préalable comme ils l'auraient dû et qu'un projecteur et un ordre du jour auraient été nécessaires constitue des critiques spécifiques auxquelles on peut apporter des solutions précises.

Enfin, il faut éviter les «batailles rangées». L'objectif de critiques en milieu de travail n'est pas de démolir la confiance des employés, mais d'améliorer leur performance et celle de l'entreprise. Ainsi, le niveau de langage doit rester neutre, et le ton de la voix, calme. En outre, sachez qu'une critique est mieux reçue si elle est précédée d'un compliment, de l'évocation d'un aspect positif.

COMMENT RECEVOIR UNE CRITIQUE

Les critiques sont en général révélatrices de l'état d'âme de leur émetteur. Avant toute chose, il est essentiel de considérer toute critique comme une occasion d'amélioration, de changement. C'est pourquoi il faut se placer en mode réceptivité lorsqu'on reçoit une critique. Si vous avez effectivement commis une erreur, vous devez en assumer les conséquences. Ne rejetez pas le blâme sur quelqu'un d'autre; ne cherchez pas un bouc émissaire. Répondez plutôt à la critique en acceptant pleinement la responsabilité de l'erreur en question. Dites par exemple: «Je suis vraiment désolé de cette situation. Je vois qu'il y a matière à amélioration de ma part.»

Si la critique prend une tournure personnelle, ne vous laissez pas emporter dans un conflit de personnalités. Dites plutôt «Je suis désolé que cela vous contrarie» et accordez du temps et de l'espace à votre interlocuteur pour qu'il se calme.

Si vous estimez que la critique qui vous est adressée est injustifiée, vous avez le droit de le dire… tout en restant calme. Si vous constatez que votre interlocuteur est encore sous l'effet de la colère, demandez-lui de reporter la discussion à un autre moment.

COMMENT ÉMETTRE UN COMPLIMENT

Comme les critiques, les compliments sont fort révélateurs des états d'âme des individus. Pour émettre un compliment, il faut être le plus sincère possible. Ne faites pas de compliments dans le seul but de vous faire des amis ou de remonter le moral des collègues de travail. Les faux compliments sont trop transparents. Si vous n'êtes pas capable d'être sincère, mieux vaut vous abstenir.

Comme pour la critique, il faut être *spécifique* dans votre compliment. «J'ai apprécié la façon dont tu as amélioré notre système de messagerie interne» sera mieux reçu que «Tu as vraiment le tour avec les technos». De plus, il est important de faire le compliment *au bon moment*. Plus vous attendez pour faire votre compliment, plus il perd de sa signification pour celui qui le reçoit. Il ne convient pas, par ailleurs, de faire des *comparaisons*. En effet, quand on compare l'exploit d'un employé à celui d'un autre, le compliment perd de sa valeur.

Enfin, sachez que les Allemands ne courent pas après les compliments et ne les attendent pas non plus. Avec les Japonais, il vaut mieux ne pas trop manifester son admiration pour des choses appartenant à son hôte. Les Japonais cherchent tellement à satisfaire leurs invités que vous risqueriez de vous retrouver avec des objets que vous ne voulez pas réellement.

COMMENT RECEVOIR UN COMPLIMENT

La personne qui adresse un compliment ne s'attend pas nécessairement à une réponse. Si vous recevez un compliment, dites tout simplement merci. Ne tombez pas dans la fausse modestie («Oh, ce n'était rien, vraiment») et ne dites pas que vous auriez pu faire mieux avec plus de temps ou plus de soutien. Enfin, ne vous lancez pas non plus dans la surenchère du type «Bon? Ben voyons, c'était plus que bon : c'était excellent!»

LA COURTOISIE AVEC LES PERSONNALITÉS ÉPROUVANTES[28]

OBJECTIF 3

Distinguer les différentes personnalités éprouvantes et se comporter de façon courtoise avec les divers types de clients.

Dans les interactions avec la clientèle comme dans le monde du travail en général, il arrive toujours qu'on rencontre des personnes au caractère plus difficile qui mettent notre courtoisie à l'épreuve. Dans le service à la clientèle, certaines personnalités peuvent être tellement éprouvantes pour le préposé que la situation peut échapper à son contrôle et qu'il peut finir par oublier les règles de la courtoisie et faire du harcèlement (voir l'encadré, p. 238).

Nous décrivons ici rapidement quelques-unes de ces personnalités éprouvantes avant d'expliquer comment se comporter avec elles de manière générale. Nous reparlerons de ce sujet au chapitre 10, quand nous expliquerons la gestion des plaintes avec les clients difficiles.

LES PRINCIPALES PERSONNALITÉS ÉPROUVANTES

Le sarcastique

L'individu sarcastique exprime par le sarcasme un désaccord qu'il est incapable d'exprimer sans agressivité. L'étiquette en affaires interdit de répondre au sarcasme par le sarcasme. À la place, il faut rester calme et à l'écoute, et poser des questions directes pour découvrir quel est le problème.

Le malhabile

Le malhabile est un employé ou un client qui se comporte de façon maladroite et n'ose proposer des éléments de solution, de peur de s'immiscer dans la sphère d'autorité de son supérieur immédiat. L'étiquette en affaires recommande au supérieur de ce genre d'employé de recourir avec lui à de bonnes techniques d'entrevue et de lui faire comprendre l'importance de son opinion pour l'organisation.

La girouette

Certains individus changent souvent d'idée et ne respectent pas leurs promesses ou les échéances fixées. Il est nécessaire de parler à ces personnes en privé de leur comportement en leur faisant comprendre les pertes de temps (et parfois d'argent) que leurs changements d'idées entraînent.

L'étroit d'esprit

Par peur du changement ou manque de confiance en lui-même, l'étroit d'esprit est souvent plus concentré sur ce qu'il veut dire que sur ce qu'on lui dit. Avec lui,

COMMENT SAVOIR SI JE FAIS DU HARCÈLEMENT[29] ?

Comment savoir si je fais du harcèlement sexuel ?

- Quand la réaction verbale ou non verbale à votre conduite à connotation sexuelle n'est pas positive, dites-vous que votre comportement n'est pas apprécié. Développez vos habiletés d'écoute et tenez pour acquis que NON veut dire NON.

- Dans un contexte de travail ou d'étude, vérifiez le cas échéant si vos avances sexuelles, vos blagues ou vos remarques à connotation sexuelle répétées placent une ou des personnes dans une situation embarrassante ou contraignante.

- En cas de doute, demandez-vous quelle serait votre réaction si votre conjointe ou votre conjoint, votre fille ou votre fils, votre sœur ou votre frère faisaient l'objet d'une conduite semblable à la vôtre dans leur milieu de travail ou d'étude.

- Si vous croyez avoir offensé quelqu'un, discutez-en ouvertement avec cette personne. Prenez sa réponse au sérieux et assurez-la, s'il y a lieu, que vous ne répéterez pas ce comportement.

Comment savoir si je fais une autre forme de harcèlement ?

- Vous harcelez une personne si vous répétez envers elle des conduites vexatoires, hostiles ou non désirées qui sont de nature à porter atteinte à sa dignité ou à son intégrité physique ou psychologique.

- Vous harcelez une personne si vos conduites vexatoires, hostiles ou non désirées sont de nature à compromettre son rendement au travail ou aux études ou à créer un climat intimidant ou hostile.

- Si vous avez exercé une seule conduite vexatoire et hostile ou non désirée, il est possible que cette conduite soit du harcèlement, dans le cas où elle entraîne un effet nocif continu ou si elle a été accompagnée explicitement ou implicitement d'une menace ou d'une promesse de récompense.

la seule façon de rester courtois est de poser tout le temps des questions ouvertes (Pourquoi ? Comment ?) et de vérifier constamment s'il est à l'écoute.

La pomme pourrie

Ayant souvent une faible estime de soi et aimant la politicaillerie, la pomme pourrie préfère le commérage au dialogue direct avec la personne concernée par ses doléances. Avec la pomme pourrie, mieux vaut être diplomate et direct, rester dans le vif du sujet sans céder à son tour à la tentation du commérage.

Le gros ego

L'individu ayant un gros ego est complètement centré sur sa personne, peu à l'écoute des autres et constamment en train de relater ses prouesses. Il s'agit en fait de quelqu'un d'inquiet qui recherche constamment l'attention des autres. Avec lui, il faut faire preuve d'énormément de tact et de sens d'à-propos. Il est possible de lui faire éventuellement prendre conscience de sa tendance à l'exagération en lui parlant de façon diplomate.

UNE STRATÉGIE POUR RESTER COURTOIS AVEC DES PERSONNALITÉS ÉPROUVANTES

Il ne faut jamais oublier que le «tu» tue. Cela signifie qu'en focalisant sur ses sentiments plutôt que sur les accusations, sur le «je» plutôt que sur le «tu», on obtient plus facilement l'écoute d'un interlocuteur. Il s'agit d'exprimer son ressenti dans la situation : «Je me sens contrarié, en colère, frustré, exclu, brutalisé, dénigré, intimidé ou très malheureux.»

Dans une situation difficile, énoncez clairement les faits et uniquement les faits. Décrivez les actions exécutées, soyez clair. Dites exactement ce que vous avez dit et comment vous vous êtes comporté. Évitez de rapporter les propos de quelqu'un d'autre : «Elle m'a dit ça. Je lui ai répondu ça. Qu'en penses-tu?»

Quand vous voulez parler à quelqu'un, interpellez-le directement et personnellement : «J'ai besoin d'aide et tu es la meilleure personne à qui je peux m'adresser.» Complétez en demandant explicitement de l'assistance : «J'ai tenté de gérer la situation de plusieurs façons, mais je me sens encore contrarié. Aurais-tu une suggestion à me faire sur la façon dont je peux résoudre la situation et passer à autre chose?»

Le tableau 9-3 propose d'autres conseils généraux sur la façon de se comporter avec des personnalités difficiles.

Tableau 9-3 Code de comportement courtois avec les personnalités difficiles

À faire	À éviter
Faire preuve d'empathie et écouter.	Juger d'avance.
Gérer toutes les rencontres comme s'il s'agissait d'une première rencontre.	Entretenir son ressentiment envers les autres et l'exprimer d'une réunion à l'autre.
Aborder les sujets épineux dès que possible.	Laisser monter la vapeur jusqu'à exploser de colère.
S'autoanalyser pour comprendre comment notre comportement affecte les autres.	Toujours blâmer les autres.
Demander du secours à un tiers si on ne se sent pas à la hauteur de la situation.	Se convaincre qu'on peut relever un défi seul, sans en discuter avec les autres.
Être clair, concis et direct quand on demande de l'aide à un tiers.	Tourner autour du pot lorsqu'on a besoin d'aide.
Être positif.	Être négatif.

LA COURTOISIE AVEC LES CLIENTS AUX ATTENTES PARTICULIÈRES

LES PERSONNES HANDICAPÉES

L'entreprise ou l'organisation pour laquelle vous travaillerez pourra être fréquentée par des personnes handicapées ou à mobilité réduite. Vous devez donc connaître les règles de courtoisie, les mesures et les comportements à adopter avec ces gens.

Ainsi, il faut que les fauteuils roulants puissent passer partout. Pour cela, un dégagement d'un mètre est nécessaire. Ensuite, il faut absolument éviter de nourrir ou de flatter sans autorisation les chiens-guides qui accompagnent de plus en plus les non-voyants. Pour les clients non-voyants, il faut que les portes de l'établissement soient complètement ouvertes ou complètement fermées. Enfin, il est important de garder le contact visuel avec les malentendants auxquels vous parlez, car un certain nombre d'entre eux lisent sur les lèvres.

LES PERSONNES DU TROISIÈME ÂGE

Dans toute entreprise ayant des clients du troisième âge, le service à la clientèle doit faire en sorte que se crée dans les locaux un climat propice à la communication avec ce type de clients : bon éclairage, bruits de fond minimaux, textes à gros caractères, etc.

Les personnes du troisième âge aiment avant tout qu'on les traite avec respect. Ainsi, avec elles, toutes les règles élémentaires de courtoisie s'appliquent, en particulier celle du vouvoiement. Il faut faire preuve d'une grande patience avec les aînés et répondre à toutes leurs questions. De plus, le paternalisme et l'infantilisation sont à éviter. Pour communiquer efficacement avec le client du troisième âge, vous devez être professionnel et suivre quelques règles de base :

- Faites face à la personne.

- Parlez lentement et articulez. Ne criez pas immédiatement ; tous les aînés ne sont pas sourds et ils sont de plus en plus nombreux à porter des prothèses auditives.

- Comme avec tous les types de clientèle, mais en particulier pour celui-ci, ne parlez pas la bouche pleine ou en mâchant de la gomme.

- Soyez très attentifs aux signaux non verbaux, car les aînés n'expriment pas toujours verbalement qu'ils ne comprennent pas ce qu'on leur dit.

- Reformulez vos informations et vos explications, si nécessaire.

LES ADOLESCENTS

Les adolescents se caractérisent par un besoin et une volonté d'affirmation de l'identité. Ils choisissent ainsi une « tribu », adhèrent à ses valeurs et adoptent ses symboles. Les principales « tribus » sont les individus B.C.B.G., les *techies*, les *fashion*, les sportifs, les ethnos, les néohippies, les *girlies*, les lolitas, les *skaters*… Les adolescents accordent une grande importance à l'image qu'ils projettent. De plus, ils veulent être autonomes dans tous les domaines. Avec eux, il faut communiquer de manière simple et amicale, sans toutefois se montrer trop copain-copain ou trop paternaliste. De plus, le bouche à oreille étant considéré comme le moyen le plus efficace pour entrer en contact avec cette clientèle de plus en plus hermétique aux moyens de communication traditionnels, il importe de faire preuve d'une très grande diplomatie avec les adolescents.

LES CLIENTS DE LANGUE ET DE CULTURE ÉTRANGÈRES

Tôt au tard, vous serez appelé à communiquer avec des clients baragouinant le français ou l'anglais, soit parce qu'ils sont fraîchement arrivés au pays, soit parce qu'ils sont là à titre de touristes ou de voyageurs d'affaires. Pour traiter ces gens avec courtoisie, vous devez respecter quelques principes de base.

Tout d'abord, *souriez*. Le sourire est le symbole universel de l'ouverture à l'autre. Ensuite, il vaut mieux laisser le client « mener » la conversation, tout en tentant de le comprendre le mieux possible en observant ses signaux non verbaux. Avec les étrangers, il faut faire preuve d'une grande flexibilité et d'une grande patience.

Surtout, n'oubliez pas que vos interlocuteurs sont des personnes de langue étrangère, pas des malentendants! Il est inutile de leur parler fort. Par contre, il faut faire attention à son débit de paroles, faire des pauses, articuler et s'exprimer dans une langue neutre – en français ou en anglais universel – ne comportant pas d'expressions locales. Multipliez les questions ouvertes. Au besoin, n'hésitez pas à écrire des mots sur papier. Si l'interlocuteur ne semble vraiment pas comprendre le français, essayez l'anglais et vice versa. Soyez tolérant en cas d'erreurs d'étrangers dans les formulaires. Évitez l'humour ou le sarcasme. Enfin, si l'interlocuteur est d'origine asiatique, rappelez-vous que, dans ces cultures, la pire chose pour un individu, c'est de perdre la face. Ainsi, proposez des solutions au lieu de répondre «non» sur un ton sec.

LE RITUEL JAPONAIS D'ÉCHANGE DES *MEISHI* OU CARTES PROFESSIONNELLES[30]

Au Japon, il existe un rituel particulier pour échanger les cartes professionnelles.

- ■ Les cartes professionnelles s'échangent après la salutation. Pour la salutation, on utilise toujours le nom de famille de la personne suivi du mot *san*, qui signifie «Monsieur» ou «Madame».

- ■ Les Japonais ne disent jamais «non». Avec eux, il faut faire attention au langage non verbal. La carte professionnelle, appelée *meishi*, se donne à deux mains. Elle est imprimée recto verso, l'un des deux côtés étant en japonais. On remet sa carte professionnelle en présentant le côté de sa langue maternelle.

- ■ Il faut bien prendre soin de la carte professionnelle donnée par un *sarariman*, homme d'affaires, japonais. On n'écrit jamais dessus et on ne la range pas dans sa poche ou dans son portefeuille, car c'est considéré comme très irrespectueux. Il convient plutôt de l'examiner soigneusement pour témoigner du respect à la personne.

En Chine, il existe un protocole d'échange des cartes professionnelles similaire. Par contre, on présente sa carte côté chinois. Les Chinois aiment les cartes imprimées à l'encre dorée (symbole d'un certain statut).

9.3   L'ÉTIQUETTE TÉLÉPHONIQUE ET LE TÉLÉCOPIEUR

OBJECTIF 4

Appliquer les règles d'étiquette propres à la téléphonie et à la télécopie.

Au téléphone, quelques règles particulières d'étiquette s'imposent, notamment quand on prend un appel pour quelqu'un d'autre ou quand il s'agit de mettre une personne en attente. Avec le téléphone cellulaire, qui se transporte partout et conduit à l'adoption d'un nouveau mode de vie, il faut respecter de nouveaux principes pour rester courtois. Enfin, bien qu'on n'utilise moins qu'avant le télécopieur, il importe de savoir comment faire quand on doit écrire et envoyer une télécopie.

LA TÉLÉPHONIE TRADITIONNELLE ET CELLULAIRE

Dans un contexte d'affaires, il est de mise de s'identifier lorsqu'on répond ou lorsqu'on appelle quelqu'un, que ce soit en téléphonie traditionnelle ou cellulaire.

Si vous prenez un appel destiné à une personne de votre entourage, vérifiez la disponibilité de cette personne *avant* de demander « puis-je savoir qui l'appelle ? » Sinon, l'interlocuteur risque de croire que la personne n'est pas disponible *pour lui* ! Si la personne pour qui vous avez pris l'appel n'est pas disponible, inutile de vous étendre sur les raisons de son absence. Contentez-vous de dire « il s'est absenté pour quelques minutes », « il est à l'extérieur du bureau », « il n'est pas à son bureau en ce moment » ou « il est en réunion ». Puis, demandez « puis-je prendre un message ? »

Enfin, si vous devez mettre un appelant en attente, demandez-lui sa permission avant de le faire et précisez-lui la durée approximative de l'attente.

Si vous attendez un appel important sur votre cellulaire et que vous êtes en réunion, mettez tout d'abord votre cellulaire en mode vibration et prévenez les autres participants que vous attendez un appel important. Ensuite, lorsque le cellulaire vibre, excusez-vous auprès des autres participants et allez dans une pièce voisine pour ne pas perturber le déroulement de la réunion.

Nous avons tous dans notre entourage au moins une personne qui étire la conversation téléphonique, raconte sa vie, ses maladies : un *placoteux* ! Comment en venir à bout ? Tout d'abord, il faut toujours écouter poliment et avec le plus grand respect ce genre de personne, mais sans lui poser de questions, sans lui donner d'informations ou de conseils, sans lui raconter soi-même une anecdote. Cela ne fait qu'allonger l'entretien. Ensuite, dès que le *placoteux* fait une pause dans son propos (ce qui est inévitable), il faut en profiter, prendre immédiatement la parole pour lui dire quelque chose comme : « C'est intéressant tout cela ! Je n'ai jamais vécu cela moi-même et j'aimerais beaucoup en savoir davantage. Mais j'ai une réunion et je dois vous quitter. Alors, prenez bien soin de vous et à la prochaine ! Merci d'avoir appelé. »

LES 10 TABOUS DE L'ÉTIQUETTE TÉLÉPHONIQUE[31]

1. Manger, mâcher de la gomme ou boire en parlant au téléphone avec un client.

2. Interrompre un entretien avec un client pour prendre un appel.

3. Prendre un appel personnel, délicat ou qui se prolonge sans s'excuser auprès de son client.

4. Ignorer une sonnerie lors d'un entretien avec un client : mieux vaut répondre ou couper le volume.

5. Prendre plusieurs appels durant un entretien avec un client externe : la personne qui se trouve en face de nous doit être notre première priorité.

6. Mettre en attente un client externe appelant de son cellulaire sans avoir obtenu son autorisation.

7. Avoir un entretien téléphonique avec un client externe à partir d'un emplacement bruyant.

8. Installer une sonnerie musicale ou un gadget sur son cellulaire d'affaires.

9. S'entretenir avec un client sur son cellulaire en conduisant un véhicule : on ne peut noter les informations importantes ni se concentrer sur le contenu de la conversation.

10. Faire attendre un client pendant qu'on termine une conversation téléphonique.

LE PHÉNOMÈNE DU CELLULAIRE

Un nombre croissant d'entreprises fournissent des téléphones cellulaires à leurs employés. Il n'est donc pas étonnant d'apprendre que, en 2004, la Society for Human Resource Management, organisme américain, a fait une enquête auprès de 379 professionnels des ressources humaines et découvert que 40 % de ses entreprises avaient des politiques formelles en place concernant l'utilisation des téléphones cellulaires sur le lieu de travail. Celles-ci vont de règlements concernant l'usage au volant à des recommandations limitant les appels personnels pendant les heures de bureau.

web
www.shrm.org

Quand on possède un cellulaire, il est important d'étudier le manuel d'instructions afin de maîtriser toutes les fonctions de l'appareil avant de s'en servir. Enregistrez les numéros que vous utilisez le plus fréquemment. Ainsi, vous éviterez de couper par inadvertance une communication importante avec votre client ou de faire attendre trop longtemps ce dernier.

Par ailleurs, de plus en plus de personnes sont gênées par les comportements irrévérencieux des utilisateurs de téléphones cellulaires : qui n'a pas vu son dîner romantique au restaurant interrompu par une sonnerie incessante et par les conversations à haute voix du client de la table voisine ? Voici donc quelques règles de courtoisie à respecter pour ne pas faire partie des « mauvais » utilisateurs de téléphones cellulaires.

Tout d'abord, dans les endroits publics, durant les réunions ou durant un entretien en face à face avec un client, il convient d'éteindre son cellulaire. Si vous attendez un appel important, prévenez votre ou vos interlocuteurs, excusez-vous au moment de l'appel et sortez de la pièce.

Un nombre croissant d'entreprises fournissent le cellulaire à leurs employés.

Il ne faut jamais appeler un client sur son cellulaire sans son autorisation. Bien que les frais d'utilisation de cet appareil aient considérablement diminué, ils restent plus élevés que ceux du téléphone traditionnel. Dans le même ordre d'idées, ne mettez pas en attente un interlocuteur appelant avec un appareil cellulaire.

UN INSTANT PATRON, MON PORTABLE SONNE[32] !

Dans le grand débat américain sur l'étiquette du téléphone cellulaire, les premières batailles ont été résolues de manière assez traditionnelle. Les cinémas, les hôpitaux, les salons funéraires et les bibliothèques ont été interdits aux portables. La plupart des transports publics, en revanche, semblent avoir été conquis. Maintenant, que faire au bureau ?

Fernando Zulueta a son point de vue sur l'utilisation des téléphones cellulaires au travail : il adore. Zulueta, 46 ans, raye systématiquement son numéro de téléphone traditionnel de ses cartes professionnelles pour éviter qu'on n'essaie de l'y joindre. S'il est en réunion d'affaires et que son portable sonne, il n'hésite pas à y répondre, même s'il considère un tel comportement agaçant.

« Je regrette de le dire, avoue-t-il, nous parlant sur l'un de ses nombreux téléphones cellulaires, mais si l'identification de l'appel m'indique que le maire ou un député fédéral cherche à me joindre, je m'excuse auprès de mes interlocuteurs et je prends l'appel. »

Fernando Zulueta répond même si ce n'est pas le maire, d'ailleurs. Récemment, Zulueta a interrompu une réunion pour discuter avec un livreur de matelas : «J'aime être accessible. Et j'ai l'impression que tout s'accélère en ce sens.»

Robin Reinhardt a aussi son point de vue sur les portables au travail : elle déteste. Reinhardt, qui travaille à MTV, préfère que les gens composent son numéro de téléphone cellulaire pour les urgences. Elle est contrariée quand les gens l'appellent directement sur son portable plutôt que de passer par son assistante.

«Je suis au bureau en train de jongler avec trois appels et voilà que mon cellulaire se met à sonner aussi, nous explique-t-elle de sa "ligne fixe" à Los Angeles. Cela me rend folle.»

La bataille de l'étiquette

«C'est là que se jouera la prochaine bataille», affirme Peggy Post, directrice de l'institut Emily Post et auteure de l'ouvrage *The Etiquette Advantage in Business*.

Les points de friction décrits par Post sont nombreux : un cadre qui répond à son téléphone cellulaire au beau milieu d'une réunion ; la cacophonie des sonneries d'appel polyphoniques entêtantes ; l'organisateur d'un séminaire qui interrompt sa présentation pour prendre un appel ; le collègue qui reçoit des appels tous les jours à la même heure pour discuter du repas de midi de ses enfants.

Rebecca R. Hastings, directrice du Centre d'informations de la Society for Human Resource Management, est catégorique : «Les téléphones cellulaires sont un peu comme les cigarettes des années 2000. C'est un attachement malsain. Et tout comme les cigarettes, les cellulaires sont interdits dans certains lieux. Je crois d'ailleurs que de plus en plus d'entreprises vont trancher.»

Une nuisance

L'une des raisons pour lesquelles l'étiquette cellulaire est si floue au bureau est que les gens utilisent ces appareils de façon très variée. Ainsi, certains affichent leur téléphone au bureau comme pour prouver leur importance, explique Hastings, dont le bureau répond à près de 400 demandes de conseils professionnels par jour. «Dans certaines entreprises, plus vous recevez d'appels, plus vous paraissez puissant», dit-elle.

D'autres utilisent leur téléphone cellulaire pour éviter les circuits officiels et communiquer avec le réseau de personnes qui les intéressent vraiment : leurs enfants, leur amant, la gardienne, le plombier, leur gourou –, tandis que la ligne traditionnelle est consacrée aux appels qu'ils comptent filtrer. En l'absence de directives claires, les abus continuent à se multiplier. Neil Gailmard, optométriste à Munster, Ind., qui aide d'autres optométristes à gérer leurs affaires commerciales, rapporte que, chaque jour, deux ou trois de ses patients reçoivent des appels alors même qu'il les soigne, malgré l'écriteau bien en évidence leur demandant d'éteindre leurs appareils.

Parfois, il s'agit d'un message important, précise-t-il. Mais récemment, une patiente a pris le temps de finaliser ses projets pour la soirée : où se rencontrer pour prendre un verre, qui ferait les réservations au restaurant. «Vous vous retrouvez coincé dans une situation très gênante, dit-il. Le patient n'a pas l'air de se rendre compte que le médecin patiente. Les gens n'hésitent même pas à discuter de choses très personnelles.» Quand les patients prolongent trop la conversation, il se propose de quitter la pièce. «Cela les fait généralement raccrocher, sourit-il. Ils ne veulent pas que vous disparaissiez.»

Gailmard dit qu'il est encore plus troublé par les médecins qui répondent au téléphone quand ils sont en consultation, mais il n'en est pas surpris. «Je trouve cela mal élevé.

Mais ce qui se produit en réalité dans les cabinets de médecin est loin de ce qui devrait s'y passer idéalement. »

Alors même que l'usage du téléphone cellulaire au bureau divise les utilisateurs en deux camps, de nouveaux appareils comme les téléphones équipés d'appareils photo et les BlackBerries – qui vous permettent de lire et d'envoyer votre courriel alors que vous devriez vous concentrer sur une audioconférence – soulèvent déjà de nouvelles questions sur ce qui est acceptable ou non sur les lieux de travail.

Selon Hastings, la réponse à tout cela est simple : «Tout comme on se présente au bureau en tenue professionnelle, il faut savoir utiliser ses gadgets de façon professionnelle, si l'on veut réussir dans la vie. »

© 2005 *The New York Times* Co. Reproduction autorisée.

LE TÉLÉCOPIEUR

Le télécopieur est un mode de communication qui est encore utilisé dans certaines circonstances et avec certains clients. C'est pourquoi vous devez connaître quelques règles de base à respecter pour ce moyen, en plus des règles générales.

Tout d'abord, il faut prévenir le destinataire de l'envoi d'une télécopie. Assurez-vous de bien épeler le nom et d'avoir le bon numéro de télécopieur : rien de pire que de télécopier un texte confidentiel au mauvais numéro !

Ensuite, la télécopie doit comprendre une page de couverture indiquant clairement les coordonnées de l'expéditeur, celles du destinataire (important lorsqu'un télécopieur dessert plusieurs personnes) et le nombre de pages de l'envoi. Il n'est pas conseillé d'envoyer plus de cinq pages à la fois : cela pourrait encombrer la ligne téléphonique du client.

Pour le cas où la télécopie ne parviendrait pas dans les bonnes mains, malgré toutes vos précautions, vous pouvez prévoir sur la page couverture une notice de confidentialité pour éviter les problèmes : «Veuillez prendre note que l'information ci-jointe est confidentielle et légalement privilégiée. Ce document ne s'adresse qu'au destinataire mentionné ci-dessus. Si vous n'êtes pas ce destinataire, nous vous signifions par la présente que toute divulgation, reproduction ou photocopie vous est formellement interdite. Si vous avez reçu ce document par erreur, vous êtes prié de nous en aviser immédiatement par téléphone afin que nous convenions des modalités de retour nécessaires. Merci de votre coopération. »

Les feuilles à télécopier devraient avoir des marges d'au moins 3,81 cm aux quatre côtés. Cela garantit la lisibilité des textes à la réception. Il n'est pas recommandé d'utiliser du papier couleur et de corriger les textes à télécopier avec du liquide correcteur. Cela donne en effet, à la réception, une mauvaise qualité de reproduction.

Enfin, après la transmission, téléphonez pour obtenir confirmation de la réception de la télécopie, et conservez la preuve de la bonne transmission.

Nétiquette (*netiquette*)
Ensemble des conventions de bienséance régissant le comportement des internautes dans le réseau, notamment lors des échanges dans les forums ou par courrier électronique[33].

9.4 LA NÉTIQUETTE

Expliquer ce qu'est la nétiquette et adopter ses principes.

Les technologies font désormais partie intégrante de nos vies, des affaires en particulier. Ainsi, sur Internet, est apparu ce qu'on appelle la **nétiquette**. Il s'agit d'un ensemble de règles à respecter concernant l'écriture, quant à la forme et au contenu, d'un message dans un forum ou pour un courrier électronique, mais aussi concernant l'envoi du message et l'utilisation des différentes fonctions, des divers outils disponibles. La messagerie instantanée, quant à elle, implique le respect de principes particuliers.

LE COURRIEL

CONSEILS GÉNÉRAUX

Comme nous l'avons vu au chapitre 7, de plus en plus d'entreprises se servent du courrier électronique pour communiquer avec leurs clients internes et externes. Étant donné l'importance croissante d'Internet et du courriel, un nombre croissant d'entreprises se sont vues dans l'obligation d'émettre des directives concernant les communications par courrier électronique. Ces directives doivent s'inscrire dans un cadre de bonne conduite, d'éthique et de bonnes manières.

Il faut faire attention. Le courriel n'est pas adapté à toutes les circonstances. Annonceriez-vous par courriel à votre frère que votre mère est décédée? Certainement pas. Eh bien, il en est de même en affaires. Certains messages «passent mieux» en personne, par téléphone ou par courrier traditionnel. De plus, il n'est pas recommandé d'adresser des réprimandes à quelqu'un par courriel ou encore d'informer par courriel les employés d'une entreprise d'une nouvelle politique ayant des conséquences importantes sur leur qualité de vie.

Les paroles s'envolent, les écrits restent et les courriels courent. Un nombre croissant d'entreprises ont des règles très strictes quant à l'usage du courriel à des fins personnelles, durant les heures de travail. Limitez donc et même évitez carrément, si possible, les courriels personnels. De plus, sachez que toute «confidence» faite par courriel n'est qu'à un clic du bouton «transférer» et peut par conséquent se retrouver malencontreusement dans la boîte de réception d'un supérieur en cas de fausse manipulation.

Dans le cas particulier de courriels à expédier à l'étranger :

- Assurez-vous de maîtriser la langue de communication et de bien écrire le nom de votre destinataire en ayant soin d'utiliser son titre dans la formule d'appel.

- Pensez que la connexion Internet n'est pas nécessairement partout aussi rapide que la vôtre.

- Tenez compte des fuseaux horaires et des jours fériés, lesquels ne sont pas les mêmes partout.

On vous a certainement déjà dit qu'il fallait tourner sept fois sa langue dans sa bouche avant de parler. Cette règle s'applique à l'écrit, pour les courriels : réfléchissez avant d'écrire. Attendez avant d'expédier un message que vous avez rédigé sous le coup de la colère ou de l'impatience. Laissez passer un peu de temps et relisez-le à tête reposée avant de cliquer sur «envoyer».

Lors de relations électroniques avec la clientèle externe, il vous arrivera d'avoir affaire à des gens difficiles ou mécontents (chapitre 10) qui envoient ce qu'on appelle des **messages incendiaires** en majuscules ou avec des caractères gras. Comme dans le cas des échanges en personne, il faut éviter de se laisser entraîner dans le tourbillon de leur colère, de rentrer dans leur jeu et de chercher à les remettre à leur place. Au contraire, restez calme, prenez votre temps pour rédiger une réponse, relisez-la et attendez un moment avant de l'envoyer. Souvenez-vous du devoir de qualité et de politesse à respecter dans les courriels destinés

Message incendiaire
(*flame mail*)

Message agressif ou insultant qu'un internaute envoie à un autre internaute participant à un forum ou à une liste de diffusion, pour lui exprimer sa désapprobation[34].

aux clients internes et externes. Enfin, si vous avez plusieurs demandes disparates à faire, faites-les en autant de courriels afin d'en faciliter le suivi.

L'OBJET, LES PIÈCES JOINTES, LES COPIES ET LA SIGNATURE

Afin de faciliter la gestion des courriels par leur destinataire, soyez clairs et précis dans l'objet de votre courriel. Par ailleurs, n'abusez pas du terme «urgent»: si vous criez sans cesse au loup, on ne vous prendra pas au sérieux quand vous serez dans une véritable situation d'urgence.

De plus, avant de joindre des fichiers lourds (plusieurs mégaoctets, comportant des graphiques) à des courriels adressés à des clients, il est important de s'assurer au préalable que les destinataires disposent de la connexion Internet, ont la permission du service technique et la mémoire disque suffisante pour les recevoir et les lire sans que cela ne leur cause de problèmes informatiques.

Les fonctions «copie conforme» (cc) et «copie confidentielle» (cci) doivent aussi être utilisées avec doigté. N'expédiez des courriels qu'à ceux qui en ont vraiment besoin. Quant à la fonction «copie confidentielle», utilisez-la dans le contexte où le destinataire de la copie confidentielle tient à ce que son adresse de courriel reste confidentielle, jamais pour dissimuler quelque chose au destinataire principal.

En affaires, il est de mise de signer tous ses courriels avec son nom au complet, mais également son titre, le nom de l'entreprise, l'adresse de courriel, l'adresse du site Web de l'entreprise s'il y a lieu et son numéro de téléphone.

LA MISE EN FORME ET LE CONTENU

Si le type de communication se prête au courriel, il est important de garder en tête que l'allure du courriel doit refléter l'image de l'entreprise : qualité de la mise en page, formules de politesse (appel et salutation en fin de message), qualité de la langue. Par chaque courriel envoyé à des clients externes, vous faites en quelque sorte la promotion de votre entreprise.

Tout d'abord, soignez la mise en page. Ainsi, appuyez deux fois sur la touche «retour» :

- Après la formule d'appel
- Entre deux paragraphes
- Après la dernière phrase
- Après la salutation

Si vous n'êtes pas sûr de votre grammaire et de votre orthographe, équipez-vous des outils informatiques qui pourront vous aider : dictionnaires et grammaires électroniques, correcteurs automatiques, logiciels de correction. Le Grand Dictionnaire terminologique de l'Office québécois de la langue française est également très utile. Faites relire vos courriels par un collègue avant de les expédier. Par ailleurs, constituez une banque de courriels pour les réponses aux requêtes que vous recevez le plus fréquemment.

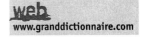
www.granddictionnaire.com

En matière de rédaction de courriels, la règle anglaise du KISS (*keep it short and simple*) est de rigueur. Si vous joignez un fichier de plus de 10 pages, précisez à quelle page votre interlocuteur trouvera l'information qui lui est nécessaire. Ou encore, si vous le pouvez, inscrivez l'essentiel de votre message dans la section «objet» et faites-le suivre des lettres FDM (fin du message) ou EOM (*end of message*). Ainsi, vos destinataires n'auront pas besoin d'ouvrir le courriel pour prendre connaissance de son contenu.

Si vous formulez une demande, pensez à dire «s'il vous plaît». Si quelqu'un a fait quelque chose pour vous, pensez à dire «merci». C'est tellement évident que cela peut sembler idiot de le préciser. Cependant, il est surprenant de voir le nombre de personnes très polies dans la vie de tous les jours qui oublient leurs bonnes manières dans leurs messages électroniques.

Sachez qu'un courriel écrit en majuscules signifie que vous criez. Or, les clients n'aiment pas du tout qu'on leur crie après. Si vous voulez mettre un mot ou une idée en relief, utilisez le gras, l'italique, le souligné ou encore les astérisques ou les guillemets plutôt que les majuscules.

Enfin, il est désormais de mise, dans les courriels d'affaires, d'ajouter en fin de message, après la signature, un avis de confidentialité qui prend en général la forme suivante :

AVIS DE CONFIDENTIALITE/CONFIDENTIALITY NOTICE

Le contenu de ce courriel est confidentiel et est à l'usage exclusif de son destinataire. Si vous n'êtes pas le destinataire, il vous est strictement interdit de le consulter, de le copier, de le faire suivre, de divulguer son contenu ou de l'utiliser autrement. Si vous avez reçu ce courriel par erreur, veuillez en aviser l'expéditeur en répondant immédiatement au présent message. Puis, effacez et détruisez toute copie.

The content of this e-mail is confidential and is intended for the exclusive use of its addressee. If you are not the addressee, any consultation, copying, distribution, disclosure or any other use is strictly prohibited. If you have received this e-mail in error, please advise the sender by immediately replying to this message and thereafter delete it and destroy all copies.

LES BINETTES ET LES ACRONYMES

Nous savons tous qu'il faut *aimer son prochain comme soi-même*. D'après la nétiquette, il faut plutôt aimer son prochain comme il aimerait être aimé. Cela signifie qu'il faut se montrer prudent dans l'usage de l'humour ou du sarcasme et s'assurer que les clients internes et externes comprennent bien qu'il s'agit d'un trait d'humour et non d'irrespect. Pour ce faire, vous pouvez avoir recours aux **binettes** telles que :-D. En fait, lorsqu'on les utilise judicieusement, les binettes suppléent à l'absence de communication non verbale et donnent à notre interlocuteur une idée plus claire de ce qu'auraient pu être notre timbre de voix et notre langage corporel si nous étions en train de lui parler. Toutefois, en affaires, vous devez y recourir avec parcimonie, sinon vos destinataires ne vous prendront pas au sérieux et pourront ne pas vous trouver professionnel. Par ailleurs, ne croyez pas qu'une binette souriante excuse un commentaire insultant. Le tableau 9-4 présente les binettes les plus courantes.

Binette (*emoticon*)
Dessin réalisé avec des caractères ASCII et qui, vu de côté, suggère la forme d'un visage dont l'expression traduit l'état d'esprit de l'internaute expéditeur[35].

Par ailleurs, certains internautes utilisent des acronymes dans leurs courriels pour les expressions qui reviennent souvent. Ces acronymes sont souvent formés des lettres initiales de tous les mots de l'expression et sont parfois de simples traductions littérales d'acronymes américains. Voici deux exemples.

- imho : **i**n **m**y **h**umble **o**pinion = amha : **à m**on **h**umble **a**vis

- lol : **l**aughing **o**ut **l**oud = riant fort, mort de rire, riant aux éclats

Les acronymes servent à accélérer la communication. Mais attention, ici encore, mieux vaut faire preuve de discernement, de modération. Il faut être sûr que le destinataire comprendra. En fait, les binettes et les acronymes sont plus acceptables dans la messagerie instantanée, que nous allons voir plus loin. Le tableau 9-5 présente les acronymes français les plus populaires.

Tableau 9-4 Les binettes les plus courantes dans les courriels

☺ Quelques binettes (*parmi des milliers !*)[36]			
Symbole	**Signification**	**Symbole**	**Signification**
:idee:	a une idée	:-)))	rigole énormément
:-/	est sceptique	:-[	boude, est vexé
:???:	est confus	:-&	est très fâché
:-(	est triste, moral bas	:-x	envoie un bisou
:-o	est embarrassé	:cool:	cool
;-)	fait un clin d'œil, plaisante	:-)	musique
:-P	tire la langue (grimace)	:zen:	zen

Tableau 9-5 Les acronymes populaires en français

Quelques acronymes en français[37]			
Acronyme	**Signification**	**Acronyme**	**Signification**
A+	à plus tard, à bientôt	pti / pvi	pour ton / votre information
ALP	à la prochaine	pcq	parce que
amha	à mon humble avis	qmm	quand même
bcp	beaucoup	qqc / qqn	quelque chose / quelqu'un
entk	en tout cas	re	rebonjour
fds	fin de semaine	snif	j'ai de la peine
mdr	mort de rire	tlm	tout le monde

LA GESTION DES COURRIELS

Comme il est nécessaire de gérer sa boîte vocale, il faut gérer ses courriels. Ainsi, tout d'abord, vous devez vérifier régulièrement votre boîte de réception pour prendre connaissance des nouveaux messages éventuels. En effet, un client externe qui envoie un courriel à une entreprise offrant ce mode de communication s'attend à une réponse rapide. Vous devez donc répondre à tous vos messages en moins de 24 heures, en tenant compte de cette réalité que des transactions électroniques peuvent se perdre en l'espace de quelques minutes.

Ensuite, en cas d'absence prolongée pour quelque raison que ce soit, vous devez prévoir un message automatique informant les clients externes de la date de retour prévue et des modalités de communication à utiliser en cas d'urgence.

Pour répondre au courriel d'un client externe ou interne, vous devez replacer votre message dans le contexte de la demande initiale, faire référence au message initial. En effet, certaines personnes expédient plusieurs courriels par jour et ne comprendront pas, ou difficilement, après des recherches, une réponse laconique hors contexte.

Enfin, à l'heure d'Internet et du courriel, tout le monde reçoit régulièrement divers types de messages dont il faut se méfier. En effet, ils peuvent comporter des virus dangereux non seulement pour notre ordinateur, mais aussi pour d'autres en cas de transfert. Attention donc aux blagues, fichiers humoristiques joints, poèmes, citations qui circulent. Attention également aux polluriels, ces messages importuns constitués essentiellement de publicité.

Messagerie instantanée, MI
(*instant messaging, IM*)

Service de messagerie en temps réel, offrant la possibilité aux utilisateurs de consulter la liste des correspondants avec lesquels ils sont simultanément en ligne, pour communiquer immédiatement avec eux[38].

LA MESSAGERIE INSTANTANÉE

L'usage de la **messagerie instantanée** en est à ses balbutiements dans le service aux clients externes. Il correspond cependant déjà à une réalité dans le service de soutien technique interne. Dans un contexte d'affaires, respectez, dans le cadre de la messagerie instantanée, les mêmes règles de qualité de langue et de courtoisie que dans celui du courriel ou de la relation en personne. Le jargon adolescent n'a pas sa place ici. De plus, la messagerie instantanée convient aux messages très courts, simples et non confidentiels. Pour des questions un peu complexes, le téléphone, le courriel ou la rencontre en personne sont à privilégier. Si vous êtes dans l'impossibilité de répondre aux messages de la messagerie instantanée, mettez-vous en mode «occupé(e)» ou «hors ligne». Si vous avez oublié de le faire et que vous recevez un message, répondez rapidement : «Content d'avoir reçu votre message. Je suis malheureusement occupé pour le moment à une tâche importante. Je vous contacterai plus tard. Merci de votre compréhension.» Il est en effet impoli d'ignorer un message.

≫ RÉSUMÉ

1. **Énumérer et expliquer les aspects non verbaux de la communication.**

Plus de la moitié de la communication en face à face passe par le non-verbal. C'est pourquoi il est important de connaître les différents modes de communication non verbaux, afin de pouvoir en interpréter les signaux. Les modes de communication non verbaux se divisent en modes vocaux et non vocaux. Les modes vocaux sont le volume de la voix, le débit élocutoire et la fluidité, la tonie et la qualité de la voix. Les modes non vocaux sont la proxémie, l'orientation du corps, le toucher, la chronotaxie, la kinesthésie, la gestuelle, la parure, les expressions faciales et les mouvements oculaires. De plus, il faut connaître, pour pouvoir en tenir compte, les différences qui existent à ce sujet entre les divers groupes culturels auxquels appartiennent les clients.

2. **Appliquer les règles de base de la courtoisie et de l'étiquette en matière de service à la clientèle.**

L'une des principales attentes de la clientèle est d'être servie avec un maximum de courtoisie. La courtoisie se définit comme une attitude de politesse et de délicatesse dans le langage et le comportement, qui est conforme aux règles de civilité considérées comme les meilleures dans la société. Il existe un code traditionnel de bonne conduite en affaires appelé l'étiquette en affaires, que doit connaître et appliquer le personnel qui est en relation tant avec les clients externes qu'avec les clients internes.

Les règles d'étiquette nord-américaines et étrangères régissent les communications et le comportement tant dans le milieu de travail qu'à l'extérieur, en représentation. Elles ont pour but le respect des clients internes et externes. Plus précisément, elles ont trait à la ponctualité, aux sujets de conversation, aux critiques et aux compliments, au respect de la vie privée... De plus, s'il est appelé à entrer en communication avec des clients d'origine étrangère, le personnel de la relation client doit être au courant des règles d'étiquette des cultures en question.

3. Distinguer les différentes personnalités éprouvantes et se comporter de façon courtoise avec les divers types de clients.

Le sarcastique, le malhabile, la girouette, l'étroit d'esprit, la pomme pourrie ou encore le gros ego constituent des types de personnalités particulièrement éprouvantes pour le personnel de la relation client. Il importe de communiquer avec ces clients en s'en tenant aux faits, en exprimant diplomatiquement son ressenti face à la situation et en manifestant le maximum de courtoisie. Le personnel de la relation client doit aussi maîtriser les règles de base pour communiquer et se comporter de façon courtoise avec la clientèle du troisième âge, la clientèle adolescente et la clientèle d'origine étrangère.

4. Appliquer les règles d'étiquette propres à la téléphonie et à la télécopie.

Avec les clients internes et externes, il faut respecter les règles d'étiquette propres à l'utilisation du téléphone et du télécopieur. Ces règles régissent notamment les moments opportuns pour prendre des appels et mettre quelqu'un en attente. En matière de télécopie, elles concernent les moments opportuns pour leur envoi, les procédures à respecter et la confidentialité des informations télécopiées.

5. Expliquer ce qu'est la nétiquette et adopter ses principes.

Il existe des règles particulières concernant les communications avec les nouvelles technologies, notamment le courriel et la messagerie instantanée. On parle ainsi de nétiquette. Ces règles régissent la mise en page, le langage, la diffusion et la gestion des courriels ainsi que la rédaction et l'utilisation des messageries instantanées. Le but est toujours de communiquer avec la clientèle avec respect et de donner une bonne image de l'entreprise.

MOTS CLÉS

Binette (p. 248)	*Emoticon*
Chronotaxie (p. 226)	*Chronemics*
Communication non verbale (p. 219)	*Non verbal communication*
Débit élocutoire (p. 220)	*Flow of speech*
Étiquette en affaires (p. 231)	*Business etiquette*
Gestuelle (p. 227)	*Gestures*
Haptique (p. 224)	*Haptics*
Kinesthésie (p. 227)	*Kinaesthesia*
Message incendiaire (p. 246)	*Flame mail*
Messagerie instantanée (MI) (p. 250)	*Instant messaging (IM)*
Nétiquette (p. 245)	*Netiquette*
Paralinguistique (p. 219)	*Paralinguistics*
Programmation neurolinguistique (p. 231)	*Neurolinguistic programming*
Proxémie (p. 222)	*Proxemics*
Tonie (p. 221)	*Pitch*
Verbal (p. 219)	*Verbal*

QUESTIONS DE RÉVISION

Pour les 11 premières questions, répondez par vrai ou faux. Si vous croyez que l'énoncé est faux, expliquez pourquoi.

1. Cela fait parvenu d'inscrire ses titres sur une carte professionnelle destinée à des étrangers.

2. Dans tous les pays, la philosophie est qu'on vit pour travailler et non le contraire.

3. En affaires, la proxémie (distance entre deux interlocuteurs) est la même partout.

4. Faire «psitt» pour interpeller quelqu'un en public n'est pas poli, ici comme ailleurs.

5. La femme d'affaires qui rencontre des étrangers peut toujours s'habiller comme elle le désire : tailleur avec pantalon, couleurs criardes, décolleté, etc.

6. La poignée de main est la forme de salutation universelle en affaires.

7. Dans tous les pays du monde, il est correct de garder ses mains dans ses poches.

8. Dans tous les pays, quand on vous remet une carte professionnelle, la meilleure chose à faire, c'est de la placer dans votre portefeuille.

9. Le pouce en l'air signifie «d'accord, très bien» partout sur la planète.

10. L'humour est une stratégie universelle pour détendre l'atmosphère.

11. Dans un courriel, on peut mettre une idée importante en relief en écrivant les mots en majuscules.

12. «Moi, les gens âgés, je leur parle toujours plus fort», déclare Mélanie. Que lui répondriez-vous ?

13. Pour Kevin, «M. Chang [client d'origine chinoise] a semblé très heureux de ma présentation. Il souriait tout le temps». Qu'en pensez-vous ?

14. Quelle orientation du corps est à privilégier lors d'un face à face avec un client ?

15. Vous avez une réunion, mais attendez un appel important sur votre cellulaire. Que devez-vous faire ?

ATELIERS | PRATIQUES

1. Le courriel ci-dessous respecte-t-il les règles de la nétiquette? Justifiez votre réponse.

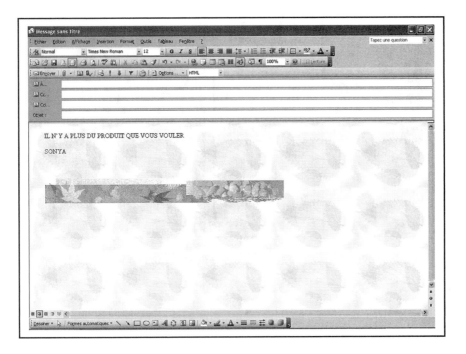

2. Votre collègue de travail Nathalie n'en peut plus: «Je ne sais plus quoi faire avec M. Chevalier. Chaque fois qu'il téléphone au bureau, j'en ai au moins pour une demi-heure. Je suis écœurée de l'entendre parler de ses maladies! » Que lui conseillez-vous?

3. Durant une rencontre avec un client, vous avez soudain envie d'éternuer. Comment faites-vous pour rester courtois?

4. En équipe, allez sur le site Internet *The Web's leading resource for International Business Etiquette and Manners*, à l'adresse suivante: cyborlink.com/besite/. Choisissez un pays et étudiez, pour en faire une présentation à la classe, les règles d'étiquette en affaires de ce pays. Penchez-vous en particulier sur les particularités des communications, la notion du temps, les salutations, les cadeaux à offrir, le comportement à table, etc.

5. Examinez chacune de ces photos. Quels sentiments évoquent-elles ? Justifiez votre réponse.

Comment votre perception des sentiments exprimés peut-elle affecter votre capacité à bien servir les personnes ?

RETOUR SUR LA

MISE EN SITUATION

UNE PARURE QUÉBÉCOISE ?

Audrey Denault revient du séminaire sur la communication, l'étiquette et la courtoisie qu'on lui a demandé de suivre. Elle rencontre son supérieur :

« Monsieur Dufour, je tiens à vous présenter toutes mes excuses pour ma conduite. Je me rends maintenant compte combien cela a pu heurter des susceptibilités. Tout d'abord, sachez que j'ai pris des résolutions concernant ma garde-robe, dont une partie a pris le chemin des friperies. Ensuite, j'ai décidé de constituer une banque de courriels rédigés de façon très polie et très courtoise. Je vous garantis que nos clients se sentiront aux petits oignons avec moi, désormais ! Et puis, je limiterai mes conversations sur cellulaire aux périodes de pause et au lunch. Enfin, je me suis rendu compte que je devais rester ouverte aux autres cultures qui n'ont pas les mêmes manières informelles que nous.

— Je suis très heureux que vous manifestiez autant de bonne volonté à changer, Audrey. Nous avons beaucoup investi en vous. C'est rassurant de voir que nos efforts porteront leurs fruits. »

Les plaintes,
les réclamations
et les clients difficiles

*Les conséquences de la colère sont beaucoup plus graves
que ses causes.*

Marc Aurèle, empereur romain

>> *OBJECTIFS D'APPRENTISSAGE*

Après avoir étudié ce chapitre, vous pourrez :

1. **Expliquer les notions et principes liés aux plaintes
et aux réclamations.**

2. **Mettre en place un système de gestion des plaintes
et des réclamations.**

3. **Repérer et distinguer les comportements des clients
insatisfaits afin d'agir en conséquence.**

4. **Suivre les étapes du processus de gestion d'un client
difficile.**

5. **Distinguer les types de caractères au sein de la clientèle
interne.**

6. **Interagir avec la clientèle interne en évitant les pièges
les plus courants.**

MISE EN SITUATION

WILFRID ET YVETTE TESSIER AU MAGASIN DE MEUBLES LOCAS & GÉLINAS

Locas & Gélinas est une entreprise de vente de meubles de 50 ans qui compte deux magasins et 20 employés. La clientèle est régionale (rayon d'action de 100 km) et elle visite en majorité le magasin situé dans un grand centre commercial (le second magasin est situé dans la rue principale du chef-lieu de la région). En semaine, l'achalandage est de 80 à 150 clients par jour pour les deux établissements. Le samedi, il est de plusieurs centaines de personnes. La plupart des employés de la relation client travaillent chez Locas & Gélinas depuis au moins cinq ans. L'entreprise ne donne aucune formation, mais encourage fortement son personnel à s'inscrire à une formation en service à la clientèle donnée par le cégep de la région, dont elle rembourse complètement les frais en cas de réussite. Depuis huit mois, vous êtes adjoint au service à la clientèle, sous la responsabilité de Nathalie Gélinas, dans le magasin du centre commercial. Vous comptez sur votre scolarité collégiale pour gravir les échelons au sein de l'entreprise, qui prévoit une expansion dans la région voisine au cours des deux prochaines années.

Ce samedi matin, Wilfrid et Yvette Tessier, qui habitent la région depuis plus de 30 ans et sont de fidèles clients, entrent dans le magasin pour se diriger directement vers le comptoir du service à la clientèle. À leur approche, vous leur souriez, leur dites «Bonjour!» et offrez de les aider.

— Wilfrid Tessier (*sans salutation préalable*) : Où est Nathalie Gélinas?

— Vous (*souriant*) : Nathalie est en congé aujourd'hui.

— W. Tessier : Où est Albert Locas, l'autre propriétaire?

— Vous (*toujours souriant*) : Il a dû se rendre à l'autre magasin. Puis-je vous aider?

— Yvette Tessier : Nous avons acheté un sofa-lit ici. Quand on nous l'a livré, j'ai trouvé un gros trou dans le matelas. Mon fils et sa femme viennent nous visiter la semaine prochaine. Je ne peux pas les faire dormir sur cette vieillerie; elle me fait bien trop honte!

— W. Tessier : Je ne peux pas croire que vous avez pu nous vendre un citron de même à nous autres, des clients fidèles! Avez-vous idée de tout ce qu'on a pu dépenser chez vous pendant 30 ans? Pour la maison? Pour notre chalet?

— Vous : Trente ans, c'est tout un témoignage de fidélité! Je suis vraiment désolé. J'ai du mal à croire que notre entrepôt ait pu vous livrer un meuble endommagé.

— W. Tessier (*élevant la voix*) : Ben, c'est ce qu'ils ont fait! Je viens juste de vous le dire!

— Vous : Excusez-moi, monsieur, je ne disais pas ça pour mettre votre histoire en doute. Je trouve simplement que c'est surprenant. Avez-vous votre facture? Je vais voir ce que je peux faire.

— Y. Tessier : Il nous faut absolument un autre sofa-lit avant mercredi! Ma bru vient d'une famille très à l'aise! Je ne peux pas la faire dormir sur la vieillerie que vous nous avez livrée.

— Vous : Oui, madame. Je suis sûr que nous pouvons régler le problème.

— Y. Tessier (*énervée*) : Je veux un sofa neuf avant mercredi, avez-vous bien compris? La fois d'avant, quand on a acheté des meubles chez vous, vous aviez fait une erreur déjà. J'aurais dû savoir à ce moment-là que je ne pouvais plus vous faire confiance!

— Vous : Je suis vraiment désolé pour les inconvénients que cela vous cause. Je vous assure que je peux régler ça. Montrez-moi votre facture, et je m'en occupe!

— W. Tessier : Euh! Je vais aller voir si je ne l'ai pas laissée dans l'auto. Yvette, attends-moi ici avec le jeune!

Au bout de quelques minutes, Wilfrid Tessier revient avec sa facture.

— Vous : En regardant votre facture, je crois comprendre pourquoi le matelas de votre sofa-lit est endommagé. C'est un modèle de plancher réduit de 50% et vendu tel quel.

— Y. Tessier (*indignée*) : Comment ça, «réduit de 50% et vendu tel quel»? On a payé cher pour ce sofa-là!

— Vous : Oui, madame. Mais son prix était grandement réduit à cause du dommage justement.

— W. Tessier : Ben, personne ne nous a dit qu'il était endommagé! Je veux parler à Albert Locas, tout de suite! Appelez donc l'autre magasin!

— Vous : Je crois que j'ai une idée! Nous avons un autre sofa exactement comme le vôtre qui est en solde. Si nous faisions un échange avec votre matelas endommagé pour... disons, 50 dollars seulement, comme vous avez déjà eu un rabais de 50%, vous feriez encore une économie de plusieurs centaines de dollars par rapport au prix de détail initial. On pourrait vous livrer le matelas dès lundi, avant la visite de votre fils et de sa femme. Qu'en pensez-vous?

— W. Tessier: Ben, j'sais pu trop. Je ne voulais pas dépenser plus d'argent.

— Y. Tessier: Wilfrid, je me rappelle maintenant. Le jeune vendeur nous avait dit que nous avions un prix spécial à cause d'un dommage mineur.

— W. Tessier: Ouais, peut-être. Mais je ne pensais pas qu'il s'agissait d'un trou gros de même!

— Vous: Je suis vraiment désolé de cette incompréhension et je ne veux surtout pas que madame Tessier soit embarrassée. C'est pourquoi je vous propose cet échange. Qu'en pensez-vous?

— W. Tessier: OK! Mais vous êtes mieux de nous le livrer lundi!

— Vous (*souriant*): Oui, monsieur Tessier. Lundi, avant 15 h, ou je vous le livrerai moi-même!

— W. Tessier: Merci, le jeune!

10.1   GÉNÉRALITÉS SUR LES PLAINTES ET LES RÉCLAMATIONS

OBJECTIF 1

Expliquer les notions et principes liés aux plaintes et aux réclamations.

Comme le montre la mise en situation, le personnel de la relation client est appelé à gérer des situations qui ne sont pas toujours faciles. Dans cette première partie du chapitre, nous allons définir les notions de plainte et de réclamation et vous aider à en déterminer les origines afin de régler efficacement les problèmes.

PLAINTE OU RÉCLAMATION?

Si la langue anglaise n'utilise qu'un mot pour le fait d'exprimer son insatisfaction, *complaint*, la langue française, elle, en utilise deux, «plainte» et «réclamation», entre lesquels elle fait une distinction importante. On considère comme une **plainte** l'expression, par un client, de son insatisfaction concernant un produit ou un service. L'insatisfaction porte alors sur la relation entre le client et le personnel du service à la clientèle. Elle peut également porter sur la publicité frauduleuse, la livraison ou l'utilisation du produit ou du service. Le client qui se plaint est, plus que le client ordinaire, sensible aux «signaux[1]» de l'entreprise. Il veut être écouté et respecté. La **réclamation**, elle, est l'expression d'une insatisfaction concernant une erreur commise par l'entreprise, une omission ou un retard. Elle est aussi une demande de réparation et implique les services de comptabilité, de production (garantie), de réception ou de livraison. La satisfaction rapide et complète des réclamations est capitale pour une entreprise, sous peine de perdre sa clientèle.

Plainte (*complaint*)

Insatisfaction exprimée verbalement ou par écrit au sujet de la prestation d'un service par une entreprise.

Réclamation (*complaint*)

Action d'exiger le respect d'un engagement pris par une organisation. Réclamer une somme due, demander la livraison d'une commande dont la date prévue est dépassée, le remplacement d'un produit qui fonctionne mal ou sa réparation en vertu d'une garantie.

LES TROIS TYPES DE JUSTICE À RESPECTER

Les plaintes et les réclamations doivent se traiter avec justice et équité. Or, cette justice est tridimensionnelle. Il y a en fait trois types de justices: la justice distributive, la justice procédurale et la justice interactionnelle. Premièrement, la **justice distributive** répond au principe selon lequel il faut traiter tous les clients selon les mêmes règles, qui doivent être transparentes. Prenons le cas d'un professeur de cégep à qui des étudiants demanderaient une révision de notes. Pour agir selon le principe de la justice distributive, il doit revoir les travaux en s'appuyant sur les critères qu'il a utilisés pour corriger tous les travaux de la classe, critères qu'il a déjà dû communiquer à tous.

Justice distributive (*distributive justice*)

Principe de justice fondé sur l'équité entre les individus d'une société.

Justice procédurale
(*procedural justice*)

Principe de justice qui
concerne la procédure,
c'est-à-dire l'ensemble
des étapes à franchir, des
moyens à employer et
des méthodes à suivre
pour exécuter une tâche.

Justice procédurale
(*procedural justice*)

Principe de justice qui
concerne la procédure,
c'est-à-dire l'ensemble
des étapes à franchir, des
moyens à employer et
des méthodes à suivre
pour exécuter une tâche.

Justice interactionnelle
(*interactional justice*)

Principe de justice lié
à l'action réciproque entre
deux êtres, entre deux
phénomènes (par ex. : la vie
d'une entreprise est un flot
constant d'interactions
employeur-employés
ou employé-clients selon
les formes d'activités).

Deuxièmement, la **justice procédurale** concerne le processus, les étapes que le client doit suivre pour obtenir réparation. En effet, à quoi bon offrir une garantie à un client pour un produit ou un service inadéquat si ce dernier doit suivre un parcours d'obstacles pour en arriver là? Appels téléphoniques, courriels, lettres et visites constituent des pertes de temps et d'énergie importantes tant pour le client que pour l'entreprise. Surtout, elles suscitent beaucoup d'émotions négatives pour le client et nuisent ainsi à la réputation de l'entreprise. Si l'entreprise répare son erreur, doit-elle pour autant laisser un goût amer au client? Ne doit-elle pas plutôt profiter de l'occasion qui lui est donnée de fidéliser son client?

Troisièmement, le traitement des plaintes et des réclamations doit se faire dans un esprit de **justice interactionnelle**. Cela signifie que, étant donné sa sensibilité aux signaux de l'entreprise, le client qui se plaint a le droit d'être respecté. La manière d'accorder une compensation est autant sinon plus importante que la compensation elle-même, d'après une recherche effectuée par Chebat et Sluzarczyk[2]. Ainsi, dans la gestion des plaintes et des réclamations, il est important de tenir compte non seulement du processus lui-même, mais également des communications interpersonnelles durant le processus et divers types de comportements.

LES PLAINTES ET LES RÉCLAMATIONS : DES SIGNAUX DE NON-QUALITÉ

Il faut traiter les plaintes et les réclamations de façon spéciale, car elles sont pour l'entreprise ni plus ni moins que des signaux de non-qualité concernant ses produits et services. Ainsi, l'entreprise doit avoir un système de gestion des plaintes et des réclamations qui non seulement permette un traitement rapide et efficace, mais aussi fasse en sorte qu'elle retire des leçons des problèmes évoqués pour améliorer sa prestation de service.

Le but de l'entreprise est de réduire les plaintes et les réclamations qu'elle reçoit. Pour ce faire, elle doit améliorer sa gestion, trouver des solutions adéquates aux problèmes. Par exemple, s'il s'agit d'une erreur de prix, elle peut, pour minimiser les risques, recourir à des fiches de commande informatisées. S'il s'agit d'une erreur de produit dans la livraison, elle peut resserrer les contrôles du système de commande et de livraison. Pour les produits ayant des défauts, elle resserrera le contrôle sur la production et la livraison. Si le travail du personnel de la relation client est en cause, elle améliorera la formation. Pour une mauvaise date de livraison, elle pourra effectuer un contrôle d'inventaire et utiliser des fiches pour la livraison. S'il s'agit d'erreurs dans l'utilisation du produit, elle reverra ses stratégies d'information et veillera à faire un suivi auprès de la clientèle.

Lors de l'implantation ou de la révision du processus de la prestation d'un service, les plaintes et les réclamations sont inévitables. On peut cependant les anticiper, en réduire les répercussions au minimum et en profiter pour améliorer le service grâce à des mécanismes efficaces de gestion des plaintes et des réclamations. Ces mécanismes devraient respecter les trois types de justice énoncés précédemment.

OBJECTIF 2

Mettre en place un système
de gestion des plaintes
et des réclamations.

10.2 LE SYSTÈME DE GESTION DES PLAINTES ET DES RÉCLAMATIONS

Pour respecter le principe de justice distributive, l'entreprise doit fixer des règles et des normes pour une gestion équitable des plaintes. Pour respecter le principe de justice procédurale, elle doit viser la rapidité et l'efficacité pour les clients. Enfin, pour respecter le principe de justice interactionnelle, elle doit viser un haut niveau de qualité dans les communications avec la clientèle.

En fait, une gestion efficace des plaintes et des réclamations doit respecter les principes suivants (figure 10-1):

1. Elle doit reposer sur une vision systémique tenant compte de tous les acteurs concernés.

2. Elle doit appliquer des politiques et des procédures.

3. Elle doit s'appuyer sur un personnel suffisamment nombreux et formé.

4. Elle doit suivre une méthode efficace de collecte et d'utilisation des données sur les plaintes.

5. Elle doit recourir à un système de communication efficace entre les divers acteurs concernés.

6. Elle doit s'accompagner d'un système d'audit permettant d'en évaluer les résultats et d'effectuer les améliorations qui s'imposent.

Figure 10-1 Principes de base d'une gestion efficace des plaintes et des réclamations

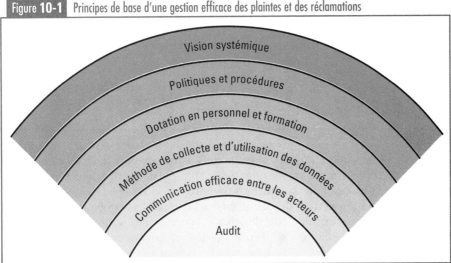

UNE VISION SYSTÉMIQUE TENANT COMPTE DE TOUS LES ACTEURS CONCERNÉS

Il faut considérer la gestion des plaintes et des réclamations de façon systémique, c'est-à-dire comme un système devant non seulement tenir compte des organismes de protection des consommateurs et des lois et règlements régissant le secteur d'activité économique, mais également des systèmes de traitement des plaintes des fabricants, des fournisseurs et des centres de services, et ce, dans le but de permettre un règlement satisfaisant des plaintes (figure 10-2, p. 260).

Comme pour tout ce qui a rapport à l'approche client (chapitre 1), la direction générale de l'entreprise doit directement participer au système de traitement des plaintes. Ainsi, un membre de la haute direction doit superviser le système pour en coordonner les composantes. À titre de responsable du système, il doit exercer une grande influence sur les décisions de l'entreprise. Il peut, par exemple, conseiller l'entreprise sur ses politiques ou sur l'abandon d'une ligne de produits à la suite de plaintes.

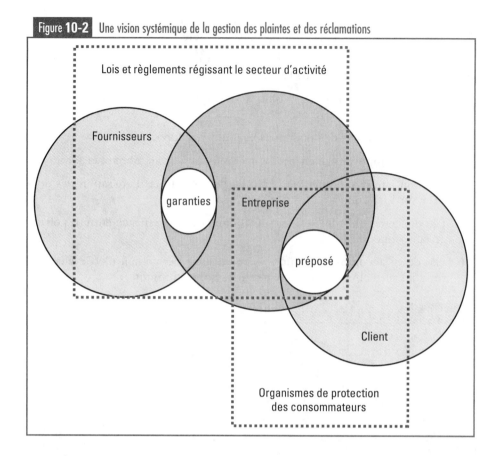

Figure **10-2** Une vision systémique de la gestion des plaintes et des réclamations

Le système de gestion des plaintes et des réclamations doit être conçu de façon à faciliter le cheminement de la plainte. Si plusieurs divisions d'une entreprise doivent participer au traitement d'une plainte ou si la plainte doit être transmise aux centres de services des fabricants, le personnel s'occupant du traitement des plaintes doit assurer une coordination efficace et être en mesure d'informer le client sur le traitement de sa plainte à tout moment du processus.

DES POLITIQUES ET DES PROCÉDURES

Toute entreprise doit instaurer une politique par laquelle elle s'engage formellement à satisfaire les clients : c'est la « promesse de service » présentée au chapitre 3. Elle doit diffuser cette politique par écrit à tous ses employés.

En rapport avec cette promesse de service, un nombre croissant d'organisations élaborent des politiques et des procédures pour le traitement des plaintes et des réclamations. En principe, ces politiques et ces procédures :

- Comprennent des lignes directrices claires pour la réception des plaintes.

- Indiquent quelles plaintes doivent être transmises à un supérieur, à la direction, à un autre service, au fabricant (dans le cas de commerces), au centre de services, etc.

- Comprennent des lignes directrices claires pour le règlement des plaintes.

- Fixent un délai maximal pour le règlement des plaintes.

- Indiquent quels employés doivent se charger du traitement des plaintes.

Le personnel de la relation client chargé du traitement des plaintes doit participer à l'élaboration de la politique de traitement des plaintes. Ses suggestions peuvent permettre d'éviter des problèmes répétitifs.

Les politiques et procédures relatives au traitement des plaintes et des réclamations doivent être écrites et diffusées à tous les membres du personnel concernés, en particulier les membres du personnel de la relation client. L'encadré suivant présente la politique de gestion des plaintes de PayPal (eBay). Vous remarquerez que le texte énumère ce que la politique couvre effectivement, précise la marche à suivre pour le client et les délais dont il dispose pour se plaindre.

www.paypal.com

PAYPAL : POLITIQUE DE PLAINTE DE L'ACHETEUR[3]

« **1. Généralités.** La Politique de plainte de l'acheteur PayPal couvre les biens achetés et non livrés, ainsi que les biens « non conformes aux spécifications » qui ont été achetés sur eBay et payés avec PayPal. **Les plaintes de l'acheteur doivent être déposées dans les 45 jours qui suivent le paiement** et, même si la réclamation de l'acheteur est justifiée, celui-ci ne récupérera ses fonds que si le compte du vendeur est approvisionné. **LE RECOUVREMENT DES FONDS LIÉ À VOTRE RÉCLAMATION N'EST PAS GARANTI.**

La Politique de plainte de l'acheteur de PayPal Europe Limited ne s'applique qu'aux biens tangibles et physiques qui peuvent être expédiés par la Poste, et exclut tout le reste, notamment, mais sans s'y limiter : biens immatériels, services, quasi-espèces et tout bien non tangible, non physique. En outre, les objets interdits par le Règlement sur les utilisations autorisées de PayPal ne sont pas éligibles pour la couverture. Un objet eBay est considéré comme étant notablement non conforme aux spécifications contenues dans l'annonce si le vendeur a clairement biaisé la description de telle façon que la valeur réelle ou l'utilisation de l'objet ne correspond pas à ce qui ressort de la description. Notez que cela ne comprend pas les cas où l'acheteur est simplement déçu par l'objet ou lorsque ce dernier ne répond pas à toutes ses attentes. Si vous déposez une réclamation concernant un objet notablement non conforme aux spécifications, il vous sera généralement demandé de renvoyer l'objet au vendeur à vos propres frais.

Pour les transactions sur eBay qualifiées, PayPal applique automatiquement le programme standard de protection des achats d'eBay. Il n'est pas nécessaire d'effectuer une réclamation auprès d'eBay. Veuillez consulter eBay pour des détails et pour les conditions requises.

Devise du paiement PayPal d'origine	Paiement maximum	Frais de traitement eBay
Dollars USD	$200,00 USD	$25,00 USD
Dollars canadiens	$315,00 CAD	$40,00 CAD
Euros	€200,00 EUR	€25,00 EUR
Livres sterling	£120,00 GBP	£15,00 GBP
Dollars australiens	$400,00 AUD	$25,00 AUD
Yens	¥22 000 JPY	¥2 800 JPY

2. Dépôt d'une réclamation. Avant de déposer une réclamation, veuillez contacter le vendeur pour essayer de résoudre le litige. Si vous ne parvenez pas à résoudre le litige de cette façon, déposez une réclamation auprès du Service clientèle de PayPal.

PayPal contactera le vendeur et enquêtera à partir de votre réclamation. Si la réclamation concerne la non-livraison de biens, le vendeur doit présenter une preuve d'expédition appropriée à l'adresse spécifiée par l'acheteur. Si la réclamation est acceptée, PayPal cherchera à récupérer les fonds auprès du vendeur. PayPal peut également restreindre l'accès du vendeur à son compte PayPal. Si un même compte fait l'objet de plusieurs réclamations, ces dernières seront traitées dans l'ordre de leur réception. Vous serez habilité à encaisser tous les fonds que nous serons en mesure de collecter auprès du vendeur avant que l'état du compte du vendeur n'ait été changé en accès restreint. LE RECOUVREMENT DES FONDS LIE À VOTRE RÉCLAMATION N'EST PAS GARANTI.

Les réclamations doivent être déposées dans les 45 jours qui suivent la date de paiement. Vous ne pouvez déposer qu'une seule réclamation par transaction. Nous nous efforcerons de traiter la réclamation sous 30 jours à partir de la date de dépôt, mais ce délai peut éventuellement être rallongé pour les besoins de l'enquête. Cette politique s'applique uniquement aux biens physiques et tangibles, et exclut toutes les autres ventes et tous les autres services, conformément aux dispositions de la section 1 ci-dessus.

3. Transactions par carte bancaire. La Politique de protection des acheteurs ne remplace ni ne réduit les droits des utilisateurs, y compris les droits d'annulation qui peuvent être accordés par l'émetteur de la carte bancaire d'un utilisateur. Vous reconnaissez que nous ne contrôlons pas l'issue des décisions d'annulation prises par l'émetteur de la carte bancaire d'un utilisateur.

Nous encourageons le dépôt et la résolution de tous les litiges liés aux achats via le processus de résolution des litiges de PayPal, et il est demandé aux acheteurs d'identifier dans leur réclamation le règlement PayPal sur lequel ils s'appuient (le cas échéant). Nous nous réservons le droit de résilier ou de restreindre les privilèges d'accès aux comptes des acheteurs dans l'un des cas suivants : abus par un acheteur de la procédure d'annulation offerte par la banque émettrice de l'acheteur ; dépôt d'un rejet de débit contre une transaction non autorisée ; défaut répété de mise en œuvre du Processus de plainte de l'acheteur avant de lancer toute autre procédure d'annulation fournie par la banque émettrice de l'acheteur. Si une plainte pour rejet de débit est déposée, suite à un litige ou pour toute autre raison, les parties acceptent de fournir au moment opportun tous les documents nécessaires à la résolution de l'annulation ou du litige à la partie qui le demande. PayPal N'AGIT PAS en tant qu'agent de l'une ou l'autre des parties dans aucune transaction et aucun litige, bien que nous contrôlions l'issue des litiges traités à l'aide du processus de résolution des litiges.

4. Droits réglementaires. La Politique de plainte de l'acheteur n'est nullement destinée à affecter vos droits réglementaires. »

UNE BONNE DOTATION EN PERSONNEL ET UNE FORMATION ADÉQUATE DES PRÉPOSÉS

Dotation en personnel (*staffing*)

Ensemble des actes administratifs qui relèvent de la gestion du personnel et qui visent à fournir à une organisation le personnel dont elle a besoin à court et à long terme[4].

Le service des ressources humaines a un rôle clé à jouer dans la gestion des plaintes du fait qu'il doit s'occuper de la **dotation en personnel** du service des plaintes et de la formation. En effet, il lui faut choisir soigneusement les employés qui seront chargés du traitement des plaintes en tenant compte de leur personnalité et de leur expérience. Comme l'illustre l'offre d'emploi présentée à la figure 10-3, les exigences sont habituellement les suivantes : DEC ou diplôme équivalent, expérience dans le

Figure **10-3**	Exemple d'offre d'emploi pour un préposé aux plaintes[5]

	Transat Tours Canada inc.
Employeur	Transat Tours Canada
Lieu de travail	Montréal
Réf. de l'offre	768

L'entreprise

•

Description du poste Le titulaire du poste répond aux plaintes des clients, documente les dossiers et soumet des propositions de règlements.

DESCRIPTION DE L'EMPLOI :

· Répondre aux réclamations des clients;
· Ouvrir des dossiers et expédier des accusés de réception et des lettres de réponses types aux clients;
· Analyser les réclamations des clients et enquêter sur les circonstances de l'incident;
· Faire parvenir des copies de plaintes aux divers fournisseurs et aux services concernés;
· Soumettre des propositions de règlements et négocier les règlements;
· Répondre à toute demande avant, durant ou après le voyage des passagers, selon les délais prévus.

■ **Détails**

Type de contrat	Temps plein
Date d'embauche	
Rémunérations	
Autres avantages	
Secteur d'activité	Voyages et tourisme
Catégorie d'emploi	Autres
Divers	

■ **Candidature**

Critères indispensables	Expérience en gestion des plaintes et en négociation de règlements ; · Parfait bilinguisme (oral et écrit); · Maîtrise du logiciel Word; · Grand sens de l'organisation et de la gestion du temps; · Bon esprit d'analyse; · Capacité à travailler sous pression et souci du détail; · Très orienté « service clientèle ».
Critères souhaités	· Connaissance de l'industrie du voyage.
Expérience professionnelle requise	2 ans
Expérience dans le secteur concerné	
Niveau d'étude	DEC
Domaine d'étude	
Langues requises	Français (Bilingue) Anglais (Bilingue)

Postuler en ligne

Référence interne

Téléphone
Télécopie (514) 987-9739

domaine concerné et dans la gestion des plaintes, capacité de gérer le stress (lire à ce sujet le chapitre 11), patience, entregent, empathie, excellentes habiletés en communication orale et écrite dans les langues de travail.

Le personnel chargé du traitement des plaintes et des réclamations doit avoir un statut égal à celui des autres employés de l'entreprise. Il doit recevoir une formation sur les lois sur la protection du consommateur, sur l'application des politiques de l'entreprise, sur les procédures de traitement des plaintes et sur les aptitudes de communication. Si le client est insatisfait de la façon dont l'entreprise a traité sa plainte, il peut s'adresser à des organismes tels que l'Office de la protection du consommateur ou le Bureau d'éthique commerciale. Les retombées médiatiques de certaines plaintes peuvent avoir des répercussions négatives sur l'image de l'entreprise. C'est pourquoi le personnel chargé du traitement des plaintes doit viser la satisfaction du client.

Dans certaines organisations publiques et parapubliques, la gestion des plaintes non résolues relève d'un médiateur qui portera invariablement le titre d'*ombudsman*, comme c'est le cas pour la Société Radio-Canada, ou de **protecteur du citoyen** (la plupart des provinces canadiennes ont un protecteur du citoyen).

web
www.opc.gouv.qc.ca
www.bbb-bec.com

web
www.radio-canada.ca/ombudsman
www.protecteurducitoyen.qc.ca

Protecteur du citoyen
(*ombudsman*)

Personne désignée pour surveiller et faire corriger les erreurs, les négligences, les injustices et les abus des ministères et organismes publics et parapublics.

Formulaire de plainte
(*complaint form*)

Document préétabli comportant des espaces où le client (ou le préposé) inscrit les renseignements relatifs à une plainte ou à une réclamation.

UNE MÉTHODE EFFICACE DE COLLECTE ET D'UTILISATION DES DONNÉES SUR LES PLAINTES

La plupart des organisations utilisent un formulaire normalisé pour obtenir du client qui porte plainte tous les renseignements nécessaires. Les figures 10-4 et 10-5 (p. 267) présentent des exemples de **formulaires de plainte**. Elles montrent que tout bon formulaire de plainte doit contenir au minimum les coordonnées détaillées du client et une description claire de l'objet de la plainte. De plus, elles indiquent que l'organisation peut se renseigner sur l'objet de la plainte en posant une question ouverte ou une série de questions à choix multiples permettant de mettre la plainte en contexte. Enfin, c'est soit le client, soit le préposé du service qui remplit le formulaire.

CONSIGNES POUR LA PERSONNE QUI RÉDIGE UNE PLAINTE

Si, en tant que préposé, vous devez remplir un formulaire de plainte et rédiger un texte pour expliquer l'objet de la plainte, ayez à l'esprit le fait que le lecteur ne dispose que de très peu de temps pour prendre connaissance du document. Ainsi, sachez où vous voulez en venir et dites-le directement. N'en écrivez pas trop, mais juste assez. Pour faciliter la lecture, rédigez des phrases courtes, faites de petits paragraphes, utilisez le souligné... Soyez le plus précis possible. Écrivez ainsi «une erreur de 1 245 $ sur la facture» plutôt qu'«une certaine erreur dans la facture». Employez un vocabulaire qui sera compris par tous les intervenants du système de traitement de la plainte. Enfin, faites attention à la qualité de votre langue écrite.

Figure 10-4 Formulaire de plainte d'un CHSLD et d'hôpitaux

FORMULAIRE DE PLAINTE

Veuillez indiquer pour quel installation

Hôpital Barrie Memorial ❑
CLSC Huntingdon ❑
Centre hospitalier du comté de Huntingdon ❑

Réservé à l'administration
Dossier de plainte # _____
Dossier de l'usager #_____

IDENTIFICATION DE L'USAGER

NOM	PRÉNOM	
NUMÉRO DE TÉLÉPHONE		

Adresse		LIEU OÙ L'USAGER PEUT ÊTRE REJOINT (DANS L'ÉTABLISSEMENT)
rue	municipalité	
province	code postal	

IDENTIFICATION DU REPRÉSENTANT DE L'USAGER (S'IL Y A LIEU)

Si, conformément à la loi, l'usager est représenté dans la formulation de la présente plainte, l'identification de son représentant (autre qu'une personne qui assiste l'usager ou qu'un intervenant) est requise :

NOM	PRÉNOM	
NUMÉRO DE TÉLÉPHONE		

Adresse		MOTIF DE LA REPRÉSENTATION
rue	municipalité	
province	code postal	LIEN DE PARENTÉ AVEC L'USAGER (S'IL Y A LIEU)

IDENTIFICATION DE LA PERSONNE QUI ASSISTE L'USAGER

Si, l'usager est assisté dans la formulation de sa plainte, l'identification de la personne qui l'assiste (autre que le représentant de l'usager ou qu'un intervenant) est requise :

NOM	PRÉNOM	
NUMÉRO DE TÉLÉPHONE		

Adresse		MOTIF DE LA REPRÉSENTATION
rue	municipalité	
province	code postal	LIEN DE PARENTÉ AVEC L'USAGER (S'IL Y A LIEU)

LA PLAINTE (Si l'espace est insuffisant, veuillez compléter sur une feuille annexée)

L'objet de la plainte : _____

_____

_____

_____

_____

(verso)

L'exposé des faits : _____

_____

_____

_____

_____

_____

_____

_____

_____

_____

_____

_____

Les résultats attendus de la plainte (s'il y a lieu) _____

_____

_____

_____

_____

Date :_____ Heure : _____

Signature de l'usager ou de son représentant : _____

Réservé à l'administration

- il s'agit d'une :

 _____ plainte écrite, datée et signée par l'usager ou par son représentant

 _____ plainte verbale enregistrée par le responsable des plaintes

 _____ plainte verbale enregistrée par _____

 et transmise au responsable des plaintes le _____ à _____

- Plainte reçue le _____ à _____

par _____

Responsable des plaintes

Figure 10-5 Formulaire de plainte de l'Association des déménageurs[6]

L'Association canadienne des déménageurs
Canadian Association of Movers

Formulaire de plainte

Pour déposer une plainte au sujet d'un déménagement récent, veuillez REMPLIR le formulaire suivant.

Ce formulaire devrait être rempli par la personne dont les biens ont été déménagés.

Si le déménageur est membre de l'ACD, l'ACD prendra les mesures suivantes :

- Elle enregistrera la plainte.
- Elle recommandera les mesures appropriées à prendre.
- Elle recommandera au déménageur de répondre et de résoudre le problème.
- Le cas échéant, elle recommandera à la ligne de transport affiliée de résoudre le problème.
- Elle informera le consommateur des mesures qu'elle aura prises en son nom et des réponses qu'elle aura reçues.
- Le cas échéant, elle aura recours à l'arbitrage d'un organisme indépendant comme le Bureau d'éthique commerciale.

Si le déménageur n'est pas membre de l'ACD, l'ACD prendra la mesure suivante :

- Elle enregistrera la plainte pour avertir les autres consommateurs.

Plaignant

Nom

Adresse

Ville ___ Prov. ___ Code postal ___

Téléphone

Télécopieur

Courriel

Déménageur

Compagnie

Personne contact

Adresse

Ville   Prov.   Code postal

Téléphone

Télécopieur

Courriel

Comment avez-vous trouvé ce déménageur?

| Pas de réponse | Autre :

Pourquoi avez-vous choisi ce déménageur?

Date du déménagement

	Date prévue (jj/mm/aaaa)	Date réelle – si différente de la date prévue (jj/mm/aaaa)
Emballage		
Chargement		
Livraison		

Avez-vous une copie du contrat de déménagement?

| Pas de réponse |

Comment avez-vous payé la facture du déménagement?

> Pas de réponse

Décrivez comment vous avez payé si votre plainte porte au moins en partie sur le paiement :

Nature de la plainte

> Pas de réponse

Décrivez la plainte :

Qu'avez-vous fait pour résoudre le problème?

- ⦿ Rien
- ◯ J'ai communiqué avec le déménageur   Date :
- ◯ J'ai communiqué avec le Bureau d'éthique commerciale   Date :
- ◯ J'ai communiqué avec une agence gouvernementatle   Date :
- ◯ Autre

Décrivez les choses que vous avez faites pour résoudre le problème :

Décrivez les mesures prises par le déménageur pour résoudre le problème :

À qui avez-vous parlé lorsque vous avez porté plainte à la compagnie de déménagement?

Qu'est-ce qui serait, à votre avis, une solution équitable étant donné la situation?

Qu'est-ce qu'on vous a offert?

Nous vous remercions d'avoir rempli ce formulaire.

Cliquer UNE FOIS pour envoyer

Page d'accueil de l'ACD

UN SYSTÈME DE COMMUNICATION EFFICACE ENTRE LES DIVERS ACTEURS CONCERNÉS

Lorsque la plainte ne peut être traitée immédiatement et directement, il doit exister un système de communication avec le client qui soit rapide et efficace (par téléphone, lettre personnalisée ou courriel). La politique d'eBay/PayPal (p. 261) prévoit ce genre de système. La figure 10-6 illustre les communications qui doivent se faire lors du processus de gestion des plaintes.

Figure **10-6** Les communications lors du processus de gestion des plaintes

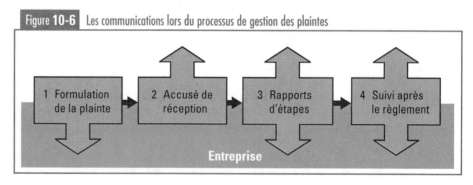

La communication avec le client est nécessaire pour :

- Accuser réception de la plainte formulée par écrit.

- Renseigner le client sur le règlement de sa plainte (qui dépend d'une bonne communication avec les services de l'entreprise concernés par la plainte).

- Vérifier si un client est satisfait du règlement de sa plainte.

- Tenir le client informé au moyen de rapports d'évolution, lorsque la plainte ne peut être traitée dans un délai raisonnable (ce qui implique une bonne communication entre les employés concernés par le traitement de la plainte).

Lorsque le règlement de la plainte par l'entreprise ne lui donne pas satisfaction, le client peut faire appel à une autorité extérieure. Il peut recourir à un organisme tel que l'Office de la protection du consommateur, le Bureau d'éthique commerciale ou une association de détaillants afin qu'il intervienne comme tierce partie dans l'arbitrage, la conciliation ou la médiation. Il existe de nombreux sites Web d'aide au consommateur qui conseillent sur la façon de formuler une plainte, notamment la section « Déposez une plainte » de la *Passerelle d'information pour le consommateur canadien.*

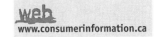
www.consumerinformation.ca

En son sein, l'entreprise doit confier la responsabilité et l'autorité concernant le traitement des plaintes et des réclamations à une personne ou à un service accessible aux consommateurs durant les heures d'ouverture du commerce. Pour donner une bonne image d'elle-même, elle a tout intérêt à faciliter la tâche des clients désirant déposer une plainte en leur indiquant où et comment le faire et à qui s'adresser. Elle peut pour cela utiliser des affiches, par exemple.

En cherchant à établir un véritable dialogue avec les clients, l'entreprise améliore son système de gestion des plaintes. La capacité d'écoute est quelque chose d'important pour les clients. Mais surtout, l'envoi rapide d'un accusé de réception est considéré comme un minimum. Avec Internet, les clients se disent que cela ne coûte rien de répondre à leurs demandes. Si l'entreprise peut utiliser Internet, par la célérité de ses réponses, elle fait savoir aux clients qu'elle est responsable et qu'elle se soucie d'eux. On ne peut fidéliser ses clients sans leur montrer qu'ils sont intéressants, qu'ils ont de l'importance.

Clavardage (*chat*)
Activité permettant à un internaute d'avoir une conversation écrite, interactive et en temps réel avec d'autres internautes, par clavier interposé[8].

L'entreprise doit mettre en place un système de gestion des courriels des clients. Si elle possède un site Web, elle doit être proactive, mettre en place des zones de **clavardage** et organiser des **forums de discussion** avec des dispositifs de suivi. Ces outils permettent de répondre en direct et à moindre coût aux commentaires et aux plaintes des clients. Des firmes telles que Cybion Online Business Intelligence offrent des services de veille stratégique pour les forums de discussion notamment. Les forums peuvent réunir des professionnels ou des amateurs sur des sujets très variés, dans un contexte de travail ou de loisir. Ils découlent des groupes d'intérêt spéciaux (GIS ou, en anglais, SIG pour *special interest groups*), mais sont différents de ceux-ci, car non seulement ils débordent le domaine de l'informatique, mais ils sont axés sur la discussion plutôt que sur l'échange de renseignements. Bien qu'ils puissent emprunter un canal IRC, les échanges dans un forum se distinguent du clavardage dans la mesure où ils se font normalement entre plus de deux personnes, ne sont pas menés à bâtons rompus et sont forcément thématiques, ce qui n'est pas toujours le cas du clavardage[7]. Comme nous l'avons vu au chapitre 5, des forums bien organisés peuvent remplacer les groupes de discussion traditionnels.

web
www.cybion.com

Forum de discussion (*forum*)
Service offert par un serveur d'information ou un babillard électronique dans un réseau comme Internet et qui permet à un groupe de personnes d'échanger leurs opinions, leurs idées sur un sujet particulier, en direct ou en différé, selon des formules variées (liste de diffusion, canal IRC, etc.)[9].

UN SYSTÈME D'AUDIT PERMETTANT D'ÉVALUER LES RÉSULTATS ET DE METTRE EN ŒUVRE LES AMÉLIORATIONS QUI S'IMPOSENT

Les formulaires de plaintes remplis par les clients ou le préposé sont acheminés aux personnes concernées. Il importe de mettre en place un système de suivi des plaintes et d'établir pour ce faire une distinction entre les plaintes réglées, les plaintes en cours de règlement et les plaintes transférées à un autre service.

À l'instar du système de démérite de Fedex que nous avons vu au chapitre 5, l'organisation doit classer les plaintes dans des catégories précises pour pouvoir en faire rapidement une analyse. À partir des statistiques concernant les plaintes, elle pourra préparer périodiquement des rapports (voir la section « Les outils

www.fedex.com

fondamentaux de la gestion intégrale de la qualité» dans le chapitre 4). Elle pourra de plus diffuser les rapports à tous les services de gestion. Les rapports sur les plaintes permettent à la direction d'une organisation non seulement de cerner et de prévenir des problèmes, mais également d'effectuer un contrôle de la qualité des produits et des services.

Comme tout autre système de gestion au sein de l'entreprise, le système de gestion des plaintes doit faire l'objet d'un **audit**, d'une vérification et d'une révision périodiques. Dans un premier temps, il faut procéder à l'examen des dossiers concernant les plaintes afin d'évaluer le pourcentage de plaintes réglées de façon satisfaisante, mais aussi les délais de réaction et la qualité des réponses données aux clients.

Dans un deuxième temps, il faut observer le comportement du personnel de traitement des plaintes dans les face à face, au téléphone et dans les communications écrites. L'organisation peut également recourir aux méthodologies de mesure de l'efficacité du service à la clientèle que nous avons exposées au chapitre 5 pour évaluer l'efficacité du service des plaintes. Elle peut ainsi employer des clients-mystère qui porteront plainte ou encore enregistrer les conversations téléphoniques des préposés aux plaintes avec la clientèle. Cela lui permettra par la suite de fournir une rétroaction constructive aux employés.

Enfin, dans un troisième temps, il faut interroger les clients au sujet de leur satisfaction à l'égard du système de traitement des plaintes. Toute entrevue menée tôt après le constat de la défection d'un client peut permettre d'efficaces démarches de récupération.

Les données que l'organisation obtient grâce à l'audit l'aideront à améliorer son système de gestion des plaintes, à élaborer des projets pour répondre aux besoins dans ce domaine, notamment à prévoir un budget approprié et un personnel suffisant en fonction de la charge de travail projetée et des normes de rendement. Enfin, si l'audit permet de constater que certaines plaintes sont récurrentes, l'organisation pourra donner des conseils de résolution dans un livret d'instructions pour les produits ou services concernés ou encore dans une **foire aux questions (FAQ)** sur son site Web. La figure 10-7 présente, à titre d'exemple, la foire aux questions d'HBC, sur Internet.

Audit (*audit*)
Diagnostic réalisé au moyen d'études, d'examens systématiques et de vérifications dans le but d'émettre un avis ou de proposer des mesures correctives durables.

www.hbc.com

Foire aux questions, FAQ
(*Frequently Asked Questions file*)
Fichier constitué des questions les plus fréquemment posées par les internautes novices ainsi que des réponses correspondantes[10].

10.3 LES TYPES DE COMPORTEMENTS DES CLIENTS INSATISFAITS

OBJECTIF | 3

Repérer et distinguer les comportements des clients insatisfaits afin d'agir en conséquence.

Client insatisfait (*dissatisfied customer*)
Client externe pour qui l'entreprise offre un produit ou un service ne répondant pas à ses attentes minimales et qui éprouve donc de la frustration.

Comme nous l'avons vu au chapitre 1, en général, 50% des consommateurs font part de leur insatisfaction au personnel de la relation client. Le taux grimpe à 75% pour les transactions effectuées entre deux entreprises. Les **clients insatisfaits** peuvent exprimer leur mécontentement de diverses façons allant de la simple plainte à la poursuite légale (figure 10-8, p. 274). Plusieurs chercheurs se sont penchés sur le profil des clients insatisfaits. Ils ont découvert que le fait de se plaindre dépendait des expériences du client, de ses connaissances concernant les pratiques déloyales et de ses connaissances des droits des consommateurs. Ceux qui décident de se plaindre sont motivés par les raisons suivantes :

■ Ils perçoivent qu'ils ont un avantage à se plaindre.

■ Ils ont le sentiment qu'ils seront traités avec équité.

■ Ils considèrent que la plainte est suffisamment importante pour que l'entreprise en soit informée.

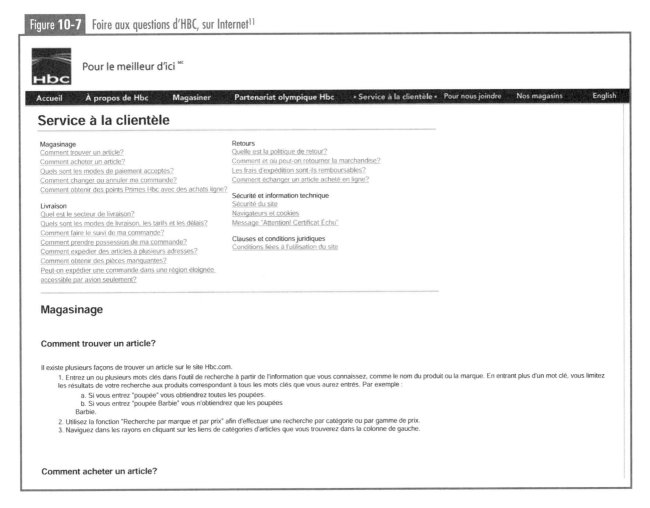

Figure **10-7** Foire aux questions d'HBC, sur Internet[11]

De plus, à partir de l'ensemble des recherches sur le sujet, Marcel Alain[13] a dégagé quatre profils de comportements pour les clients insatisfaits : l'eau dormante, le gérant d'estrade, le klaxon et le procédurier.

L'EAU DORMANTE

Le client correspondant au profil de l'eau dormante est peu disposé à exprimer ses plaintes. Au représentant du service à la clientèle, il n'exprimera aucune volonté d'action telle qu'aller chez un concurrent, même s'il finit par le faire.

Ayant le premier contact avec la clientèle, le personnel de la relation client doit reconnaître ce type de comportement, en interprétant judicieusement le langage non verbal. Il pourra ainsi amener le client à exprimer ouvertement son insatisfaction, puis gérer et récupérer la situation.

LE GÉRANT D'ESTRADE

Le client correspondant au profil du gérant d'estrade est direct et souhaite avoir l'occasion de présenter son point de vue. Il n'a pas tendance à utiliser les services d'une tierce partie pour communiquer son insatisfaction (avocat, journaux, protection du consommateur). De plus, il est peu intéressé à diffuser son insatisfaction dans son réseau d'influence. Enfin, il est peu enclin à changer de fournisseur.

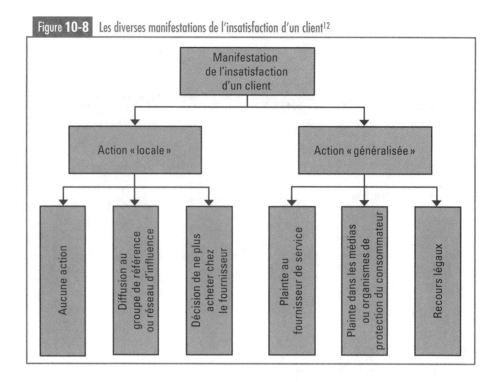

Figure 10-8 Les diverses manifestations de l'insatisfaction d'un client[12]

Il convient de gérer la plainte de ce type de client en offrant une compensation qui le fidélisera. Après tout, ce type de client aide l'entreprise à améliorer la qualité de la prestation de ses services.

LE KLAXON

Le client correspondant au profil du klaxon cesse de faire affaire avec une entreprise quand il n'est pas satisfait. Il préfère exprimer son insatisfaction à son réseau d'influence plutôt qu'à l'entreprise directement. Cependant, il tend à montrer de l'agressivité à l'employé de service. Il n'est pas du tout disposé à utiliser une tierce partie au sein de l'entreprise pour exprimer son insatisfaction.

Les employés du service à la clientèle doivent être formés pour repérer ce type de clients et savoir comment agir avec eux. L'une des stratégies à utiliser ici consiste à mener une entrevue en profondeur (chapitre 5).

LE PROCÉDURIER

Le client correspondant au profil du procédurier a tendance à vouloir recourir à une tierce partie (organisme de protection du consommateur, avocat, etc.) pour exprimer son insatisfaction. Il peut aussi se plaindre directement à un employé de l'organisation. Il est porté à se diriger vers un concurrent et à exprimer son insatisfaction dans son réseau d'influence.

Le personnel de la relation client doit être en mesure de repérer ce type de client de façon à entreprendre tôt des démarches de récupération.

En matière de gestion des plaintes et des réclamations, il est relativement facile de communiquer et d'arriver à une entente avec les clients de type «eau dormante» et «gérant d'estrade». Par contre, cela peut être difficile avec les clients de type «klaxon» et «procédurier». Nous allons voir comment agir avec ces derniers.

10.4 COMMENT VENIR À BOUT D'UN CLIENT DIFFICILE

>> OBJECTIF 4

Suivre les étapes du processus de gestion d'un client difficile.

Nous avons tous dans notre entourage une connaissance que nous redoutons au point de tomber dans les affres de l'angoisse à la simple vue de son nom sur l'afficheur du téléphone qui sonne ! Parfois, nous pouvons perdre le contrôle avec ce genre d'individu. Certains indices avant-coureurs annoncent une telle perte de contrôle : raideur dans le cou, crispation des épaules ; mouvement de recul au seul son de sa voix ; mal de tête, sentiment de colère ; éruption cutanée. Nous pouvons alors adopter un ton cassant, élever inutilement la voix, prendre un ton de voix forcé, grincer des dents. Bref, nous n'avons qu'une seule envie : fuir ! Pourtant, il faut tôt ou tard faire face à ces individus. Pour cela, que ce soit un ami, un collègue de travail, un client externe ou interne, il faut suivre un processus particulier pour maîtriser la situation, négocier de manière à ce que la relation problématique ne prenne pas des allures de guérilla.

Voici donc six étapes – pas nécessairement faciles ! – pour venir à bout des individus à la personnalité difficile :

1. Laisser la personne exprimer sa frustration.

2. Ne pas se laisser emporter dans la spirale du négativisme.

3. Manifester de l'empathie.

4. Amorcer une démarche active de résolution de problème.

5. Parvenir à une solution acceptable pour les deux parties.

6. Effectuer un suivi.

LAISSER LA PERSONNE EXPRIMER SA FRUSTRATION

La première étape avec une personne difficile consiste à laisser cette dernière exprimer toute sa frustration. Une personne insatisfaite, frustrée a tout d'abord besoin d'exprimer de ce qu'elle ressent, puis veut que son problème soit résolu. Le client mécontent de type «klaxon» ou «procédurier» a tendance à s'emporter avec le premier représentant de l'entreprise fautive à ses yeux, que ce soit en personne ou au téléphone. Dans certains services à la clientèle, on considère les frustrés et leurs accès de colère comme une perte de temps et on a tendance à vouloir interrompre rapidement l'expression de la frustration dans le but de résoudre au plus vite le problème. Ce n'est pourtant pas la meilleure attitude à adopter. En effet, il vaut mieux rester bouche cousue, car interrompre le client ne fait souvent qu'envenimer les choses. Les expressions du style «Vous devez vous tromper !», «Vous devriez…», «Jamais nous ne…», «Ce n'est pas notre politique de…» sont ainsi à éviter absolument.

Si vous avez affaire à une personne frustrée, prenez plutôt une grande inspiration et concentrez-vous sur le problème plutôt que sur la colère qui s'exprime. Montrez à la personne, de façon non verbale, que vous êtes à son écoute : en opinant de la tête, en maintenant un contact

Réclamation Service client

Le patron me dit de ne pas le « prendre personnel » : c'est à l'entreprise qu'il en voulait, pas à moi !

visuel, en acquiesçant par des «hum hum». Ne prenez surtout pas la colère et les jurons de la personne de manière personnelle. Gardez toujours en tête qu'elle ne vous vise pas, vous, mais le service, l'entreprise que vous représentez.

NE PAS SE LAISSER EMPORTER DANS LA SPIRALE DU NÉGATIVISME

La deuxième étape à suivre lorsqu'on se trouve avec une personne difficile consiste à ne pas se laisser emporter dans la spirale du négativisme. Si le ton monte avec une personne difficile, c'est souvent parce qu'on interprète ses comportements de façon négative. Voici quelques règles à respecter pour ne pas se laisser emporter par le négativisme et la colère.

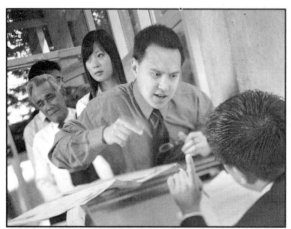

Lorsqu'il a affaire à un client difficile, le préposé doit éviter de se laisser emporter dans la spirale du négativisme.

ÉVITER LES ÉTIQUETTES

Tout d'abord, prenez le temps de penser aux surnoms que vous attribuez à la personne que vous considérez comme difficile en son absence. Voici les surnoms les plus fréquents cités lors d'un séminaire sur le service à la clientèle et désignant des clients à problèmes :

Le crosseur	Le bozo	Le grossier personnage
Le toton	Le salaud	Le menteur
L'arrogant	Le twit	Le moron
Le loser	Le maillet	Le c… de t… de c…

Ensuite, prenez conscience que, dès que vous étiquetez quelqu'un, vous créez un filtre négatif qui modifie votre attitude et vos comportements à son égard. Il n'est pas facile de se débarrasser d'idées négatives concernant une personne. Mais ce qui importe surtout, c'est d'en prendre conscience et de se reprogrammer mentalement un filtre positif en se concentrant sur le problème du client, non sur sa personnalité. Pour ce faire, posez-vous intérieurement la question : Que désire ce client et comment puis-je le lui obtenir ?

NE JAMAIS CÉDER À LA COLÈRE DE LA PERSONNE

Avec un client en colère, il faut à tout prix éviter de se mettre en colère et de répondre bêtement. Si vous perdez à votre tour les pédales, vous perdrez vos moyens pour résoudre le problème.

RESTER PRÈS DE LA PERSONNE

Il ne faut jamais tourner le dos au client ni faire le geste de vous en éloigner, sauf en cas de comportement abusif, violent de la personne. Dans ce dernier cas particulier, il est recommandé au personnel de la relation client de s'éloigner et d'aviser le supérieur immédiat. Si l'échange a lieu au téléphone, ne raccrochez pas au nez de la personne… Restez calme. De plus en plus d'appels étant enregistrés, les superviseurs interviennent de toute façon dans ce genre de situation.

NE JAMAIS DIRE «JE NE SUIS PAS PAYÉ POUR ENDURER ÇA»

Avec une personne difficile, il faut garder son calme jusqu'à ce qu'elle ait fini d'exprimer toute sa frustration. À partir de ce moment-là seulement, en effet, une vraie démarche de résolution de problème est envisageable. Pour en arriver là, il faut à tout prix éviter les phrases du genre : «Je ne suis pas payé pour endurer ça.»

MANIFESTER DE L'EMPATHIE

La troisième étape à suivre pour venir à bout d'une personne difficile, c'est d'arriver à éprouver et à manifester de l'empathie à l'égard de la personne, c'est-à-dire d'arriver à la comprendre et à comprendre son problème. Mais attention, l'empathie n'est pas la même chose que la sympathie.

Prenons un exemple. Un client se plaint ainsi à un préposé : «Votre entreprise se fiche de ses clients!» Si le préposé répond «Je comprends que vous puissiez être vexé», il exprime de l'empathie. Mais s'il rétorque, avec un petit sourire en coin, «Ouais, elle a davantage à cœur ses profits!», il exprime de la sympathie, s'identifie trop à la situation du client. La pire erreur consiste ainsi, dans ce type de cas, à opiner de la tête et à parler de l'entreprise à la troisième personne.

L'empathie peut s'exprimer par des phrases du type :

- «Je suis désolé!»

- «Je peux savoir pourquoi vous ressentez cela.»

- «Je vois ce que vous voulez dire.»

- «Ah! Mais que cela doit être frustrant!»

AMORCER UNE DÉMARCHE ACTIVE DE RÉSOLUTION DE PROBLÈME

La quatrième étape à suivre, quand on se trouve avec une personne difficile, consiste à amorcer une démarche active de résolution de problème. Pour cela, il faut tout d'abord s'assurer de bien écouter, sans interrompre surtout. Ensuite, il faut faire un genre d'enquête, interroger la personne de manière à entreprendre une démarche de résolution de problème.

ÉCOUTER

Le fait d'avoir connu des situations similaires peut induire un préposé en erreur, lui faire penser qu'il sait de quoi il retourne et le pousser à interrompre le client. Au contraire, il faut prendre le temps de bien écouter et ne pas sauter trop vite aux conclusions. Dans leur désarroi, bien des clients omettent de donner des informations qui peuvent être essentielles à la résolution du problème. En tant que préposé, vous pourrez plus facilement, en restant alerte, repérer les éléments d'information manquants et poser les questions adéquates pour amorcer la résolution du problème.

Le tableau 10-1 (p. 278) énumère les comportements faisant la différence entre l'**écoute active** et l'écoute inefficace. Vous saurez ainsi quels comportements adopter pour arriver à faire de l'écoute active.

Écoute active (*effective listening*)

Qualité individuelle fondamentale consistant en la capacité de prêter attention aux signaux verbaux et non verbaux des clients de façon à instaurer un dialogue.

Facteurs endogènes pouvant nuire à l'écoute active

Plusieurs obstacles internes, c'est-à-dire liés à la personne qui écoute, s'opposent ou nuisent à l'écoute efficace. Il importe d'en prendre conscience pour arriver à les surmonter. Ce sont ainsi les préjugés que nous avons dans différents domaines et à l'égard de divers types de personnes, notre état de santé (malnutrition, sommeil insuffisant), le moment de la journée, qui fait que nous sommes plus ou moins réceptifs, attentifs, notre état d'esprit du moment (colère, tristesse), nos préoccupations personnelles (problèmes familiaux, financiers, etc.), enfin, des problèmes éventuels de surdité ou d'acouphènes. De plus, chacun d'entre nous a une aptitude d'écoute qui lui est propre et qui est variable. Il faut savoir également que la vitesse

| Tableau **10-1** | L'écoute active et l'écoute inefficace |

Comportements de l'écoute active	Comportements de l'écoute inefficace
Attention concentrée sur l'interlocuteur	Inattention
État d'alerte	Distraction
Bonne réaction aux propos de l'interlocuteur, sensibilité, bienveillance	Insensibilité, indifférence
	Impassibilité
Compréhension	Suffisance
Empathie	Attitude empreinte d'émotivité, jugements
Calme, patience, ouverture d'esprit	catégoriques, attitude défensive
Altruisme	Égocentrisme
Prudence	Attitude aveugle

de notre cerveau est de 4 à 6 fois le débit de paroles moyen. Or, la différence entre les deux rythmes peut nuire à l'écoute, causer de la distraction. Pour remédier au problème, on peut prendre des notes et poser régulièrement des questions à l'interlocuteur.

Facteurs exogènes pouvant nuire à l'écoute active

Des facteurs externes affectent également l'efficacité de l'écoute. Il s'agit notamment de la surcharge d'informations, d'une interruption par une tierce personne, de la sonnerie du téléphone qui retentit, de l'utilisation d'un téléphone mains libres, du bruit de fond que peut faire l'équipement de travail (imprimante, aspirateur). Les barrières physiques telles que les bureaux, les comptoirs ou toute autre pièce de mobilier séparant deux interlocuteurs peuvent également nuire à l'écoute efficace. Avoir conscience de ces obstacles externes permet d'essayer de les éliminer le plus possible.

Enfin, les clients eux-mêmes peuvent constituer un obstacle à l'écoute efficace. En effet, ils peuvent parfois éprouver de la difficulté à communiquer clairement leur pensée, parce qu'ils ont un handicap physique ou intellectuel ou parce qu'ils sont étrangers et ont des difficultés avec la langue de communication. Dans ce dernier cas, il ne faut pas hésiter à recourir à un interprète.

ENQUÊTER

Pour entreprendre une démarche de résolution de problème, après l'écoute active, il faut interroger, enquêter pour rassembler toutes les informations relatives au problème. Deux techniques s'avèrent ici utiles, celle de la passerelle et celle du miroir.

La technique de la passerelle

La technique de la passerelle est l'une des plus efficaces dans le genre. Comme son nom l'indique, elle consiste à établir une passerelle entre le propos du client et la solution du problème, à diriger la communication vers ce qui pourrait être la solution du problème. Supposons que vous décrochiez le téléphone et qu'à l'autre bout du fil une cliente crie directement: «Je n'ai jamais demandé d'abonnement à votre magazine! Je déteste votre magazine! Comment avez-vous obtenu mon nom? Vous avez acheté une liste? Je reçois tellement de courrier déchet par la poste que je vais devoir m'acheter une plus grosse boîte aux lettres!» Poliment et rapidement, vous demandez: «Madame, je comprends votre insatisfaction pour avoir reçu des magazines non désirés. Puis-je avoir votre adresse pour corriger cette situation fâcheuse pour vous?» La cliente reviendra fort probablement dans le vif du sujet et vous donnera les renseignements nécessaires.

La technique du miroir

Malheureusement pour vous, préposé à la clientèle, le client mécontent ne s'exprime pas toujours de façon structurée. C'est pourquoi il sera nécessaire de jouer au détective et de vérifier de bien comprendre tout ce qu'il raconte. La technique du miroir vous aidera dans ce sens. Elle consiste à reformuler les propos du client. Voici un exemple. M. Laflamme vous explique au téléphone: «Mardi dernier, j'ai reçu un courriel me disant que ma commande a été annulée. Puis, je reçois un coup de téléphone de votre entrepôt me demandant d'oublier le courriel. Aujourd'hui, je n'ai rien reçu et personne ne semble savoir où est ma commande!» Pour vérifier que vous avez bien compris la plainte du client, vous pouvez dire ainsi: «Monsieur, vous me dites que votre commande qui aurait dû être livrée la semaine dernière ne l'a pas été et que vous n'avez trouvé personne pour vous aider. Est-ce bien ça?»

PARVENIR À UNE SOLUTION ACCEPTABLE POUR LES DEUX PARTIES

La cinquième étape pour venir à bout d'un client difficile consiste à trouver une solution acceptable pour les deux parties. Une fois qu'on a en main tous les faits, tous les renseignements nécessaires, il faut agir. Ce qui importe, c'est de donner au client le bénéfice du doute et de déterminer les étapes de la résolution du problème. Le client doit être informé des événements. Vous, préposé, devez travailler de concert avec lui pour trouver une solution acceptable pour tout le monde. Si vous n'avez pas découvert ce qui le rendrait heureux, demandez-le-lui. Si vous avez besoin de faire des recherches, de vous renseigner auprès d'autres personnes pour faire avancer la situation, demandez-lui la permission de le mettre en attente et excusez-vous. Surtout, ne le laissez jamais comme ça, sans rien lui dire.

Quand l'entreprise a commis une erreur, il faut souvent prévoir des compensations. Cependant, ne faites aucune promesse que l'entreprise ou vous ne puissiez tenir. Ne promettez rien que vous ne pourriez livrer. Au contraire, pour procurer un ravissement certain au client, promettez moins que ce que vous pensez pouvoir faire, puis dépassez ses attentes. Par exemple, si vous savez qu'il faut trois jours pour livrer un produit, annoncez que le produit sera livré une semaine plus tard. Ainsi, en cas de retard imprévu, vous êtes protégé et en cas de respect du délai, le client est ravi. Il est important de ne pas perdre de vue la notion de ravissement. Non seulement vous devez penser en termes de compensation, mais vous avez intérêt à voir plus loin, à envisager plus. À titre d'exemple, les premiers modèles de la voiture New Beetle de Volkswagen avaient une défectuosité dans leur système électrique et ont fait l'objet d'un rappel. Le fabricant non seulement régla le problème, mais dégagea en plus un budget de 100 $ par client pour que chaque concessionnaire puisse offrir un cadeau ou de l'argent[14].

www.vw.com

EFFECTUER UN SUIVI

Enfin, la sixième et dernière étape à respecter quand on a affaire à un client difficile, c'est d'effectuer un suivi après avoir résolu le problème. Le client apprécie qu'on se soucie des suites de sa plainte, qu'on s'assure que la solution trouvée est la bonne, que ce soit par courrier, par courriel ou par téléphone. Si le client manifeste encore de l'insatisfaction, vous, préposé, pouvez lui proposer d'autres solutions. Persévérez donc pour retrouver l'entière confiance du client. Par ailleurs, l'entreprise et vous-même avez tout intérêt à tirer les leçons de cette plainte. Pour cela, notez ce que cette expérience vous a appris sur le fonctionnement de votre service (voir la section sur l'audit, à la p. 271).

10.5 CONVERTIR UN CLIENT INSATISFAIT EN UN CLIENT LOYAL QUI EN REDEMANDE

Selon Roland Rust[15], économétricien en marketing et éminent chercheur, le traitement des plaintes permet à une entreprise de conserver ses clients et de poser un diagnostic sur sa gestion. Les coûts de récupération des clients seraient huit fois moins élevés que les coûts de prospection et de sollicitation permettant d'acquérir de nouveaux clients. Il n'y a pas d'arme plus puissante en marketing que le bouche à oreille. Or, pour faire des clients des missionnaires de l'entreprise, il faut commencer par les fidéliser. À ce propos, il faut savoir que le traitement efficace d'une plainte fidélise le client récupéré. Rappelons encore les chiffres donnés au début du manuel : 50 % seulement des clients insatisfaits expriment leur insatisfaction. Cela signifie que les 50 % qui restent silencieux manifestent leur insatisfaction par des attitudes de désaveu plus ou moins dissimulées : factures impayées, manque de courtoisie envers le personnel, nervosité, médisances. Il est donc essentiel de se préoccuper de tous les types de clients insatisfaits afin de les fidéliser, pour le plus grand bénéfice de l'entreprise. En plus des processus décrits précédemment, le système d'informations lié à la gestion des plaintes doit tenir compte des résultats des sondages de satisfaction de façon à amorcer une récupération de clients perdus le plus rapidement possible.

Avec les différents forums de consommateurs qui existent sur Internet, les consommateurs se mettent vite mis au courant les uns les autres de ce que fait ou ne fait pas une entreprise. C'est une raison supplémentaire, pour l'entreprise, de bien observer les réactions de ses clients pendant le processus d'achat, de récupérer les clients insatisfaits.

Pour convertir un client insatisfait en un client loyal qui revient, il faut tout d'abord traiter la personne qui se plaint avec sérieux, lui répondre avec courtoisie et s'occuper de son cas avec promptitude. En tant que préposé, essayez de corriger le tir le mieux possible. Comme on vient de le dire, il est plus aisé de rester en bons termes avec un ancien client (perdu) que de vendre à un tout nouveau client. Regagner des clients perdus permet à l'entreprise de récupérer des revenus qu'elle aurait perdus de manière banale. Il faut cesser de croire qu'un client perdu est une cause perdue.

À LA RECONQUÊTE DES CLIENTS PERDUS

Le télémarketing est-il la solution à la problématique de la reconquête client[16] ?

« Parmi les dizaines de profils de clients d'une entreprise, il en est un, mystérieux, dont on ne sait pas toujours comment on doit le considérer. Ce client, c'est celui qui ne l'est justement plus vraiment, voire plus du tout. "Beaucoup d'entreprises ont encore du mal à s'avouer qu'elles perdent des clients, note François Schapira, directeur associé d'Actel. En réalité, en matière de reconquête d'anciens clients, il existe deux types d'attitudes :

certaines entreprises analysent leurs pertes de clients régulièrement, les comprennent et tiennent compte de leurs remarques. Mais d'autres, qui privilégient l'immédiateté des résultats, misent plutôt sur la prospection."

Pour les premières, celles qui cherchent à réactiver leurs fichiers inactifs, le marketing téléphonique est un outil de premier ordre. En effet, le téléphone s'adapte particulièrement bien à ce type d'opération, car c'est un média très interactif. Récupérer d'anciens clients est une opération qui peut s'avérer délicate : si ces clients ont un jour quitté l'entreprise, il peut exister un certain nombre de raisons qui vont entraîner des objections de leur part. Avec le téléphone, le téléacteur peut prendre connaissance de ces griefs ou objections et y apporter une réponse immédiate et pertinente, à condition toutefois d'avoir effectué un prélistage des problèmes éventuels pour ne pas, le moment venu, être pris au dépourvu. Mais si, dans la majorité des cas, ces opérations de reconquête s'avèrent réussies – Chrysler a par exemple récupéré 8 % de ses anciens clients lors d'une opération de ce type –, l'échec est assuré si un certain nombre de précautions élémentaires ne sont pas prises.

web
www.chrysler.com

Un historique fort

Il existe une notion importante d'historique dans le cas de fichiers inactifs. "Il faut absolument faire référence au passé, affirme Nathalie Andrieu, directrice du département télémarketing de CPM Télémarketing. Si l'on sait exactement ce qu'il s'est passé il y a six mois, un an ou cinq ans, il est possible de construire un argumentaire beaucoup plus convaincant."

Mais rappeler un ancien client nécessite aussi de trouver une justification à ce regain d'intérêt soudain. Là, intervient une autre notion primordiale : l'opportunité. Rappeler un ancien client sans aucun élément de nouveauté à lui apporter, c'est peine perdue. Beaucoup de situations peuvent servir de prétexte à une reprise de contact avec un client inactif : une fusion, un rachat, le lancement d'une nouvelle gamme de produits, etc.

Certains prestataires de télémarketing préconisent également d'effectuer des réactivations de fichiers en deux temps : réaliser tout d'abord un travail de requalification et d'actualisation sur le fichier en adoptant un ton proche de celui employé lors d'enquêtes d'opinion. La seconde vague d'appels est alors consacrée à l'offre commerciale proprement dite. "Mais attention, il faut s'assurer que le produit ou le service commercialisé à cette occasion dégage suffisamment de marges pour que l'opération soit rentable, prévient Patrice Mazoyer, directeur général de B2S. N'oublions pas qu'un entretien de reconquête est plus délicat, plus long et donc plus coûteux ; mieux vaut donc se concentrer sur les offres rentables."

L'importance du facteur humain

À ce type d'opération particulière correspond également un profil de téléacteur bien spécifique. Cet énième facteur de réussite est donc extrêmement lié au prestataire à qui l'entreprise va confier la mission. "Le profil des téléacteurs est, dans ce cas, déterminant", renchérit Patrice Mazoyer. Ce sont eux, en effet, à qui sera confié le soin de rétablir le contact, exercice bien plus délicat qu'une prospection classique dont le discours est plus automatique. Les nombreux exemples de réussite en la matière ont en commun d'avoir bénéficié du travail de personnes réactives et dotées de connaissances techniques pointues, condition *sine qua non* pour apporter une réponse pertinente aux objections. "Sur des produits de grande consommation, nous réalisons une vente tous les 110 contacts, alors qu'en prospection classique ce rapport est d'une vente pour 250 contacts", témoigne Christian Lietar, directeur commercial de Phoning.

> Enfin, pour mettre toutes les chances de leur côté, les entreprises qui passent par le télémarketing pour faire de la réactivation de fichier doivent veiller à ce que le dispositif mis en œuvre soit efficace. Cela suppose bien évidemment un brief très complet avec le prestataire : Quels objectifs ? Vente ? Ou simple reprise de contact ? Ce dispositif demande enfin une forte implication des commerciaux internes dans la démarche, l'objectif étant de les encourager à prendre le relais des actions de télémarketing de manière efficace. Étant donné la fragilité qui caractérise les relations entre le client perdu et l'entreprise, un travail de visite en face à face s'impose. Le télémarketing représente alors un excellent moyen de reconquête de clients perdus, à condition qu'il s'inscrive dans une stratégie impliquant d'autres canaux de contacts. »

Ainsi, il est impératif d'élaborer une stratégie permettant non seulement de gagner et de fidéliser des clients, mais aussi de reconquérir les clients perdus. Aucun programme de fidélisation n'étant parfait, l'entreprise doit élaborer une stratégie spécifique visant la récupération des clients qui ont déserté. Elle peut pour cela, dans un premier temps, utiliser les outils de mesure de l'efficacité du service à la clientèle vus au chapitre 5. Les clients perdus en ont long à raconter ; le tout est de les retrouver. Pour ce faire, on peut dépouiller les vieux carnets de commandes ou de factures, faire appel à sa mémoire ou encore faire une petite enquête par téléphone ou par la poste. Interroger les clients perdus permet au moins de découvrir ce qu'ils sont devenus, quels sont leurs nouveaux fournisseurs et pourquoi ils sont partis.

10.6 LES RELATIONS AVEC LES CLIENTS INTERNES

Comme nous l'avons vu au chapitre 1, il est impensable d'implanter une approche client sans faire en sorte que les employés se l'approprient. La fidélité de la clientèle dépend de l'engagement et de la loyauté des employés à l'égard de l'entreprise. Plus les employés, les clients internes, sont engagés et fidèles, plus ils peuvent fidéliser les clients externes. En effet, pour une grande variété de biens et de services, ce que les clients achètent, ce sont les relations, la courtoisie, la convivialité. Ils préfèrent souvent acheter chez ceux qui les connaissent, sont au courant de leurs préférences. Le gestionnaire qui commence par servir ses employés les motive à bien servir les clients externes. Mais, si les clients externes difficiles vont et viennent, les collègues de travail à problèmes restent, eux, malheureusement. Comment faire pour gérer les relations avec les clients internes ? Comme nous allons le voir dans cette section, il faut d'abord connaître les divers types de caractères des individus, puis apprendre à éviter certains pièges.

OBJECTIF 5

Distinguer les types de caractères au sein de la clientèle interne.

LES TYPOLOGIES DE CARACTÈRES

Depuis des millénaires, l'humanité se préoccupe de comprendre pourquoi certaines personnes se comportent de telle façon, et d'autres, de telle autre façon. Ce besoin de catégoriser les individus n'est pas nouveau. On n'a qu'à penser aux astrologues et à leurs douze profils des signes du zodiaque. Hippocrate, lui, a élaboré une théorie sur l'équilibre entre les quatre humeurs présentes dans le corps et l'abondance ou l'absence de l'une d'entre elles. Selon lui, ces humeurs, nécessaires du point de vue physiologique, ont également un impact sur le caractère. Il y aurait ainsi quatre types de personnalités en lien avec les quatre humeurs : les sanguins, les flegmatiques, les mélancoliques et les colériques.

Vers la fin des années 1980, le Dr Raymond Lafontaine, à partir de ses travaux, a dégagé deux manières de voir et d'entendre, deux manières de recevoir une information, d'interpréter un message, bref deux grands profils : l'auditif et le visuel. Cette typologie s'est par la suite enrichie d'un troisième profil : celui du kinesthésique.

Au début du xxe siècle, le Dr William M. Marston, psychologue de l'Université Columbia, a élaboré une théorie behavioriste sur laquelle s'appuient les tests de personnalité PPS, Personal Profile System®. Par la suite, plusieurs chercheurs ont raffiné le modèle de Marston et conçu des outils visant à déterminer les profils de personnalité des individus. On trouvera ainsi sur Internet le modèle DISC, pour «Dominant, Influent, Stable, Consciencieux» : le dominant est motivé par le contrôle, le pouvoir et la réussite ; l'influent a soif d'expression et veut persuader, avoir de l'influence sur les autres ; le stable aime la stabilité, la routine et le soutien ; le consciencieux vise la sécurité et la rectitude.

CONNAÎTRE LES QUATRE PROFILS DOMINANTS : DÉCOUVREZ LE VÔTRE[17]

Il n'y a rien de tel pour connaître le profil comportemental dominant d'un client que d'être conscient du sien. Faites donc le test suivant, adapté de Robert W. Lucas, *Customer Service*, pour connaître votre profil dominant. Dans le tableau 10-2, à côté de chaque qualificatif, inscrivez une cote allant de 1 à 5 en fonction de l'intensité de correspondance avec votre propre personnalité. Puis, calculez votre score pour chacune des lettres R, C, D et E.

Le score le plus élevé détermine le profil dominant : rationnel, curieux, décideur ou expressif.

LES CARACTÉRISTIQUES DU RATIONNEL (PRÉPONDÉRANCE DE R)

Le profil du rationnel correspond à la personne très patiente qui peut attendre longtemps sans se plaindre mais qui reprochera à l'entreprise son manque d'organisation. Cette personne établit un bon contact visuel avec son interlocuteur et a une physionomie expressive. Elle préfère les entretiens privés ou les rencontres en petit groupe aux réunions en grand groupe ou au travail solitaire. Elle aime les explications précises et complètes. Ainsi, pour elle, une phrase comme «c'est pas la politique de la compagnie» est une phrase qui tue. Vêtue de façon classique, conventionnelle et avec des couleurs sobres, la personne rationnelle déteste attirer l'attention sur elle ou sur son cas. Elle évite le conflit et la

Tableau **10-2** Test de personnalité[18]		
Décontracté		R
Logique		C
Attitude décidée		D
Bavard		E
Routinier		R
Non agressif (évite le conflit)		C
Calculateur		D
Hédoniste (aimant le plaisir)		E
Fidèle		R
Perfectionniste		C
Compétitif		D
Enthousiaste		E
Sincère		R
Précis		C
Pragmatique (sens pratique)		D
Populaire		E
Patient		R
Pointilleux		C
Objectif		D
Optimiste		E

colère, pose davantage de questions qu'elle n'émet d'opinions. En groupe, elle observe et écoute plus qu'elle ne parle. Forte en communication écrite, elle aime envoyer des notes de remerciement, fêter les anniversaires. Elle appelle les autres par leur prénom. Elle donne une poignée de main de type «affaires». Enfin, son espace de bureau est plutôt informel et confortable, orné de photos de famille.

LES CARACTÉRISTIQUES DU CURIEUX (PRÉPONDÉRANCE DE C)

Le profil du curieux correspond à la personne qui ne se livre pas facilement du point de vue émotif et qui pose des questions précises au lieu de dévoiler ses émotions. Cette personne s'appuie beaucoup sur les faits, les heures, les dates et toute information précise pour faire valoir son point de vue. Elle préfère communiquer par écrit plutôt qu'en personne ou par téléphone. Elle préfère en effet le côté formel et la distance dans ses contacts avec les autres. Lors de face à face, elle se penche souvent vers l'arrière, même lorsqu'elle évoque des faits importants. Elle aime utiliser les formules de politesse et les noms de famille lorsqu'elle s'adresse aux autres, et évite les surnoms. Elle dira «Monsieur Nadeau», «Philippe» à la rigueur, mais pas «Phil». Ses poignées de main sont brèves et froides, souvent non accompagnées de sourire. Son sourire, lorsqu'il en affiche un, a l'air emprunté. Vêtue de façon conservatrice avec accessoires assortis, la personne curieuse est soignée et se démarque de son entourage par sa coiffure ou son maquillage. Elle est très ponctuelle et soucieuse de son emploi du temps. Diplomate, elle a de longues conversations, surtout lorsqu'elle souhaite des réponses à ses questions. Elle aime les loisirs solitaires tels que la lecture et la musique. Enfin, elle tient à garder privée sa vie personnelle.

LES CARACTÉRISTIQUES DU DÉCIDEUR (PRÉPONDÉRANCE DE D)

Le profil du décideur correspond à la personne qui se déplace rapidement, recherche la satisfaction immédiate de ses désirs, veut des résultats immédiats. Cette personne travaille de façon proactive à la résolution des problèmes. Elle est énergique et cassante dans ses approches, parfois trop même. Ayant une attitude pleine de confiance, voire d'arrogance, elle projette une image compétitive. Elle pose des questions spécifiques, directes et donne des réponses courtes et directes. La personne au profil de décideur préfère la discussion à l'échange épistolaire. Ainsi, elle se plaint plutôt au téléphone ou en personne. Elle parle et interrompt plus qu'elle n'écoute. S'habillant de façon à se faire remarquer, elle fait un grand étalage de symboles de pouvoir tels que bijoux de luxe, véhicule de luxe, *power suits*. Solennelle, elle a un maintien et une gestuelle fermés. Elle établit un contact visuel fort et perçant, donne une poignée de main énergique. Son bureau est aménagé de façon fonctionnelle. Enfin, elle pratique des sports de compétition.

LES CARACTÉRISTIQUES DE L'EXPRESSIF (PRÉPONDÉRANCE DE E)

Le profil de l'expressif correspond à la personne qui saisit toutes les occasions pour entamer la conversation avec les autres (file d'attente, salle d'attente, transport en commun, ascenseur, etc.) et qui a une attitude positive et amicale. Cette personne tient des propos enthousiastes et très animés; elle fait beaucoup de gestes. Elle établit un contact visuel direct et donne une poignée de main très chaleureuse (à deux mains). Son langage corporel est ouvert; elle sourit souvent. Pour ce qui est de la proxémie, elle se tient près de ses interlocuteurs, qu'elle aime toucher. C'est une personne qui privilégie la parole pour se plaindre. Côté projets, elle prend l'initiative. Côté tenue vestimentaire, elle adopte un style contemporain et excentrique qui reflète son humeur et l'aide à se faire remarquer. Elle déteste la routine. Dévoilant facilement ses émotions et ses opinions, elle est un livre ouvert. Distraite dans les conversations, elle peut sauter du coq à l'âne. La personne expressive privilégie l'informel, le tutoiement, les prénoms, voire les surnoms. Elle n'est pas très ponctuelle. Elle parle fort, avec une assez bonne inflexion de la voix, une voix mélodieuse. Enfin, elle aime les loisirs orientés vers les personnes et l'action.

LES PIÈGES À ÉVITER DANS LES COMMUNICATIONS AVEC LES CLIENTS INTERNES

Tôt ou tard, vous devrez composer avec des **clients internes difficiles**. Lorsqu'on connaît les caractéristiques comportementales dominantes de ses clients internes, on est plus en mesure de bien communiquer avec eux, ce qui est très important. En effet, un conflit mal géré ou non résolu entre collègues de travail se répercute sur l'ensemble des employés et sur la qualité du service rendu aux clients. Un service client est aussi fort que son maillon le plus faible. C'est ce qu'illustre l'exemple suivant.

Client interne difficile
(*difficult internal customer*)
Client interne dont les exigences démesurées et les comportements sont à l'origine d'une dégradation du travail dans l'ensemble du service ou de l'entreprise.

Andréanne et Sabrina travaillent depuis plus de cinq ans pour la chaîne de magasins de tissus San Diego, la première aux Ventes, la seconde aux Expéditions. Il y a quelques semaines, elles ont eu un différend quant à une date de livraison de soie à un client. Andréanne, qui a subi les foudres du client, est maintenant en colère contre Sabrina qui lui a fourni une information erronée. Sabrina, elle, est sur la défensive avec Andréanne. Le conflit n'est pas résolu entre les deux. Aujourd'hui, un client, le designer Éric Beaudoin, téléphone à Andréanne :

«J'ai besoin de savoir combien de temps il vous faut pour me livrer le cuir de chevreau de la page 11 de votre catalogue. J'aimerais vous en commander aujourd'hui dans la couleur jaune beurre.

— Certainement ! Pouvez-vous patienter un moment ?

— Bien sûr.

— Merci !»

Andréanne met M. Beaudoin en attente et appelle le service d'expédition pour obtenir l'information. Elle tombe sur Sabrina, avec laquelle elle adopte un ton froid.

«Bonjour, ici Sabrina, que puis-je faire pour vous aider ?

— C'est Andréanne. J'ai besoin d'une information concernant une date de livraison pour le cuir de chevreau de couleur jaune beurre. Je prendrais la commande aujourd'hui.

— Je n'ai pas le temps de t'aider maintenant. Rappelle plus tard.

— Il me faut cette information tout de suite ! Mon client est sur l'autre ligne !

— Tu devras le rappeler. J'ai autre chose de plus urgent à faire et je ne peux pas te donner l'information maintenant.»

Sur ce, Sabrina raccroche. Andréanne, en colère, reparle à M. Beaudoin.

«Je ne peux pas vous donner cette information maintenant.

— Ben… heu… C'est parce que je rencontre ma cliente dans une heure.

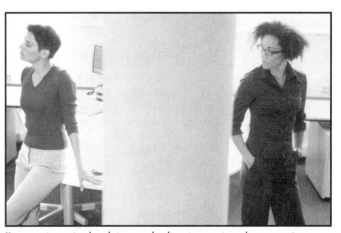

Une mauvaise gestion des relations avec les clients internes risque de porter atteinte à la qualité des services offerts aux clients externes.

— Il n'y a rien que je ne puisse faire. Le service des expéditions dit qu'il n'est pas en mesure de me donner l'information maintenant. Je vous rappelerai dès qu'il m'aura donné une date.

— Je ne peux pas attendre ! Si vous n'êtes pas plus serviable que cela, je vais m'adresser à votre concurrent ! »

C'est ainsi que les magasins San Diego perdirent un client à cause d'un conflit irrésolu entre deux de leurs employés. Andréanne et Sabrina ont laissé leur conflit s'envenimer. Les différends étant inévitables en milieu de travail, voici quatre pièges à éviter pour ne pas en arriver au même point qu'elles : chercher à avoir le dernier mot, faire l'autruche, s'acharner sur celui qui se tait et fuit, rabrouer l'autre.

Piège nº 1 : Chercher à avoir le dernier mot

Chercher à avoir le dernier mot est le meilleur moyen de jeter de l'huile sur le feu, d'envenimer la situation, comme le montre la conversation suivante entre Liliane et Anna, deux collègues de travail.

« Je ne peux pas croire que tu aies encore oublié de mettre en marche le système d'alarme en partant, hier soir !

— Ben ! comme si ça ne t'arrivait jamais, à toi, d'oublier !

— Figure-toi que lorsque *je* suis de garde, je ne pars jamais sans mettre en marche le système d'alarme.

— T'es vraiment parfaite, toi, hein ?

— Pis d'abord, pourquoi es-tu toujours de mauvaise humeur ?

— Si t'es pas capable de me prendre comme je suis, ne me parle pas !

— Pas étonnant qu'il n'y ait personne ici qui soit capable de te sentir !

— Pis toi, t'es-tu regardée ? *Miss popularité ?* »

Comment se sortir d'une telle situation, d'une telle conversation ? Le mieux, bien que cela ne soit pas toujours facile, est de laisser son collègue avoir le dernier mot. En abandonnant votre attitude défensive, vous serez plus à l'écoute de votre collègue de travail, pourrez comprendre son point de vue puis présenter le vôtre. Comptez donc jusqu'à cinq avant de répondre : en de telles circonstances et plus que jamais, le silence est d'or. Vous taire un moment vous donne le temps de penser à une formulation de réponse plus positive. Pensez également à des énoncés favorisant l'empathie (voir précédemment).

Piège nº 2 : Faire l'autruche

Rien de pire, quand un conflit couve ou a eu lieu, que de faire l'autruche, de prétendre qu'il ne s'est rien passé. Cela ne fait qu'allumer ou rallumer le conflit de façon plus virulente. Au contraire, il ne faut pas craindre de poser les vraies questions permettant d'aller dans le vif du sujet et de crever l'abcès le plus tôt possible, lorsque la fumée s'est un peu dissipée. Il ne faut jamais supposer que les choses vont s'améliorer d'elles-mêmes. (Dans certains cas, il peut être nécessaire de demander conseil à une tierce personne.) Si la personne avec laquelle vous êtes en conflit n'est toujours pas réceptive, persévérez : cela vaut toujours mieux de vivre quelques minutes difficiles que de laisser moisir un conflit pendant longtemps. D'un autre côté, si vous constatez qu'on fait l'autruche avec vous, cherchez tout de suite à savoir ce qui ne va pas. Pour cela, adressez-vous à la personne en lui posant diverses questions, en allant du général au spécifique, et en évitant de trop réagir à ses réponses. Lorsque deux personnes arrivent à discuter ouvertement d'une situation conflictuelle, elles peuvent réfléchir à un règlement satisfaisant pour elles deux.

PIÈGE Nº 3 : S'ACHARNER SUR CELUI QUI SE TAIT ET FUIT

Variante de l'autruche, ce troisième piège consiste en l'acharnement sur le client interne qui se tait et fuit. Voici une conversation entre Stéphanie et Josiane qui l'illustre bien.

«Josiane, j'ai vraiment besoin de tes statistiques pour terminer mon rapport.

— Plus tard, OK ? Je suis occupée à autre chose pour le moment.

— C'est que j'en ai besoin pour aujourd'hui. Je dois présenter mon rapport demain !

— Mais je ne peux pas, maintenant.

— Il me les faut ce matin !

— Je vais voir ce que je peux faire.

— Josiane, cela fait trois fois que je te les demande !

— Faut que j'aille au service des ventes. On en reparle à mon retour.

— Tu t'en vas ? Je ne peux pas le croire ! On dirait que tu ne veux pas régler ce problème. D'ailleurs, tu te défiles chaque fois que je te demande quelque chose !

— Ça sert à rien de crier ! Je reviens dans une heure. »

Comme le montre cet exemple, quand une personne à qui on demande quelque chose cherche à fuir, il ne sert à rien de la bousculer et de s'acharner sur elle. En effet, plus vous vous acharnerez, plus elle se rebutera, se fermera. Encore une fois, dans ce genre de situation, le mieux est d'utiliser un ton empathique, de faire calmement comprendre à la personne que vous avez besoin de ses conseils, de son aide. Si nécessaire, entendez-vous avec elle sur le moment opportun pour discuter du problème.

PIÈGE Nº 4 : RABROUER L'AUTRE

La violence verbale est une source évidente de conflit. C'est pourquoi il faut l'éviter. Comment faire ? Tout d'abord, il faut éviter d'être sur la défensive pour ne pas soi-même lancer des insultes, jeter de l'huile sur le feu et envenimer le conflit. Si un collègue de travail s'adresse à vous de manière violente, il faut plutôt vous intéresser à lui, écouter pour chercher à comprendre le message que ce ton cache et pour répondre à ce vrai message. Enfin, il faut remonter aux sources du conflit en n'ayant pas peur de demander à l'autre ce que vous avez pu faire pour qu'il vous traite ainsi.

POUR PRÉVENIR OU GÉRER TOUT CONFLIT AVEC LES CLIENTS INTERNES

Qu'on se le dise : le conflit est inévitable[19]. Dans le contexte des relations avec les clients internes, le conflit interpersonnel peut être causé par une communication inefficace, des différences individuelles en matière d'âge, de sexe, de formation, de valeurs, etc., par de l'insatisfaction quant à la définition de son rôle dans l'entreprise ou par un manque de ressources et une difficulté à les répartir. Il faut laisser tomber cette perception traditionnelle selon laquelle l'harmonie est vertu, et le conflit, vice. Le conflit en lui-même est neutre : ce qui importe, c'est la façon dont on le gère, dont on le règle, car c'est cela qui lui donne son orientation. C'est cela qui fait en sorte qu'il peut ou non devenir une source d'innovation, voire de créativité. Un conflit bien géré favorise une saine remise en question des pratiques et des habitudes de gestion. Ainsi, en cas de conflit avec un client interne, il importe d'opter pour une stratégie de résolution de type gagnant-gagnant. Il s'agit de viser l'atteinte d'un consensus ou, au moins, d'adopter une méthode de résolution dans laquelle les parties considèrent qu'il est possible de trouver une solution convenant à tous.

Pour régler les conflits, il importe de rester branché sur ses émotions et sur celles des autres. Il faut tenir compte du fait que notre caractère et notre humeur influencent notre ouverture et notre disponibilité aux autres, et qu'il en est de même pour eux. Avoir conscience des diverses personnalités et profils comportementaux, des états de fatigue ou de déprime chez nous ou chez les autres aide à mieux communiquer. Tout comme nous, les autres sont plus sensibles que ce qu'ils veulent bien laisser paraître. C'est pourquoi il faut « dépoussiérer ses antennes », faire attention au langage non verbal (voir à ce sujet le chapitre 9), écouter entre les phrases, lire entre les lignes. Enfin, nous avons tous dans notre entourage, dans notre milieu de travail des personnes avec lesquelles nous nous entendons mieux que d'autres. Pour tenir compte de manière égale des opinions de tous, il importe de faire abstraction de nos préférences, de ne pas juger d'après les apparences.

 RÉSUMÉ

1. **Expliquer les notions et principes liés aux plaintes et aux réclamations.**

Une plainte est une insatisfaction exprimée verbalement ou par écrit au sujet de la prestation de service d'une entreprise; elle concerne généralement le personnel de la relation client. Une réclamation est une demande de respect d'un engagement pris par l'entreprise; elle peut concerner plusieurs services. Les principes de justice distributive, de justice procédurale et de justice interactionnelle doivent être à la base du traitement des plaintes. Tant les plaintes que les réclamations constituent des signaux de non-qualité et doivent être considérées par l'entreprise comme des occasions de s'améliorer.

2. **Mettre en place un système de gestion des plaintes et des réclamations.**

Tout système de gestion des plaintes doit reposer sur une vision systémique tenant compte de tous les acteurs concernés; appliquer des politiques et des procédures; s'appuyer sur un personnel suffisamment nombreux et adéquatement formé; suivre une méthode efficace de collecte et d'utilisation des données sur les plaintes à l'aide de formulaires; recourir à un système de communication efficace entre les divers acteurs concernés; s'accompagner d'un système d'audit permettant d'en évaluer les résultats et d'effectuer les améliorations qui s'imposent.

3. **Repérer et distinguer les comportements des clients insatisfaits afin d'agir en conséquence.**

Selon leur profil de comportement, « eau dormante », « gérant d'estrade », « klaxon » ou « procédurier », les clients manifestent leur insatisfaction de diverses manières pouvant aller d'une action locale (dans le groupe de référence, par exemple) à une action généralisée et parfois au recours légal. Le personnel de la relation client doit toujours avoir conscience du type de client externe auquel il a affaire, afin d'adapter ses comportements en conséquence. Dans le cas d'un client de type « eau dormante », il s'agit d'être attentif aux signaux non verbaux d'insatisfaction.

Dans celui du «gérant d'estrade», il faut démontrer une volonté sincère et tenace à résoudre le problème. Dans celui du «klaxon» ou du «procédurier», il convient de faire preuve de diplomatie.

4. Suivre les étapes du processus de gestion d'un client difficile.

Pour venir à bout d'un client difficile, il importe de suivre un certain nombre d'étapes. Il faut tout d'abord laisser la personne donner libre cours à sa frustration. Ensuite, il faut éviter de se laisser entraîner dans la spirale du négativisme en ne perdant jamais de vue que la plainte concerne le plus souvent l'entreprise et non le préposé. Manifester de l'empathie et non de la sympathie est essentiel. Cela permet d'amorcer une démarche active de résolution de problème, par la technique de la passerelle ou celle du miroir. Enfin, on peut parvenir à une solution acceptable pour les deux parties et effectuer un suivi.

5. Distinguer les types de caractères au sein de la clientèle interne.

Plusieurs chercheurs se sont penchés sur les profils de personnalité des individus. Ces profils de personnalité se caractérisent chacun par un mode d'interaction, une communication non verbale qui leur sont propres. Quel que soit le modèle, la typologie utilisée, le personnel de la relation client doit comprendre le profil dominant du client interne avec lequel il interagit, afin de pouvoir adapter ses comportements.

6. Interagir avec la clientèle interne en évitant les pièges les plus courants.

En milieu de travail, dans nos interactions avec les clients internes difficiles, il faut éviter quatre grands pièges. Ainsi, il ne faut pas chercher à avoir le dernier mot; il ne faut pas faire l'autruche; il ne faut pas s'acharner sur la personne qui se tait et fuit; enfin, il ne faut pas rabrouer l'autre. De plus, être conscient de ses propres émotions et variabilités d'humeur et de celles des autres aide à mieux communiquer avec les autres, à prévenir les conflits ou à tout le moins à les résoudre selon le mode gagnant-gagnant.

MOTS CLÉS

Audit (p. 272)	*Audit*
Clavardage (p. 271)	*Chat*
Client insatisfait (p. 272)	*Dissatisfied customer*
Client interne difficile (p. 285)	*Difficult internal customer*
Dotation en personnel (p. 262)	*Staffing*
Écoute active (p. 277)	*Effective listening*
Foire aux questions, FAQ (p. 272)	*Frequently Asked Questions File*
Formulaire de plainte (p. 264)	*Complaint form*
Forum de discussion (p. 271)	*Forum*
Justice distributive (p. 257)	*Distributive justice*
Justice interactionnelle (p. 258)	*Interactional justice*
Justice procédurale (p. 258)	*Procedural justice*
Plainte (p. 257)	*Complaint*
Protecteur du citoyen (p. 264)	*Ombudsman*
Réclamation (p. 257)	*Complaint*

QUESTIONS DE RÉVISION

1. Quelle nuance la langue française établit-elle entre les concepts de plainte et de réclamation ?

2. Dites si l'énoncé suivant évoque une plainte ou une réclamation : « Odile téléphone au marchand qui lui a vendu un réfrigérateur il y a moins de trois mois pour lui faire part du fait que le dispositif de distribution d'eau du modèle est défectueux. »

3. Dites si l'énoncé suivant évoque une plainte ou une réclamation : « Joseph va voir le gérant du restaurant où il vient de finir de dîner pour lui faire part du fait que le serveur s'est comporté de façon irrespectueuse à son égard. »

4. Queis sont les principes de base que doit respecter la gestion des plaintes et des réclamations au sein d'une entreprise ?

5. Pourquoi est-il important pour l'entreprise de récupérer les clients insatisfaits qu'elle perd ?

6. Donnez un exemple de traitement d'une plainte tenant compte du principe de justice procédurale.

7. Pourquoi est-il important de gérer toute situation conflictuelle avec les clients internes selon le mode gagnant-gagnant ?

8. Quel rôle joue la foire aux questions dans la gestion des plaintes et des réclamations ?

9. Imaginez que vous êtes directeur du service à la clientèle pour une chaîne nord-américaine de quincailliers faisant du commerce électronique. Sur quels critères vous appuyez-vous pour sélectionner des préposés pour le service des plaintes et des réclamations ?

10. Mélanie, qui travaille pour vous, vous lance : « Je ne suis plus capable de travailler avec France ! Il faut toujours qu'elle ait le dernier mot ! » Quels conseils pouvez-vous lui donner ?

11. Dominic s'est construit un citron géant qu'il a attaché au toit de son automobile avec une pancarte sur laquelle figure l'inscription suivante : « ABC m'a vendu un citron. » De quel profil de client insatisfait s'agit-il ?

12. Vous êtes le gérant d'une pharmacie qui possède un comptoir de services photographiques et qui vend des billets de loterie, tout cela, près de l'entrée principale du magasin. Au moment où Alfred Lalancette, fidèle client depuis plus de 20 ans, entre dans le magasin, vous surprenez Nicolas en train de souffler à sa collègue Jacinthe : « Ah ! non, regarde ! C'est le *moron* qui vient d'entrer ! J'espère qu'il ne va pas encore venir nous faire perdre notre temps ! » Que dites-vous à Nicolas ?

13. Préposé aux plaintes chez Presto, vous vous occupez du cas de Marie-Claude Lauzon qui, excédée, s'exclame : « Je suis tannée, tannée, tannée de jouer au ping-pong ! J'ai jamais demandé le service Internet ! Je ne sais pas pourquoi vous persistez à me l'offrir et à me le facturer ! J'en veux pas ! ! Tout ce que je voulais, c'était Presto ! » Que répondez-vous, en utilisant la technique de la passerelle ?

14. Utilisez la technique du miroir pour répondre efficacement à Mme Valentin qui vous explique au téléphone : « Lundi matin, on m'a prévenue par téléphone que mon lave-vaisselle serait livré aujourd'hui entre 8 h et 18 h. Mais il est passé 18 h ! J'ai perdu la journée à vous attendre et personne ne semble savoir où est mon lave-vaisselle ! »

15. Utilisez la technique de la passerelle pour répondre à Mme Vaillancourt, qui s'exclame vivement : « Mais je n'ai jamais demandé votre carte de crédit ! Je déteste votre commerce et je mets même un point d'honneur à ne jamais y aller ! Comment avez-vous obtenu mon nom ? Vous avez acheté une liste ? »

ATELIERS | PRATIQUES

Le service à la clientèle de Bell Sympatico a reçu le courriel suivant. Lisez-le et répondez aux questions s'y rattachant.

> Madame, Monsieur
>
> Fin novembre, je suis passée de Sympatico haute vitesse à Sympatico sans fil. Pour l'installation en réseau de mon laptop et du PC de mon conjoint, j'ai dû passer <u>98 minutes</u> avec une préposée qui manifestement ne semblait pas trop comprendre ce qui se passait. Il a fallu que je me mette en colère, que je lui dise que j'ai une maîtrise, que cela fait plus de 20 ans que j'ai des ordinateurs et 11 ans que je surfe sur le net, enfin, que j'ai déjà fait tous les tests avant d'appeler pour qu'enfin elle me transfère à un technicien. Après quelques explications et manipulations *MS DOS ping machin*, ça marchait. MAIS, ensuite, il y avait un bruit de fond épouvantable sur ma ligne téléphonique. On m'a dit d'appeler... Bell. Je compose le 611, je subis l'ineffable Émilie, votre préposée électronique... DEUX techniciens de Bell viendront par la suite. Le premier blâme mon appareil téléphonique et me vend un téléphone Uniden sans fil... Lorsque je reçois l'appareil, je constate, en colère et frustrée, que le bruit de fond sur ma ligne persiste. Le second technicien qui vient blâme le téléphone sans fil... Je reprends donc un appareil avec fil... Le bruit de fond persiste !!!
>
> Mais ce n'est pas tout ! Le technicien de la firme de systèmes d'alarme ADT a dû venir à son tour pour reprogrammer toutes mes prises téléphoniques, afin que le signal de l'alarme domestique arrive en priorité sur ma ligne. Il me semble que les préposés de Sympatico auraient dû savoir tout cela ! Mon conjoint et moi avons été réveillés en pleine nuit par le bip-bip de la sonorité *trouble* ! Cette expérience avec ADT a été d'autant plus énervante qu'une de mes prises téléphoniques est située... derrière ma bibliothèque. Il a donc fallu quasiment déménager ! Mais c'est vrai, ce n'est pas votre problème.
>
> Le problème de bruit de fond sur ma ligne persistait et on était dans la période des Fêtes. C'est dire comme c'était pratique ! Je rappelle Bell, et une préposée me conseille d'installer deux filtres bout à bout. Le problème persiste encore sur ma prise de téléphone principale. Je rappelle Bell, d'où on me transfère à Sympatico, d'où on me retransfère à Bell !! Soit dit en passant, j'avais envie d'étrangler Émilie ! Votre robot électronique est en effet un beau gadget qui fait perdre son temps au client qui veut simplement parler à un être humain compétent ! Bref, chez Bell, on m'apprend qu'on va tenter de régler le problème et que cela risque de prendre 3-4 jours... Finalement, Sympatico m'envoie un technicien de la firme Entourage... L'homme, qui devait venir entre 8 h et 12 h, arrivé à 13 h 15, après m'avoir fait perdre toute ma matinée ! C'est cependant ici un moindre mal, car lui a trouvé le pot aux roses : VOUS M'AVIEZ EXPÉDIÉ LES MAUVAIS FILTRES !! Vous m'aviez expédié un MODEM DE MARQUE *EFFICIENT* AVEC DES FILTRES *NORTEL* !!

Madame, monsieur, dans votre mégaentreprise BCE, le pied droit ne semble pas savoir ce que fait le pied gauche. Votre service à la clientèle manque complètement d'organisation. Vous rendez-vous compte que j'ai perdu des journées à attendre les techniciens, à négocier avec les préposés, à aller dans les téléboutiques durant la période des Fêtes?! Et pour tout cela, je ne recevrai rien, je ne serai pas dédommagée... Et je perds encore mon temps à vous écrire pour vous fournir un conseil de gestion de service client pour lequel je ne serai pas rémunérée...

Marie-Josée Ledoux
Cliente de Bell Téléphone, de Sympatico et de Bell Mobilité, et contribuable

Mais peut-être devrais-je plutôt signer *Navigateur / système d'exploitation: Mozilla/4.0 (compatible; MSIE 6.0; Windows NT 6.1; SV1;.NET CLR 1.1.4444)* pour être comprise?

1. Quelles étaient les attentes de Marie-Josée Ledoux quant à son problème?

2. Quel principe de justice ne semble pas avoir été respecté dans le traitement de cette réclamation?

3. Quel est le profil psychologique de Marie-Josée Ledoux?

4. Comment traiteriez-vous cette réclamation si vous deviez vous en occuper?

5. Que proposeriez vous à vos supérieurs si vous travailliez dans le service à la clientèle de Bell Sympatico?

RETOUR SUR LA

MISE EN SITUATION

WILFRID ET YVETTE TESSIER AU MAGASIN DE MEUBLES LOCAS & GÉLINAS

Quelque temps après la visite de Wilfrid et Yvette Tessier chez Locas & Gélinas, Nathalie Gélinas vient vous voir.

— Nathalie: Je viens de recevoir un appel de Wilfrid Tessier. Il paraît qu'il est passé la semaine dernière?

— Vous: Ah oui! Sa femme et lui tenaient absolument à te parler.

— Nathalie: J'espère que tu ne t'en es pas formalisé. C'est normal, après tout. Ce sont des clients de longue date. Avant moi, ils avaient l'habitude de mon père, et ils ont mis du temps à me faire confiance. Ils ont besoin de sentir qu'ils parlent à quelqu'un de compétent. Or, pour eux, il n'y a que les vendeurs de leur génération qui sont compétents.

— Vous: Ouais. C'est dommage qu'ils n'aient pas vraiment compris l'offre promotionnelle concernant leur sofa-lit.

— Nathalie: Effectivement. Mais ils ont vraiment apprécié l'empathie dont tu as fait preuve envers eux. Je tiens à te féliciter pour la façon dont tu t'es occupé de cette plainte. Ils sont très satisfaits du matelas que tu leur as fait livrer.

— Vous: Tu sais, ils m'ont permis de mettre en application ce qu'on m'a enseigné au cégep concernant l'attitude à adopter avec les clients difficiles. Je les ai laissés exprimer leur colère sans les interrompre et je me suis mis à leur place. Imagine: ils recevaient la visite de leur bru! Les apparences sont importantes pour cette génération-là. J'ai eu l'idée du matelas et je les ai persuadés qu'il s'agissait d'une solution valable, intéressante.

— Nathalie: Oui... assez intéressante pour qu'ils décident de revenir cet après midi...

— Vous: Quoi? Il y a un problème?

— Nathalie: Non non. Ils reviennent avec leur fils et leur bru. Le jeune couple veut des conseils pour du mobilier modulaire, pour leur salle de cinéma maison. Es-tu prêt à les recevoir?

— Vous: Avec plaisir!

La gestion du stress et la gestion du temps

Jette donc tout, ne garde que ce peu de chose. Et encore souviens-toi que chacun ne vit que dans l'instant présent, dans le moment ; le reste c'est le passé ou un obscur avenir.

Marc Aurèle, *Pensées*

OBJECTIFS D'APPRENTISSAGE

Après avoir étudié ce chapitre, vous pourrez :

1. Distinguer le stress de l'épuisement professionnel.

2. Repérer les manifestations du stress dans les attitudes, les émotions et les comportements.

3. Adopter les comportements qui aident à gérer le stress.

4. Prendre conscience de l'existence de problèmes de gestion du temps.

5. Utiliser judicieusement les moyens et les outils de gestion du temps.

MISE EN SITUATION

L'ACCÈS DE COLÈRE DE THOMAS LEBRUN

Diane Alarie et Nicolas Provost, respectivement directrice des ressources humaines et directeur des services à la clientèle des magasins à grande surface ABC, discutent du récent accès de colère qu'a eu Thomas Lebrun, préposé aux plaintes et aux retours, lorsqu'une cliente, Françoise Gendron, s'est présentée à son comptoir pour se faire rembourser des sacs de bonbons non entamés qui lui restaient après l'Halloween. Après avoir été grossier, avoir même lancé des objets et invectivé ses collègues qui tentaient d'intervenir, Thomas Lebrun est sorti brusquement du magasin, où il ne s'est plus présenté depuis. Son médecin vient de le mettre en congé de maladie pour cause d'épuisement professionnel.

« Je ne comprends pas ce qui a pu se passer, commence Nicolas. Thomas travaille chez nous depuis plus de 10 ans et s'est toujours comporté de façon très professionnelle. Toutefois, ses collègues de travail m'ont appris que, depuis quelques mois, son attitude avait changé. Il faut dire qu'il vient de connaître un échec dans sa vie privée: sa femme vient de le quitter, et il a dû déménager. Il semble qu'il n'a pas vu ses enfants depuis un certain temps. Tout cela explique peut-être pourquoi j'attends toujours le bilan trimestriel du service des plaintes et des retours qu'il doit me remettre. Ces derniers temps, Thomas semblait toujours débordé. Il était toujours en train de s'occuper des demandes qui arrivaient à son comptoir et ne semblait jamais trouver le temps de faire le bilan trimestriel du service. Pourtant, il m'est arrivé de le croiser certains soirs avec une pile de dossiers qu'il semblait emporter à la maison. Quand je lui ai suggéré de se faire aider par Sophie Gauthier, la nouvelle, il m'a dit qu'il n'avait pas confiance en elle et qu'il ne voulait pas partager ses trucs et se faire piquer son poste. De plus, j'ai remarqué qu'il avait cessé d'aller aux parties de quilles organisées pour les employés et qu'il ne prenait plus le temps de s'arrêter pour prendre son lunch avec ses collègues de travail. En fait, quand j'y repense, c'est comme s'il s'était peu à peu isolé des autres. D'ailleurs, quand j'ai annoncé à tout le monde son congé de maladie de plusieurs semaines, je n'ai pas reçu beaucoup de témoignages de compassion. Seuls les plus anciens se demandaient comment il avait pu changer à ce point...

— En fait, Nicolas, depuis deux ans, je remarque une augmentation du nombre de cas d'épuisement professionnel dans nos magasins. J'y ai bien réfléchi, et j'aimerais mettre sur pied un service d'aide aux employés pour la gestion du temps et du stress.

— C'est une excellente idée, Diane! Je crois sincèrement que si nous pouvions améliorer la qualité de vie au travail de nos préposés à la clientèle, tout le monde serait content, les employés comme les clients. »

11.1 LA GESTION DU STRESS

Dans le domaine du service à la clientèle, les employés subissent beaucoup de pression, beaucoup de stress. D'un côté, leurs supérieurs leur demandent d'être efficaces; de l'autre, les clients sont exigeants, parfois difficiles. Ils doivent apprendre à rester calmes en toutes circonstances, à rester maîtres de la situation, à ne pas se laisser déborder, donc à gérer leur stress. Or, comme nous allons le voir un peu plus loin, une bonne gestion du temps favorise la gestion du stress. La gestion du stress et la gestion du temps sont deux notions interdépendantes que nous allons étudier dans ce chapitre.

LE STRESS ET L'ÉPUISEMENT PROFESSIONNEL

DÉFINITION DU STRESS[1]

L'histoire de Thomas Lebrun décrite dans la mise en situation du début du chapitre illustre un cas typique d'employé de service à la clientèle ayant subi un stress intense. Le mot «stress» vient du latin *stringere* qui signifie «tendre» ou «raidir». Quant au concept de stress, il est rattaché historiquement à trois noms : Walter Cannon, Hans Selye et Richard Lazarus.

Le premier à avoir utilisé le terme de «stress» en biologie est l'homme qui a donné ses lettres de noblesse à la notion d'**homéostasie** : le physiologiste américain Walter Cannon. Pour Cannon, les émotions naissent dans le cerveau et sont une réaction hormonale de notre corps pour faire face au stress, aux chocs ou à diverses menaces. Les hormones produites dans des situations de stress font, selon le cas dans une mesure ou plus moins grande, augmenter le rythme cardiaque, la production d'oxygène, la sudation pour rafraîchir les muscles, etc. Malheureusement, cette mobilisation du corps, cette réaction de lutte ou de fuite (*fight-or-flight reaction*) n'est pas sans rendre l'individu anxieux, irritable, colérique ; elle affecte le jugement et la performance au travail.

Dès 1956, le Dr Hans Selye, scientifique de l'université McGill de réputation internationale, affirmait que le **stress** était indispensable à la vie et que l'absence totale de stress signifiait la mort. De fait, chaque individu réagit à sa manière au stress. Selon Selye, le syndrome du stress, ou syndrome général d'adaptation (SGA) suit une évolution comportant trois stades :

1. La «réaction d'alarme» est le stade pendant lequel l'organisme mobilise ses forces de défense.

2. Le «stade de résistance» est le stade d'adaptation complète de l'organisme à l'agent «stressant».

3. Le «stade d'épuisement» est le stade où le pouvoir d'adaptation de l'organisme voit ses limites dépassées. Il survient lorsque l'agent stressant est puissant et agit longtemps.

Enfin, Richard S. Lazarus, psychologue américain qui a élaboré au début des années 1990 une théorie des émotions, pense que le stress émane de la perception que les demandes ou les pressions exercées par l'environnement sur un individu excèdent ses capacités personnelles et sociales à les affronter.

L'échelle de Holmes (tableau 11-1, p. 296) implique que, pour gérer son stress, il faut prendre conscience des éléments **anxiogènes** présents dans son environnement, puis s'engager personnellement à modifier son attitude en fonction de ces éléments.

DU STRESS À L'ÉPUISEMENT PROFESSIONNEL

S'il ne réussit pas à gérer son stress, à maîtriser la situation et à rester calme, le personnel de la relation client perd de son efficacité professionnelle à court terme et éprouve des problèmes de santé pouvant aller jusqu'au **syndrome d'épuisement professionnel** ou *burn out*. Décrit pour la première fois vers le milieu des années 1970, ce syndrome se manifeste par un grand nombre de symptômes, notamment la perte progressive de la satisfaction au travail, des problèmes de santé, une augmentation de l'irritabilité, des réactions inappropriées et l'isolement. Il affecte la productivité de l'individu, qui peut même en arriver à se sentir totalement apathique et incapable de mobiliser ses ressources intérieures pour répondre aux exigences émanant de son environnement externe.

>> *OBJECTIF* 1

Distinguer le stress de l'épuisement professionnel.

Homéostasie (*homeostasis*)
Caractéristique générale des organismes, consistant en la tendance à maintenir constantes les conditions de vie, à les rétablir quand elles se sont trouvées modifiées (en particulier en ce qui concerne le milieu intérieur)[2].

Stress (*stress*)
Pression qu'exerce l'environnement sur un individu ; réaction d'un organisme à un excitant, à une agression, à un choc, à une contrainte ou à une émotion. Le trouble qui en résulte est dû à l'incapacité de l'individu à faire face aux besoins qui s'imposent.

Anxiogène (*anxiety producing*)
Qui se montre générateur d'angoisse[3].

Syndrome d'épuisement professionnel (*burn-out*)
État d'épuisement physique, émotionnel et intellectuel qui résulte du stress ressenti par un individu placé dans une situation où il devient incapable de répondre aux exigences de sa profession[4].

LES ÉVÉNEMENTS DE LA VIE QUI SONT SOURCE DE STRESS[5]

En 1967, Thomas Holmes[6] a établi une liste de 43 événements de la vie touchant un individu, sa résistance. Il a attribué à chacun d'eux, lorsqu'il s'est produit depuis un an ou moins ou doit se produire dans un futur proche, un «poids» allant de 11 à 100 et indiquant dans quelle mesure il entame la résistance de la personne, rend cette dernière plus vulnérable. Le tableau 11-1 présente cette liste.

Tableau 11-1 Les 43 événements de la vie qui affectent la résistance au stress d'un individu[7]

	Poids (en points)
Décès du conjoint	100
Divorce	73
Séparation d'avec le conjoint	65
Sortie de prison	63
Décès d'un proche	63
Maladie ou blessure personnelle	53
Mariage	50
Perte d'emploi	47
Réconciliation avec le conjoint	45
Départ à la retraite	45
Détérioration de la santé d'un proche	44
Grossesse	40
Difficultés sexuelles	39
Agrandissement de la famille	39
Exigence de réadaptation dans le travail	39
Changement dans la situation financière	38
Décès d'un ami proche	37
Changement de style de travail	36
Changement dans le nombre de disputes avec le conjoint	35
Débit supérieur à 200 $	31
Saisie faisant suite à un emprunt ou à une dette	30
Changement dans le niveau de responsabilité au travail	29
Départ de la maison d'un enfant	29
Difficultés avec la belle-mère ou le beau-père	29
Réussite personnelle éminente	28
Arrêt ou reprise du travail par le conjoint	26
Rentrée des classes ou départ en vacances scolaires	26
Changement dans les conditions de vie	25
Remise en question des habitudes personnelles	24
Conflit avec le patron	23
Changement dans les conditions ou horaires de travail	20
Déménagement	20

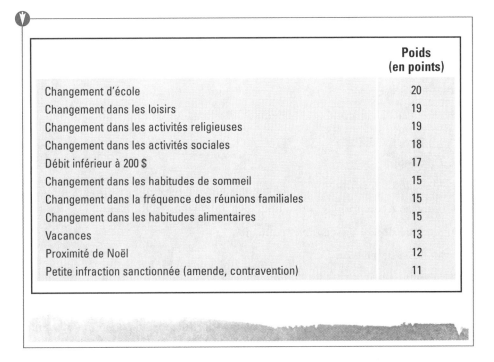

	Poids (en points)
Changement d'école	20
Changement dans les loisirs	19
Changement dans les activités religieuses	19
Changement dans les activités sociales	18
Débit inférieur à 200 $	17
Changement dans les habitudes de sommeil	15
Changement dans la fréquence des réunions familiales	15
Changement dans les habitudes alimentaires	15
Vacances	13
Proximité de Noël	12
Petite infraction sanctionnée (amende, contravention)	11

Le *burn out* touche souvent ceux qui ont la responsabilité d'autres personnes et qui poursuivent sans cesse des objectifs difficiles à atteindre. De plus, les individus mus par de grands idéaux de performance et de réussite, ceux qui font dépendre leur estime de soi de leurs réalisations professionnelles, ceux pour qui le travail constitue la principale source d'accomplissement personnel et ceux qui se réfugient dans le travail pour fuir leurs difficultés personnelles ont plus de risques que les autres de souffrir d'épuisement professionnel. Enfin, les situations où il y a surcharge de tâches par rapport aux moyens mis à la disposition des personnes de même que les contextes professionnels porteurs d'ambiguïté ou de conflits de rôles sont reconnus comme étant particulièrement propices à l'apparition du syndrome d'épuisement professionnel chez les personnes qui y évoluent.

LES MANIFESTATIONS DU STRESS ET LEURS CONSÉQUENCES[8]

 **OBJECTIF 2**

Repérer les manifestations du stress dans les attitudes, les émotions et les comportements.

Un préposé au service à la clientèle exposé à un stress intense finit par avoir des comportements, éprouver des émotions ou adopter des attitudes qui altèrent ses capacités et nuisent à son travail. En voici une liste :

- ■ Accès de colère
- ■ Enfermement altérant le sens de l'écoute
- ■ Altération des aptitudes de communication
- ■ Attitude défensive
- ■ Dépendance à l'alcool, au tabac ou à toute autre substance
- ■ Gestion du temps faisant plus de place au travail qu'à la famille
- ■ Peu d'énergie
- ■ Faible estime de soi

■ Exigences démesurées envers les autres

■ Gestion du temps médiocre

■ Impatience

■ Indécision

■ Inefficacité dans le travail d'équipe

■ Inflexibilité, rigidité

■ Distraction

■ Manque d'empathie

■ Manque d'intégrité

■ Manque de confiance envers autrui

■ Manque de passion

■ Attitude négative

■ Pessimisme

L'individu en état de stress intense se comporte ainsi de façon inconsciente à cause des avantages à court terme qu'il peut en retirer, mais sans voir malheureusement les coûts et les conséquences négatives à long terme pour les autres, clients internes et externes. Le tableau 11-2 présente une analyse «avantages-coûts-conséquences» du stress.

Tableau 11-2 Avantages à court terme, coûts et conséquences des attitudes, émotions et comportements causés par le stress

Attitudes, émotions et comportements	Avantages à court terme	Coûts	Conséquences à long terme
Accès de colère Impatience	Déclenchement d'une action, élimination de certaines tensions	Hostilité, opposition, colère des clients internes et externes	Démotivation et hostilité dans l'entourage Cessation des relations solides Risques de problèmes de santé
Attitude défensive	Maintien d'une certaine distance avec les autres Fuite vis-à-vis des responsabilités	Altération du fonctionnement de l'équipe Hostilité des clients internes Altération des facultés d'apprentissage	Isolement Rigidité Mauvaises relations interpersonnelles Dépérissement personnel Médiocre performance professionnelle
Dépendances à des substances	Gratification immédiate Réduction de la tension Aisance sociale	Problèmes de concentration Performance variable Sautes d'humeur Problèmes relationnels	Risques élevés pour la santé Danger pour les relations Altération de l'estime de soi et de la performance

Attitudes, émotions et comportements	Avantages à court terme	Coûts	Conséquences à long terme
Gestion du temps faisant plus de place au travail qu'à la famille	Augmentation du nombre de tâches professionnelles accomplies Diminution des émotions Fuite vis-à-vis des responsabilités non professionnelles	Réduction du temps accordé à l'intimité Ressentiment de la famille, des amis	Relations insatisfaisantes Impatience et colère croissantes Épuisement professionnel Amertume et regrets Culpabilité Désillusion
Peu d'énergie, sédentarisme, diminution progressive de l'exercice physique	Augmentation du temps disponible pour le travail Diminution de l'effort à fournir	Diminution de l'énergie, de la vigueur Perte des moyens de détente après une activité intellectuelle intense Vulnérabilité vis-à-vis de la maladie	Détérioration de la santé Diminution de la concentration et de l'énergie positive Diminution de la longévité
Gestion du temps médiocre	Sensation d'accomplissement pour les tâches à court terme, accomplies en urgence	Altération de la capacité d'attention Détérioration de la qualité du travail Problèmes relationnels	Relations superficielles Altération de la capacité d'attention Détérioration de la qualité du travail
Enfermement altérant le sens de l'écoute, altération des aptitudes en communication, diminution de l'efficacité dans le travail en équipe, manque d'attention, manque d'empathie	Diminution de la douleur et du stress	Diminution de l'intérêt pour le travail et des relations avec les autres	Vie superficielle, manquant de sens Diminution de la performance
Attitude négative, pessimisme	Déception moindre Diminution des risques Diminution de la vulnérabilité	Diminution de l'énergie positive Diminution de l'efficacité dans les relations interpersonnelles Diminution du bonheur	Altération de la performance Altération de la santé Perte du bonheur

LES ATTITUDES MENTALES ET COMPORTEMENTS PERMETTANT DE GÉRER LE STRESS

OBJECTIF 3

Adopter les comportements qui aident à gérer le stress.

Les ouvrages sur la gestion du stress pullulent. Voici quelques-uns des conseils qu'ils prodiguent[9].

LES ATTITUDES POSITIVES, ORIENTÉES VERS LE BONHEUR

Avant toute chose, il faut *oser le bonheur*. Les gens heureux sont presque toujours ceux qui aiment ce qu'ils font. Ils possèdent une faculté d'écoute supérieure à la moyenne et apprennent vite.

Pour être bien, subir moins de stress, il faut également *lâcher prise*, résister à la tentation de vouloir contrôler son environnement. Le contrôle, en effet, devient stressant tant pour celui qui contrôle que pour celui qui est contrôlé. Le premier se stresse à propos de ses choix et de ses comportements ; le second devient stressé à cause du mode de pensée ou de comportement qu'on lui impose.

Ne pas jouer à la victime. Il faut également éviter de participer à ces championnats de victimologie où l'on n'en finit plus de déclarer combien on est occupé, combien d'heures on reste au travail, combien de fins de semaine on a apporté du travail à la maison, combien de jours on a dû se présenter au bureau à l'aube blafarde…

Se programmer mentalement pour le bonheur. Les phrases débutant par « Il faut que… » nous préparent, nous programment mentalement à vivre certains aspects de la vie comme de vraies corvées, alors qu'on pourrait les envisager autrement. « Il faut que je me lève à 6 h », « Il faut que je complète ce rapport »… N'est-il pas plus stimulant de se dire : « Je vais avoir une belle journée » ou « Le projet sur lequel je travaille est vraiment intéressant » ?

Créer un climat de saine émulation autour de soi. Rien de pire aussi que de favoriser une ambiance de « panier de crabes », un climat de concurrence malsaine où chacun hait l'autre et cherche à lui nuire. Au contraire, il faut ne pas prendre part aux rumeurs et rester positif, se concentrer sur ces petits cadeaux que le quotidien apporte.

Ne pas anticiper la fatigue. Certaines personnes ont tendance à se plaindre, dès le début de la semaine, de la grande fatigue qu'elles éprouveront assurément le lendemain ou à la fin de la semaine. Savez-vous que cela ne fait qu'augmenter le sentiment de fatigue ? Au contraire, ne pas penser à la fatigue mais se concentrer sur le travail à faire et apprendre à se reposer et à se détendre rend plus efficace.

Accepter certaines démarches inévitables. Un certain nombre de personnes se font une montagne de démarches bureaucratiques à faire. Or, cela rend les choses encore pires. Mieux vaut faire la paix avec ces démarches souvent inévitables, s'en détacher du point de vue des émotions. Éventuellement, on pourra analyser les processus et faire des suggestions d'amélioration.

Faire de l'exercice. Nous avons besoin de faire de l'exercice au même titre que nous avons besoin de dormir et d'avoir un régime alimentaire équilibré. C'est pourquoi la forme physique doit faire partie de notre emploi du temps. Au lieu de dire « Je n'ai pas le temps de faire de l'exercice », dites : « Je n'ai pas le temps de ne pas faire de l'exercice » !

Adopter la pensée positive. On a souvent tendance à rechigner en face d'un problème, à se plaindre. Pourtant, mobiliser son énergie pour le résoudre est bien plus utile et ne nous fait pas perdre de temps. Dans le même ordre d'idées, les expressions comme « Dieu merci, c'est vendredi » sont largement employées. Mais pourquoi, à la place, ne pas s'exclamer « Dieu merci, c'est aujourd'hui » ? Enfin, on rencontre toujours à un moment ou à un autre des personnes, des clients internes ou externes exigeants et difficiles. La plupart d'entre nous ont tendance à se plaindre d'eux, à souhaiter leur disparition, à comploter contre eux, à leur souhaiter malheur. En fait, cela ne fait qu'augmenter notre propre stress. Il est plus sain et plus sage, au contraire, de se concentrer sur les aspects positifs de ces individus, de se demander ce que ces personnes, qui sont difficiles avec tout le monde, peuvent nous apprendre.

Respirer. Chaque jour apporte son lot de mises à l'épreuve de notre patience, de notre bonté et de notre gratitude, de notre sens de l'écoute et de notre compassion. Devant ces agressions, prenez le temps de respirer pour éliminer une bonne partie des éléments potentiellement stressants. Prendre régulièrement des pauses, en faisant le vide mental en soi, est important, car cela nous permet de nous détendre et nous rend plus efficaces.

DIX RÈGLES D'OR POUR BIEN SE DÉTENDRE[10]

1. Lorsque je programme mes activités quotidiennes, je préserve toujours un temps libre pour la détente.

2. Au moins une fois par jour, je programme des activités que j'aime.

3. J'y consacre le temps nécessaire pour ne pas avoir à me presser.

4. Lorsque je sens monter un énervement en moi, je réalise quelques inspirations profondes et de petits mouvements des mains et des épaules.

5. Je sais dire « non ! »

6. Je réduis ma consommation de café, de thé, de coca.

7. J'arrête de fumer.

8. Je fais de la marche dès que je le peux (monter les escaliers, faire les courses, etc.).

9. Lorsque je ne suis pas d'accord, je fais valoir mon point de vue, tout en respectant celui des autres.

10. Lorsque je me sens débordé, je n'hésite pas à en parler à mon médecin.

LES ATTITUDES DE TRAVAIL SAINES

Ne pas faire des échéances une obsession. Les échéances sont certes inévitables en gestion. Toutefois, la majeure partie du stress engendré ne vient pas de l'échéance elle-même, mais de l'obsession qu'on en fait.

Planifier des périodes sans sonneries. Le téléphone, le cellulaire et le télé-avertisseur peuvent être des sources importantes de stress. Ces outils de communication peuvent en effet se transformer en «boutons de panique». En répondant systématiquement, on en devient esclave et on les transforme en obstacles à la réalisation des tâches professionnelles prévues. Finalement, cela génère de l'anxiété et du ressentiment envers nos interlocuteurs. Ainsi, il est bon de prévoir des périodes de travail «sans sonneries» et de laisser de temps en temps les messageries vocales prendre le relais. Idéalement, ces périodes «sans sonneries» devraient coïncider avec les moments de la journée où on est intellectuellement plus efficace pour accomplir des tâches requérant un minimum de temps sans interruption.

Profiter des réunions sans aller jusqu'à la «réunionite». Les gens se plaignent souvent du fait que les réunions sont beaucoup trop fréquentes et constituent des pertes de temps. Pourtant, les réunions peuvent être des occasions de s'exercer à vivre l'instant présent, à rester attentif et à ne pas laisser libre cours à ses pensées. Il importe surtout de ne pas ruminer, penser qu'on pourrait être ailleurs ou à ce qu'on compte faire plus tard. Au contraire, il est bien plus positif de se donner comme but de ressortir de la réunion en ayant appris quelque chose.

Une *bonne ambiance* fait du bien. On en a tous besoin. Or, on peut contribuer à la créer en manifestant sa reconnaissance aux autres, en répondant à leurs appels, en les félicitant de leur travail, de leur créativité, en leur montrant qu'on les apprécie.

L'écoute active dont nous avons parlé au chapitre 10 est aussi une méthode efficace pour lutter contre le stress.

Être ponctuel. Le temps est précieux pour tout le monde. Lorsqu'on est en retard, on émet subtilement le message que le temps est plus précieux pour nous que pour les autres. En vérité, la plupart du temps, il est possible d'éviter les retards, de gérer son temps en tenant compte des imprévus. Invoquer la circulation est un peu facile. La circulation, en effet, est toujours terrible, pour tout le monde, de même que les hivers québécois sont toujours rigoureux, pour tout le monde. Alors pourquoi ne pas en tenir compte dans la planification de son emploi du temps ? Les retardataires chroniques exacerbent leur stress.

Ne pas focaliser sur la règle du 80/20. Les personnalités battantes se stressent du fait que 80 % du travail est effectué par 20 % du personnel. Les personnes très productives ne comprennent pas toujours pourquoi les autres ne sont pas comme elles et se stressent à la simple évocation de ce fait. Pour éviter ce piège, ne pensez pas à ces gens qui sont moins productifs que vous. Établissez une liste de vos priorités de vie et faites en sorte que votre emploi du temps s'y conforme.

On ne prend pas les mouches avec du vinaigre. Sachez que si vous êtes difficile ou exigeant, si votre attitude est agressive et défensive, vous alimentez le stress en vous et autour de vous.

UNE GESTION GLOBALE DU STRESS

Nous venons de voir une série de conseils aidant à gérer le stress dans la vie de tous les jours comme au travail et jouant sur plusieurs tableaux de manière isolée. Toutefois, les conseils prodigués précédemment s'attaquent au stress du strict point de vue des attitudes mentales. Or, nous allons voir dans cette section qu'une bonne gestion du stress doit être beaucoup plus globale.

LA PERSONNE PARFAITE, SANS STRESS, SNIF ! SNIF !

Nous vous mettons au défi de nommer une personne de votre entourage qui ne connaisse pas le stress, le gère parfaitement. Cette personne devrait avoir toutes les caractéristiques suivantes. Au réveil, elle se sent tout à fait reposée, organisée et prête mentalement à effectuer son travail de la journée. Elle possède une grande capacité de travail, un haut niveau d'énergie émotive au travail. Elle se lance des défis, saisit des occasions dans son travail plus qu'elle ne vit de la frustration et de l'exaspération. Elle gère efficacement son temps, se passionne pour son travail, qui a du sens pour elle. Elle se sent heureuse et satisfaite au travail, qui la comble sur le plan personnel. Elle obtient de la reconnaissance pour ses bons coups, a confiance en elle, s'investit pleinement dans son travail. Elle entretient des relations chaleureuses, profondes et authentiques avec ses collègues de travail et s'entend bien avec son supérieur immédiat. Au lieu de critiquer et de se plaindre, elle reste positive et se concentre sur les solutions à apporter aux problèmes. Ses actions concordent avec ses valeurs les plus profondes, qui elles-mêmes concordent avec celles de l'entreprise où elle travaille. Elle arrive à bien se concentrer au travail, a l'esprit vif et alerte, peut penser clairement et logiquement même sous pression. En fin de journée, elle est capable de laisser le travail au bureau. Elle a toujours hâte d'aller faire de l'exercice physique, peut soulever des poids de plus en plus lourds au fur et à mesure de son entraînement, s'améliorer sur le plan cardiovasculaire, etc.

En somme, d'après ce portrait que nous venons de dresser, la personne qui gère parfaitement le stress s'est engagée envers elle-même, a pris des résolutions tant dans le domaine physique que dans les domaines émotif, mental et spirituel. Ce portrait montre que, pour gérer efficacement le stress, il faut tenir compte de ces quatre dimensions, les considérer comme un ensemble. Différents auteurs proposent ainsi une vision systémique de la gestion du stress.

S'ENTRAÎNER COMME UN ATHLÈTE POUR GÉRER LE STRESS

De plus en plus d'études montrent l'importance qu'il y a à travailler sur sa personne simultanément sur les plans physique, émotif, mental et spirituel pour être en mesure d'affronter les situations difficiles. Les théoriciens du management ont longtemps cherché à déterminer les facteurs du succès et de l'échec du travail sous pression. Les facteurs de succès qu'ils trouvaient ne concernaient cependant que ce qui était «au-dessus du cou» de l'employé, ne tenaient compte que des facultés cognitives. Loehr et Schwartz affirment qu'il faut au contraire considérer l'individu dans sa globalité et comme un athlète. À l'instar des joueurs se préparant pour les Jeux olympiques, le gestionnaire, pour être efficace à long terme, doit «s'entraîner» dans divers domaines.

Reconnaissant l'importance tant du physique que du mental, des émotions et de la spiritualité dans la capacité de l'individu à affronter le stress, Loehr et Schwartz en sont venus à élaborer une pyramide de la performance, illustrée à la figure 11-1. À la base de la pyramide se trouvent les habiletés à acquérir et à développer, habiletés qui constituent un soutien général. Il s'agit ni plus ni moins d'un

Figure 11-1 Une approche systémique de la gestion du stress[11]

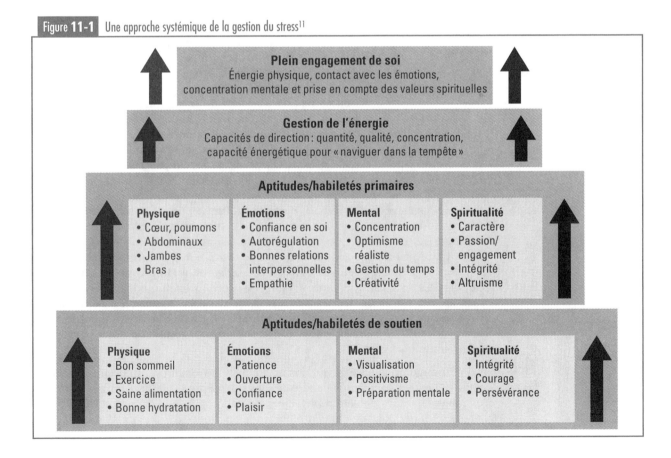

Figure 11-2 L'alternance des périodes de grande concentration et des périodes de détente qu'implique une gestion athlétique du stress

travail sur soi sur les plans physique, émotif, mental et spirituel. Ainsi, il faut gérer son temps en prévoyant des périodes pour le bien-être physique : sommeil, alimentation, hydratation, etc. Ce n'est qu'une fois qu'on a bien pris soin de sa personne physique qu'on peut modifier consciemment ses attitudes émotives, mentales et spirituelles relatives au travail. Ensuite, en suivant ce principe pyramidal, ce n'est qu'une fois qu'on a travaillé sur soi qu'on peut acquérir et développer des aptitudes et des habiletés primaires liées à une ouverture sur autrui. Aux étapes suivantes, on est capable de gérer l'énergie requise pour « naviguer dans la tempête », puis d'arriver à un plein engagement de soi.

En fait, Loehr et Schwartz nous proposent de chercher à dépasser nos limites, de nous entraîner comme de vrais athlètes. Pour y parvenir, il faut apprendre à faire alterner les périodes de plein engagement et les périodes de détente permettant le ressourcement (figure 11-2). Ce n'est que de cette façon que l'individu parvient à naviguer dans la tempête, en améliorant simultanément sa performance professionnelle et sa qualité de vie.

11.2 LA GESTION DU TEMPS

En entrevue à l'émission radiophonique *Indicatif présent*[12], la sociologue et psychologue Nicole Aubert[13] affirmait que notre rapport au temps a changé depuis le début des années 1990 : « Nous fonctionnons dans l'urgence. Il faut faire tout immédiatement, très vite. » L'urgence, l'instantanéité, l'immédiateté définissent notre rapport au temps. Cette situation provient de la conjonction entre la dictature du temps en économie, le consumérisme et les nouvelles technologies de la communication. Dans la sphère personnelle, on ne veut plus attendre pour obtenir ce qu'on demande. On veut tout immédiatement. On veut disposer jusqu'à la dernière seconde de notre temps. Dans les entreprises, nous constatons que la culture de l'urgence s'installe. N'établissant pas de priorités, l'employé se sent obligé de foncer sur tout à la fois. Il croit que s'il crie plus fort que les autres il va obtenir le morceau. Par ailleurs, la culture de l'urgence fait en sorte qu'il est de plus en plus difficile de faire la distinction entre ce qui est urgent et ce qui est important, entre ce qui est essentiel et ce qui est accessoire. Tout le monde court sans arrêt, cherche à être le plus performant possible. Il y a quelque chose d'euphorisant à vivre ainsi : on a l'impression d'être maître du temps, mais à tort. Cependant, cette vie à cent à l'heure entame le caractère, met les nerfs à fleur de peau, cause de la dépression, voire de l'épuisement professionnel. La dépression et le syndrome d'épuisement professionnel sont les seuls moyens que connaît notre corps pour nous avertir que nous perdons le contrôle de notre vie.

Comme nous l'avons vu dans la première partie, il est important, pour être efficace pendant longtemps, dans toutes les sphères de sa vie, de s'entraîner comme un athlète dans les domaines physique, mental, sentimental et spirituel, et de faire alterner les périodes de concentration et les périodes de détente. Pour redevenir maître de sa vie, pour ne plus subir la tyrannie du temps, pour gérer son temps de façon saine, il faut d'abord vouloir changer ses attitudes. Une saine gestion du temps débute par une prise de conscience de ses attitudes personnelles concernant le temps. Ainsi, dans cette section, nous allons vous exposer quatre «pathologies» en matière de gestion du temps: la *DEPsomanie*, l'incapacité à dire non, la *temps-dinite* et la vulnérabilité aux chronophages. Ce n'est qu'une fois que vous prendrez un engagement personnel à modifier ces attitudes que vous pourrez utiliser judicieusement les moyens et outils de gestion du temps présentés ensuite.

LES PROBLÈMES DE GESTION DU TEMPS[14]

LA *DEPSOMANIE*

DEPS? «Dernier Entré, Premier Sorti.» Le DEPSomane a tendance à gérer les tâches en s'occupant toujours des plus récentes. Il se plaint souvent, en fin de journée, de n'avoir pu faire ce qu'il voulait à cause d'imprévus, d'urgences. Il attend toujours la dernière minute pour accomplir une tâche importante. En fait, il carbure à l'adrénaline, il est stimulé par le sentiment d'urgence. C'est pourquoi il a également une tendance à la **procrastination**, c'est-à-dire qu'il reporte souvent au lendemain les tâches dont l'échéance est éloignée.

La personne qui souffre de DEPSomanie entreprend beaucoup de choses et en finalise peu. Le désordre de son bureau traduit son combat quotidien, de chaque instant, pour faire face aux situations urgentes. Elle ne l'avouera pas, ou difficilement, mais au fond, elle aime l'urgence, car elle préfère nettement l'action à la réflexion. Elle confond ce qui est urgent avec ce qui est important. Pour elle, en effet, ce qui est urgent est automatiquement important. Elle a du mal à penser à long terme et à se discipliner au quotidien en conséquence. Enfin, elle contribue autant à créer l'urgence qu'à y répondre. Non seulement elle perd beaucoup de temps, mais elle en fait perdre aux autres.

Aimant travailler dans l'urgence, la personne DEPSomane reporte continuellement les tâches importantes mais non urgentes, c'est-à-dire les projets à long terme, les améliorations à apporter, la formation, la prévention, le ménage à faire dans les dossiers. Elle disperse son énergie et épuise son entourage. Malheur à l'employé dont le patron est DEPSomane!

Vous reconnaissez-vous dans ce portrait? En fait, qui n'agit pas dans l'urgence, qui ne remet jamais un travail à la dernière minute, qui ne répond pas aux sollicitations faites en personne, par courriel, par cellulaire ou par téléavertisseur? Quand avez-vous fait pour la dernière fois le ménage de votre bureau, de vos documents papier ou électroniques? Quand avez-vous pensé à améliorer votre système de classement? Après une journée bien remplie à répondre aux sollicitations diverses et aux urgences, un sentiment de puissance peut nous envahir. Cependant, comme nous l'avons vu, ce n'est qu'une gratification à court terme.

L'INCAPACITÉ À DIRE NON

L'incapacité à dire non est la plus redoutable pathologie en matière de gestion du temps. Elle est en effet la plus difficile à guérir. La personne qui est incapable de dire non s'exclame souvent «Je n'ai pas le choix!» Elle n'ose pas refuser les travaux urgents, les échéances irréalistes, les attentes déraisonnables par rapport aux ressources disponibles, surtout si cela vient des clients ou des supérieurs. Elle fait toujours passer les besoins des autres avant les siens. Elle est persuadée de ne pas avoir le choix, de n'avoir aucun pouvoir ni aucun moyen de refuser. Elle se sent obligée d'accepter les demandes qui lui sont adressées, même lorsqu'elle est débordée. Elle hésite à demander de l'aide quand elle en a besoin.

>> **OBJECTIF** 4

Prendre conscience de l'existence de problèmes de gestion du temps.

DEPS, dernier entré, premier sorti (*LIFO, last in, first out*)

Dans le domaine de la gestion du temps, au sens large, méthode consistant à gérer les projets en exécutant en priorité les derniers arrivés sur la liste «à faire».

Procrastination (*procrastination*)

Tendance à remettre à plus tard une action qui pourrait être accomplie à plus brève échéance[15].

Vous vous plaignez de ne jamais avoir de temps pour vous? Vous avez toujours l'impression d'être au service des autres? Vous avez souvent du mal à dire non? Cela traduit peut-être un manque de confiance en vous, une recherche de reconnaissance auprès des autres. Si vous n'osez pas vous affirmer, affronter les réactions de mécontentement, c'est que vous avez peut-être peur de déplaire, de paraître incompétent, de donner l'impression de ne pas vouloir collaborer. Vous croyez sans doute que, si vous dites non, vous serez moins aimé, vous serez pénalisé professionnellement, vous pourrez perdre votre emploi, vous retrouver seul. Attention, cette perception d'impuissance peut conduire au désabusement, au cynisme organisationnel et à l'épuisement professionnel.

LA *TEMPS-DINITE* OU LE MANQUE DE TEMPS PERPÉTUEL

On a un problème de manque de temps chronique lorsqu'on a sans cesse le sentiment de manquer de temps. Votre liste de choses à faire s'allonge continuellement? Vos tâches sont plus longues à effectuer que prévu? Vous êtes dans l'incertitude quant à ce qu'impliquent vos mandats? Vos projets ont tendance à se compliquer en cours de route? Vos échéances sont trop serrées? Vous avez souvent l'impression d'attendre les autres pour des informations ou un travail promis? Vous souhaitez souvent que les journées soient plus longues? Votre vie serait tellement plus facile si vous n'étiez pas constamment en train de courir après les autres. Nous verrons plus loin comment il est possible de mieux gérer son temps à l'aide d'outils.

Vous faites souvent des heures supplémentaires et quittez le bureau tard? Vous emportez des dossiers à la maison la fin de semaine? Vous vous sentez surchargé, fatigué? Vous avez hâte d'être en vacances? Votre problème de manque de temps perpétuel vient sans doute de votre difficulté à bien évaluer la durée du travail à accomplir et les délais à prévoir.

LA VULNÉRABILITÉ AUX ACTIVITÉS CHRONOPHAGES

Chronophage
(*time-consuming*)
Se dit d'une activité
qui consomme inutilement
du temps.

La personne qui est vulnérable aux activités **chronophages** laisse ces activités *bouffe-temps* prendre une quantité de temps excessive dans sa journée. Elle se plaint ainsi d'être constamment interrompue dans la lecture d'un document ou dans son travail par des collègues lui demandant des informations urgentes, lui commentant les dernières rumeurs ou pariant sur les résultats du match de hockey du soir. Elle est aussi dérangée par le téléphone, le téléavertisseur, le cellulaire, les courriels, qui émettent tour à tour ou en même temps leurs sonneries personnalisées. Elle déplore, avec raison, que son environnement est peu propice à la concentration: aires ouvertes, manque d'espace, surpeuplement, conversations bruyantes, réunions de corridor, ronronnement du photocopieur...

Par ailleurs, la personne qui est victime des activités chronophages a le sentiment de ne pas disposer de l'information précise nécessaire à la réalisation de son travail. Elle subit parfois, dans son travail, l'«informationite», c'est-à-dire l'obsession de tous à vouloir s'informer de tout, tout le temps, ou la «réunionite», c'est-à-dire la tendance à vouloir faire des réunions à tout bout de champ, pour régler un problème précis, aborder une idée soudaine ou régler une urgence. Elle peut aussi manquer de mécanismes formels de coordination pour ses projets.

La personne qui est victime des activités chronophages, lesquelles peuvent être tant internes qu'externes, a du mal à se concentrer et fait des erreurs qui l'obligent à reprendre plusieurs fois la même tâche. Enfin, elle a un sentiment de persécution et se plaint de ne pouvoir commencer à travailler que lorsque les autres s'arrêtent de le faire!

À QUOI RESSEMBLE VOTRE EMPLOI DU TEMPS?

En utilisant la première grille qui suit, dressez le portrait de votre emploi du temps de la semaine dernière ou d'une semaine type de votre vie. Employez une couleur pour chaque catégorie d'activité: activité physique/sport, famille/amis, loisir, ménage/lavage/courses, présence aux cours, repas, sommeil, temps d'étude, transport, travail rémunéré. Indiquez les plages horaires que vous consacrez aux différentes activités. Ensuite, calculez le temps consacré à chaque activité par jour et par semaine et remplissez la deuxième grille.

	Lundi	Mardi	Mercredi	Jeudi	Vendredi	Samedi	Dimanche
0 h							
1 h							
2 h							
3 h							
4 h							
5 h							
6 h							
7 h							
8 h							
9 h							
10 h							
11 h							
12 h							
13 h							
14 h							
15 h							
16 h							
17 h							
18 h							
19 h							
20 h							
21 h							
22 h							
23 h							

	Dimanche	Lundi	Mardi	Mercredi	Jeudi	Vendredi	Samedi	Total
Activité physique, sport								
Famille, amis								
Loisir								
Ménage, lavage, courses								
Présence aux cours								
Repas								
Sommeil								
Temps d'étude								
Transport								
Travail rémunéré								
								168 h

Quel résultat obtenez-vous ? En principe, votre emploi du temps devrait refléter vos priorités. Est-ce vraiment le cas ? Regardez à quoi vous consacrez exagérément du temps par rapport à vos priorités, et examinez comment vous pouvez réduire ce temps consacré aux activités moins prioritaires pour vous concentrer sur les activités prioritaires.

OBJECTIF 5

Utiliser judicieusement les moyens et les outils de gestion du temps.

LES MOYENS ET LES OUTILS POUR GÉRER SON TEMPS

PLANIFIER SON TEMPS PERSONNEL ET PROFESSIONNEL[16]

L'un des premiers remèdes aux pathologies que nous avons décrites précédemment est la planification de la totalité de son emploi du temps. En voici les principes de base.

Ralentissez ! Il est facile de se laisser entraîner par la succession des tâches sans réfléchir. Une saine gestion du temps implique justement en premier lieu le refus de se laisser entraîner dans le cercle vicieux des choses urgentes et de toutes les sollicitations. En fait, cela peut sembler paradoxal, mais il faut apprendre à être lent pour bien gérer son temps. Il faut prendre du recul. Pour cela, placez-vous en situation de lenteur interne en diminuant le rythme de votre respiration et le débit de vos paroles. Accordez-vous des petites périodes de «transition» pour penser à la suite de la journée. Lorsqu'on doit prendre une décision importante, il ne faut pas agir à chaud, mais prendre connaissance de tous les éléments avant le soir et attendre le lendemain.

Établissez vos priorités. Dans un premier temps, établissez vos priorités et respectez-les. Dressez la liste de vos priorités en incluant non seulement vos priorités professionnelles, mais également vos priorités personnelles, familiales et sociales.

Réfléchissez à vos objectifs à long terme et mettez-les par écrit. Revoyez-les périodiquement. Ces objectifs doivent être spécifiques, mesurables et atteignables.

Ils doivent correspondre à ce que vous êtes en ce moment. Ils doivent aussi comporter une échéance. Il faut planifier les étapes de la réalisation d'un projet en ayant la date d'échéance en tête, donc en commençant par la fin.

Planifiez au quotidien. Planifiez ensuite votre temps au quotidien, toujours à la même heure. Profitez du moment pour revoir vos accomplissements et les tâches qui restent à faire. Ne vous éparpillez pas : n'utilisez qu'un seul outil de planification, de format papier ou électronique, pour vos activités et vos rendez-vous tant professionnels que personnels.

Faites chaque jour une liste de choses à faire. Pour planifier votre travail, divisez vos projets en étapes s'échelonnant sur plusieurs jours ou plusieurs semaines, s'il y a lieu. Puis, évaluez le temps à consacrer à chacune des **tâches** à accomplir. En effet, un même projet peut comporter plusieurs tâches, une tâche étant habituellement considérée comme la plus petite division du travail à effectuer. Les tâches peuvent également être indépendantes les unes des autres. La date de début et la durée de chaque tâche étant habituellement connues, l'exécution d'un ensemble de tâches sera organisée dans le temps. Il est plus facile de planifier son temps au quotidien en dressant la liste des tâches à accomplir que de traiter un projet dans son ensemble. Inscrivez les tâches précises d'un projet que vous pouvez effectivement accomplir durant la journée. Par exemple, écrivez «faire les graphiques du bilan» au lieu de «travailler sur le bilan».

Commencez par travailler sur les tâches «urgentes et importantes» (les priorités A selon la matrice Eisenhower que nous décrivons un peu plus loin). Rayez les tâches de votre liste au fur et à mesure de leur accomplissement. Cela donne de l'énergie et renforce le sentiment d'accomplissement.

Restez maître de votre temps. La plupart des gens ne consacrent que 25 % de leur temps aux activités prioritaires. Augmenter cette proportion à 33 % signifie consacrer une demi-journée de plus à ces activités. Prévoyez donc du temps pour travailler sur les projets importants et pour les activités intellectuelles à faire seul. Si vous êtes de ceux ou celles qui ont de la difficulté à dire non, apprenez à répondre «désolé, je suis occupé à ce moment-là» si on vous demande un rendez-vous. Ne craignez pas de vous isoler pour travailler sur les dossiers délicats avec toute la concentration requise.

Pour être maître de son temps, ne pas se laisser envahir par les activités chronophages, il faut apprendre à faire le tri, à éviter ou à repousser les parasites. Par exemple, pour éviter que des clients internes arrivent à l'improviste avec un nouveau problème et donc des tâches supplémentaires à accomplir, vous pouvez instaurer des horaires de visite et les communiquer, tout en signalant que vous restez disponible en cas d'urgence. Enfin, à moins que vos fonctions ne vous obligent à une disponibilité 24 heures sur 24, considérez les appareils téléphoniques comme des boîtes vocales et prévoyez des moments dans la journée pour rappeler les gens éventuellement.

Réservez-vous des plages libres, dans votre emploi du temps quotidien, pour les urgences. Prévoyez du temps pour la famille, l'activité physique, les activités sociales ou d'ordre spirituel afin que vous gériez votre stress de la façon systémique que nous avons décrite un peu plus haut. Demandez-vous si vous avez atteint vos objectifs et quels changements vous êtes prêt à effectuer pour les atteindre. À celui qui vous dit «Rappelez-moi la semaine prochaine pour que nous fixions un rendez-vous» répondez «Évitons un appel superflu et fixons le rendez-vous maintenant».

Devenez un stratège du temps. Le rapport au temps diffère d'un individu à l'autre. Certains sont matinaux, d'autres sont plutôt des oiseaux de nuit. Les premiers aiment le calme du matin, les seconds, celui du soir. Savez-vous à quelle

Tâche (*task*)
Travail déterminé qu'on doit exécuter et qui correspond généralement à une des divisions d'une activité[17].

catégorie vous appartenez? Apprenez à repérer les moments de la journée où vous vous sentez le plus productif intellectuellement et réservez-les aux tâches de priorité A, selon la matrice d'Eisenhower, aux dossiers délicats. Consacrez les autres périodes, où vous êtes moins productif, aux **tâches répétitives** ou moins importantes (consultation du courrier, rappels faisant suite à des messages, etc.). Être un bon stratège, c'est savoir faire les choses aux moments opportuns, pour soi comme pour les autres.

UTILISER LA MATRICE EISENHOWER POUR FIXER SES PRIORITÉS

Pour pouvoir planifier, il faut d'abord dresser la liste des choses à faire et établir les priorités. Dans un premier temps, recensez l'ensemble des tâches à accomplir, notamment les tâches et engagements fixes dont les dates et échéances ne peuvent être repoussées. Précisez éventuellement le nom des personnes dont vous avez besoin. Évaluez également le temps disponible (par jour et par semaine) pour effectuer chaque tâche.

Dans un deuxième temps, classez les tâches en fonction de vos priorités, à l'aide de la **matrice Eisenhower**. Facile à utiliser, cette matrice aide à déterminer l'urgence ou l'importance d'une tâche et permet une meilleure organisation du travail. Non seulement elle oblige à classer les différentes tâches, mais elle permet la gestion des perturbations, la gestion des objectifs professionnels et personnels et la gestion par délégation. Classer les tâches par ordre de priorité vous permettra de mieux vous consacrer aux tâches pour lesquelles vous avez le plus de compétences, de temps ou de pression. Par la suite, vous pourrez repérer les tâches à déléguer, gérer les ressources disponibles en cas de surcharge et limiter la dégradation de la qualité des prestations. Ainsi, la matrice Eisenhower contribue à diminuer le stress. De plus, elle réduit les coûts cachés dus à la non-qualité et permet une meilleure adéquation entre les tâches et les intervenants.

Pour ce qui est de classer les tâches en fonction de leur urgence et de leur importance relative, il faut bien faire attention. En effet, sachez que ce qui est urgent n'est pas nécessairement important. Par exemple, obtenir son diplôme d'études collégiales peut constituer un objectif important, mais l'atteinte de cet objectif peut correspondre à un degré d'urgence variable d'un étudiant à l'autre. En effet, si l'étudiant occupe déjà un poste à temps plein qu'il considère comme gratifiant, il estimera moins urgent d'obtenir son diplôme dans les délais normaux que s'il reçoit une bourse ou a fait un prêt pour y parvenir. Pour prendre d'autres exemples, traiter une réclamation de manière à satisfaire tant son employeur que le client devrait constituer une tâche urgente et importante. Réserver une table au restaurant pour ses amis et soi-même peut être une tâche urgente si c'est pour le soir même, mais est moins importante que toutes les autres choses à faire dans la journée.

La matrice Eisenhower, illustrée à la figure 11-3, se fonde sur cette distinction entre ce qui est urgent et ce qui est important et

Tâches répétitives
(*repetitive tasks*)

Partie des activités administratives consistant en une suite de travaux ou d'opérations simples, de même nature, aisément répertoriables et impliquant un certain automatisme ou une certaine routine[18].

Matrice Eisenhower
(*Eisenhower matrix*)

Outil de classification méthodique des priorités et d'appréciation des urgences, permettant la gestion et la régulation des activités ainsi que la préparation de la délégation[19].

Figure 11-3 La matrice Eisenhower[20]

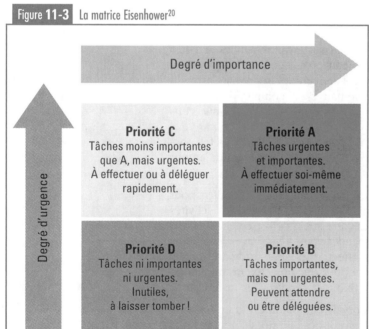

Degré d'importance

Degré d'urgence

Priorité C
Tâches moins importantes que A, mais urgentes. À effectuer ou à déléguer rapidement.

Priorité A
Tâches urgentes et importantes. À effectuer soi-même immédiatement.

Priorité D
Tâches ni importantes ni urgentes. Inutiles, à laisser tomber !

Priorité B
Tâches importantes, mais non urgentes. Peuvent attendre ou être déléguées.

comporte quatre types de priorités. Ainsi, ce qui est important et urgent constitue une tâche de priorité A. Ce qui important mais pas urgent correspond à une tâche de priorité B. Ce qui n'est pas très important mais urgent constitue une tâche de priorité C. Enfin, ce qui n'est ni important ni urgent correspond à une tâche de priorité D. Les deux dernières catégories de tâches peuvent être déléguées, la toute dernière, éliminée.

En fin de compte, votre emploi du temps doit refléter ces priorités. De plus, lorsque vous classez vos tâches, vous devriez respecter deux grands principes :

1. Commencer par ce qu'on apprécie le moins.

2. Regrouper les activités.

Cela signifie que vous avez intérêt à classer les n tâches de priorité A de A_1 à A_n, les y tâches de priorité B de B_1 à B_y... De plus, il est important de regrouper les tâches, car ouvrir tous les jours le même dossier pendant une heure prend plus de temps que travailler sur ce même dossier pendant une journée ou plus d'affilée. Enfin, dans votre planification quotidienne, gardez-vous environ 30 % de temps pour les imprévus.

UTILISER DES OUTILS COMME UN AGENDA ET UN COLLECTICIEL

Comme nous l'avons vu, pour remédier aux problèmes de temps, il faut apprendre à planifier, à organiser ses tâches et son temps. Pour cela, il ne suffit pas d'avoir un tableau calendrier où inscrire les urgences uniquement. En fait, il faut au départ un seul outil pour planifier son temps. Cet outil peut être un **agenda** de format papier ou électronique, qu'on utilisera régulièrement et efficacement. En outre, les technologies de l'information fournissent d'autres outils pour aider à la planification du temps. Ainsi, en plus des agendas traditionnels, il existe des **collecticiels** qui combinent calendriers, listes de priorités, bottins téléphoniques personnels, bref, une panoplie d'outils facilitant la planification du temps pour l'ensemble d'une équipe travaillant en réseau. Outlook de la série Office de Microsoft,

Agenda (*diary*)
Carnet prédaté sur lequel on peut noter les choses à faire ou déjà faites[21].

Collecticiel (*groupware*)
Logiciel qui permet à des utilisateurs reliés par un réseau de travailler en collaboration sur un même projet[22].

www.microsoft.ca

MIEUX GÉRER SES COURRIELS

Rien de pire que les avertisseurs de courriels entrants pour mettre un employé en mode passif. Répondre aux courriels au fur et à mesure de leur arrivée peut donner l'impression de travailler et d'être très disponible. Cependant, cette stratégie s'avère être une perte de temps, empêche de prendre du recul par rapport aux événements et de se concentrer pour accomplir les tâches prioritaires. Jean-Louis Muller, responsable de l'offre, management et développement des personnes pour l'entreprise de formation française **Cegos** a adopté une méthode bien particulière pour gérer ses courriels : « J'utilise des couleurs qui me permettent de distinguer les messages en interne qui me sont adressés à moi seulement, les messages où plusieurs personnes sont en copie et enfin les courriels de clients que je connais. Je gère en priorité ces derniers, puis les courriels internes qui me sont destinés. Si j'ai le temps, je consulte les copies. De plus, j'ouvre ma messagerie uniquement le matin en arrivant au bureau, après le déjeuner et le soir. Le reste du temps, elle est fermée. Enfin, je réponds toujours en mode déconnecté. Cela m'évite de répondre du tac au tac, ou d'envoyer plusieurs courriels au lieu d'un. »

www.cegos.com

www.ibm.com
www.novel.com

Lotus Notes d'IBM et GroupWise de la société Novell sont des exemples de collecticiels. Le logiciel Microsoft Outlook, avec sa fonction tâches/liste détaillée, permet la planification et la classification des tâches (figure 11-4). Il permet aussi de prévoir des rappels d'échéances grâce à des sonneries ou à des envois automatiques de courriels aux intéressés.

Figure 11-4 La fonction tâches/liste détaillée du logiciel Microsoft Outlook

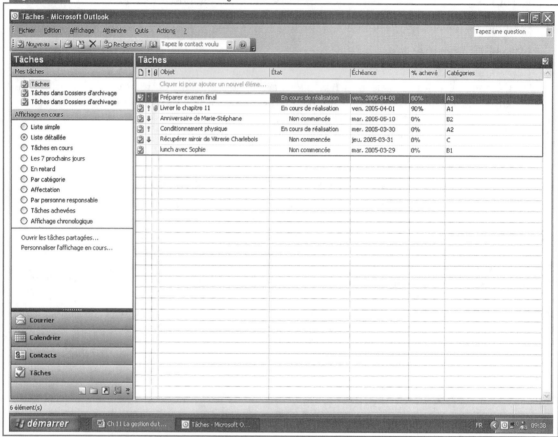

RÉSUMÉ

1. Distinguer le stress de l'épuisement professionnel.

Le stress se définit comme la pression qu'exerce l'environnement sur un individu. Quand il est intense, il entraîne des comportements et des attitudes plus ou moins conscients qui peuvent nuire à la qualité du service à la clientèle. Le syndrome du stress comporte trois stades : la «réaction d'alarme»; la «résistance»; et l'«épuisement». Le syndrome de l'épuisement professionnel, ou *burn out*, quant à lui, est un état d'épuisement physique, émotionnel et intellectuel qui résulte du stress intense ressenti pendant longtemps par un individu, qui ne maîtrise plus la situation et devient incapable de répondre aux exigences de sa profession.

2. **Repérer les manifestations du stress dans les attitudes, les émotions et les comportements.**

Un préposé au service à la clientèle exposé à un stress intense finit par avoir des comportements, des émotions et des attitudes qui nuisent à son travail : accès de colère, altération du sens de l'écoute, déficit des aptitudes en communication, attitude défensive, dépendances à l'alcool, au tabac ou à toute autre substance, gestion du temps accordant plus de place au travail qu'à la famille, gestion du temps médiocre…

3. **Adopter les comportements qui aident à gérer le stress.**

Il existe deux grands courants concernant la façon de gérer son stress. Le premier suggère d'adopter des attitudes mentales positives et orientées vers le bonheur : oser le bonheur, lâcher prise, ne pas jouer à la victime, ne pas anticiper la fatigue, etc., ainsi que des attitudes saines au travail : ne pas faire des échéances une obsession, planifier des plages «sans sonneries», profiter des réunions sans en abuser, être ponctuel, etc. Le second courant, émergent, préconise une approche systémique, une gestion globale du stress fondée sur un travail simultané dans les domaines physique, émotif, mental et spirituel. Il conseille également de faire alterner les périodes de plein engagement et de détente.

4. **Prendre conscience de l'existence de problèmes de gestion du temps.**

On distingue quatre «pathologies» en matière de gestion du temps. La *DEPSomanie,* pour «dernier entré, premier sorti», correspond à la tendance à s'occuper machinalement des tâches les plus récentes, quel que soit leur véritable degré d'urgence. *L'incapacité à dire non* est l'incapacité à ne pas accéder aux demandes d'autrui et conduit à la situation où on se retrouve submergé. La *temps-dinite* correspond au sentiment perpétuel de manquer de temps pour accomplir tout ce qu'on doit faire. Enfin, la vulnérabilité aux activités chronophages est le fait de laisser les activités *bouffe-temps* prendre exagérément de place. Pour régler ses problèmes de temps, il est essentiel en premier lieu de prendre conscience de sa pathologie dominante.

5. **Utiliser judicieusement les moyens et les outils de gestion du temps.**

Pour bien gérer son temps, régler ses problèmes de temps, il faut tout d'abord prendre le temps de tout planifier, son temps professionnel comme son temps personnel, et de respecter un certain nombre de principes en matière de planification. Ensuite, on pourra utiliser efficacement les outils de gestion du temps dont on dispose. La matrice d'Eisenhower est le premier grand outil en matière de gestion du temps. Elle aide à établir des priorités à partir de la distinction entre l'urgent et l'important : ce qui est important et urgent constitue une tâche de priorité A ; ce qui est important mais pas urgent correspond à une tâche de priorité B ; ce qui n'est pas très important mais urgent constitue une tâche de priorité C ; enfin, ce qui n'est ni important ni urgent correspond à une tâche de priorité D (qu'on peut laisser tomber). Il existe d'autres outils, comme les agendas et les collecticiels, qui sont des outils de planification à utiliser régulièrement tant pour des projets professionnels que pour des projets personnels. Il importe d'utiliser un seul outil pour gérer la totalité de son temps.

MOTS CLÉS

Agenda (p. 311)	*Diary*
Anxiogène (p. 295)	*Anxiety producing*
Chronophage (p. 306)	*Time consuming*
Collecticiel (p. 311)	*Groupware*
DEPS, dernier entré, premier sorti (p. 305)	*LIFO, last in, first out*
Homéostasie (p. 295)	*Homeostasis*
Matrice Eisenhower (p. 310)	*Eisenhower matrix*
Procrastination (p. 305)	*Procrastination*
Stress (p. 295)	*Stress*
Syndrome d'épuisement professionnel (p. 295)	*Burn-out*
Tâche (p. 309)	*Task*
Tâches répétitives (p. 310)	*Repetitive tasks*

QUESTIONS DE RÉVISION

Pour les questions 1 à 11, complétez les phrases avec les mots ou expressions qui conviennent.

1. Selon Selye, le syndrome de ... ou syndrome général d'adaptation (SGA) évolue en trois stades : le stade de ..., le stade de ... et le stade d'...

2. On appelle ... la caractéristique générale des organismes consistant en la tendance à maintenir constantes les conditions de vie, à les rétablir quand elles se sont trouvées modifiées (en particulier en ce qui concerne le milieu intérieur).

3. Gérer son stress requiert tout d'abord de l'individu une prise de conscience des ... de son environnement.

4. On appelle ... un état d'épuisement physique, émotionnel et intellectuel qui résulte du stress ressenti par un individu placé dans une situation où il devient incapable de répondre aux exigences de sa profession.

5. En matière de gestion du stress, on conseille dans un premier temps d'oser ...

6. En matière de gestion du stress, il faut résister à la tentation de vouloir contrôler ...

7. Une bonne partie du stress ne vient pas tant de l'échéance elle-même que de ... qu'on en fait.

8. En matière de gestion du stress, les réunions peuvent être des occasions de s'exercer à ..., à rester attentif et à ne pas laisser libre cours à ses pensées.

9. En matière de gestion du stress, l'abus de phrases commençant par «Il faut que...» nous ... à vivre les choses comme des corvées.

10. En matière de gestion du stress, de plus en plus d'études montrent l'importance qu'il y a à travailler sur sa personne simultanément sur les plans ..., ..., ... et ... pour être en mesure d'affronter les situations difficiles.

11. En matière de gestion du stress, Loehr et Schwartz proposent de chercher à dépasser ses limites, de s'entraîner comme un véritable … Pour y parvenir, il faut apprendre à … les périodes de … et les périodes de … permettant le ressourcement.

12. Déterminez l'indice de stress de Thomas Lebrun à l'aide des informations fournies dans la mise en situation du début du chapitre et à partir du tableau 11-1.

13. Indiquez les comportements de Thomas Lebrun décrits dans la mise en situation du début du chapitre qui sont des réactions au stress. Puis faites une analyse coûts-conséquences en utilisant le tableau ci-dessous.

Attitudes et comportements	Avantages à court terme	Coûts	Conséquences à long terme

ATELIERS | PRATIQUES

1. Étudiez la situation de Joanie. Puis, à l'aide de la matrice Eisenhower, établissez un ordre de priorités pour toutes les choses que la jeune femme doit faire ce jour-là. Joanie, 25 ans, est mère monoparentale d'Océane, 2 ans, et gérante de la boutique Rhumba qui compte 8 employés. Faisant partie d'une chaîne de plus de 50 magasins établis dans l'ensemble du Québec, son commerce est ouvert à la clientèle de 9 h 30 à 17 h du lundi au mercredi et le samedi, de 9 h 30 à 21 h le jeudi et le vendredi, et de 11 h à 17 h le dimanche. Joanie habite un duplex appartenant à sa mère, qui est également sa voisine. Son commerce est à 20 minutes en automobile de son domicile et la garderie d'Océane est à mi-chemin sur le parcours.

À son réveil, à 5 h 30 ce lundi-là, Joanie consulte sa liste de choses à faire. Au magasin, elle doit procéder à l'ouverture et à la fermeture (système d'alarme, éclairage, fond musical, courrier) tous les jours sauf le jeudi et le week-end. De plus, elle ne ferme pas le vendredi soir. Elle doit s'occuper de la gestion des stocks de marchandises et des commandes aux fournisseurs. Ce matin-là, elle a rendez-vous à 9 h avec une jeune designer qui veut lui proposer sa collection en exclusivité.

Cela lui rappelle qu'elle doit téléphoner à la relationniste du centre d'achats concernant l'organisation d'un défilé de mode qui aura lieu dans un mois.

L'anniversaire d'Océane est dans 10 jours. Joanie compte organiser une fête spéciale, le dimanche, avec parents et amis. Cela signifie qu'elle doit prévoir le cadeau, le gâteau, la nourriture, les invitations, un clown... Tous les matins, elle doit se préparer, faire un peu de ménage, servir le petit-déjeuner à Océane puis emmener la petite fille à la garderie pour 8 h. Elle la reprend le soir à 18 h 15. Comme c'est la fin du mois, elle doit s'occuper de la fermeture des livres, au magasin, et envoyer un rapport des ventes à la direction générale de l'entreprise. Par ailleurs, la veille, sa copine Julie l'a appelée pour lui demander si elle voulait bien enregistrer ce soir, à 21 h, la finale de « Beauté académie » sur BofTV, car elle n'a pas le câble chez elle. Quand elle est au magasin, Joanie doit s'occuper des clients lorsque ses vendeuses sont en pause (de 15 h à 15 h 20) ou prennent leur lunch (de 11 h 30 à 12 h 30). Le reste du temps, elle travaille surtout dans l'arrière-boutique, sauf si un client se présente pour une plainte ou une réclamation.

2. À partir des informations fournies dans la mise en situation de l'atelier précédent, préparez l'emploi du temps de Joanie pour ce lundi-là.

3. Êtes-vous stressé(e)? Pour le savoir, faites le test suivant en étant le plus honnête possible. Pour chaque énoncé, cochez la case correspondant à la réponse la plus adaptée à votre situation.

Stress o mètre[23]

		Pas du tout	Rarement	Parfois	Souvent	Très souvent
1.	Je me sens abattu(e), drainé(e) de toute énergie physique ou émotive.					
2.	Je tends à considérer mon emploi actuel de façon très pessimiste.					
3.	Je suis dur(e), antipathique envers les autres, parfois plus qu'ils ne le méritent.					
4.	Je m'irrite facilement à propos de problèmes mineurs, de mes collègues de travail ou de mon équipe.					
5.	Je me sens incompris(e), pas bien estimé(e) par mes collègues de travail.					
6.	J'ai l'impression de n'avoir personne à qui parler.					
7.	J'ai l'impression d'accomplir moins de choses que ce que je devrais.					
8.	Je sens une pression désagréable quant à la nécessité de réussir.					
9.	Je n'ai pas l'impression d'obtenir ce que je veux de mon emploi actuel.					
10.	J'ai le sentiment de travailler pour la mauvaise entreprise ou d'exercer la mauvaise profession.					

		Pas du tout	Rarement	Parfois	Souvent	Très souvent
11.	Je me sens frustré par certains aspects de mon travail.					
12.	Certaines politiques organisationnelles ou bureaucratiques entravent mon travail.					
13.	Il y a plus à accomplir que ce que je suis capable de faire.					
14.	Je ne dispose pas d'assez de temps pour accomplir plusieurs tâches importantes et atteindre la qualité dans mon travail.					
15.	Je manque de temps pour planifier mes tâches aussi bien que je le souhaiterais.					

Interprétation des résultats

Attribuez 1 point à chaque réponse du type « pas du tout », 2 points pour chaque « rarement », 3 pour « parfois », 4 pour « souvent » et 5 pour « très souvent ».

Si vous obtenez *de 15 à 18 points*, cela signifie que vous ne démontrez aucun signe d'épuisement professionnel. Vous semblez gérer assez bien votre stress ou ne subissez que peu de stress. Bravo !

Si vous obtenez *de 19 à 32 points*, il se peut que vous souffriez un peu, sans plus, d'épuisement professionnel.

Si vous obtenez *de 33 à 49 points*, vous avez un risque moyen d'être victime d'épuisement professionnel. Vous devez être prudent et travailler sur les facteurs qui posent problème (les endroits où vous avez coché « très souvent »).

Si vous obtenez *de 50 à 59 points*, vous devez agir dès maintenant, car votre risque d'être victime d'épuisement professionnel est élevé en ce moment !

Enfin, si vous obteniez *de 60 à 75 points*, la situation est plus qu'urgente : consultez un médecin, car votre risque de souffrir d'épuisement professionnel est des plus élevés en ce moment !

4. Donnez des exemples d'activités chronophages potentielles dans la vie de Joanie, d'après les informations fournies dans la mise en situation de l'atelier 1.

5. Donnez un exemple de procrastination.

6. Étienne affirme de façon péremptoire : « Pfft ! Gérer son temps, c'est de la foutaise ! Moi, je ne m'en fais plus avec ça ! Je me contente de faire le plus urgent pour satisfaire mes patrons. De toute façon, je ne suis pas payé pour penser, mais pour agir. Le soir, je suis satisfait, j'ai vraiment le sentiment d'avoir accompli quelque chose. » Qu'en pensez-vous ?

RETOUR SUR LA
MISE EN SITUATION

L'ACCÈS DE COLÈRE DE THOMAS LEBRUN

À la suite de l'incident mettant en cause Thomas Lebrun, la direction de la chaîne de magasins ABC a pris plusieurs mesures. Tout d'abord, elle a profité de la mise en place d'un intranet pour proposer aux employés du service à la clientèle un atelier sur la gestion du temps et des priorités reposant sur l'utilisation d'un collecticiel. Ensuite, la psychologue du siège social a organisé des ateliers sur la détection des facteurs anxiogènes et les moyens permettant de gérer le stress. Gérants et superviseurs ont par ailleurs reçu la consigne de faire part à la psychologue du siège social de tout cas d'employé montrant des signes de stress élevé. On a également mis en place un programme de conditionnement physique pour les employés. Enfin, la qualité de la nourriture de la cafétéria a été améliorée. Ainsi, dans les deux années qui ont suivi, on a pu constater une réduction importante du nombre de cas d'épuisement professionnel parmi les employés des magasins ABC.

NOTES

CHAPITRE 1

1. www.evene.fr/celebre/fiche.php?id_auteur=521&topic= Henry_Ford.
2. Office québécois de la langue française. *Le grand dictionnaire terminologique*, réf. du 25 octobre 2005, www.granddictionnaire.com.
3. OQLF, réf. du 25 octobre 2005.
4. Robert W. LUCAS. *Customer Service*, 2ᵉ éd., Woodland Hills, Glencoe/McGraw-Hill, 2002, p. 4.
5. *Idem*.
6. OQLF, réf. du 25 octobre 2005.
7. OQLF, réf. du 25 octobre 2005.
8. OQLF, réf. du 25 octobre 2005.
9. OQLF, réf. du 25 octobre 2005.
10. OQLF, réf. du 25 octobre 2005.
11. OQLF, réf. du 25 octobre 2005.
12. pmequebeclic.com/Fonctions/Fonction.aspx? Fonction=231&Toc=0.
13. OQLF, réf. du 25 octobre 2005.
14. David L. Goetsch, et Stanley B. Davis. *Effective Customer Service – Ten Steps for Technical Professions*, NetEffet Series, Upper Saddle River, Pearson Prentice Hall, 2004, p. xii.
15. OQLF, réf. du 25 octobre 2005.
16. John Goodman. *Basic Facts on Customer Complaint Behavior and the Impact of Service on the Bottom Line, Competitive Advantage*, juin 1999, p. 1-5.
17. John Goodman. *Basic Facts on Customer Complaint Behavior and the Impact of Service on the Bottom Line*, TARP, 1999, www.tarp.com (réf. du 31 octobre 2005).
18. Deloitte. *Making Customer Loyalty Real, Lessons from Leading Manufacturers, Chart 3 Customer loyalty and business performance*, New York, Deloitte Research, 1999, p. 5.
19. www.line56.com/articles/default.asp?NewsID=3289.
20. Tiré des scénarios A et B de «Il est plus rentable de conserver un client que d'en recruter de nouveaux.» Avec les compliments du CEFRIO, site PME Québeclic, 2004, pmequebeclic.com/Fonctions/Fonction.aspx? Fonction=231&Toc=2.
21. Demir Barlas. *Choices in CRM, How much functionality is enough, or too much?*, Line56, mardi 10 janvier 2002. www.line56.com/articles/default.asp?NewsID=3289 (réf. du 15 septembre 2004).
22. Robert Dow Buzzel et Bradley T. Gale. *The Pims Principles: Linking Strategy to Performance*, New York, Free Press, 1987.
23. strategis.ic.gc.ca/epic/internet/instco-levc.nsf/fr/ h_qw00040f.html.
24. Fredrick F. Reichheld. *Loyalty-Based Management, Harvard Business Review*, HBR OnPoint Enhance Edition, novembre 2002, 14.
25. OQLF, réf. du 25 octobre 2005.
26. socserv2.socsci.mcmaster.ca/~econ/ugcm/3ll3/pareto/.

CHAPITRE 2

1. Faith Popcorn. *Le rapport Popcorn: Comment vivrons-nous l'an 2000?*, Montréal, Éditions de l'Homme, 1994.
2. Jean-Claude Boisdevésy. *Le marketing relationnel*, Paris, Éditions d'Organisation, 2001.
3. Bob Fortier. *Petit tour d'horizon du télétravail*, réf. du 17 septembre 2005, teletravail.monster.ca/articles/intro/.
4. Léon Courville. *Piloter dans la tempête: Comment faire face aux défis de la nouvelle économie*, Montréal, Québec Amérique, 1991.
5. «Étudissement» est un néologisme créé à partir des termes «étude» et «divertissement». Voir Jean-Claude Boisdevésy, *op. cit.*, p. 93.
6. Michel Langlois et Jean-Charles Chebat. «Gestion des clients et qualité du rôle transactionnel dans les services», dans Jean Carette et Louis Plamondon (dir.), *Vieillir sans violence*, Montréal, Presses de l'Université du Québec, 1990, p. 213-220.
7. Office québécois de la langue française (OQLF). *Le grand dictionnaire terminologique*, réf. du 25 octobre 2005, www.granddictionnaire.com.
8. OQLF, réf. du 25 octobre 2005.
9. OQLF, réf. du 25 octobre 2005.
10. OQLF, réf. du 15 novembre 2005.
11. OQLF, réf. du 25 octobre 2005.
12. Adapté de K. Teas, «Expectations, performance evaluation and consumers' perceptions of quality», *Journal of Marketing*, nᵒ 57 (octobre 1993), p. 18-34.
13. Adapté de Marcel Alain. *Réussir la performance des services aux clients dans un monde de géants issus de fusions et d'acquisitions tout en bénéficiant des leviers des technologies de l'information*, Montréal, Éditions nouvelles, 2002; Robert W. Lucas. *Customer Service: Skills & Concepts for Success*, 2ᵉ éd., Glencoe, McGraw-Hill, 2002; et A. Parasuraman, Leonard Berry et Valarie A. Zeithaml. «The nature and determinants of customers expectations of service», *Marketing Science Institute Report*, nᵒ 91-113 (mai 1991), p.12 et «Measuring customer perception of service quality», *Marketing Science Institute Report*, nᵒ 86-108 (1986), p. 39.
14. A. Parasuraman, L. Berry et V.A. Zeithaml. «The nature and determinants of customers expectations of service», *Marketing Science Institute Report*, nᵒ 91-113 (mai 1991), p.12 et «Measuring customer perception of service quality», *Marketing Science Institute Report*, nᵒ 86-108, 1986, p. 39. Cité dans Marcel Alain, *Réussir la performance des services aux clients dans un monde de géants issus de fusions et d'acquisitions tout en bénéficiant des leviers des technologies de l'information*, Montréal, Éditions nouvelles, 2002, p. 172.
15. OQLF, réf. du 15 novembre 2005.
16. OQLF, réf. du 30 novembre 2005.
17. James Téboul. *Le temps des services: Une approche nouvelle de management*, Éditions d'Organisation, Paris, 1999, p. 85.
18. OQLF, réf. du 25 octobre 2005.

19. Corine Moriou. *Du savoir-vivre en affaires*, mis en ligne le 18 février 2004, www.lentreprise.com.
20. Corine Moriou. *Une courtoisie à double sens*, mis en ligne le 15 juillet 2003, www.lentreprise.com/3/actu/default.asp?ida=3813.
21. OQLF, réf. du 17 novembre 2005.
22. A. Parasuraman, L. Berry et V.A. Zeithaml. «The nature and determinants of customers expectations of service», *Marketing Science Institute Report*, nº 91-113, mai 1991, p.12 et «Measuring customer perception of service quality», *Marketing Science Institute Report*, nº 86-108, 1986, p. 39. Cité dans Marcel Alain, *Réussir la performance des services aux clients dans un monde de géants issus de fusions et d'acquisitions tout en bénéficiant des leviers des technologies de l'information*, Montréal, Éditions nouvelles, 2002, p. 172.
23. Herzberg *et al. The Motivation to Work*, 2ᵉ éd., New York, Wiley, 1959.

CHAPITRE 3

1. Citation attribuée à J. Carlzon, président de Scandinavian Airline Systems.
2. Marylee Taylor. «Race, sex, and self-fulfilling prophecy effects in a laboratory teaching situation», *Journal of Personality and Social Psychology*, nº 37 (1979), p. 897-912.
3. Office québécois de la langue française. *Le grand dictionnaire terminologique*, réf. du 25 octobre 2005, www.granddictionnaire.com.
4. OQLF, réf. du 25 octobre 2005.
5. Walter Shewhart, ingénieur américain, a participé aux célèbres études de Hawthorne Works pour améliorer la qualité et la productivité. Il a perfectionné la théorie de la carte de contrôle.
6. Consulter le site : www.nqi.ca/fr/Certification/iso9000_fr.aspx.
7. *Termium : La base de données terminologiques et linguistiques du gouvernement du Canada,* base de données sur cédérom, 1999, Ottawa, Bureau de la traduction, Travaux publics et Services gouvernementaux Canada.
8. Adapté de l'article 5 «Mise en œuvre de l'approche processus» du document *ISO/TC 176/SC 2/N544R2(r)* (13 mai 2004) et publié sur le site : www.iso.org/iso/fr/iso9000-14000/iso9000/9001_2000approach.html (réf. du 13 mai 2005).
9. OQLF, réf. du 25 octobre 2005.
10. Gouvernement du Québec, Ministère de l'Industrie, du Commerce et de la Technologie, *Le client est roi*, Québec, 1993, p. 22.
11. OQLF, réf. du 25 octobre 2005.
12. Jean-Didier Vincent. «L'empire caché de nos émotions», *Science et vie,* hors-série, sept. 2005, nº 232, Paris, Excellsior Publications SAS, p. 85.
13. OQLF, réf. du 25 octobre 2005.
14. Voir l'article de Wikipédia sur le sujet, à l'adresse suivante : fr.wikipedia.org/wiki/Interface_homme-machine.
15. OQLF, réf. du 25 octobre 2005.
16. Nigel Bevan, *Cost benefit analysis*, Serco Usability Services, 8 septembre 2000. www.usability.serco.com/trump/methods/integration/costbenefits.htm (réf. du 16 août 2005).
17. OQLF, réf. du 25 octobre 2005.
18. *Affaire plus,* «Anatomie du meilleur boss au Québec», Montréal, Publications Transcontinental, octobre 2004, p. 54.
19. David L. Goetsch et Stanley B. Davis. *Performance-appraisal form with a customer-service criterion*, Upper Saddle River, Pearson Prentice Hall, 2004, figure 2.3, p. 29. Traduit et reproduit avec l'autorisation de Pearson Education, Inc.
20. Abraham H. Maslow, *Motivation and Personality*, 2ᵉ éd., New York, Harper and Row, 1970, 369 p.

CHAPITRE 4

1. Office québécois de la langue française (OQLF). *Le grand dictionnaire terminologique*, réf. du 3 novembre 2005, www.granddictionnaire.com.
2. Robert D. Buzzell, et Bradley T. Gale. *Pims Principles, Profits Impact of Market Strategy*, New York, The Free Press, Simon & Shuster, 1987, 322 p.
3. Pour de l'information sur le sujet, voir l'article à l'adresse suivante : www.vioxx.com/rofecoxib/vioxx/consumer/index.jsp.
4. Pour de l'information sur le sujet, aller à l'adresse Internet suivante : www.celebrex.com.
5. Fortune magazine, 2004 Global 500, Time Inc., New York, www.fortune.com/fortune/global500/snapshot/0,15198,C858,00.html (réf. du 7 novembre 2005).
6. OQLF, réf. du 3 novembre 2005.
7. Crouser Report OnLine, 14 février 1996, www.printusa.com/articles/report38.htm (réf. du 6 juin 2005).
8. OQLF, réf. du 3 novembre 2005.
9. Adapté de *Healthcare Forum Journal,* vol. 33, nº 5 (septembre-octobre 1990), www.well.com/user/bbear/garvin.html#eight (réf. du 14 janvier 2005), et de David Garvin, «What does quality really mean», *Sloan Management Review*, 1984, vol. 26, nº 1, p. 25-43.
10. OQLF, réf. du 3 novembre 2005.
11. Walter Shewhart est un ingénieur américain qui a participé aux célèbres études de Hawthorne Works pour améliorer la qualité et la productivité. Il a perfectionné la théorie de la carte de contrôle.
12. William Edwards Deming est un statisticien américain qui s'est intéressé à la question de l'optimisation de la productivité et de la qualité du matériel de guerre. À partir de 1949, il a collaboré avec les entreprises japonaises quand elles ont adopté avec succès ses théories sur le management de la qualité.
13. Voir les études TARP au chapitre 1.
14. OQLF, réf. du 3 novembre 2005.
15. Joseph A. DeVito. *La communication interpersonnelle*, Saint-Laurent, Éditions du Renouveau pédagogique, 1999, p. 367-378.
16. OQLF, réf. du 3 novembre 2005.
17. OQLF, réf. du 3 novembre 2005.
18. OQLF, réf. du 3 novembre 2005.
19. Jay Heizer et Barry Render. *Principles of Operations Management*, 5ᵉ éd., Upper Saddle River, Prentice Hall, 2004, p. 596.
20. OQLF, réf. du 3 novembre 2005.
21. OQLF, réf. du 3 novembre 2005.
22. OQLF, réf. du 3 novembre 2005.
23. Direction informatique Express. «Vidéotron au dernier rang pour son service à la clientèle en ligne», *Le bulletin des actualités technologiques* (12 août 2005), www.directioninformatique.com/index.asp?theaction=61&sid=52890 (réf. du 13 août 2005).
24. Adapté de Jay Heizer et Barry Render. *Principles of Operations Management*, Upper Saddle River, Prentice Hall, 2001, figure 6-2, p. 171.

CHAPITRE 5

1. Ce palmarès est un outil de promotion et de différenciation pour cette entreprise dans une optique d'approche client.
2. Luc Amyotte. *Méthodes quantitatives*, 2ᵉ éd., Saint-Laurent, Éditions du Renouveau pédagogique, 2002, chapitre 1.
3. Big Dave Ostrander. *Marketing Moments of Magic & Misery*, www.bigdaveostrander.com/articles/marketing-moments.htm (réf. du 28 octobre 2005).
4. Office québécois de la langue française (OQLF). *Le grand dictionnaire terminologique*, réf. du 2 décembre 2005, www.granddictionnaire.com
5. OQLF, réf. du 31 octobre 2005.
6. Adapté de *BusinessWeek online,* «Shoot the focus group», www.businessweek.com/magazine/content/05_46/b3959145.htm (réf. du 17 novembre 2005). © The McGraw-Hill Companies
7. OQLF, réf. du 31 octobre 2005.
8. OQLF, réf. du 31 octobre 2005.
9. Les citations sont tirées de Louise Leduc, «Y a l'téléphon…», série «Au bas de l'échelle», *La Presse* (12 septembre 2005), p.A-17.
10. OQLF, réf. du 28 octobre 2005.
11. OQLF, réf. du 28 octobre 2005.
12. OQLF, réf. du 28 octobre 2005.
13. OQLF, réf. du 28 octobre 2005.
14. OQLF, réf. du 28 octobre 2005.
15. Naresh Malhortra, Jean-Marc Décaudin et Afifa Bouguera. *Études marketing avec SPSS*, Paris, Pearson Education, 2004, tableau 10-2, p. 259.
16. Damon Darlin. «The only question that matters», *Business 2.0*, Time inc., vol. 6, nᵒ 8 (septembre 2005), p. 50-52.
17. OQLF, réf. du 31 octobre 2005.
18. S. J. Newell et R. E. Goldsmith. «The development of a scale to measure perceived corporate credibility», *Journal of Business Research*, vol. 52, nᵒ 3 (juin 2001), Elsevier Science, p. 235-247.
19. OQLF, réf. du 31 octobre 2005.
20. OQLF, réf. du 31 octobre 2005.
21. Tiré de Marcel Alain. *Réussir la performance des services aux clients*, Montréal, Édition Nouvelles, 2002.
22. OQLF, réf. du 5 décembre 2005.
23. CEFRIO, sondage Netendance Internet au Québec, 2004.
24. CEFRIO, sondage Netendance Internet au Québec, 2004.
25. James Téboul. *Le temps des services: Une approche nouvelle de management*, Paris, Éditions d'Organisation, 1999, p. 132.
26. OQLF, réf. du 1ᵉʳ novembre 2005.
27. OQLF, réf. du 1ᵉʳ novembre 2005.
28. James Téboul. *Le temps des services: Une approche nouvelle de management*, Paris, Éditions d'Organisation, 1999, p. 101.
29. OQLF, réf. du 5 décembre 2005.

CHAPITRE 6

1. Office québécois de la langue française (OQLF). *Le grand dictionnaire terminologique*, réf. du 7 novembre 2005, www.granddictionnaire.com.
2. Christopher Lovelock, Jochen Wirtz et Denis Lapert. *Marketing des services*, 5ᵉ éd., Paris, Pearson Education, 2004, figure 9.1, p. 271.
3. OQLF, réf. du 7 novembre 2005.
4. OQLF, réf. du 7 novembre 2005.

5. OQLF, réf. du 7 novembre 2005.
6. Kerry Capell, «Ikea: How the Swedish retailer became a global cult brand», *Business Week* (14 novembre 2005), p. 96-104.
7. OQLF, réf. du 7 novembre 2005.
8. OQLF, réf. du 7 novembre 2005.
9. OQLF, réf. du 7 novembre 2005.
10. OQLF, réf. du 7 novembre 2005.
11. Pete Engardio et Bruce Einhorn, «Outsourcing innovation», *Business Week* (21 mars 2005), p. 84-94.
12. OQLF, réf. du 7 novembre 2005.
13. OQLF, réf. du 7 novembre 2005.
14. Christopher Lovelock, Jochen Wirtz et Denis Lapert. *Marketing des services*, 5ᵉ éd., Paris, Pearson Education, 2004, tableau 9-5, p. 293.
15. «Crowned at last: A survey of consumer power», *The Economist* (2 avril 2005), p. 4.
16. «Frais de commodité demandés par les institutions financières: Option consommateurs et le PIAC lancent un mouvement de contestation» (10 décembre 2002), www.option-consommateurs.org/communiques/communique101202.html (réf. du 11 avril 2005).
17. «Delay woes for Toronto», *Business Travel* (23 mars 2005), Tomesonline, travel.timesonline.co.uk/article/0,,11250-1538209,00.html (réf. du 4 mai 2005).
18. Gouvernement du Québec, ministère de la Santé et des Services sociaux. Liste d'attente, www.msss.gouv.qc.ca/sujets/listesdattente/index.html (réf. du 5 avril 2005).
19. Christopher Lovelock, Jochen Wirtz et Denis Lapert. *Marketing des services*, 5ᵉ éd., Paris, Pearson Education, 2004, reproduction partielle du tableau 9-3, p. 288-289.
20. Jay Greene. «Intrawest, The Web Smart 50 – Customer Service», *BusinessWeek online* (24 novembre 2003), pda.businessweek.com/ (réf. du 11 avril 2005).
21. OQLF, réf. du 7 novembre 2005.

CHAPITRE 7

1. www.evene.fr/celebre/biographie/michel-serres-4184.php (réf. du 5 novembre 2005). Extrait d'une interview du journal *Le Monde*.
2. Glenn Phelps. «Empower people, not software», *Gallup Management Journal* (Internet), gmj.gallup.com (réf. du 5 nov 2005).
3. Office québécois de la langue française (OQLF). *Le grand dictionnaire terminologique*, réf. du 31 octobre 2005, www.granddictionnaire.com.
4. OQLF, réf. du 31 octobre 2005.
5. OQLF, réf. du 31 octobre 2005.
6. OQLF, réf. du 31 octobre 2005.
7. OQLF, réf. du 1ᵉʳ novembre 2005.
8. Statistique Canada. «Achats en ligne: magasinage des ménages sur Internet», *Le quotidien* (23 septembre 2004), www.statcan.ca/Daily/Francais/040923/q040923a.htm (réf. du 21 juillet 2005).
9. Accenture. «The innovator's advantage: A customer relationship management perspective», 2004, fichier pdf disponible à: www.accenture.com/xd/xd.asp?it=enweb&xd=ideas\pca\innovators\crm.xml (réf. du 26 septembre 2005).
10. Anupam Agarwal, David P. Harding et Jeffrey R. Schumacher. «Organizing for CRM», *The McKinsey Quarterly*, 2004, nᵒ 3. www.mckinseyquarterly.com/article_page.aspx?ar=1444&L2=16 (réf. du 28 janvier 2005).
11. OQLF, réf. du 31 octobre 2005.
12. OQLF, réf. du 31 octobre 2005.
13. OQLF, réf. du 31 octobre 2005.
14. OQLF, réf. du 31 octobre 2005.

15. Statistique Canada. « Étude : qui appelle à l'heure du souper ? », *Le Quoditien* (25 mai 2005), www.statcan.ca/Daily/Francais/050525/q050525c.htm (réf. du 1er août 2005).
16. OQLF, réf. du 1er novembre 2005.
17. Source : Conseil de la radiodiffusion et des télécommunications canadiennes. Fiche info Télémarketing, www.crtc.gc.ca/frn/INFO_SHT/t1022.htm (réf. du 5 novembre 2005).
18. Source : Call Center Solutions Survey, Benchmark Portal, Inc. 2000, www.benchmarkportal.com/newsite/article_detail.taf?topicid (réf. du 21 juillet 2005).
19. www.tbs-sct.gc.ca/si-as/kpiicr/interim/interim09_f.asp#_Toc82923160.
20. *Ibid.*
21. IDC. Worldwide Technical Support and Help Desk Business Process Outsourcing 2005-2009 Forecast and Analysis, février 2005, document 32838. www.idc.com/getdoc.jsp?containerId=fr2005_03_01_164151 (réf. du 1er mars 2005).
22. Bob Tedeschi. « Spyware heats up the debate over cookies », *NYTimes.com* (réf. du 15 août 2005). www.nytimes.com/2005/08/15/business/media/15adcol.html (réf. du 15 août 2005).
23. OQLF, réf. du 1er novembre 2005.
24. OQLF, réf. du 1er novembre 2005.
25. Steffan Berelowitz. « Shared insights business networks », Posted by Staff Editor on May 23, 2005. network.sharedinsights.com et Google Answers to « call center economics », answers.google.com/ (réf. du 21 août 2005).
26. Ivy Meadors. « High touching the people », *Shared Insights* (23 mai 2005), network.sharedinsights.com/si?go=830749 (réf. du 23 mai 2005).

CHAPITRE 8

1. Loi sur la santé et la sécurité du travail, article 51, L.R.Q., chapitre S-2.1, www2.publicationsduquebec.gouv.qc.ca/dynamicSearch/telecharge.php?type=2&file=/S_2_1/S2_1.html (réf. du 7 décembre 2005).
2. Office québécois de la langue française (OQLF). *Le grand dictionnaire terminologique*, réf. du 7 novembre 2005, www.granddictionnaire.com.
3. Voir le site Internet de l'Institut canadien d'information juridique, à l'adresse suivante : www.canlii.org/qc/legis/index.html.
4. Association canadienne des professeures et professeurs d'université. « Stress au travail », *Bulletin de santé et de sécurité du travail*, no 1, Ottawa, décembre 2003. Adapté de L.R. Murphy, *Occupational Stress Management: Current Status and Future Direction in Trends in Organizational Behavior*, 1995, vol. 2, p. 1-14.
5. Santé Canada. « Étiquetage d'ingrédients de produits cosmétiques », *Votre santé et vous*, Ottawa, Ontario, novembre 2004, www.hc-sc.gc.ca/francais/vsv/index.html (réf. du 7 décembre 2005).
6. Commission de la santé et de la sécurité du travail du Québec. *TMS Troubles musculo-squelettiques*, feuillet, dépliant DC 500-238, Montréal, CSST, 2003.
7. Jody Miller et Matt Miller. « Get a life », *Fortune*, vol. 152, no 11 (28 novembre 2005), p. 109-124.
8. William J. Stevenson et Claudio Benedetti. *La gestion des opérations, produits et services*, Montréal, Chenelière/McGraw-Hill, 2001, p. 730.
9. Voir l'adresse Internet suivante : www2.publications duquebec.gouv.qc.ca/dynamicSearch/telecharge.php?type=3&file=/A_3/A3R8_2.htm.

10. Loi sur la protection des renseignements personnels dans le secteur privé, L.R.Q., chapitre P-39.1, www2.publicationsduquebec.gouv.qc.ca/ (réf. du 7 décembre 2005).
11. Tom Zeller. « Personal data for 3.9 million lost in transit », *The New York Times*, 7 juin 2005, www.nytimes.com/2005/06/07/business/07data.html?th=&emc=th&pagewanted=print (réf. du 7 juin 2005) ; The Scramble to Protect Personal Data, 9 juin, 2005, www.nytimes.com/2005/06/09/business/09data.html?th=&emc=th&pagewanted=all (réf. du 9 septembre 2005) ; et Robert Berner et Adrienne Carter. « Swiping back at credit-card fraud », *BusinessWeek*, 11 juillet 2005, p. 72.
12. « Desjardins : plus de 1 500 cartes ont été gelées pour éviter une fraude », argent.canoe.com/infos/quebec/archives/050329-085129.html (réf. du 20 mars 2005).
13. Roth Danie. « The great data heist », *Fortune*, New York, Time Inc., 16 mai 2005, p. 66-75.
14. OQLF, réf. du 7 novembre 2005.
15. OQLF, réf. du 7 novembre 2005.
16. Experian-Scorex. Probe SM, www.experian-scorex.fr (réf. du 27 avril 2005).

CHAPITRE 9

1. Albert Mehrabian. *Nonverbal Communication*, Chicago, Aldine-Atherton, 1972.
2. Office québécois de la langue française (OQLF). *Le grand dictionnaire terminologique*, réf. du 29 novembre 2005, www.granddictionnaire.com.
3. Stewart L. Tubbs et Sylvia Moss. *Human Communication: Principles and Contexts*, 9e éd., New York, McGraw-Hill, 2003, 592 p.
4. *Le Nouveau Petit Robert*, 2000.
5. Albert Mehrabian, *op. cit.*
6. Albert Mehrabian, *op. cit.*
7. OQLF, réf. du 29 novembre 2005.
8. Stewart L. Tubbs et Sylvia Moss, *op. cit.*
9. OQLF, réf. du 7 novembre 2005.
10. OQLF, réf. du 7 novembre 2005.
11. Edward Twichell Hall. *La dimension cachée*, Paris, Le Seuil, 1971.
12. OQLF, réf. du 7 novembre 2005.
13. Adaptée de Edward Twichell Hall, *op. cit.*
14. Mary Mitchell. *The Complete Idiot's Guide to Business Etiquette*, Indianapolis, Alpha Books, 2000.
15. Roger E. Axtell. *Gestures: the Do's and Taboos of Body Language Around the World*, New York, Wiley, 1998, p. 40. Reproduction autorisée par John Wiley & Sons, Inc.
16. Edward Twichell Hall, *op. cit.*
17. R.L. Birdwhistell. *Kinesics and Context*, Philadelphie, University of Pennsylvania Press, 1970.
18. Rolland G. Plamondon, Gary F. Soldow et Gloria P. Thomas. *La vente professionnelle*, Saint-Laurent, Éditions du Renouveau pédagogique, 1993, p. 110.
19. Paul Ekman. *Emotions Revealed: Recognizing Faces and Feelings to Improve Communication and Emotional Life*, New York, Times Books, 2003.
20. *Le Nouveau Petit Robert*, 2000.
21. Charles Robert Darwin. *The Expression of the Emotions in Man and Animals*, Londres, John Murray, 1872, 2e éd. par Francis Darwin, 1890.
22. J.P. Forgas (dir.). *The Handbook of Affect and Social Cognition*, Mahwah, Lawrence Erlbaum, 2000.
23. © Paul Ekman 2003. www.paulekman.com
24. Voir le site Internet de Wikipédia sur le sujet, à l'adresse suivante : fr.wikipedia.org/wiki/PNL.

25. OQLF, réf. du 11 novembre 2005.
26. Lynne Brennan. *Business Etiquette for the 21st Century: What to do and What NOT to do*, Londres, Piatkus, 2003.
27. Mary Mitchell, *op. cit.*
28. Lynne Brennan, *op. cit.*
29. Université de Montréal, Bureau d'intervention en matière de harcèlement, 2004, www.harcelement.umontreal.ca/Reagir/savoirsijenfais.html (réf. du 11 novembre 2005).
30. Adapté de *The Web's Leading Resource for International Business Etiquette and Manners: Japan*, www.cyborlink.com/besite/japan.htm (réf. du 29 novembre 2005).
31. Jana L. High. *High Tech Etiquette: Perfecting the Art of Plugged-in Politeness*, Dallas, R & W Publishers, 2002.
32. Traduction parue dans *La Presse* le 8 septembre 2005 de John Leland. «Just a minute, boss. My cellphone is ringing», *The New York Times*, 7 juillet 2005, section G, p. 1.
33. OQLF, réf. du 8 novembre 2005.
34. OQLF, réf. du 14 novembre 2005.
35. OQLF, réf. du 14 novembre 2005.
36. *Chercher pour trouver: L'espace des élèves*, 12 juin 2005, www.ebsi.umontreal.ca/jetrouve/internet/binettes.htm (réf. du 14 novembre 2005). Vous trouverez une liste exhaustive à l'adresse suivante: www.netlingo.com/smiley.cfm.
37. *Chercher pour trouver: L'espace des élèves*, 12 juin 2005, www.ebsi.umontreal.ca/jetrouve/internet/binettes.htm (réf. du 14 novembre 2005).
38. OQLF, réf. du 14 novembre 2005.

CHAPITRE 10

1. Revoir à ce sujet le chapitre 2 portant sur les attentes de la clientèle.
2. Jean-Charles Chebat et Witold Slusarczyk. «How emotions mediate the effects of perceived justice on loyalty in service recovery situations: an empirical study», *Journal of Business Research*, vol. 58, n⁰ 5 (mai 2004), p. 664-673.
3. PayPal. *Politique de plainte de l'acheteur*, 14 janvier 2005, www.paypal.com/fr/ (réf. du 17 novembre 2005).
4. OQLF, réf. du 15 novembre 2005.
5. Offre trouvée le 18 février 2005 sur le site Internet de Recrutour: www.recrutour.com/ca.
6. Association canadienne des déménageurs. *Formulaire de plainte*, réf. du 22 décembre 2005, www.mover.net/cam/content/complaints_f.html.
7. OQLF, réf. du 15 novembre 2005.
8. OQLF, réf. du 15 novembre 2005.
9. OQLF, réf. du 15 novembre 2005.
10. OQLF, réf. du 15 novembre 2005.
11. HBC. *Service à la clientèle*, réf. du 22 décembre 2005, shop.hbc.com/fr_FR/customer_service.html.
12. Adapté de Marcel Alain. *Réussir la performance des services aux clients*, Montréal, éd. Nouvelles, 2002, p. 193.
13. *Ibid.*, p. 195.
14. David L. Goestch et Stanley B. Davis. *Effective Customer Service*, New York, Pearson Prentice-Hall, 2004.
15. Roland T. Rust, Valarie A. Zeithaml et Katherine M. Lemon. *Customer Equity Management*, New York, Prentice-Hall, 2004.
16. Isabelle Condou. «À la reconquête des clients perdus: Le télémarketing est-il la solution à la problématique de la reconquête client?», Microsoft France, 25 avril 2003, www.microsoft.com/france/entrepreneur/gestion-entreprise/prospection-et-vente/marketing-relation-client/A-La-Reconquete-Des-Clients-Perdus.mspx (réf. du 21 novembre 2005).
17. Robert W. Lucas. *Customer Service: Building Successful Skills for the Twenty-First Century*, 3ᵉ éd., New York, McGraw-Hill Irwin, 2005, p. 155.
18. *Ibid.*
19. Bernard Turgeon et Dominique Lamaute. *Le management dans son nouveau contexte*, Montréal, Chenelière/McGraw-Hill, 2002, p. 313-337.

CHAPITRE 11

1. Dʳ Bernard Auriol. «Le stress», *Introduction aux méthodes de relaxation*, réf. du 24 novembre 2005, www.auriol.free.fr/yogathera/relaxation/stress.htm.
2. Office québécois de la langue française (OQLF). *Le grand dictionnaire terminologique*, réf. du 24 novembre 2005, www.granddictionnaire.com.
3. OQLF, réf. du 24 novembre 2005.
4. OQLF, réf. du 24 novembre 2005.
5. Dʳ Bernard Auriol, *op. cit.*
6. Thomas Holmes et Richard Rahe. «Social readjustment rating scale», *Journal of Psychosomatic Research*, vol. 2, p. 214, 1967.
7. Adapté de Thomas Holmes et Richard Rahe, *op. cit.*, p. 214.
8. Jim Loehr et Tony Schwartz. *The Power of Full Engagement: Managing Energy Not Time Is the Key to High Performance and Personal Renewal*, New York, Free Press, division de Simon and Shuster, 2003.
9. Richard Carlson. *Don't Sweat The Small Stuff At Work*, New York, Hyperion, 1998.
10. Dʳ Bernard Auriol, *op. cit.*
11. Jim Loehr et Tony Schwartz, *op. cit.*, p. 202.
12. Sur la première chaîne de la Société Radio-Canada, émission du 25 février 2005, voir sur Internet à l'adresse suivante: www.radio-canada.ca/radio/indicatifpresent/chroniques/49280.shtml.
13. Nicole Aubert. *Le culte de l'urgence: La société malade du temps*, Paris, Flammarion, 2004.
14. Institut de gestion du temps. *Les quatre maladies de la gestion du temps*, réf. du 28 novembre 2005, www.gestiondutemps.net/web/sessionsPubliques/_fr/publipostage_4maladiesGestionTemps.cfm.
15. OQLF, réf. du 24 novembre 2005.
16. Pace Productivity. *Time Tips: How to Plan Your Day*, réf. du 25 novembre 2005, www.getmoredone.com/tips1.html.
17. OQLF, réf. du 24 novembre 2005.
18. OQLF, réf. du 24 novembre 2005.
19. Gilbert J.B. Probst, *et al. Organisation et management*, Paris, Éditions d'Organisation, 1991, cité à l'adresse Internet suivante: www.anfh.asso.fr/fonctioncadre/cadre/goweb/Cadre_GO_Matrice%20Eisenhower.htm (réf. du 22 décembre 2005).
20. *Ibid.*
21. OQLF, réf. du 24 novembre 2005.
22. OQLF, réf. du 24 novembre 2005.
23. Adapté de James Manktelow. *Mind Tools Stress Management Skills,* réf. du 28 novembre 2005, www.mindtools.com.

RÉFÉRENCES BIBLIOGRAPHIQUES

CHAPITRE 1

DESSLER, Gary, Frederick A. STARKE et Dianne J. CYR. *La gestion des organisations – Principes et tendances au XXIe siècle,* Saint-Laurent, Éditions du Renouveau pédagogique, 2004, 640 p.

DUBUC, Yvan. *La passion du client,* coll. « Entreprendre », Montréal, Fondation de l'Entrepreneurship, Éditions Transcontinental, 1993, 208 p.

GERSON, Richard F. *Fidélisez à vie vos clients,* coll. « 50 minutes pour réussir », Paris, Les Presses du Management, 1995, 79 p.

GOETSCH, David L., et Stanley B. DAVIS. *Effective Customer Service : Ten Steps for Technical Professions,* NetEffet Series, Upper Saddle River, Pearson Prentice Hall, 2004, 288 p.

LOVELOCK, Christopher, et Denis LAPERT. *Marketing des services : Stratégie, outils, management,* Paris, Publi Union, 1999, 532 p.

LOVELOCK, Christopher, Jochen WIRTZ, et Denis LAPERT. *Marketing des services,* 5e éd., Paris, Pearson Education, 2004, 618 p.

LUCAS, Robert W. *Customer Service,* 2e éd., Woodland Hills, Glencoe/McGraw-Hill, 2002, 533 p.

RAY, Daniel. *Mesurer et développer la satisfaction des clients,* Paris, Éditions d'Organisation, 2001, 400 p.

SCHERMERHORN, John R., James G. HUNT et Richard N. OSBORN. *Organizational Behavior,* 9e éd., Hoboken, John Wiley & Son, 2005, 466 p.

ZEITHAML, Valarie A., et Mary Jo BITNER. *Service Marketing, Integrating Customer Focus across the Firm,* New York, McGraw-Hill/Irwin, 2003, 668 p.

CHAPITRE 2

ALAIN, Marcel. *Réussir la performance des services aux clients dans un monde de géants issus de fusions et d'acquisitions tout en bénéficiant des leviers des technologies de l'information*, Montréal, Éditions nouvelles, 2002.

BAILEY, Keith, et Karen LELAND. *Customer Service for Dummies,* 2e éd., New York, Wiley, 1999.

BOISDEVÉSY, Jean-Claude. *Le marketing relationnel*, Paris, Éditions d'Organisation, 2001.

COURVILLE, Léon. *Piloter dans la tempête : Comment faire face aux défis de la nouvelle économie*, Montréal, Québec Amérique, 1991.

GREENBERG, Paul. *CRM at the Speed of Light, Customer Relationship Management, Essential Customer Strategies for the 21st Century*, New York, Osborne/McGraw-Hill, 2004.

HERZBERG, Frederick, Bernard MAUSNER et Barbara BLOCH-SNYDERMAN. *The Motivation to Work,* 2e éd., New York, Wiley, 1959.

LANGLOIS, Michel, et Jean-Charles CHEBAT. « Gestion des clients et qualité du rôle transactionnel dans les services », dans Jean CARETTE et Louis PLAMONDON (dir.), *Vieillir sans violence,* publié à l'occasion du colloque « Vieillir sans violence » organisé à l'UQAM en octobre 1990, Montréal, Presses de l'Université du Québec, 1990, p. 213-220.

LUCAS, Robert W. *Customer Service : Skills & Concepts for Success,* 2e éd., Glencoe, McGraw-Hill, 2002.

PARASURAMAN, A., Leonard BERRY et Valarie A. ZEITHAML. « The nature and determinants of customers expectations of service », *Marketing Science Institute Report,* n° 91-113 (mai 1991), p. 12 et « Measuring customer perception of service quality », *Marketing Science Institute Report,* n° 86-108 (1986), p. 39.

POPCORN, Faith. *Le rapport Popcorn : Comment vivrons-nous l'an 2000 ?,* Montréal, Éditions de l'Homme, 1994.

TÉBOUL, James. *Le temps des services : Une approche nouvelle de management,* Paris, Éditions d'Organisation, 1999.

DOCUMENTATION WEB

FORTIER, Bob. *Petit tour d'horizon du télétravail,* réf. du 17 septembre 2005, www.teletravail.monster.ca/articles/intro/.

MORIOU, Corine. *Du savoir-vivre en affaires,* mis en ligne le 18 février 2004, www.lentreprise.com.

CHAPITRE 3

DOLAN, Shimon L., Tania SABA, Susan E. JACKSON et Randall S. SCHULER. *La gestion des ressources humaines,* 3e éd., Saint-Laurent, Éditions du Renouveau pédagogique, 2002, 711 p.

DUBUC, Yvan. *La passion du client,* coll. « Entreprendre », Montréal, Fondation de l'Entrepreneurship, Éditions Transcontinental, 1993, 208 p.

GOETSCH, David L., et Stanley B. DAVIS, *Effective Customer Service – Ten Steps for Technical Professions,* NetEffet Series, Upper Saddle River, Pearson Prentice Hall, 2004, 288 p.

STEVENSON, William J., et Claudio BENEDETTI. *La gestion des opérations,* Montréal, Chenelière/McGraw-Hill, 2001, 785 p.

CHAPITRE 4

DUBUC, Yvan. *La passion du client,* coll. « Entreprendre », Montréal, Fondation de l'Entrepreneurship, Éditions Transcontinental, 1993, 208 p.

HEIZER, Jay, et Barry RENDER. *Principles of Operations Management,* 5e éd., Upper Saddle River, Prentice Hall, 2004, 638 p.

RITZMAN, Larry, Lee KRAJEWSKI, Jim MITCHELL et Christopher TOWNLEY. *Management des opérations, principes et applications*, Paris, Pearson Education, 2004, 522 p.

RUSSEL, Roberta S., et Bernard W. Taloyr III, *Operation Management*, 4ᵉ éd., Upper Sadddle River, Prentice Hall, 2003, 824 p.

STEVENSON, William J., et Claudio BENEDETTI. *La gestion des opérations*, Montréal, Chenelière/McGraw-Hill, 2001, 785 p.

CHAPITRE 5

ALAIN, Marcel. *Réussir la performance des services aux clients*, Montréal, Édition Nouvelles, 2002, 376 p.

ALDER, Ronald B., et Jeanne MARQUARDT ELMHORST. *Communication at Work: Principles and Practices for Business and the Professions*, 7ᵉ éd., New York, McGraw-Hill, 2002, 533 p.

AMYOTTE, Luc. *Méthodes quantitatives*, 2ᵉ éd., Saint-Laurent, Éditions du Renouveau pédagogique, 2002, 469 p.

BAILEY, Keith, et Karen LELAND. *Customer Service for Dummies*, 2ᵉ éd., New York, Wiley, 1999.

GIROUX, Sylvain, et Ginette TREMBLAY. *Méthodologie des sciences humaines*, 2ᵉ éd., Saint-Laurent, Éditions du Renouveau pédagogique, 2002, 262 p.

GREENBERG, Paul. *CRM at the Speed of Light*, New York, Osborne/McGraw-Hill, 2004.

MALHORTRA, Naresh, Jean-Marc DÉCAUDIN et Afifa BOUGUERA. *Études marketing avec SPSS*, Paris, Pearson Education, 2004, 665 p.

TÉBOUL, James. *Le temps des services: Une approche nouvelle de management*, Paris, Éditions d'Organisation, 1999.

TREMBLAY, Jacinthe. « Employeurs de choix 2005 », *La Presse*, section « Affaires », 3 janvier 2005.

CHAPITRE 6

DUBUC, Yvan. *La passion du client*, coll. « Entreprendre », Montréal, Fondation de l'entrepreneurship, Éditions Transcontinental, 1993, 208 p.

HEIZER, Jay, et Barry RENDER. *Principles of Operations Management*, 5ᵉ éd., Upper Saddle River, Prentice Hall, 2003, 638 p.

LOVELOCK, Christopher, et Lauren WRIGHT. *Principles of Services Marketing and Management*, 2ᵉ éd., Upper Saddle River, Prentice Hall, 2002, 436 p.

LOVELOCK, Christopher, Jochen WIRTZ et Denis LAPERT. *Marketing des services*, 5ᵉ éd., Paris, Pearson Education, 2004, 619 p.

RITZMAN, Larry, Lee KRAJEWSKI, Jim MITCHELL et Christopher TOWNLEY. *Management des opérations, principes et applications*, Paris, Pearson Education, 2004, 522 p.

ZEITHAML, Valarie A., Mary Jo BITNER et Dwayne D. GREMLER. *Services Marketing, Integrating Customer Focus across the Firm*, 4ᵉ éd., New York, McGraw Hill Irwin, 2006, 708 p.

CHAPITRE 7

LOVELOCK, Christopher, Jochen WIRTZ et Denis LAPERT. *Marketing des services*, 5ᵉ éd., Paris, Pearson Education, 2004, 619 p.

RAYPORT, Jeffrey F., et Bernard J. JAWORSKI. *Commerce électronique*, Montréal, Chenelière/McGraw-Hill, 2003, 652 p.

TIMM, Paul R., et Christopher G. JONES. *Technology and Customer Service*, Upper Saddle River, Pearson Prentice Hall, 2005, 200 p.

CHAPITRE 8

CHARBONNEAU, Jean-Yves. *Confort thermique à l'intérieur d'un établissement*, Montréal, Commission de la santé et de la sécurité du travail du Québec, 2004, 20 p.

DUFOUR, Bernard, Claire POULIOT, Hélène SIMARD et Josée SAUVAGE. *Troubles musculo-squelettiques (TMS). Une démarche simple de prévention*, CSST, Montréal, Commission de la santé et de la sécurité du travail du Québec, 2004, 17 p.

MINISTÈRE DE LA DÉFENSE NATIONALE. *Guide du MDN et des FC sur les ergonomiques de bureau*, version 1, Ottawa, Canada, ministère de la Défense nationale, 2004, 32 p.

MINISTÈRE DE LA SANTÉ NATIONALE ET DU BIEN-ÊTRE SOCIAL. *Guide technique pour l'évaluation de la qualité de l'air dans les immeubles à bureaux*, Santé Canada, Pré Tunney, Ottawa, ministère des Approvisionnements et Services Canada, 1995, 64 p.

OUELLETTE, Nicole. *Guide de prévention en milieu de travail à l'intention de la petite et de la moyenne entreprise*, 2ᵉ éd., Montréal, Commission de la santé et de la sécurité du travail du Québec, 2000, 45 p.

PHAT, Nguyen, et Ginette PARENT. *Réduire le bruit en milieu de travail. Informations générales et techniques illustrées*, Montréal, Commission de la santé et de la sécurité du travail du Québec, 1998, 66 p.

Secourisme en milieu de travail, 5ᵉ éd., Montréal, Les Publications du Québec, 2001, 295 p. (voir la description du livre à l'adresse Internet suivante : www.pubgouv.com/travail/secmil_tra.htm).

STEVENSON, William J., et Claudio BENEDETTI. *La gestion des opérations, produits et services*, Montréal, Chenelière/McGraw-Hill, 2001, 785 p.

U.S. DEPARTMENT OF LABOR. *Recommendations for Workplace Violence Prevention Programs in Late-Night Retail Establishments*, Washington, U.S. Department of Labor, Occupational Safety and Health Administration, 1998, 43 p.

CHAPITRE 9

AXTELL, Roger E. *Gestures, the DO's and TABOOs of Body Language Around The World*, New York, Wiley, 1997.

BIRDWHISTELL, R. L. *Kinesics and Context*, Philadelphie, University of Pennsylvania Press, 1970.

BRENNAN, Lynne. *Business Etiquette for the 21ˢᵗ Century: What to do and What NOT to do*, Londres, Piatkus, 2003.

DARWIN, Charles Robert. *The Expression of the Emotions in Man and Animals*, Londres, John Murray, 1872, 2ᵉ éd. par Francis Darwin, 1890.

EKMAN, Paul. *Emotions Revealed: Recognizing Faces and Feelings to Improve Communication and Emotional Life*, New York, Times Books, 2003.

FINCH, Lloyd C. *Telephone Courtesy & Customer Service*, 3ᵉ éd., Boston, CRISP, 2000.

FORGAS, J.P. (dir.). *The Handbook of Affect and Social Cognition*, Mahwah, Lawrence Erlbaum, 2000.

FOSTER, Dean. *The Global Etiquette Guide to Mexico and Latin America*, New York, Wiley, 2002.

GORDON, Thomas. *Parent Effectiveness Training, P.E.T.*, New York, Random House, 1970, 365 p.

HALL, Edward Twichell. *La dimension cachée*, Paris, Le Seuil, 1971.

HIGH, Jana L. *High Tech Etiquette: Perfecting the Art of Plugged-in Politeness*, Dallas, R & W Publishers, 2002.

MEHRABIAN, Albert. *Nonverbal Communication*, Chicago, Aldine-Atherton, 1972.

MEHRABIAN, Albert. *Silent Messages: Implicit Communication of Emotions and Attitudes*, Belmont, Wadsworth, 1981.

MITCHELL, Mary. *The Complete Idiot's Guide to Business Etiquette*, Indianapolis, Alpha Books, 2000.

PLAMONDON, Rolland G., Gary F. SOLDOW et Gloria P. THOMAS. *La vente professionnelle*, Saint-Laurent, Éditions du Renouveau pédagogique, 1993.

TUBBS, S. L., et S. MOSS. «The non verbal message», dans *Human Communication: Principles and Contexts*, 9ᵉ éd., chap. 4, New York, McGraw-Hill, 2003.

DOCUMENTATION WEB

Chercher pour trouver: L'espace des élèves, 12 juin 2005, site où l'on peut trouver des binettes et des acronymes avec leur signification: www.ebsi.umontreal.ca/jetrouve/internet/binettes.htm.

The Web's Leading Resource for International Business Etiquette and Manners, analyses de Hofstede pour tous les pays avec les règles d'étiquette en affaires: www.cyborlink.com.

CHAPITRE 10

ALAIN, Marcel. *Réussir la performance des services aux clients*, Montréal, éd. Nouvelles, 2002.

CHEBAT, Jean-Charles, et Witold SLUSARCZYK. «How emotions mediate the effects of perceived justice on loyalty in service recovery situations: an empirical study», *Journal of Business Research*, vol. 58, nᵒ 5 (mai 2005), p. 664-673.

GOESTCH, David L., et Stanley B. DAVIS. *Effective Customer Service*, New York, Pearson Prentice-Hall, 2004.

LAFONTAINE, Dʳ Raymond, et Béatrice LESSOIL. *Êtes-vous auditif ou visuel?*, Montréal, Quebecor, 1990.

LUCAS, Robert W. *Customer Service: Building Successful Skills for the Twenty-First Century*, 3ᵉ éd., New York, McGraw-Hill Irwin, 2005.

RUST, Roland T., Valarie A. ZEITHAML et Katherine M. LEMON. *Customer Equity Management*, New York, Prentice-Hall, 2004.

TURGEON, Bernard, et Dominique LAMAUTE. *Le management dans son nouveau contexte*, Montréal, Chenelière/McGraw-Hill, 2002.

DOCUMENTATION WEB

CONDOU, Isabelle. «Le télémarketing est-il la solution à la problématique de la reconquête client?», Microsoft France, 25 avril 2003, www.microsoft.com/france/entrepreneur/gestion-entreprise/prospection-et-vente/marketing-relation-client/A-La-Reconquete-Des-Clients-Perdus.mspx (réf. du 21 novembre 2005).

CHAPITRE 11

ADAMS, Bob. *The Everything Time Management Book*, Avon, Adams Media Corporation, 2001.

AUBERT, Nicole. *Le culte de l'urgence: La société malade du temps*, Paris, Flammarion, 2004.

BASSETT, Lucinda. *From Panic to Power*, New York, Quill A Harper Ressource Book, 1995.

CARLSON, Richard. *Don't Sweat The Small Stuff At Work*, New York, Hyperion, 1998.

DAVIDSON, Jeff. *The Complete Idiot's Guide To Managing Your Time*, 3ᵉ éd., Indianapolis, Alpha, division de Penguin Group, 2002.

HOLMES, Thomas, et Richard RAHE. «Social readjustment rating scale», *Journal of Psychosomatic Research*, vol. 2, 1967, p. 214.

LOEHR, Jim, et Tony SCHWARTZ. *The Power of Full Engagement: Managing Energy Not Time Is the Key to High Performance and Personal Renewal*, New York, Free Press, division de Simon and Shuster, 2003.

LOVELOCK, Christopher, Jochen WIRTZ et Denis LAPERT. *Marketing des services*, 5ᵉ éd., Paris, Pearson Education, 2004, 619 p.

DOCUMENTATION WEB

AURIOL, Dʳ Bernard. «Le stress», *Introduction aux méthodes de relaxation*, réf. du 24 novembre 2005, www.auriol.free.fr/yogathera/relaxation/stress.htm.

INSTITUT DE GESTION DU TEMPS. *Les quatre maladies de la gestion du temps*, réf. du 28 novembre 2005, www.gestiondutemps.net/web/sessionsPubliques/_fr/publipostage_4maladiesGestionTemps.cfm.

MANKTELOW, James. *Mind Tools Stress Management Skills*, réf. du 28 novembre 2005, www.mindtools.com.

PACE PRODUCTIVITY. *Time Tips: How to Plan Your Day*, réf. du 25 novembre 2005, www.getmoredone.com/tips1.html.

GLOSSAIRE

Accessibilité (*accessibility*) Ensemble des qualités d'un commerce où la clientèle peut facilement pénétrer, circuler, accéder aux services offerts (chap. 2).

Action collective (*class action*) Action permettant à une personne qui partage avec beaucoup d'autres un intérêt juridique commun de représenter en justice ses co-intéressés sans en avoir reçu le mandat (chap. 4).

Affectif (*affective*) Qui concerne les sentiments, les émotions, les attitudes (chap. 2).

Agenda (*diary*) Carnet prédaté sur lequel on peut noter les choses à faire ou déjà faites (chap. 11).

Agent d'appels (*call center agent*) Dans un centre d'appels, personne qui traite les appels en répondant aux demandes d'information ou de service (chap. 7).

Amélioration continue (*continuous improvement*) Mode de gestion qui favorise l'adoption d'améliorations graduelles qui s'inscrivent dans une recherche quotidienne d'efficacité et de progrès en faisant appel à la créativité de tous les acteurs de l'organisation (chap. 4).

Analyse (*analysis*) Étude effectuée dans le but de connaître, de distinguer les diverses parties d'un ensemble, d'un tout, dans le but d'identifier ou d'expliquer les rapports qui les relient les unes aux autres (chap. 5).

Analyse concurrentielle (*competitive analysis*) Étude consistant à évaluer les performances et le potentiel de l'entreprise par rapport à ceux de ses concurrents au moyen de méthodes classiques fondées sur le cycle de vie des activités (portefeuilles d'activités) ou de la méthodologie de l'analyse industrielle (chap. 4).

Analyse multifactorielle (*multivariate analysis*) Analyse répétitive reposant sur l'interprétation simultanée de plusieurs indicateurs de performance (indices et ratios) (chap. 5).

Anxiogène (*anxiety producing*) Qui se montre générateur d'angoisse (chap. 11).

Approche client (*customer orientation*) Approche qui consiste à orienter l'entreprise vers la satisfaction des besoins du client, notamment par la mise en place de procédures axées sur le service offert au client en matière de produits ou services (chap. 1).

Approche systémique (*systemic approach*) Approche considérant l'organisation comme un ensemble d'éléments liés entre eux concourant à un but commun (chap. 3).

Argumentaire (*sales pitch*) Document contenant des phrases et des expressions prédéfinies dont se sert un agent d'appels lors d'une campagne de prospection ou de vente (chap. 7).

Asynchrone (*asynchronous*) Qui n'est pas synchrone (chap. 7).

Attente (*expectation*) Fait de compter sur ce que l'on souhaite obtenir ou voir se réaliser (chap. 2).

Attente maximale (*ideal expectation*) Degré d'anticipation de la clientèle (représentation mentale du niveau de service attendu) au-delà duquel il y a ravissement (chap. 2).

Attente minimale (*minimum tolerable expectation*) Degré d'anticipation de la clientèle (représentation mentale du niveau de service attendu) au-dessous duquel il y a frustration (chap. 2).

Audit (*audit*) Diagnostic réalisé au moyen d'études, d'examens systématiques et de vérifications dans le but d'émettre un avis ou de proposer des mesures correctives durables (chap. 10).

Authentification (*authentication*) Procédure consistant à vérifier ou à valider l'identité d'une personne ou l'identification de toute autre entité, lors d'un échange électronique, pour contrôler l'accès à un réseau, à un système informatique ou à un logiciel (chap. 8).

Autonomisation des employés (*empowerment*) Processus par lequel des employés d'une organisation acquièrent la maîtrise des moyens qui leur permettent de mieux utiliser leurs ressources professionnelles et de renforcer leur autonomie d'action (chap. 4).

Base de sondage ou base d'échantillonage (*sampling frame*) Liste de tous les éléments d'une population d'où l'échantillon sera tiré (chap. 5).

Binette (*emoticon*) Dessin réalisé avec des caractères ASCII et qui, vu de côté, suggère la forme d'un visage dont l'expression traduit l'état d'esprit de l'internaute expéditeur (chap. 9).

Blogue (*blog*) Site Web ayant la forme d'un journal personnel, daté, au contenu antéchronologique et régulièrement mis à jour, où l'internaute peut communiquer ses idées et ses impressions sur une multitude de sujets, en y publiant, à sa guise, des textes, informatifs ou intimistes, généralement courts, parfois enrichis d'hyperliens, qui appellent les commentaires du lecteur (chap. 5).

Bogue (*bug*) Défaut de conception d'un logiciel ou d'un matériel se manifestant par des anomalies de fonctionnement (chap. 5).

Capacité (*capacity*) Quantité maximale de produits qu'une unité de production est susceptible de fournir pendant une certaine période de temps lorsqu'elle fonctionne dans des conditions normales et préétablies (chap. 6).

Carte de contrôle (*control chart*) Carte sur laquelle sont tracées des limites de contrôle et de surveillance inférieures et supérieures et où sont reportées les valeurs d'une statistique obtenue sur des échantillons successifs d'un processus répétitif, afin d'en évaluer la stabilité (chap. 4).

Centre d'appels (*call center*) Lieu où sont regroupés des agents qui utilisent des moyens de télécommunication et d'informatique pour recevoir ou émettre des appels (chap. 7).

Cercle de qualité (*quality circle*) Groupe d'employés, animé par un responsable hiérarchique et composé de cinq à dix volontaires, généralement de la même unité administrative ou du même atelier de production, qui a pour mission de cerner, d'analyser et de résoudre les problèmes en vue d'améliorer les procédés, la qualité des produits et la qualité de vie au travail (chap. 4).

Chronophage (*time-consuming*) Se dit d'une activité qui consomme inutilement du temps (chap. 11).

Chronotaxie (*chronemics*) Organisation temporelle sous sa forme la plus générale, comprenant l'emploi du temps, le minutage d'une séance, etc. (chap. 9).

Clavardage (*chat*) Activité permettant à un internaute d'avoir une conversation écrite, interactive et en temps réel avec d'autres internautes, par clavier interposé (chap. 10).

Client externe (*external customer*) Client au sens traditionnel du mot, c'est-à-dire acheteur du bien ou du service qu'offre une entreprise avec laquelle il y a contact en personne, par téléphone ou par Internet (chap. 1).

Client insatisfait (*dissatisfied customer*) Client externe pour qui l'entreprise offre un produit ou un service ne répondant pas à ses attentes minimales et qui éprouve donc de la frustration (chap. 10).

Client interne (*internal customer*) Personne travaillant au sein de l'entreprise et qui a besoin d'aide sous forme d'informations, de services ou de produits auxquels un autre employé a accès. Contrairement à ce qui se passe avec les clients externes, il n'est habituellement pas nécessaire d'établir de facturation (chap. 1).

Client interne difficile (*difficult internal customer*) Client interne dont les exigences démesurées et les comportements sont à l'origine d'une dégradation du travail dans l'ensemble du service ou de l'entreprise (chap. 10).

Client-mystère (*mystery shopper*) Représentant de l'entreprise qui se fait passer pour un client ordinaire et interroge le personnel dans le but d'évaluer l'efficacité commerciale du point de vente (chap. 5).

Client non programmé (*unprogrammed customer*) Client qui n'a pas d'idée précise de ses besoins au moment où il entre en relation avec le personnel de la relation client (chap. 2).

Client programmé (*programmed customer*) Client qui a une idée très précise de ses besoins en matière de service (chap. 2).

Cognitif (*cognitive*) Qualifie les processus cognitifs par lesquels un organisme acquiert des informations sur l'environnement et les élabore pour régler son comportement: perception, formation de concepts, raisonnement, langage, décision, pensée (chap. 2).

Collecticiel (*groupware*) Logiciel qui permet à des utilisateurs reliés par un réseau de travailler en collaboration sur un même projet (chap. 11).

Communication (*communication*) Stratégie de l'entreprise ayant pour but de faire connaître son identité, son activité, ses marques et de convaincre la clientèle d'acheter ses produits ou d'utiliser ses services (utilise la publicité, la promotion, les relations publiques et les entretiens avec la force de vente) (chap. 2).

Communication non verbale (*non verbal communication*) Communication qui s'effectue en dehors d'un code linguistique formel (chap. 9).

Compétence (*professional competence*) Ensemble des savoirs, des savoir-faire et des savoir-être qui s'expriment dans le cadre précis d'une situation de travail et qui peuvent être mis en œuvre sans apprentissage nouveau (chap. 2).

Composeur-message automatique, CMA (*Automatic dialing-announcing device, ADAD*) Appareil composant automatiquement des numéros de téléphone et utilisé pour transmettre un message enregistré. Les appels par CMA à des fins de sollicitation sont interdits au Canada (chap. 7).

Confidentialité (*confidentiality*) Propriété d'une information ou de renseignements personnels qui ne doivent pas être divulgués à des personnes ou à des entités non autorisées (chap. 8).

Conformité (*conformance*) En gestion de la qualité totale, adéquation des caractéristiques du produit ou du service aux normes de qualité établies ou aux exigences définies par le client (chap. 2).

Consignes (*instructions*) Informations et conseils donnés aux répondants sur les éléments à observer et la conduite à tenir pour assurer le bon déroulement d'une enquête par sondage (chap. 5).

Convivialité (*usability*) Qualité d'un matériel ou d'un logiciel qui est facile et agréable à utiliser et à comprendre, même par quelqu'un qui a peu de connaissances en informatique (chap. 3).

Corrélation (*correlation*) Indice mesurant le degré de liaison entre deux variables (chap. 4).

Courriel (*e-mail*) Service de correspondance qui permet l'échange de messages électroniques par l'intermédiaire d'un réseau informatique (chap. 7).

Courtoisie (*courtesy*) Attitude de politesse et de délicatesse dans le langage et le comportement, qui est conforme aux règles de civilité considérées comme les meilleures dans la société (chap. 2).

Crédibilité (*believability*) Aptitude d'une communication à être acceptée comme vraisemblable (chap. 2).

Culture organisationnelle (*organizational culture*) Ensemble de valeurs, d'attitudes et de modes de fonctionnement, qui caractérisent une organisation et qui influencent les pratiques de ses membres (chap. 1).

Cycle (*cycle*) Suite plus ou moins régulière et périodique de phénomènes (chap. 6).

Débit élocutoire (*flow of speech*) Index quantitatif, en termes de nombre de mots produits par unité de temps, de nombre de pauses et de nombre de mots entre les pauses, dans la production orale (chap. 9).

Défection (*no-show*) Après avoir fait une réservation (pour une place dans un moyen de transport ou un lieu d'hébergement), ne pas se présenter au moment prévu (chap. 6).

DEPS, dernier entré, premier sorti (*LIFO, last in, first out*) Dans le domaine de la gestion du temps, au sens large, méthode consistant à gérer les projets en exécutant en priorité les derniers arrivés sur la liste «à faire» (chap. 11).

Description du travail (*work description*) Document qui décrit le travail en fonction des résultats attendus, des principales activités à exécuter, ainsi que des exigences et des conditions fixées par l'entreprise (chap. 3).

Déséconomie d'échelle (*diseconomy of scale*) Perte occasionnée par suite d'une organisation plus vaste ou d'une production plus grande (chap. 6).

Désir (*wish*) Appétit pour un objet qui a un caractère incitatif, parce qu'il est associé à un plaisir (chap. 3).

Diagramme d'analyse de service (*service blueprint*) Méthode d'analyse de la prestation d'un service visant à mettre en lumière ses principaux éléments, ses points faibles, s'il y a lieu, en vue d'établir des lignes directrices, des normes en matière de qualité, de délais de livraison qui pourront faire l'objet d'évaluations (chap. 3).

Diagramme de Pareto (*Pareto diagram*) Représentation graphique de l'importance des causes d'un phénomène qui consiste à présenter celles-ci par ordre décroissant en abscisse, et à leur attribuer en ordonnée une valeur en pourcentage de l'explication globale (chap. 4).

Disponibilité (*availability*) État d'un service auquel on peut accéder facilement ou attitude d'ouverture du personnel qui y est affecté (chap. 2).

Dispositif antierreur (*foolproof*) Dispositif technique, souvent simple, mis en place afin d'éviter l'erreur humaine lors d'opérations répétitives non mécanisées (chap. 4).

Distribution automatique d'appels (*automatic call distribution*, *ACD*) Dans un centre d'appels, fonction d'un système automatisé de répartition des appels entrants (chap. 7).

Division du travail (*division of labor*) Morcellement des tâches en unités de plus en plus élémentaires, constituant autant de postes de travail isolés et spécialisés (chap. 3).

Données primaires (*primary data*) Informations originales devant être recueillies directement à la source, par opposition aux informations secondaires, recueillies par autrui et disponibles (chap. 5).

Données qualitatives (*qualitative data*) Données non numériques qui éclairent sur la nature d'une personne, ses caractéristiques, ses attitudes (par opposition aux données quantitatives) (chap. 5).

Données quantitatives (*quantitative data*) Données numériques qui déterminent des quantités (chap. 5).

Données secondaires (*secondary data*) Informations qui sont déjà rassemblées et organisées, en général, et que leur propriétaire, qui en a fait un premier usage, est prêt à communiquer sans toutefois fournir les documents qui ont permis de les établir (chap. 5).

Dotation en personnel (*staffing*) Ensemble des actes administratifs qui relèvent de la gestion du personnel et qui visent à fournir à une organisation le personnel dont elle a besoin à court et à long terme (chap. 10).

Échantillon (*sample*) Sous-ensemble sélectionné dans une population préalablement définie en vue d'étudier certaines caractéristiques quantitatives ou qualitatives de la population en question (chap. 5).

Échantillon aléatoire (probabiliste) (*random sample*) Échantillon choisi au hasard, tous les individus de la population ayant les mêmes chances d'être choisis (équiprobabilité) (chap. 5).

Échelle (*scale*) Catégorie de mesure qui permet aux personnes interrogées d'exprimer un jugement, une opinion ou une attitude de façon graduée (chap. 5).

Économie d'échelle (*economy of scale*) Économie provenant de la meilleure organisation de la production (chap. 6).

Écoute active (*effective listening*) Qualité individuelle fondamentale consistant en la capacité de prêter attention aux signaux verbaux et non verbaux des clients de façon à instaurer un dialogue (chap. 10).

Effet Pygmalion (*self-fulfilling prophecy* ou *Rosenthal effect*) Effet que la prédiction d'un événement ou la croyance à sa venue, chez un sujet impliqué dans la situation, exerce sur la réalisation de la prédiction (chap. 3).

Ego (*ego*) Conscience qu'un individu a de sa personne ; son moi (chap. 2).

Empathie (*empathy*) Habileté à percevoir, à identifier et à comprendre les sentiments ou émotions d'une autre personne tout en maintenant une distance affective par rapport à cette dernière (chap. 2).

Engagement explicite (*self explanatory commitment*) Engagement suffisamment clair et précis pour ne laisser aucun doute dans l'esprit du lecteur (chap. 3).

Engagement implicite (*implied commitment*) Engagement qui n'est pas exprimé formellement, mais qui est sous-entendu et qu'il est possible de déduire d'après le contexte (chap. 3).

Entretien (*maintenance*) Action de maintenir un bien en bon état de fonctionnement (chap. 8).

Étalonnage (*benchmarking*) Démarche d'évaluation de biens, de services ou de pratiques d'une organisation par comparaison avec les modèles qui sont reconnus comme des normes de référence (chap. 4).

Étiquette en affaires (*business etiquette*) Code traditionnel de bonne conduite en affaires (chap. 9).

Extensibilité (*scalability*) Possibilité pour un produit ou un système de changer de taille, selon l'évolution des besoins, tout en conservant ses propriétés fonctionnelles (chap. 6).

Facteur d'ambiance ou d'hygiène (*hygiene factor*) Facteur extrinsèque dont la prise en compte ne garantit pas la satisfaction mais dont la négligence entraîne l'insatisfaction (chap. 2).

Fiabilité (*reliability*) Aptitude d'un dispositif, d'un produit ou d'une personne à accomplir une fonction requise ou à maintenir son niveau de service dans des conditions données et pendant une période déterminée (chap. 2).

Fichier de témoins (*cookie file*) Fichier créé dans l'ordinateur de l'internaute par le navigateur et rassemblant les indices issus de la visite de sites Web (chap. 7).

Fidélisation (*development of customer loyalty*) Toute action commerciale qui vise à rendre la clientèle fidèle à une entreprise, à un produit ou à un service, à une marque ou à un point de vente (chap. 1).

Foire aux questions, FAQ (*Frequently Asked Questions file*) Fichier constitué des questions les plus fréquemment posées par les internautes novices ainsi que des réponses correspondantes (chap. 10).

Forage de données (*data mining*) Traitement statistique de bases de données permettant de dénicher des tendances, des corrélations cachées ou encore des informations stratégiques (chap. 5).

Formulaire de plainte (*complaint form*) Document préétabli comportant des espaces où le client (ou le préposé) inscrit les renseignements relatifs à une plainte ou à une réclamation (chap. 10).

Forum de discussion (*forum*) Service offert par un serveur d'information ou un babillard électronique dans un réseau comme Internet et qui permet à un groupe de personnes d'échanger leurs opinions, leurs idées sur un sujet particulier, en direct ou en différé, selon des formules variées (liste de diffusion, canal IRC, etc.) (chap. 10).

Frustration (*thwarting*) Sentiment d'insatisfaction d'un client quand le niveau de prestation d'un service se situe sous son seuil minimal de tolérance (chap. 2).

Géomatique d'affaires (*business geomatics*) Stratégie d'entreprise fondée sur l'intégration des données d'entreprise et de la localisation géographique des phénomènes qui y sont associés (chap. 7).

Gestion de la recette unitaire (*yield management*) Principe de maximisation des revenus totaux, employé principalement dans les services (hôtellerie, transporteurs aériens etc.), qui consiste à atteindre le meilleur équilibre possible entre le prix moyen unitaire et le taux d'occupation (chap. 6).

Gestion de la relation client, GRC (*customer relationship management, CRM*) Ensemble des actions mises en œuvre par l'entreprise pour conquérir de nouveaux clients et fidéliser sa clientèle (chap. 1).

Gestion intégrale de la qualité, GIQ (*total quality control, TQC*) Système fondé sur l'amélioration permanente de tous les secteurs de l'entreprise, de la conception du produit ou du service jusqu'à son utilisation par un client satisfait. L'objectif est d'atteindre le «zéro défaut» dans tous les domaines (chap. 4).

Gestuelle (*gestures*) Ensemble des gestes expressifs considérés comme des signes (chap. 9).

Goulot d'étranglement (*bottleneck*) Secteur de l'entreprise (installation, service, fonction, poste de travail, ressource) dont la capacité maximale est insuffisante par rapport à la charge de travail résultant du programme directeur de production, et qui ralentit, limite ou paralyse son activité générale (chap. 6).

Grille d'observation (*scoring rubric*) Document permettant d'enregistrer les constats d'observations et simplifiant le codage et l'analyse des données (chap. 5).

Groupe de discussion (*focus group*) Groupe restreint de personnes que l'on réunit pour participer à une discussion assistée afin de recueillir leurs perceptions sur un champ d'intérêt défini (chap. 5).

Groupe expérimental (*test group*) Effectif sur lequel porte l'expérience (chap. 5).

Groupe témoin (*control group*) Groupe sur lequel ne s'exerce aucune influence expérimentale et qui est choisi pour servir de point de comparaison par rapport au groupe expérimental (chap. 5).

Hameçonnage (*phishing*) Envoi massif d'un faux courriel, dans lequel on demande aux destinataires leurs coordonnées bancaires ou personnelles, et où le pirate utilise l'information pour détourner des fonds à son avantage (chap. 8).

Haptique (*haptics*) Science du toucher, des perceptions tactiles (chap. 9).

Homéostasie (*homeostasis*) Caractéristique générale des organismes, consistant en la tendance à maintenir constantes les conditions de vie, à les rétablir quand elles se sont trouvées modifiées (en particulier en ce qui concerne le milieu intérieur) (chap. 11).

Indicateur clé de performance (*key performance indicator*) Paramètre qui se veut le plus représentatif d'une activité de l'entreprise et qui permet d'évaluer la performance globale de cette dernière en fonction des objectifs à atteindre (chap. 5).

Ingénierie inverse (*reverse engineering*) Procédé consistant à désassembler et à analyser des produits ou des services disponibles sur le marché et à découvrir les principes de leur fonctionnement afin de les égaler (chap. 4).

Inspection (*inspection*) Moyen de s'assurer que les extrants d'un système respectent le niveau de qualité recherché (chap. 4).

ISO (*ISO, International Organization for Standardization*) Association internationale d'organismes de normalisation qui a pour but de faciliter l'échange international de biens et de services ainsi que de favoriser la coopération dans les domaines de l'activité intellectuelle, scientifique, technologique et économique (chap. 3).

Juste-à-temps (*just-in-time*) Philosophie de gestion visant l'élimination du gaspillage de manière continue (chap. 4).

Justice distributive (*distributive justice*) Principe de justice fondé sur l'équité entre les individus d'une société (chap. 10).

Justice interactionnelle (*interactional justice*) Principe de justice lié à l'action réciproque entre deux êtres, entre deux phénomènes (par ex.: la vie d'une entreprise est un flot constant d'interactions employeur-employés ou employés-clients selon les formes d'activités) (chap. 10).

Justice procédurale (*procedural justice*) Principe de justice qui concerne la procédure, c'est-à-dire l'ensemble des étapes à franchir, des moyens à employer et des méthodes à suivre pour exécuter une tâche (chap. 10).

Kinesthésie (*kinaesthesia*) Perception des déplacements des différentes parties du corps les unes par rapport aux autres, mais aussi des déplacements globaux du corps (chap. 9).

Loi de Pareto (*Pareto's law*) Classification de données par ordre d'importance. Près de 20% des problèmes sont à l'origine de 80% des plaintes (chap. 1).

Maintenance (*maintenance*) Ensemble des mesures et des moyens nécessaires pour remettre et maintenir les facteurs de production en bon état de fonctionner (chap. 8).

Marchéage (*marketing mix*) Application pratique du marketing, caractérisée par le dosage équilibré des moyens d'action, tels les produits, le prix, la distribution, la vente et la promotion, dont dispose l'entreprise pour atteindre ses objectifs (chap. 1).

Marketing viral (*buzz marketing*) Art d'amorcer le bouche à oreille, de mettre en place les conditions et les outils nécessaires à une contamination généralisée (chap. 2).

Matrice Eisenhower (*Eisenhower matrix*) Outil de classification méthodique des priorités et d'appréciation des urgences, permettant la gestion et la régulation des activités ainsi que la préparation de la délégation (chap. 11).

Message incendiaire (*flame mail*) Message agressif ou insultant qu'un internaute envoie à un autre internaute participant à un forum ou à une liste de diffusion, pour lui exprimer sa désapprobation (chap. 9).

Messagerie instantanée, MI (*instant messaging, IM*) Service de messagerie en temps réel, offrant la possibilité aux utilisateurs de consulter la liste des correspondants avec lesquels ils sont simultanément en ligne, pour communiquer immédiatement avec eux (chap. 9).

Messagerie vocale (*voice mail*) Messagerie basée sur la réception ou la transmission de messages vocaux à travers un réseau de télécommunication (chap. 7).

Mesure (*measure*) Évaluation quantitative de caractéristiques d'un bien, d'un service ou d'un processus afin d'en apprécier la qualité (chap. 5).

Méthode (*method*) Programme adopté pour régler une suite d'opérations à accomplir en vue d'atteindre un objectif (chap. 4).

Minute de vérité (*moment of truth*) Moment où le client entre en relation avec le produit, le système, le personnel ou les procédures de l'organisation et se forme une opinion à leur sujet (chap. 5).

Mission (*mission*) Champ d'activité fondamental d'une organisation qui constitue sa raison d'être (chap. 3).

Motivateur (*motivation factor*) Facteur intrinsèque dont la prise en compte garantit la satisfaction (chap. 2).

Moyenne mobile (*rolling average*) Moyenne calculée sur une période que l'on déplace de façon à couvrir une période de même longueur. Ces décalages successifs permettent de découvrir la tendance (chap. 6).

Nétiquette (*netiquette*) Ensemble des conventions de bienséance régissant le comportement des internautes dans le réseau, notamment lors des échanges dans les forums ou par courrier électronique (chap. 9).

Norme de qualité (*quality standard*) Niveau de qualité qu'une production ou un service doit atteindre (chap. 5).

Numériscope (*digital video recorder*) Appareil doté d'un disque dur de grande capacité, qui permet l'enregistrement et la lecture de signaux numériques vidéo et audio, notamment des émissions de télévision, indépendamment du mode de transmission utilisé (hertzien, câblodistribution, satellite, etc.) (chap. 7).

Observation du comportement (*behavior observation*) Méthode de recherche qui consiste à observer le comportement humain dans ses manifestations extérieures et ses relations avec le milieu (chap. 5).

Panel (*panel*) Échantillon représentatif et permanent d'une population donnée, qui est régulièrement interrogé sur un phénomène, un comportement, une opinion ou une variable quelle qu'elle soit. Dans les cas qui nous concernent, les populations ciblées sont le personnel de la relation client et les gestionnaires de l'entreprise (chap. 5).

Paralinguistique (*paralinguistics*) Science des aspects non sémantiques du langage ; elle étudie toutes les caractéristiques du langage, sauf les mots. C'est donc la façon de dire les choses, et non ce qui est dit qui fait ici l'objet de l'observation : ton de la voix, vitesse du discours, arrêts, sons extra-linguistiques tels que les soupirs (chap. 9).

Personnalisation (*customization*) Adaptation des biens ou des services aux attentes et aux besoins qui sont exprimés par chaque client (chap. 6).

Personnel de la relation client (*customer contact employees*) Personnel qui intervient à l'une ou l'autre des étapes de la prestation d'un service pour faire le lien entre l'entreprise et le client (chap. 1).

Plainte (*complaint*) Insatisfaction exprimée verbalement ou par écrit au sujet de la prestation d'un service par une entreprise (chap. 10).

Plan stratégique (*strategic plan*) Plan décrivant les activités auxquelles une entreprise doit se livrer et les principales mesures qu'elle doit prendre pour s'acquitter de la mission qui est la sienne (chap. 1).

Polluriel (*spam*) Message inutile, souvent provocateur et sans rapport avec le sujet de discussion, qui est diffusé massivement, lors d'un pollupostage, à de nombreux groupes de nouvelles ou forums, causant ainsi une véritable pollution des réseaux (chap. 7).

Positionnement (*positioning*) Définition de la position qu'occupe un produit donné par rapport aux marques et aux produits concurrents dans l'esprit du consommateur (chap. 1).

Pression des pairs (*peer pressure*) Pression qu'un groupe exerce implicitement ou explicitement sur un individu pour qu'il adopte les comportements du groupe, afin que tous se comportent de la même façon (chap. 3).

Prétest (*pretest*) Épreuve que subit la première mise en forme d'un questionnaire d'enquête auprès d'un échantillon réduit afin d'en déceler les défauts et d'y faire les corrections qui s'imposent (chap. 5).

Proactivité (*proactivity*) Capacité à anticiper les événements et à prendre les mesures pour susciter le changement souhaité (chap. 2).

Processus (*process*) Ensemble d'activités logiquement interreliées produisant un résultat déterminé (chap. 3).

Procrastination (*procrastination*) Tendance à remettre à plus tard une action qui pourrait être accomplie à plus brève échéance (chap. 11).

Programmation neurolinguistique (*neurolinguistic programming*) Analyse des modes de pensée d'un individu à partir de l'observation d'indices visuels, auditifs et kinesthésiques (chap. 9).

Promesse de service (*customer-commitment statement*) Document dans lequel une entreprise présente à ses clients les normes de service qu'elle entend respecter (chap. 3).

Protecteur du citoyen (*ombudsman*) Personne désignée pour surveiller et faire corriger les erreurs, les négligences, les injustices et les abus des ministères et organismes publics et parapublics (chap. 10).

Proxémie (*proxemics*) Ensemble des observations et théories concernant l'usage que l'homme fait de l'espace en tant que produit culturel spécifique. La proxémie est assimilable à une dialectique de la distance (chap. 9).

Qualité (*quality*) Ensemble des caractéristiques d'un bien ou d'un service qui lui confèrent l'aptitude à satisfaire de manière continue les besoins et les attentes des utilisateurs ou des usagers (chap. 4).

Question fermée (*closed question*) Question obligeant le répondant à choisir entre diverses réponses prédéterminées (chap. 5).

Question ouverte (*open ended question*) Question où l'interrogé est libre de formuler sa réponse à sa guise (chap. 5).

Questionnaire (*questionnaire*) Document présentant une série de questions formalisées destinées à obtenir des informations de répondants, lors d'une enquête par sondage (chap. 5).

Ravissement (*rapture*) État de l'esprit transporté de joie, d'admiration (chap. 2).

Recensement (*census*) Inventaire ou dénombrement portant sur tous les individus qui composent la population sous étude (qu'il s'agisse d'êtres humains, d'établissements ou de marchandises) (chap. 5).

Réclamation (*complaint*) Action d'exiger le respect d'un engagement pris par une organisation. Réclamer une somme due, demander la livraison d'une commande dont la date prévue est dépassée, le remplacement d'un produit qui fonctionne mal ou sa réparation en vertu d'une garantie (chap. 10).

Rendement décroissant (*diminishing returns*) Principe selon lequel tout accroissement de rendement exige une augmentation plus que proportionnelle des ressources (chap. 6).

Réseau d'influence (*personal network, peer group*) Groupe social auquel un individu s'identifie en lui empruntant ses normes et ses valeurs. Groupe auquel une personne s'identifie sans y appartenir et qui sert de modèle à son comportement (chap. 2).

Rythme circadien (*circadian rythm*) Rythme des phénomènes biologiques cycliques qui se déroulent selon une périodicité de 20 à 24 heures (chap. 8).

Schéma d'entrevue (*discussion outline*) Document contenant la liste de tous les aspects du sujet devant être abordés et le genre d'informations à recueillir au cours de groupes de discussion ou d'entrevues individuelles en profondeur (chap. 5).

Script téléphonique (*telephone script*) Argumentaire de vente structuré de manière à réduire au minimum les résistances des clients (chap. 5).

Sécurité (*safety*) État d'esprit du client qui se sent à l'abri de dangers, de difficultés, d'aléas durant le processus de prestation d'un service (chap. 2). Situation dans laquelle l'ensemble des risques prévisibles est acceptable (chap. 8).

Segmentation (*segmentation*) Division d'un marché en groupes d'individus homogènes ou caractérisés par leur comportement d'achat (chap. 6).

Service à la clientèle (*customer service*) Service qui consiste à fournir un ensemble d'avantages aux clients (internes ou externes), généralement gratuitement et en supplément des produits offerts (chap. 1).

Service après-vente (*customer service*) Ensemble d'opérations de service effectuées par le fournisseur (généralement à ses frais) après la conclusion de la vente et dont l'objet est de faciliter au client l'usage, l'entretien et la réparation du bien qu'il a acheté (chap. 1).

Servuction (*marketing of services*) Commercialisation qui ne concerne pas les biens mais les services et qui accorde une grande place à la qualité perçue des services offerts (chap. 1).

SIMDUT (*WHMIS, Workplace Hazardous Material Information System*) Système d'information sur les matières dangereuses utilisées au travail visant à protéger la santé et la sécurité des travailleurs (chap. 8).

Sondage (*opinion poll*) Méthode d'enquête qui vise à déterminer la répartition des opinions sur une question dans une population donnée, par la collecte de réponses individuelles (chap. 5).

Statistique (*statistic*) Une branche des mathématiques qui utilise des nombres, des mesures et des graphiques et qui permet des généralisations d'un échantillon à un ensemble plus vaste, ce qui implique le recours à des techniques de collecte, de classification, de présentation et de traitement des données ainsi que des mesures par indicateurs définis rigoureusement et sans ambiguïté (chap. 5).

Stress (*stress*) Pression qu'exerce l'environnement sur un individu ; réaction d'un organisme à un excitant, à une agression, à un choc, à une contrainte ou à une émotion. Le trouble qui en résulte est dû à l'incapacité de l'individu à faire face aux besoins qui s'imposent (chap. 11).

Synchrone (*synchronous*) Qui se produit dans le même temps (chap. 7).

Syndrome d'épuisement professionnel (*burn-out*) État d'épuisement physique, émotionnel et intellectuel qui résulte du stress ressenti par un individu placé dans une situation où il devient incapable de répondre aux exigences de sa profession (chap. 11).

Synergie (*synergy*) Économie de moyens ou rendement supérieur résultant de la mise en commun de plusieurs actions concourant à un effet unique (chap. 1).

Système de réponse vocale interactif (*interactive voice response system*) Système qui permet, à partir d'un téléphone, d'établir une communication dans les deux sens entre un utilisateur et un serveur vocal (chap. 7).

Tableau croisé (*cross-tabulation*) Tableau donnant pour chaque combinaison de modalités ou valeurs, ou intervalles de classes de deux caractères, l'effectif ou la fréquence des unités observées qui correspondent à cette combinaison (chap. 5).

Tableau de bord (*dashboard*) Ensemble d'indicateurs, présentés sous forme de tableau, permettant aux gestionnaires de prendre connaissance de l'état et de l'évolution de l'entreprise ou d'un service (chap. 5).

Tâche (*task*) Travail déterminé qu'on doit exécuter et qui correspond généralement à une des divisions d'une activité (chap. 11).

Tâches répétitives (*repetitive tasks*) Partie des activités administratives consistant en une suite de travaux ou d'opérations simples, de même nature, aisément répertoriables et impliquant un certain automatisme ou une certaine routine (chap. 11).

Tangibilité (*tangibleness*) Caractère de ce qu'on peut percevoir par les sens, de ce qu'on peut constater, de ce qui est sensible, réel (chap. 2).

Télémarketing (*telemarketing*) Utilisation des techniques et des moyens de télécommunication au service de la mercatique (chap. 7).

Téléphonie sur IP (*telephony over Internet Protocol*) Ensemble des techniques qui, dans une entreprise ou un organisme, permettent de mettre en place des services téléphoniques sur un réseau utilisant le protocole IP (chap. 7).

Tendance (*trend*) Mouvement de longue durée affectant l'évolution d'un phénomène (chap. 6).

Tonie (*pitch*) Caractère de la sensation auditive lié à la fréquence des sons (chap. 9).

Troubles musculosquelettiques (*musculoskeletal disorders*) Ensemble d'atteintes douloureuses des muscles, des tendons et des nerfs (chap. 8).

Utilisation (*utilization*) Degré d'usage auquel l'équipement, l'espace ou le travail est soumis par rapport à sa capacité (chap. 6).

Valeurs personnelles (*personal values*) Ce que l'individu considère comme vrai, beau, bien, selon ses propres critères ou ceux de la société dans laquelle il vit, et qui sert de référence, de principes moraux ou de principes d'action (chap. 2).

Veille économique (*business intelligence*) Ensemble des activités liées à la recherche, au traitement et à la diffusion de renseignements utiles à l'entreprise en vue de leur exploitation (chap. 7).

Verbal (*verbal*) Qui se fait de vive voix (opposé à écrit). Qui concerne les mots représentant une chose, une idée, plutôt que la chose ou l'idée (chap. 9).

Zone de tolérance (*tolerance zone*) Intervalle à l'intérieur duquel un client résiste à des tensions psychologiques ou demeure courtois et objectif devant des comportements ou des croyances qu'il n'accepte pas (chap. 2).

SOURCES DES PHOTOGRAPHIES ET DES FIGURES

PAGES D'OUVERTURE DES CHAPITRES

Photo du centre: Larry Williams & Associates/Zefa/Corbis. *Photo de droite*: Owen Franken/Corbis.

CHAPITRE 1

Photo page 16: Gilbert Rock.

CHAPITRE 2

Photo page 29: Chuck Savage/Corbis. *Photo page 34*: Randy Faris/Corbis.

CHAPITRE 5

Figure 5-1: Gracieuseté de RONA. *Figure 5-2*: Capture d'écran reproduite avec l'autorisation de Microsoft Corporation. *Photo page 114*: Gracieuseté de Impact Recherche, Groupe Cossette Communication. *Photo page 117*: Larry Williams & Associates/Zefa/Corbis. *Figure 5-8*: Gracieuseté du Musée des Beaux-Arts de Montréal.

CHAPITRE 7

Figure 7-2: Capture d'écran reproduite avec l'autorisation de Microsoft Corporation.

CHAPITRE 8

Photo page 206: Ana Abejon/IStock.

CHAPITRE 9

Photos page 230: Emotions Revealed, © Paul Ekman 2003. *Photos page 235*: en haut, Kit Kittle/Corbis; en bas, Greg Nicholas/Istock. *Photos page 254*: rangée du haut, de gauche à droite: Marten Youssef/IStock, Shelly Perry/IStock, Kevin Russ/IStock, Paul Piebinga/IStock; rangée du bas, de gauche à droite: Daniel Lainé/Corbis, Suzanne Tucker/IStock, Elena Ray/IStock, Kristin Gerbert/zefa/Corbis.

CHAPITRE 10

Figure 10-4: Gracieuseté du CHSLD Cœur-du-Québec. *Photo page 279*: Tim Pannell/Corbis. *Photo page 285*: A. Inden/zefa/Corbis.

CHAPITRE 11

Figure 11-4: Cette saisie d'écran d'un logiciel de Microsoft est reproduite avec la permission de Microsoft Corporation.

INDEX

La lettre f *signale un renvoi à une figure ; la lettre* t *signale un renvoi à un tableau.*